対応

The Best Guide to Microsoft Outlook
for Beginners and Learners.

一冊に凝縮

Outlook 2019 やさしい教科書

わかりやすさに
自信があります!

橋本 和則

SB Creative

本書の掲載内容

本書は、2021年1月20日の情報に基づき、Outlook 2019の操作方法について解説しています。また、本書ではWindows対応のパッケージ版Outlook 2019の画面を用いて解説しています。ご利用のOutlookのOSのバージョン・種類によっては、項目の位置・アイコンの柄・操作などに若干の差異がある場合があります。あらかじめご了承ください。

本書に関するお問い合わせ

この度は小社書籍をご購入いただき誠にありがとうございます。小社では本書の内容に関するご質問を受け付けております。本書を読み進めていただきます中でご不明な箇所がございましたらお問い合わせください。なお、ご質問の前に小社Webサイトで「正誤表」をご確認ください。最新の正誤情報を下記のWebページに掲載しております。

本書サポートページ https://isbn2.sbcr.jp/07258/

上記ページに記載の「正誤情報」のリンクをクリックしてください。
なお、正誤情報がない場合、リンクをクリックすることはできません。

ご質問送付先

ご質問については下記のいずれかの方法をご利用ください。

Webページより

上記のサポートページ内にある「お問い合わせ」をクリックしていただき、ページ内の「書籍の内容について」をクリックするとメールフォームが開きます。要綱に従ってご質問をご記入の上、送信してください。

郵送

郵送の場合は下記までお願いいたします。

〒106-0032
東京都港区六本木2-4-5
SBクリエイティブ　読者サポート係

はじめに

Outlook 2019はOfficeに含まれるアプリのひとつであり、「メール」「連絡先」「予定表」「タスク」「メモ」などを管理することができます。

「メール」においては任意のアカウントのメールを送受信できることはもちろん、メールの検索・整理・分類機能に優れ、過去のメールをすばやく検索して表示することや、フラグを付けて作業としてタスク管理すること、任意のメールを分類して色分けすることができます。ほかにも、「仕分けルール」を利用して特定のメールを指定のフォルダーに移動したり、表示上で目立たせたりなどの自動処理を行うことも可能です。

また、メール作成・送信においても優れた機能を有し、「署名」を複数作成したうえで選択して挿入することや、「クイックパーツ」を利用してすばやく定型文を挿入すること、また指定日時以降のメール送信や、「自動応答」を利用して不在時に自動的に返信メールを送信することなども可能です。

「連絡先」では、連絡先情報を管理できるほか、登録した連絡先を利用してメール作成や会議通知などを行うことができます。「予定表」では予定（イベント）の管理を行うことが可能で、定期的な予定を作成することや、必要なタイミングで予定通知を行うことなどができます。そして「タスク」では、作業の進捗状況を管理することができます。

本書では、基本を中心にできるだけわかりやすく丁寧な解説に努めています。Outlook 2019は多機能で、かつ、メールや予定など多種多様な管理が可能なアプリです。まずは自分の業務に必要な機能のみ覚える形で構いませんが、Memo・Hint・ショートカットキーなどにはきっと「ああ、そんなこともできるんだ」という発見があるかと思います。

本書が、メール送受信や予定管理などの業務に必要な機能を知る一助になり、スムーズに操作できるきっかけとなれば幸いです。

2021年1月

橋本和則

本書の使い方

- 本書では、Outlook 2019をこれから使う人を対象に、メール送受信の基本から、メールの作成・管理を効率的に行う方法、予定表やタスクといった業務の管理に便利な機能の使いこなしまで、画面をふんだんに使用して、とにかく丁寧に解説しています。
- Outlook 2019が備える多彩な機能を網羅的に幅広く、わかりやすい操作手順で紹介しています。ページをパラパラとめくって、自分の業務に必要な機能を見つけてください。
- 本編以外にも、MemoやHintなどの関連情報やショートカットキー一覧、用語集など、さまざまな情報を多数掲載しています。お手元に置いて、必要なときに参照してください。

紙面の構成

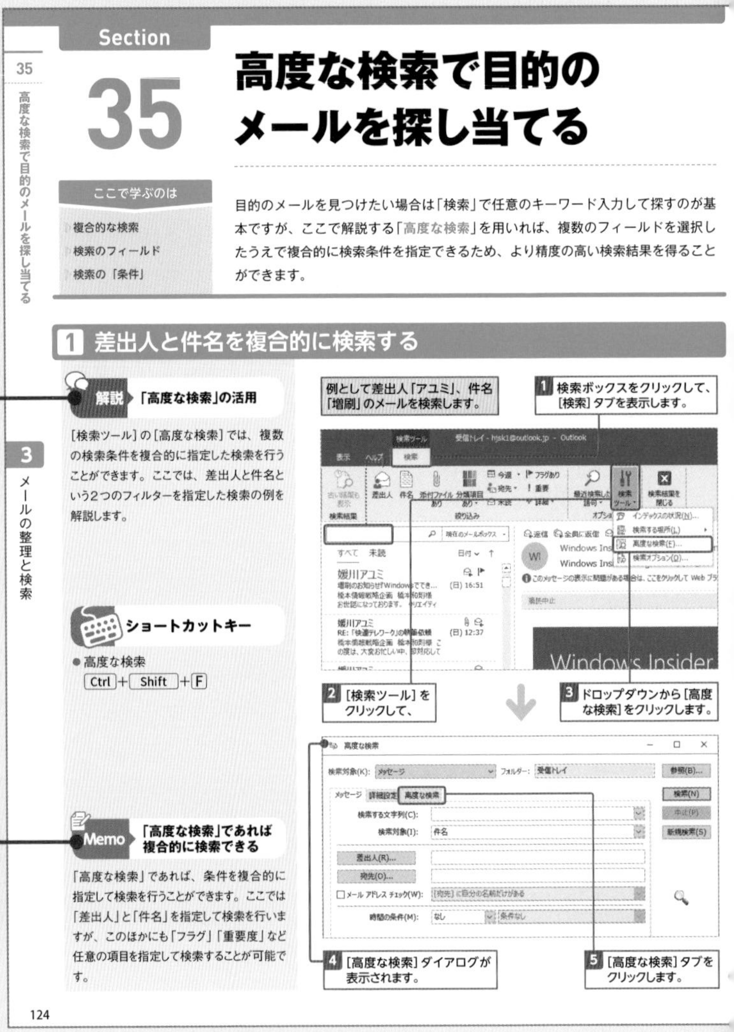

Section 35

35 高度な検索で目的のメールを探し当てる

高度な検索で目的のメールを探し当てる

ここで学ぶのは
- 複合的な検索
- 検索のフィールド
- 検索の「条件」

目的のメールを見つけたい場合は「検索」で任意のキーワード入力して探すのが基本ですが、ここで解説する「高度な検索」を用いれば、複数のフィールドを選択したうえで複合的に検索条件を指定できるため、より精度の高い検索結果を得ることができます。

3 メールの整理と検索

1 差出人と件名を複合的に検索する

解説 「高度な検索」の活用

[検索ツール]の[高度な検索]では、複数の検索条件を複合的に指定した検索を行うことができます。ここでは、差出人と件名という2つのフィルターを指定した検索の例を解説します。

ショートカットキー

- 高度な検索
  Ctrl + Shift + F

Memo 「高度な検索」であれば複合的に検索できる

「高度な検索」であれば、条件を複合的に指定して検索を行うことができます。ここでは「差出人」と「件名」を指定して検索を行いますが、このほかにも「フラグ」「重要度」など任意の項目を指定して検索することが可能です。

例として差出人「アユミ」、件名「増刷」のメールを検索します。

1 検索ボックスをクリックして、[検索]タブを表示します。

2 [検索ツール]をクリックして、

3 ドロップダウンから[高度な検索]をクリックします。

4 [高度な検索]ダイアログが表示されます。

5 [高度な検索]タブをクリックします。

124

解説

各項目の操作の内容を解説しています。操作手順の画面とあわせてお読みください。

Memo

セクションで解説している機能・操作に関連する知識を掲載しています。

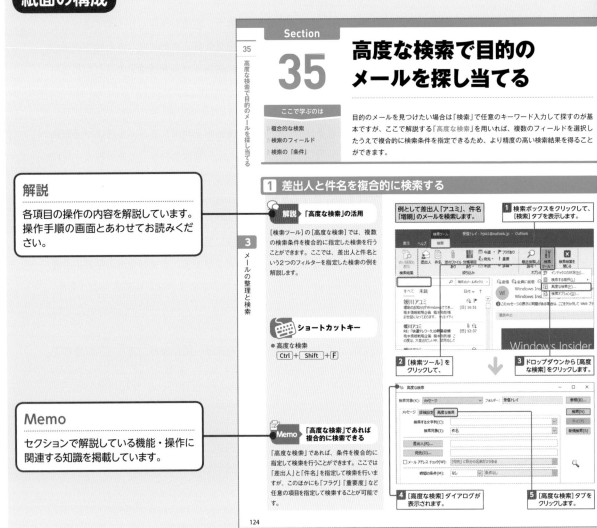

効率よく学習を進める方法

1 まずは全体をながめる	第１章でOutlook 2019全体の基本をマスターできます。また、第２章～第５章で「メール」、第６章～第８章で「連絡先」「予定表」「タスク」「メモ」の使い方をマスターできます。まずは全体をざっと眺めて、Outlook 2019がどのような機能を備えているかを確認しましょう。
2 実際にやってみる	気になった項目は、紙面を見ながら操作手順を実行してみましょう。本書ではOutlookでできることや、仕事の効率化につながるテクニックを多数掲載しています。実際に試して、自分に合ったワザを取り入れてください。
3 リファレンスとして活用	一通り学習し終わった後も、本書を手元に置いてリファレンスとしてご活用ください。MemoやHintなどの関連情報もステップアップにお役立てください。

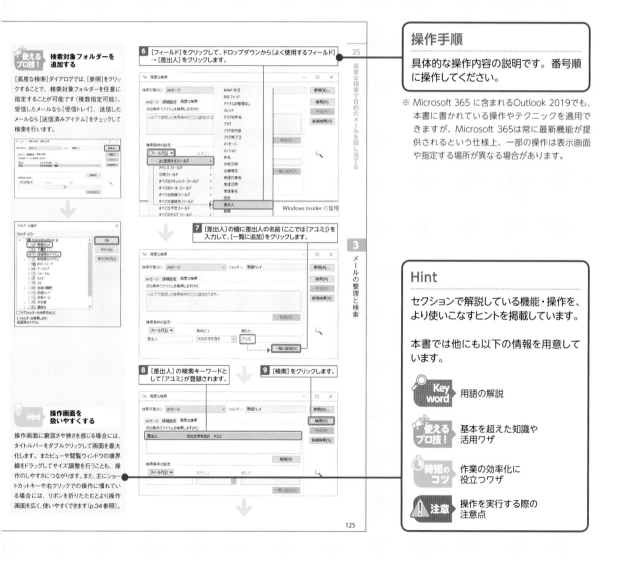

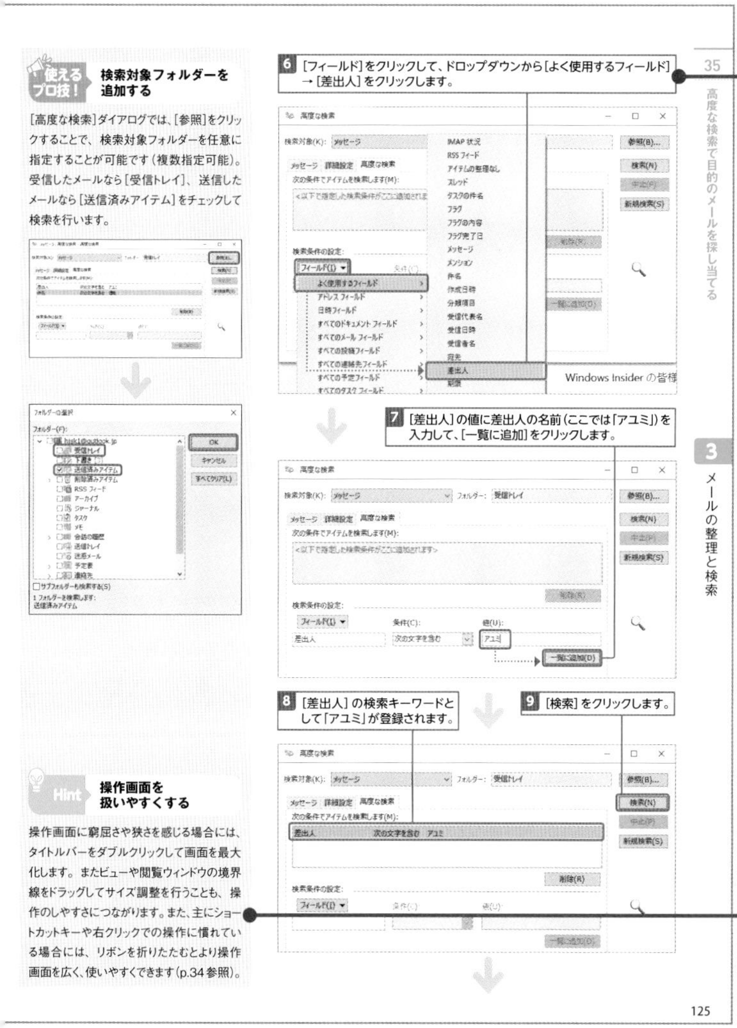

使える プロ技！ 検索対象フォルダーを追加する
[高度な検索]ダイアログでは、[参照]をクリックすることで、検索対象フォルダーを任意に指定することが可能です（複数指定可能）。受信したメールなら[受信トレイ]、送信したメールなら[送信済みアイテム]をチェックして検索を行います。
6 [フィールド]をクリックして、ドロップダウンから[よく使用するフィールド]→[差出人]をクリックします。
7 [差出人]の値に差出人の名前（ここでは「アユミ」）を入力して、[一覧に追加]をクリックします。
8 [差出人]の検索キーワードとして「アユミ」が登録されます。
9 [検索]をクリックします。
Hint 操作画面を扱いやすくする
操作画面に窮屈さや狭さを感じる場合には、タイトルバーをダブルクリックして画面を最大化します。またビューや閲覧ウィンドウの境界線をドラッグしてサイズ調整を行うことも、操作のしやすさにつながります。また、主にショートカットキーや右クリックでの操作に慣れている場合には、リボンを折りたたむとより操作画面を広く、使いやすくできます（p.34 参照）。
35 高度な検索で目的のメールを探し当てる
3 メールの整理と検索
125

操作手順

具体的な操作内容の説明です。番号順に操作してください。

※ Microsoft 365 に含まれるOutlook 2019でも、本書に書かれている操作やテクニックを適用できますが、Microsoft 365は常に最新機能が提供されるという仕様上、一部の操作は表示画面や指定する場所が異なる場合があります。

Hint

セクションで解説している機能・操作を、より使いこなすヒントを掲載しています。

本書では他にも以下の情報を用意しています。

- Key word　用語の解説
- 使える プロ技！　基本を超えた知識や活用ワザ
- 時短の コツ　作業の効率化に役立つワザ
- 注意　操作を実行する際の注意点

マウス／タッチパッドの操作

クリック

画面上のものやメニューを選択したり、ボタンをクリックしたりするときに使います。

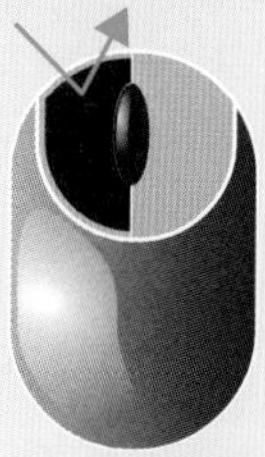

左ボタンを 1 回押します。

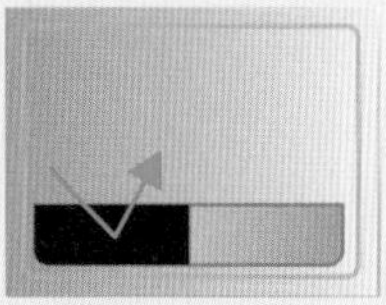

左ボタンを 1 回押します。

右クリック

操作可能なメニューを表示するときに使います。

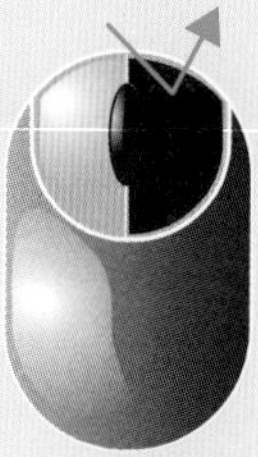

右ボタンを 1 回押します。

右ボタンを 1 回押します。

ダブルクリック

ファイルやフォルダーを開いたり、アプリを起動したりするときに使います。

左ボタンを素早く 2 回押します。

左ボタンを素早く 2 回押します。

ドラッグ

画面上のものを移動するときに使います。

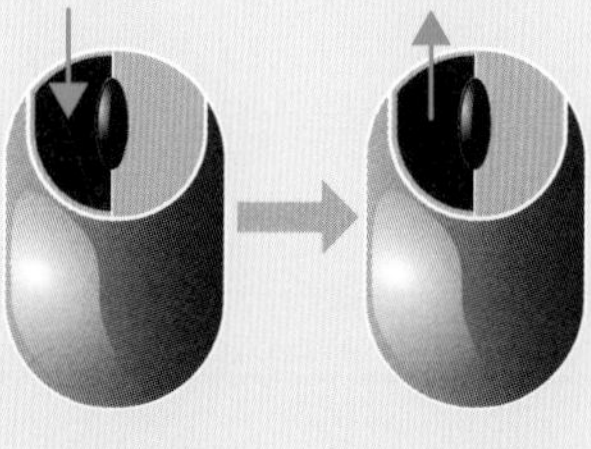

左ボタンを押したままマウスを移動し、移動先で左ボタンを離します。

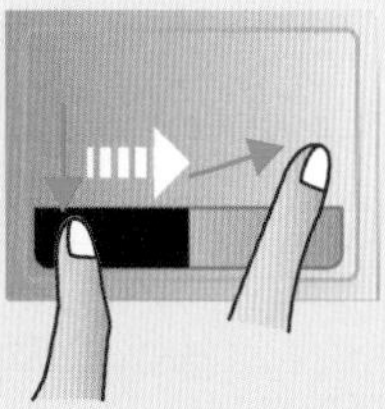

左ボタンを押したままタッチパッドを指でなぞり、移動先で左ボタンを離します。

よく使うキー

Esc（エスケープ）キー
操作を取り消すときに使います。

半角 / 全角キー
日本語入力モードと半角英数モードを切り替えます。

BackSpace（バックスペース）キー
カーソルの左側の文字を削除します。

Delete（デリート）キー
カーソルの右側の文字を削除します。

テンキー
電卓のように数字や演算記号が集まったキーです。

Shift（シフト）キー
他のキーと組み合わせて使います。

スペースキー
空白の入力や漢字への変換に使います。

Enter（エンター）キー
文字の確定や改行入力で使います。

カーソルキー
カーソルを上下左右に移動します。

Ctrl（コントロール）キー
他のキーと組み合わせて使います。

ショートカットキー　複数のキーを組み合わせて押すことで、特定の操作をすばやく実行することができます。本書中では [○○] + [△△] キーや [○○] → [△△] キーのように表記しています。

▶ [Ctrl] + [A] キーという表記の場合

2 つのキーを同時に押します。

▶ [Alt] → [F] → [T] キーという表記の場合

キーを順番に押します。

CONTENTS

第1章

Outlook 2019の基本操作を知る

この章では、Outlook 2019の画面構成や起動や終了、リボン操作やアカウント登録などの基本操作について解説します。

Section 01

Outlook 2019でできること

ここで学ぶのは
- メール
- 連絡先
- 予定表とタスク

Outlook 2019は「メール」を管理できるアプリであり、ほかにも「連絡先」「予定表」「タスク」「メモ」などを管理することができる優れたアプリです。
ここでは、Outlook 2019の各機能の概要とできることを確認しましょう。

1 Outlook 2019の「メール」

Outlook 2019の「メール」では、送受信したメールを管理できることはもちろん、設定に従ってメールを自動的にフォルダーに振り分けることや、「フラグ」でメール作業を管理すること、「分類」で色分けしてわかりやすく管理することなどができます。
また、メールの本文作成においては、よく使う文言を登録することで定型文をすばやく挿入したり、複数の署名から場面に応じたフッターの挿入、任意のファイルの添付、本文に画像や表を挿入することなどができます。
このほか、「指定日時送信」や不在時の「自動返信」など、さまざまな機能があります。
「メール」の詳しい機能や操作などの活用については第2章～第5章を参照してください。

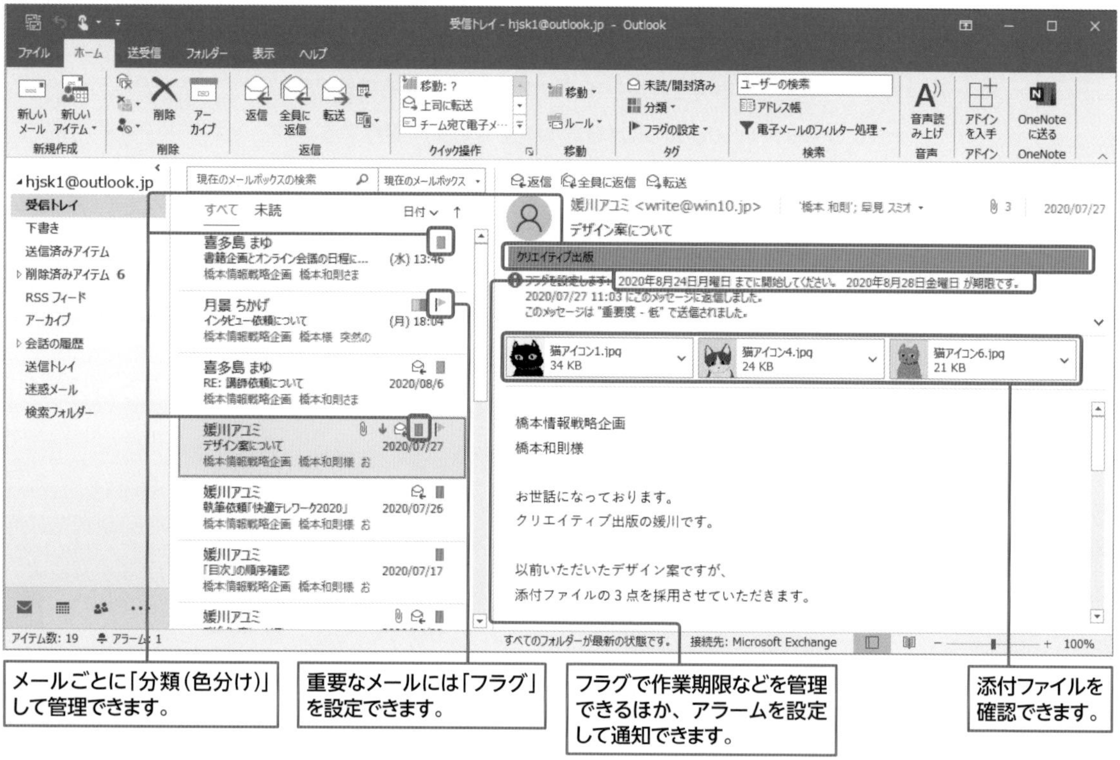
メールごとに「分類(色分け)」して管理できます。
重要なメールには「フラグ」を設定できます。
フラグで作業期限などを管理できるほか、アラームを設定して通知できます。
添付ファイルを確認できます。

2 Outlook 2019の「連絡先」

連絡先をまとめて管理できるほか、グループを作成してメールの一括送信や会議通知を行うことができます。

Outlook 2019の「連絡先」では、任意の連絡先情報を管理できます。連絡先情報として姓名·メールアドレス·電話番号・勤務先・勤務先住所などの基本情報のほか、自宅住所やセカンドメールアドレスなども管理できます。

連絡先の情報は「メール」に活用できることはもちろん、連絡先グループを作成してメンバー全員に同じメールを送信することや、一括で会議出席依頼を送ることなどもできます。

「連絡先」の詳しい機能や操作などの活用については第6章を参照してください。

3 Outlook 2019の「予定表」

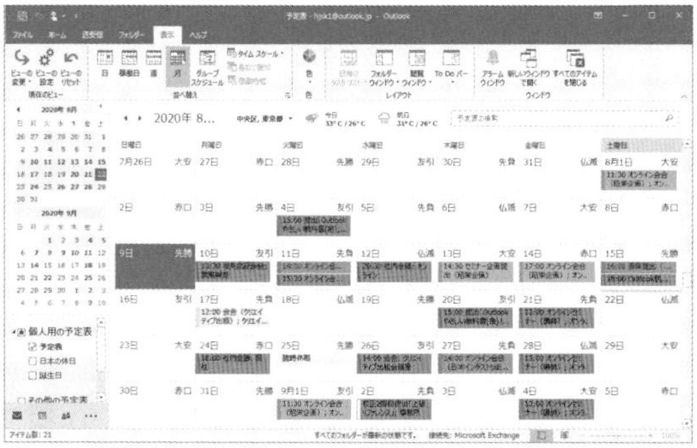

予定を管理して、必要に応じて分類やアラームなどを設定できます。

Outlook 2019の「予定表」では、任意の予定(イベント)を管理できます。任意の日時に予定を作成できるほか、時間帯で予定を表示して確認すること、また予定に対してアラームを設定して、指定された時間にアラーム通知を行うことなどができます。

また、定期的な予定の作成も可能で、例えば「毎月月末の木曜日に○○をスケジュールとして設定する」といった設定もできます。

「予定表」の詳しい機能や操作などの活用については第7章を参照してください。

4 Outlook 2019の「タスク」

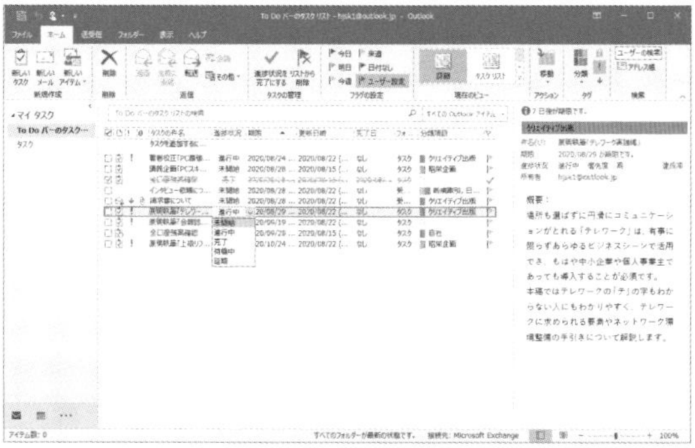

タスクの進捗状況や期限を一覧で管理できます。

Outlook 2019の「タスク」では、任意のタスクを管理できます。タスクでは「進捗状況」や「期限」を管理でき、中長期的なスケジュールを管理するのに向いています。

また、作業が完了したタスクは「進捗状況を完了にする」ことができ、未達成のタスクのみを一覧表示にして、この後にどの作業を行うべきかなどを管理できます。

「タスク」の詳しい機能や操作などの活用については第8章を参照してください。

Section 02

Outlook 2019を起動／終了する

ここで学ぶのは

- 起動
- タスクバーにピン留め
- 終了

Outlook 2019を起動してみましょう。Outlook 2019をすでに利用していてアカウントを登録している場合には、メールの送受信などの操作を行うことができます。また、初めて起動する場合にはアカウントの登録を行い、Outlook 2019でメールなどを扱えるようにセットアップする必要があります（p.38参照）。

1 Outlook 2019を起動する

解説 Outlook 2019の起動

Outlook 2019を起動する方法には、[スタート] メニュー項目から [Outlook] を選択して起動する方法と、タスクバーにOutlook 2019をピン留めしておいて、タスクバーアイコンから起動する方法があります。

ショートカットキー

- [スタート] メニューの表示
  [Windows]

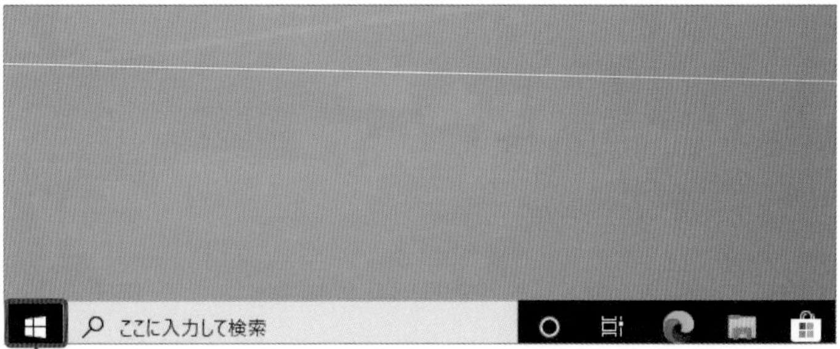

1 [スタート] ボタンをクリックします。

2 [スタート] メニューが表示されます。

3 [スタート] メニュー項目を [O] 欄までスクロールして、[Outlook] をクリックします。

時短のコツ　Outlook 2019 をすばやく起動する

Windows 10では［スタート］メニューで「検索」機能を使用できます。［⊞］キーを押して、Outlookの頭文字である「O」を入力すると、検索結果に［Outlook］が表示されるので、この検索結果をクリックすれば、Outlook 2019をすばやく起動できます。

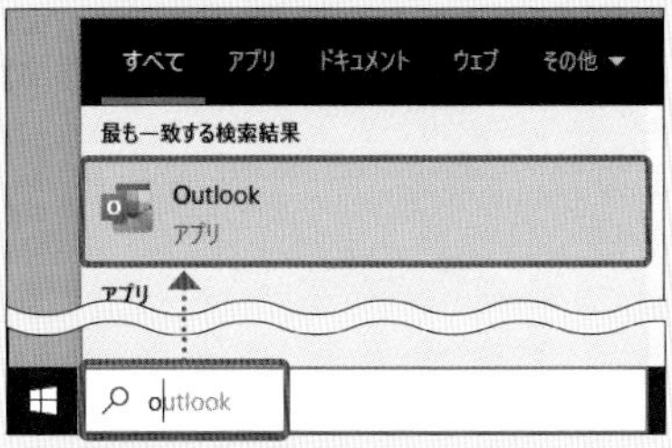

Memo　メールアドレス入力画面が表示されたら

Outlook 2019でメール送受信などの管理を行うには、アカウントの登録が必要になります。アカウントの登録手順はp.38を参照してください。

4 Outlook 2019が起動します。

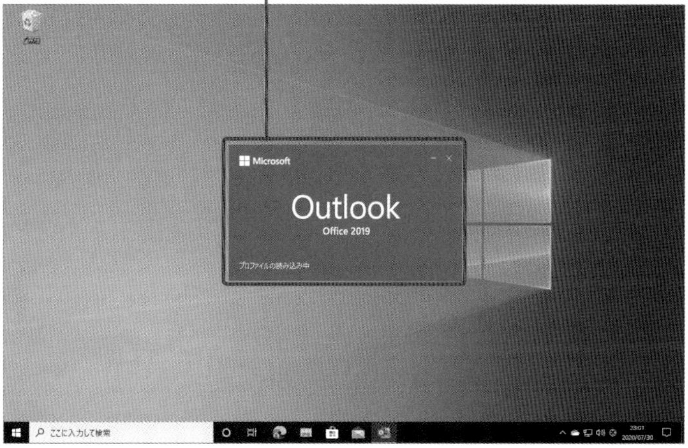

5 自動的に「メール」画面が表示されます。

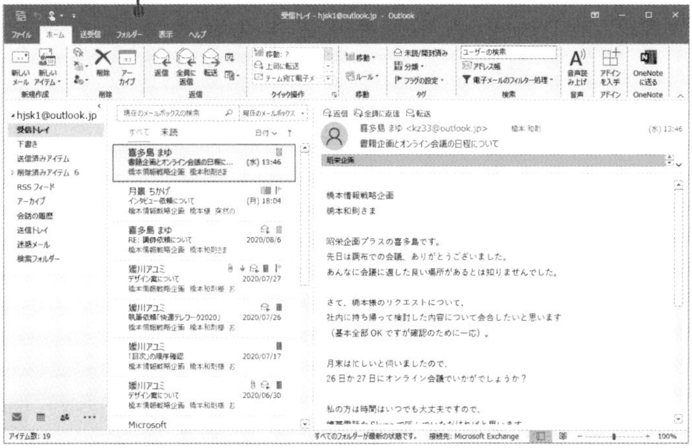

2 Outlook 2019 を簡単に起動できるようにする

解説　タスクバーアイコンから起動する

Outlook 2019をタスクバーにピン留めすると、以後はタスクバーアイコンをクリックするだけでOutlook 2019を起動できるようになります。タスクバーにピン留めする方法はいくつかありますが、ここではOutlook 2019を起動した状態から操作します。

Outlook 2019をあらかじめ起動しておきます。

1 タスクバーの［Outlook］アイコンを右クリックして、

時短のコツ Outlook 2019をすばやく起動する

タスクバーの［Outlook］アイコンは、未起動状態からショートカットキー⊞＋「表示順序の数字」キーですぐに起動できます。下図では3番目に［Outlook］アイコンがあるため、⊞＋3キーでOutlook 2019を起動できます。

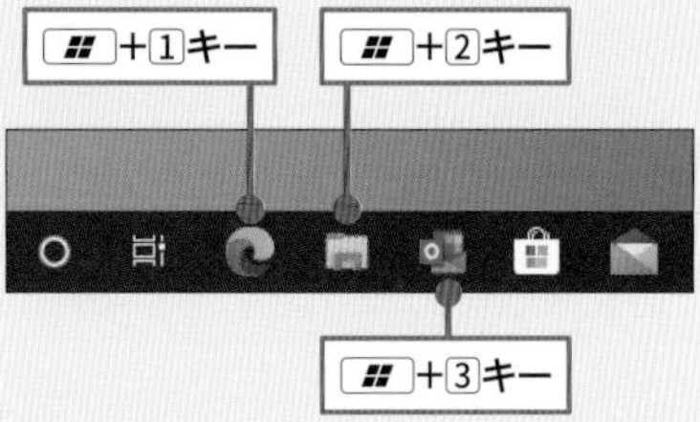

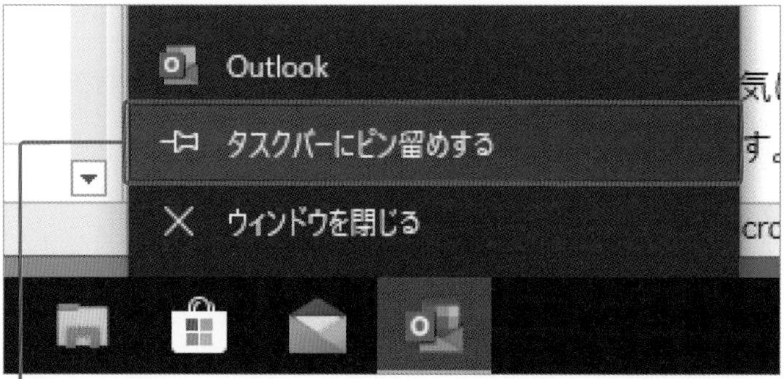

2 ジャンプリストから［タスクバーにピン留めする］をクリックします。

3 以後、タスクバーの［Outlook］アイコンをクリックするだけでOutlook 2019を起動できます。

4 タスクバーアイコンをドラッグして、好きな場所に移動しておきましょう。

Hint タスクバーアイコンでわかるOutlook 2019の状態

タスクバーアイコンではOutlook 2019の状態を把握できます。「未起動状態」では下線が表示されず、「起動状態」では下線が表示されます。また「アクティブ状態（現在の操作対象がOutlook 2019）」の場合には、アイコン表示が白濁になります。

● 未起動状態

● 起動状態

● アクティブ状態

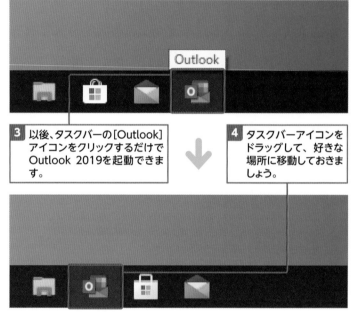

3 Outlook 2019を終了する

解説 Outlook 2019の終了

Outlook 2019を終了する方法は、画面右上の［閉じる］をクリックして終了するウィンドウ操作による方法と、タスクバーアイコンのショートカットメニューから終了する方法があります。

Memo タスクバーアイコンから終了する

タスクバーの［Outlook］アイコンを右クリックして、ジャンプリストから［ウィンドウを閉じる］をクリックしても、Outlook 2019を終了できます。

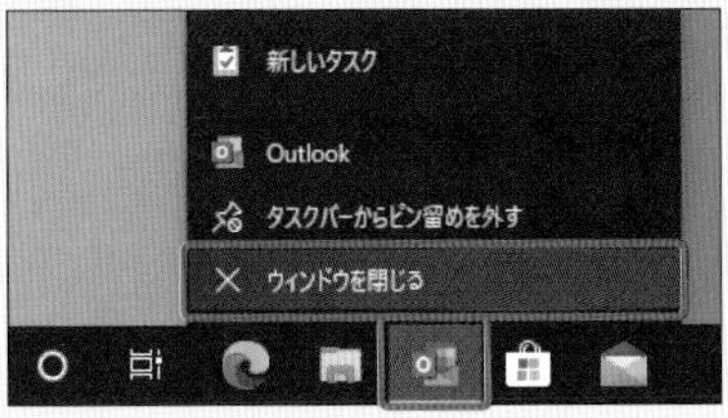

ショートカットキー

- Outlook 2019の終了（アクティブ状態から）
  Alt ＋ F4

1 Outlook 2019画面のタイトルバーの右端にある［閉じる］をクリックします。

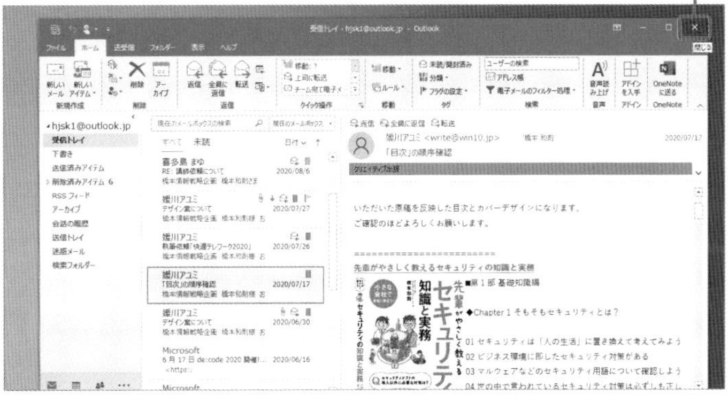

2 Outlook 2019が終了します。

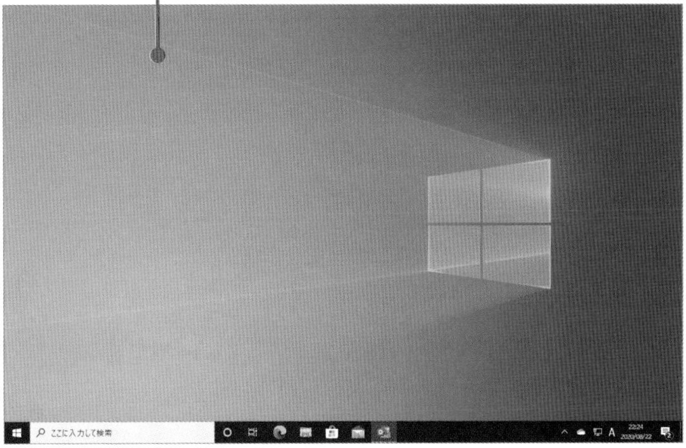

Hint 複数起動したOutlook 2019を一括で終了する

Outlook 2019は複数起動して活用することが可能ですが（p.176参照）、すべてのOutlook 2019を一括終了したい場合には、タスクバーの［Outlook］アイコンを右クリックして、ジャンプリストから［すべてのウィンドウを閉じる］をクリックします。
デスクトップに散在するOutlook 2019のすべてを一括で終了できるので便利です。

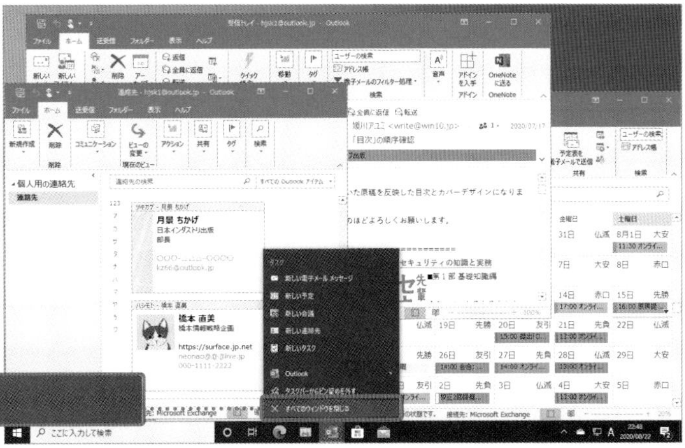

Section 03

Outlook 2019の画面構成

ここで学ぶのは

- 画面構成
- ウィンドウ
- ナビゲーションバー

Outlook 2019の基本の画面構成を確認しましょう。各部位名称は本書の解説の中でも紹介するので、ここですべてを覚える必要はありません。なお、Outlookのバージョンやアプリ構成などによっては、表示の詳細は異なることがあります。

1 Outlook 2019 の画面構成（共通部分）

Outlook 2019の画面構成は以下のようになります。なお、「メール」「連絡先」「予定表」「タスク」によって詳細な表示は異なりますが、ここでは共通の画面構成部位について解説します。なお、ここではOffice 2019の画面で説明しています。Microsoft 365の画面との違いについては、p.42を参照してください。

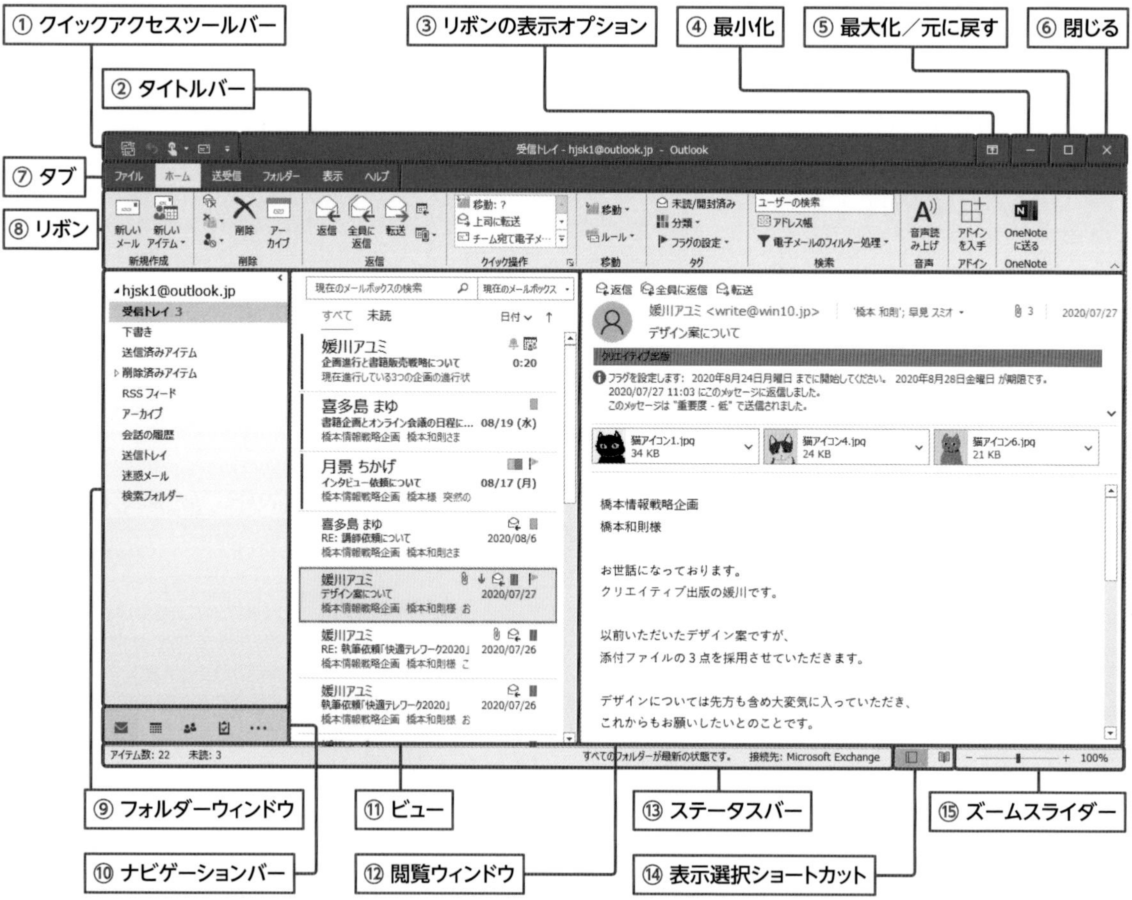

名称	機能
① クイックアクセスツールバー	よく使うコマンドのボタンを登録しておく場所。任意にリボンコマンドを追加することもできる
② タイトルバー	現在表示しているフォルダーやアカウント名が確認できる
③ リボンの表示オプション	リボンの表示／非表示や自動的に非表示にすることなどを設定できる
④ 最小化	ウィンドウをタスクバーに収納して、デスクトップ上で非表示にする。Outlook 2019のタスクバーアイコンをクリックすれば、元の表示を復元できる
⑤ 最大化／元に戻す	ウィンドウの大きさをデスクトップいっぱいに最大化する。なお、最大化してから再び同じ位置をクリックすると元のウィンドウサイズに戻る
⑥ 閉じる	Outlook 2019を終了できる
⑦ タブ	リボンを切り替えることができる。なお、タブの表示は操作場面などの状況によって変わる
⑧ リボン	Outlook 2019のさまざまな操作を行うためのボタンがまとめて配置されている
⑨ フォルダーウィンドウ	操作対象を表示して切り替えることができる
⑩ ナビゲーションバー	「メール」「連絡先」「予定表」「タスク」などに切り替えることができる
⑪ ビュー	「メール」「連絡先」「予定」「タスク」の一覧を表示できる
⑫ 閲覧ウィンドウ	ビューで選択した内容の詳細を確認できる
⑬ ステータスバー	アイテム数や未読数や送受信状態、接続先などの情報を確認できる
⑭ 表示選択ショートカット	Outlook 2019の表示を変更できる
⑮ ズームスライダー	閲覧ウィンドウの中の表示拡大率を変更できる

2 ナビゲーションバーで表示を切り替える

任意に画面表示を切り替えたい場合は、ナビゲーションバーから[メール][連絡先][予定表][タスク]をクリックします。任意の画面表示に切り替えることができます。

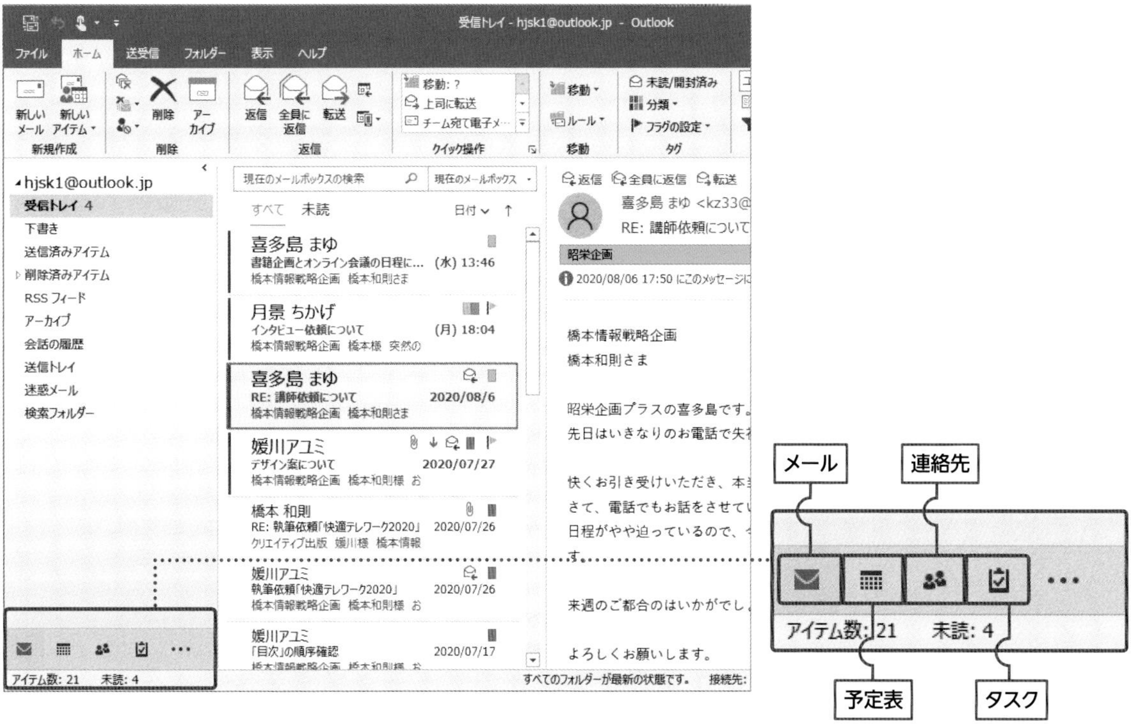

Section

04 リボンを利用して Outlook 2019を操作する

ここで学ぶのは

- タブの切り替え
- リボンの折りたたみ
- リボン表示の固定

各種操作や機能の呼び出しを行うには、「リボン」に配置されているリボンコマンドを活用します。リボンは折りたたんで操作画面を広くとることや、ピン留めして固定表示できるため、自分にとって使いやすい表示スタイルを選択することが可能です。

1 Outlook 2019 のリボン

Outlook 2019では[ホーム][送受信][フォルダー][表示][ヘルプ]などのタブがあります。各タブにはリボンコマンドがまとめられており、このまとめられた部分を「リボン」と呼びます。
ここでは、「メール」の場合を例に、各タブのリボンコマンドを見てみましょう。

◉ [ホーム]タブ(メール)

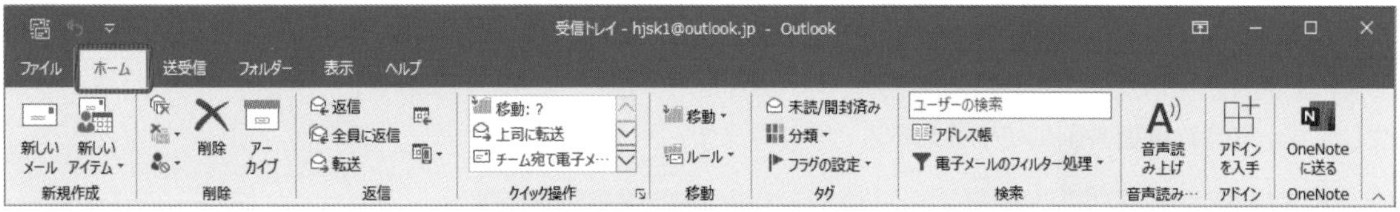

新しいメールの作成や返信、メールの削除、メールタグとして「分類」「フラグ」を付けるなど、メールに対する基本的な操作が行える。

◉ [送受信]タブ(メール)

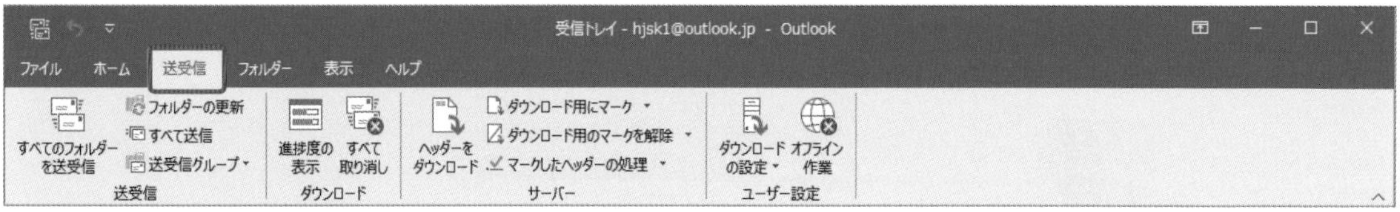

メールの送受信や送受信の進捗度表示などが行える。

◉ [フォルダー]タブ(メール)

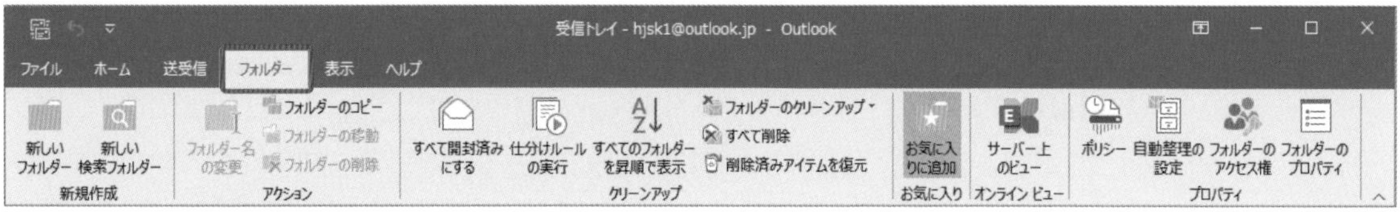

新しいフォルダーを作成することや、お気に入りの操作、フォルダーのクリーンアップなどが行える。

◉ [表示] タブ(メール)

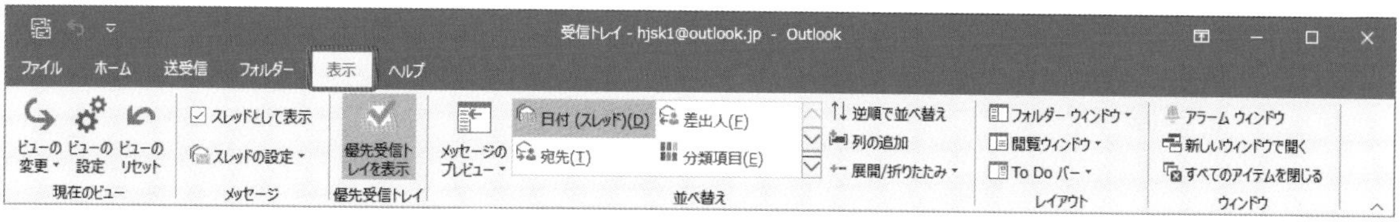

ビュー表示の変更や、スレッド表示の有無、優先受信トレイの表示の有無や、並べ替えの任意設定などが行える。

◉ [ヘルプ] タブ(メール)

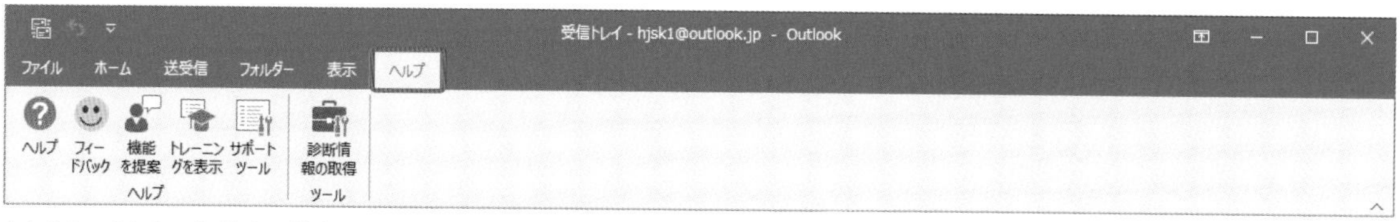

わからないことをヘルプとして検索することや、トレーニングが行える。

2 リボンを切り替える

リボンは「タブ」をクリックして切り替えます。操作の内容によっては自動的にリボンが表示されて切り替わることもあります。例えば「検索」を実行した際には、自動的に [検索] タブに切り替わります。

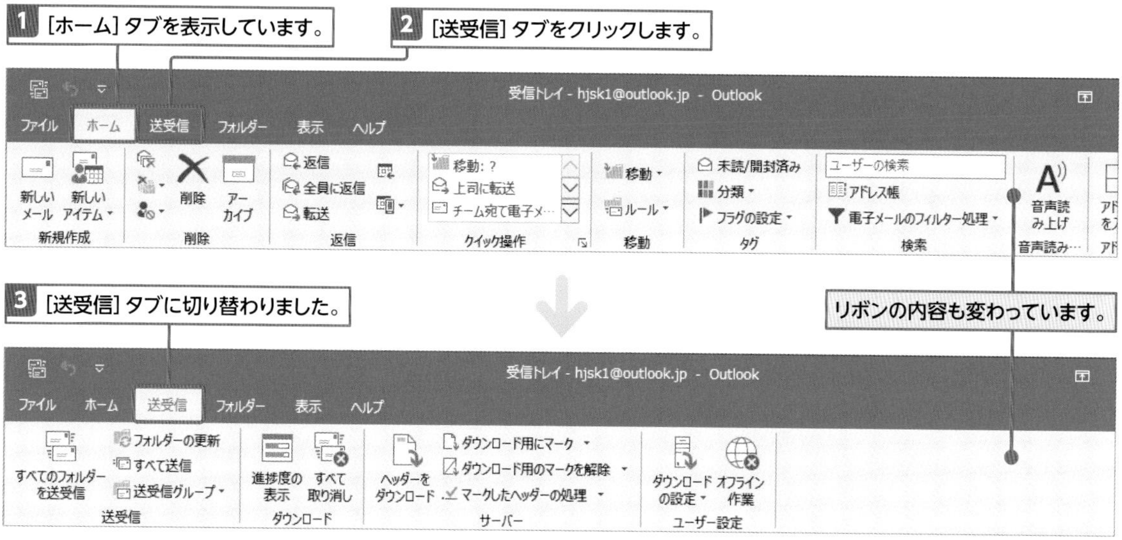

Hint リボンのタブは状況により追加される

Outlook 2019の操作によってはあらかじめ表示されていないリボンの「タブ」が追加で表示されることがあります。例えば、「検索ボックス」をクリックすると、いつもは表示されていない [検索] タブが追加され、詳細な検索を行うことができます(p.120参照)。

3 リボンを折りたたみ表示にする

使えるプロ技！ 慣れてきたら表示しておく必要はない

リボンを折りたたんだ状態でも、タブをクリックすればリボンコマンドは表示できます。そのため、操作に慣れてきたらリボンを非表示にして、ビューや閲覧ウィンドウでより多くの情報を表示しながら操作をするのもひとつの手です。また、リボンコマンドのショートカットキーを覚えてしまえば、さらにすばやく操作することが可能になります。

1 [リボンを折りたたむ] をクリックします。

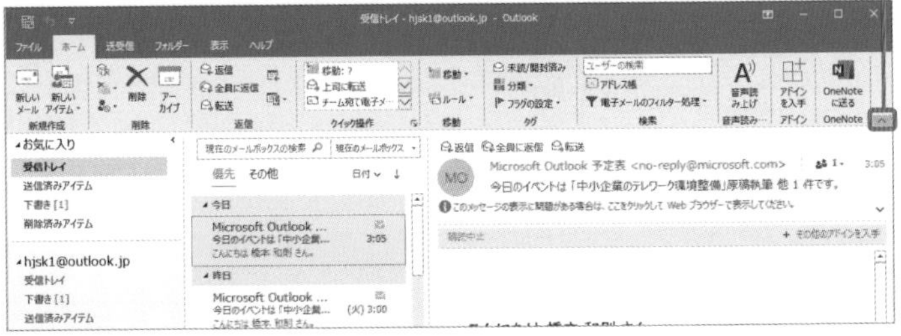

2 リボンが非表示になります。

3 リボンを折りたたんだ状態では、ビューや閲覧ウィンドウでより多くの情報を確認することができます。

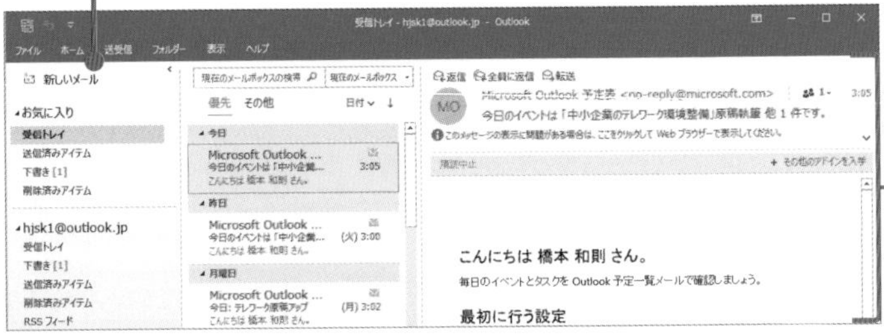

4 任意のタブをクリックします。

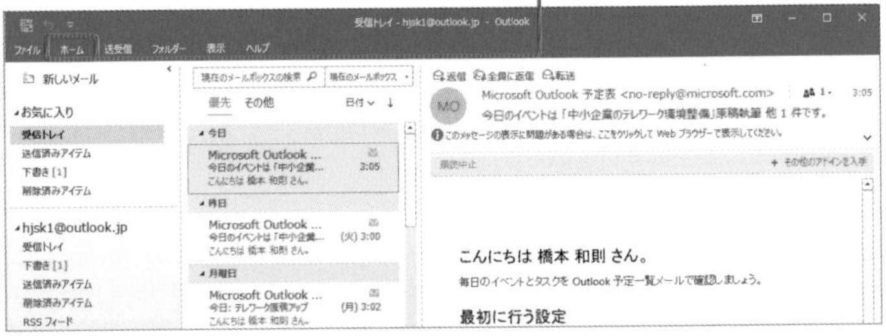

5 リボンが表示されます。リボンはビューや閲覧ウィンドウを覆う形で表示されます。

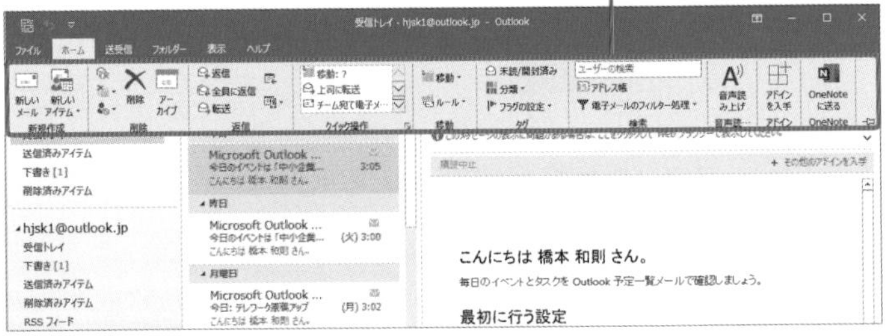

6 リボンコマンドを実行した後に自動的にリボンが折りたたまれます。

Hint リボンコマンドの詳細がわからない場合

Outlook 2019では一部のリボンコマンド名がリボン内に表示されていませんが、マウスポインターを該当のリボンコマンドの上に合わせると（クリックする必要はありません）、コマンド名と詳細を知ることができます。

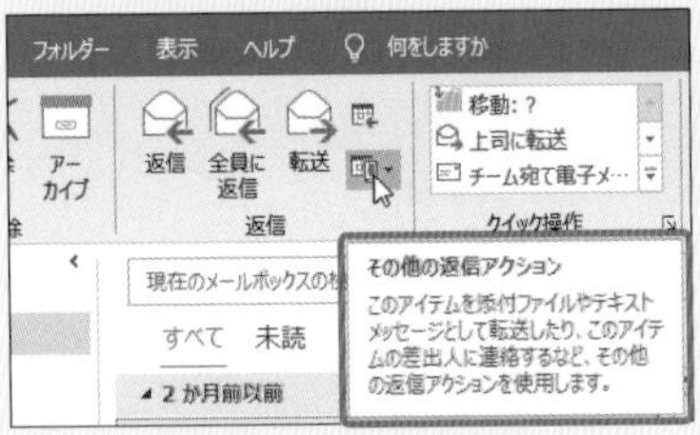

4 リボン表示を固定する

時短のコツ リボンの折りたたみ／固定の切り替え

リボンの折りたたみ／固定の切り替えをすばやく行いたい場合は、ショートカットキー Ctrl ＋ F1 キーを入力します。入力するごとにリボンの折りたたみ／固定を切り替えることができます。

リボンを折りたたんだうえで、任意のタブをクリックして、リボンコマンドを表示しておきます。

1 ［リボンの固定］をクリックします。

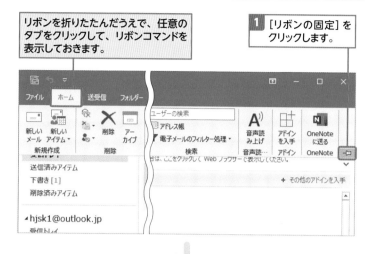

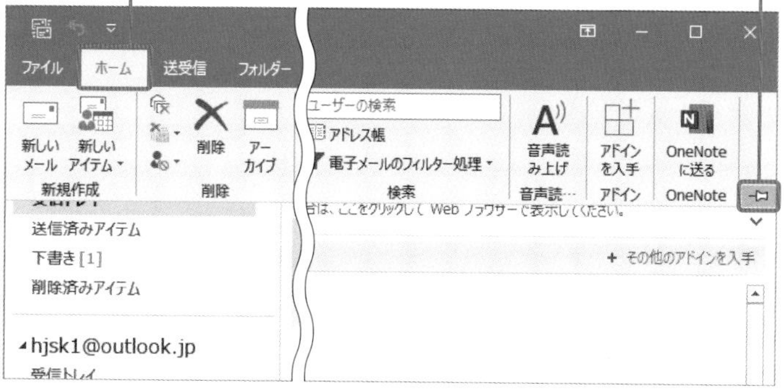

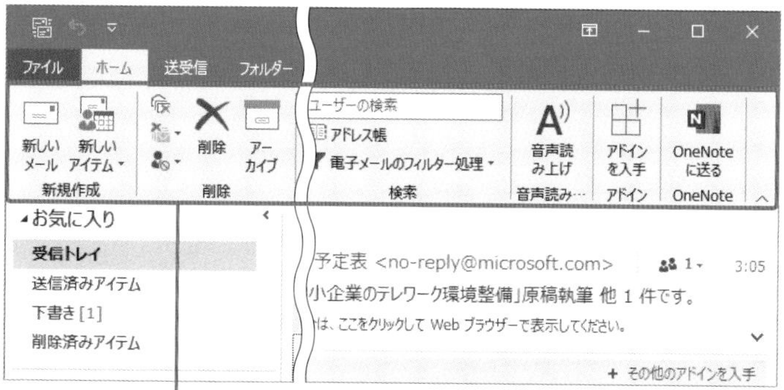

2 リボンを表示したままにすることができます。

3 リボンコマンドを実行しても、リボンは自動的に折りたたまれなくなります。

ショートカットキー

● リボンの折りたたみ／固定
Ctrl ＋ F1

Hint Outlook 2019 の表示サイズによってリボンコマンドの表示は変わる

リボンコマンドはOutlook 2019の表示サイズやWindows 10のデスクトップのサイズ・拡大率によって、表示が変わります。Outlook 2019の横幅が狭い（ウィンドウサイズが小さい）場合、優先順位の低いリボンコマンドはまとめられた形で表示されます。

Outlook 2019画面の横幅が狭いと、リボンコマンドの一部はまとめられます。

Section 05

Outlook 2019の機能をすばやく実行する

ここで学ぶのは
- クイックアクセスツールバー
- コマンドの登録
- ショートカットメニュー

Outlook 2019はリボンコマンド以外にも、**クイックアクセスツールバー**や右クリックからの**ショートカットメニュー**などで、すばやく操作することができます。ここでは、すばやく操作するための機能について解説します。

1 クイックアクセスツールバーでコマンドを実行する

Key word クイックアクセスツールバー

クイックアクセスツールバーは、リボンが折りたたまれている状態でも、常にOutlook 2019のタイトルバーの左側に表示されているツールバーです。ワンクリックでコマンドを実行できるため、よく利用する機能を登録しておくと、すばやく目的の操作を実行できます。

1 クイックアクセスツールバーのコマンドをクリックします。

2 コマンドの操作が実行できます。

ここでは［新しいメール］コマンドを実行しています。

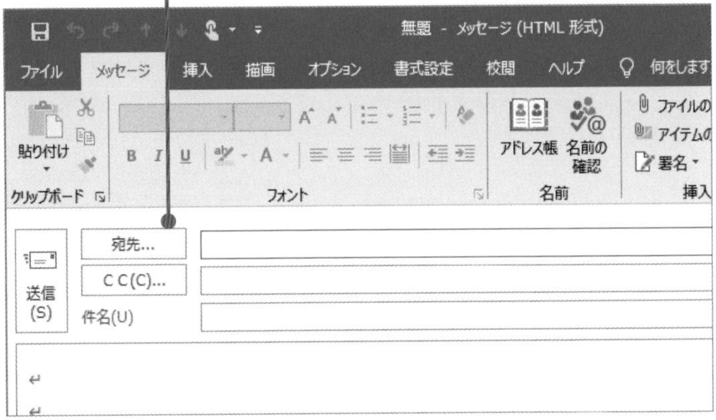

2 リボンのコマンドをクイックアクセスツールバーに登録する

Memo 登録は最小限にする

便利なクイックアクセスツールバーですが、いくつものコマンドを登録してしまうとわかりにくく、使いづらくなります。あくまでも、自分が日常的によく利用するコマンドのみを登録するようにします。

1 よく使うリボンコマンドを右クリックして、

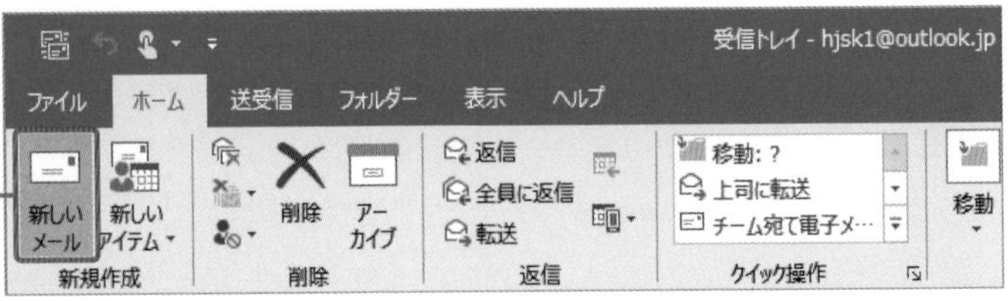

Hint 登録したコマンドがわからなくなったら

クイックアクセスツールバーに登録したコマンドがわからなくなったら、コマンド上でマウスポインターを合わせれば、コマンド内容を確認することができます。

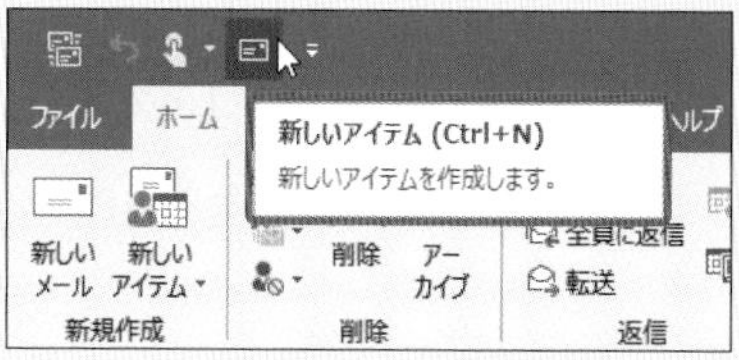

Keyword ポイント

マウスポインターを対象のアイテムの上に置くことをポイント（あるいはホバー）といいます。クリックする必要はありません。

2 ショートカットメニューから［クイックアクセスツールバーに追加］をクリックします。

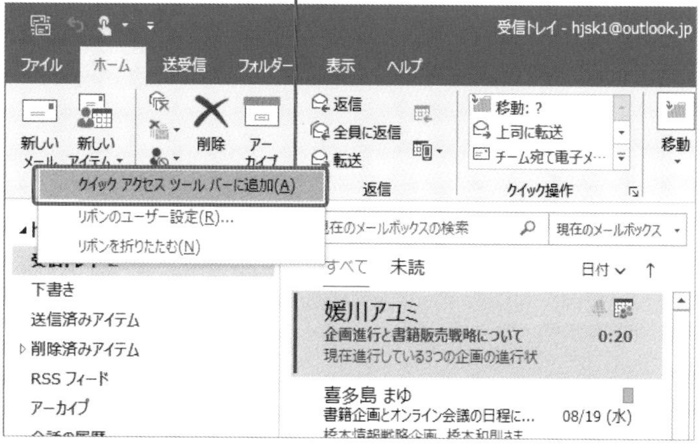

3 該当のリボンコマンドが、クイックアクセスツールバーのコマンドとして追加されます。

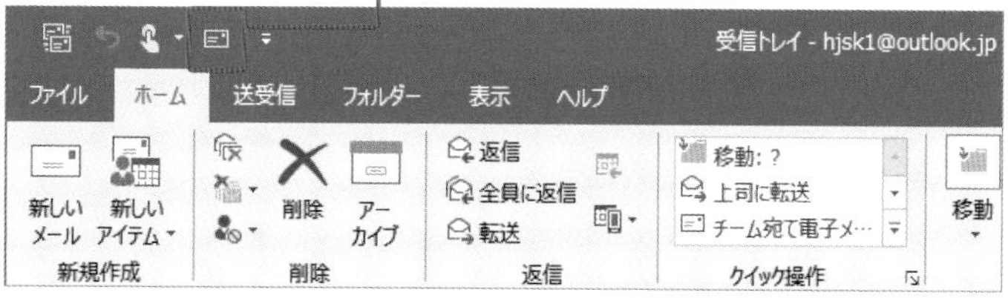

4 クイックアクセスツールバーのコマンドは常に表示されており、いつでもクリックするだけで実行できます。

Hint ショートカットメニューの利用

クイックアクセスツールバーのほかに、ショートカットメニューを利用してもすばやく操作することができます。ショートカットメニューとは、選択したアイテムを右クリックすることで表示される操作メニューです。

ちなみに対象のアイテムを複数選択することも可能です（Ctrl キーを押しながらクリック）。複数選択したうえで右クリックして、ショートカットメニューから任意の操作をクリックすれば、一括操作を行うことができるためさらに効率的です。

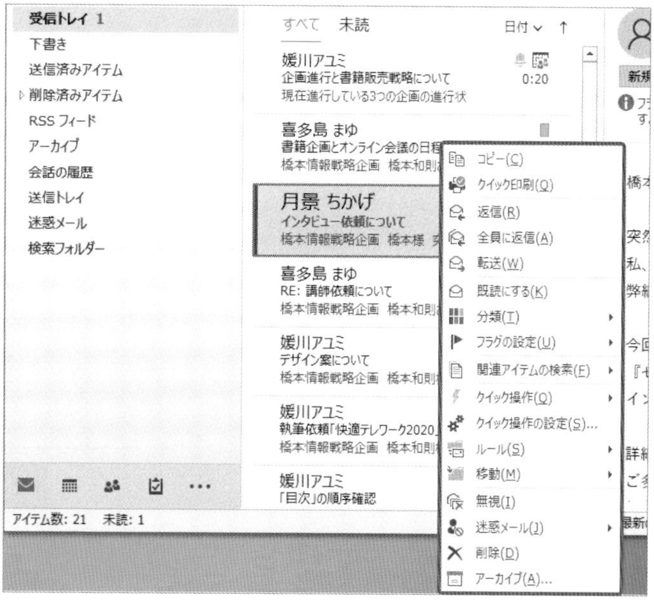

Section 06

Outlook 2019にアカウントを登録する

ここで学ぶのは

- アカウントの登録
- アカウントの詳細設定
- 異なる種類のアカウント

Outlook 2019でメールを扱うには、「アカウントの登録」が必要になります。登録できるアカウントの種類には、Microsoft系アカウントのほか、IMAPアカウントなどもあります。なお、すでにメールの送受信を行っている方は、ここで解説する登録手順は必要ありません。

1 Outlook 2019の初期設定でアカウントを登録する

Memo アカウントの種類によって機能が異なる

Outlook 2019のすべての機能を利用するには、Microsoft Exchangeアカウント／Microsoft 365のアカウント／Outlook.comアカウントなどの、Microsoft系アカウントである必要があります。インターネットサービスプロバイダー・レンタルサーバーなどで取得できるメールのアカウント（IMAPアカウントなど）も管理することができますが、一部の機能や操作に制限があります（次ページのMemo参照）。

Hint 複数のアカウントを登録したい場合

Outlook 2019では複数のアカウントを登録して、各アカウントのメールを一括で管理することもできます。複数のアカウントを登録して管理したい場合は、p.200を参照してください。

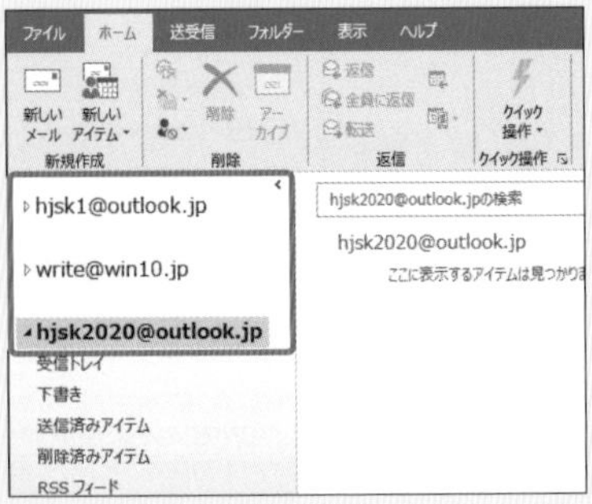

あらかじめメールのアカウント情報とパスワードを確認しておきます。

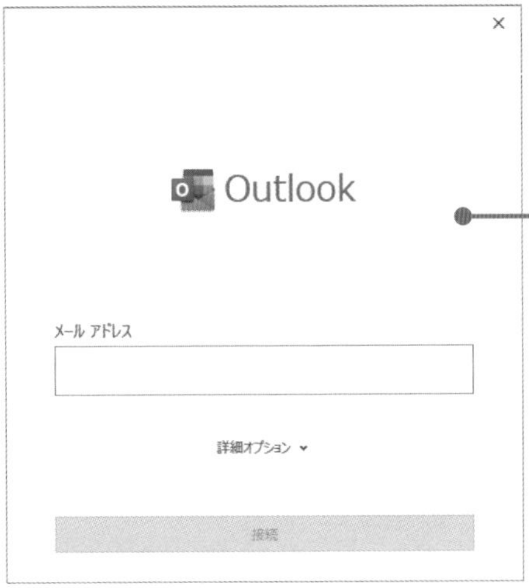

1 Outlook 2019を最初に起動すると、アカウントの登録画面が表示されます。

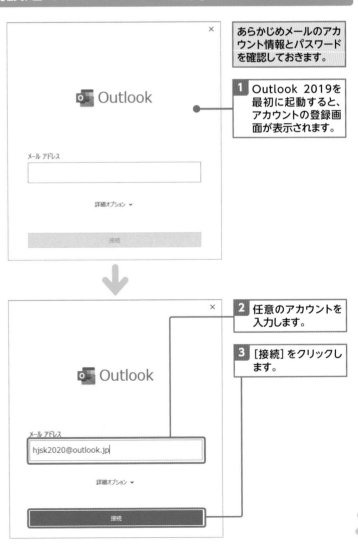

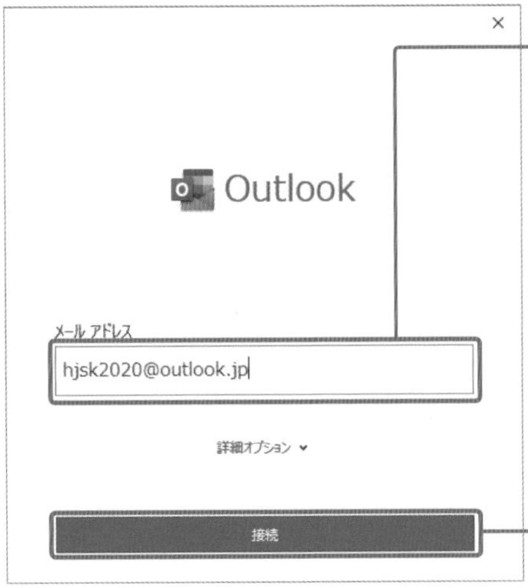

2 任意のアカウントを入力します。

3 ［接続］をクリックします。

Memo 利用できるまでの時間

登録したばかりのアカウントはメールなどの情報の同期処理（サーバーからローカルへのコピー）が行われるため、メールを確認・操作できるまで少し時間がかかります。

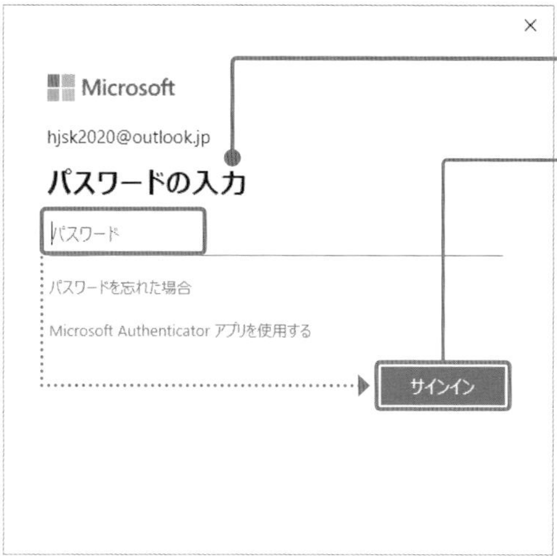

4 「パスワードの入力」が表示されます。

5 アカウントのパスワードを入力して、［サインイン］をクリックします。

6 Outlook 2019にアカウントが登録され、「メール」などが利用できるようになります。

2 アカウント登録で詳細設定が表示されたら

アカウント登録で詳細設定が表示されたら、手持ちのアカウントの種類に従って、Microsoft Exchangeアカウントの場合は［Exchange］、Microsoft 365のアカウントの場合は［Office 365］、Outlook.comアカウントの場合は［Outlook.com］をクリックして登録を進めます。また、Microsoft系アカウント以外のプロバイダーメール（インターネットサービスプロバイダーであるOCN、So-net、BIGLOBE、plala、Yahoo! BB、@nifty、hi-hoなどから供給されているメール）や、レンタルサーバーなどで管理されるメールの登録や管理については、右表のページを参照してください。

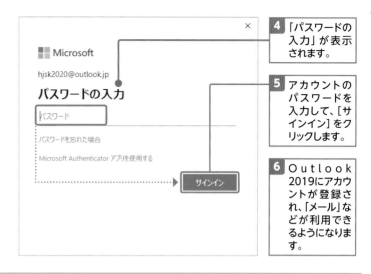

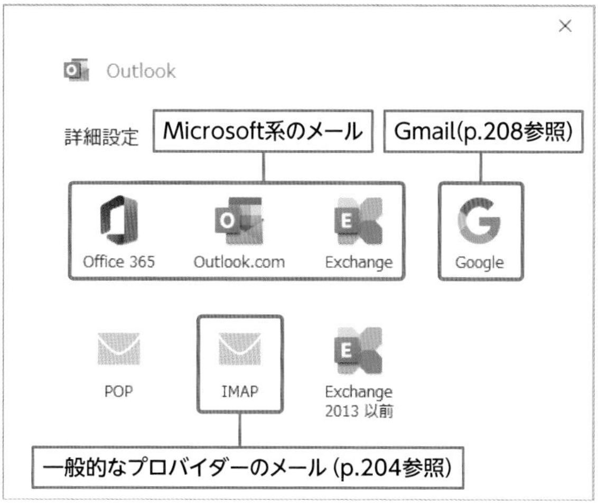

プロバイダーメール（IMAPアカウント）の登録	p.204参照
Gmail（Googleアカウント）の登録	p.208参照

Memo Microsoft 系アカウント以外の制限

プロバイダーメール（インターネットサービスプロバイダーから供給されるメール）やレンタルサーバーなどで管理されるメール（IMAPアカウント）は、アカウントの種類がMicrosoft系アカウント（Microsoft Exchangeアカウント／Microsoft 365のアカウント／Outlook.comアカウントなど）である場合と異なり、「連絡先」「予定表」「タスク」をアカウントに同期して管理することができません（PC内に情報が保存されます）。また、Outlook 2019全般の操作や設定にも制限があります。

なお、「連絡先」「予定表」「タスク」などの情報をクラウドと同期して柔軟に管理したい場合には、IMAPアカウントによるメール管理とともに、無料で取得できるMicrosoft系アカウントである「Outlook.comアカウント（https://www.outlook.com/）」と併用するのがひとつの手段になります（p.212参照）。

Section 07

わからないことを調べる

ここで学ぶのは

- ヘルプの表示
- 操作アシストの表示

わからないことがある場合には、「ヘルプ」や「操作アシスト」を活用します。ヘルプでは基本的な操作の一覧から知りたいことを探せます。操作アシストでは任意の知りたい操作を検索キーワードで入力することにより、わからない操作やトラブルなどを解決できる可能性があります。

1 ヘルプから検索する

1 [ヘルプ] タブ→ [ヘルプ] をクリックします。

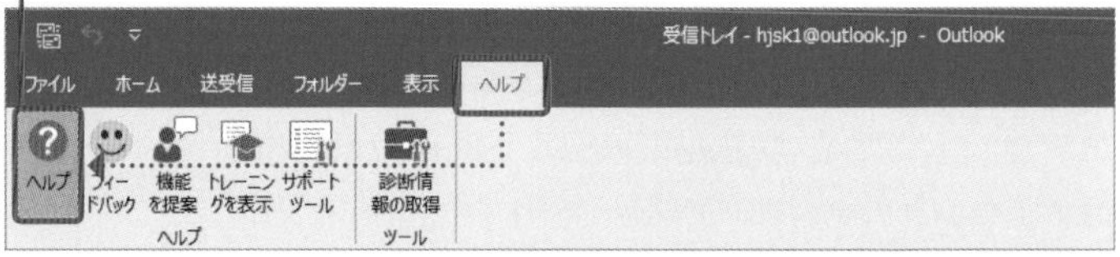

2 「ヘルプ」が表示されます。

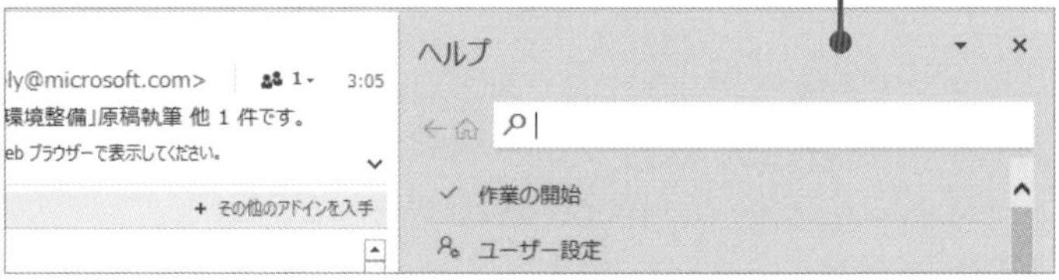

3 検索ボックスにわからないことを入力して、Enter キーを押します。

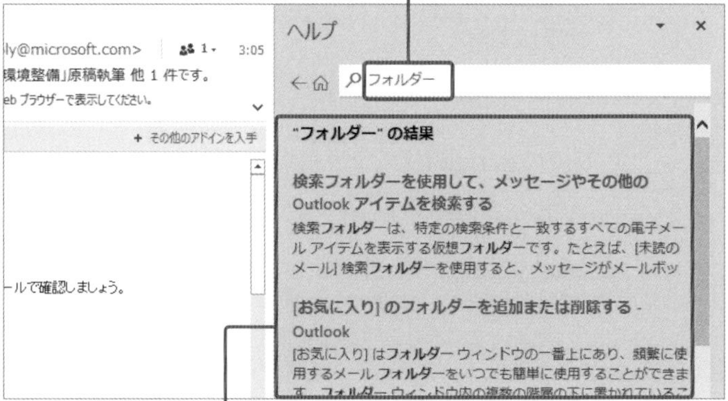

4 関連したヘルプ項目が表示されるので、読みたい解説をクリックします。

Hint ヘルプを別ウィンドウに独立させる

ヘルプをウィンドウ表示として独立させたい場合には、ヘルプ欄にある [▼] をクリックして [移動] をクリックし、ヘルプをOutlook 2019の外にドロップします。

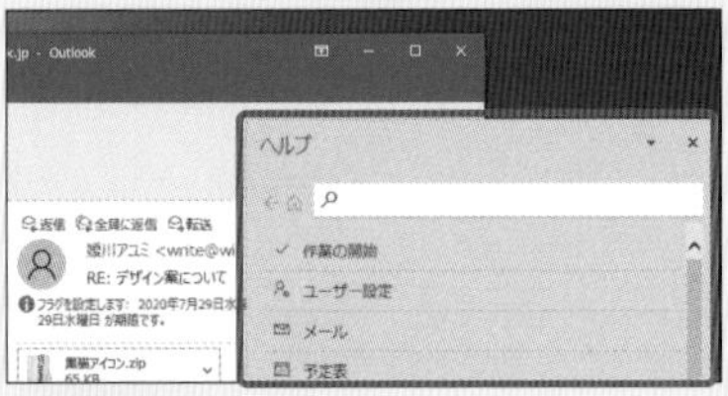

Memo 基本操作も知ることができる

ヘルプでは右図のように検索する以外に、一覧から目的の項目をクリックすることにより、操作の基本を知ることもできます。

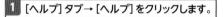

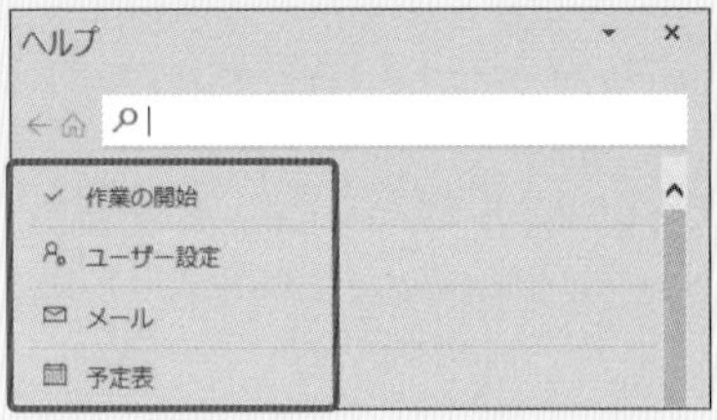

2 操作アシストから検索する

Memo 操作アシストの表示

Outlook 2019のバージョンによっては「操作アシスト」が表示されていないことがありますが、この場合には、「Office更新プログラム」を適用してみるとよいでしょう(p.229参照)。

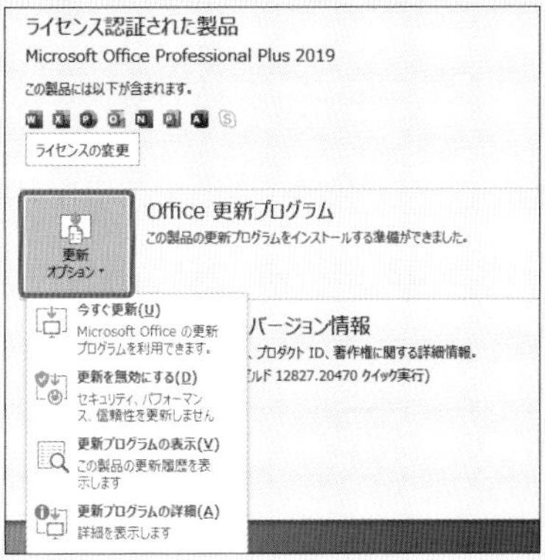

時短のコツ 操作アシストでは操作ができる

操作アシストでは、直接Outlook 2019を操作することも可能です。例えばメール作成画面(メッセージウィンドウ)の操作アシストで「ファイルの添付」と入力して、一覧に表示される[ファイルの添付]をクリックすれば、そのままファイルの添付作業を行えます。

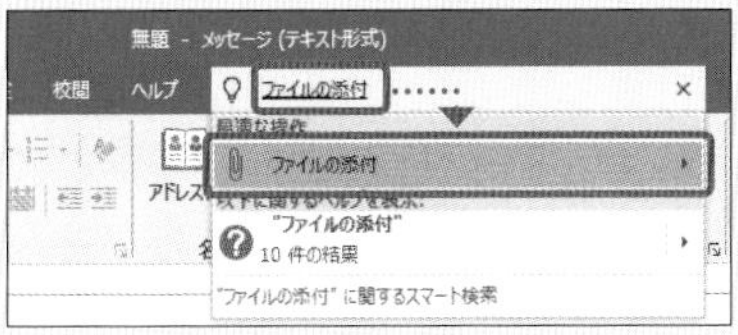

1 タブの右横にある操作アシストをクリックします。

2 わからないことや知りたいことを入力します。

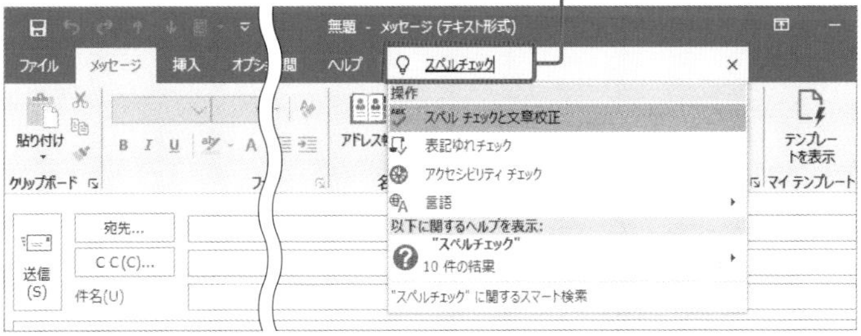

3 検索キーワードに関連した操作のアシストが一覧に表示されます。

4 操作を知りたい場合は、[以下に関するヘルプの表示]欄内の[○件の結果]をクリックします。

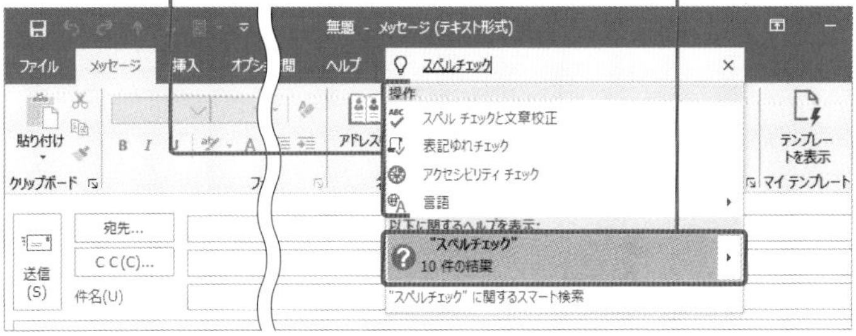

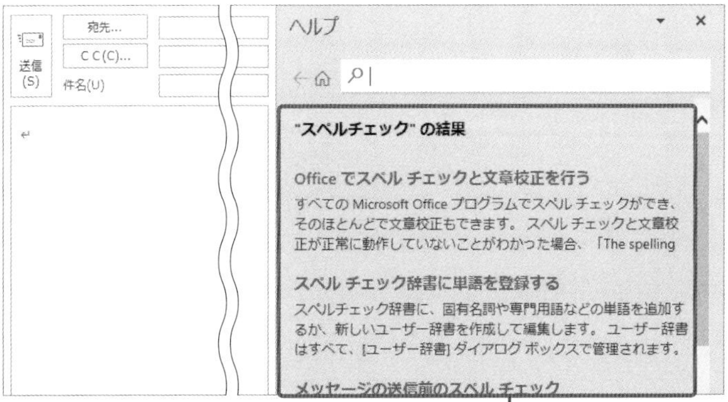

5 関連したヘルプ項目が表示されるので、読みたい解説をクリックします。

Section 08

Office 2019とMicrosoft 365の違いを知る

ここで学ぶのは

- Office 2019
- Microsoft 365
- 2つの違い

Outlook 2019を利用するには、「Office 2019」を購入する方法と、サブスクリプションサービスである「Microsoft 365」の任意のプランを選択して契約する方法があります。この2つの違いを理解しておきましょう。

「Office 2019」は買い切りパッケージであるため、購入以後にOutlookやWord、Excelなどの利用にお金がかかりません(利用できるアプリはパッケージの種類によります)。また、基本的に操作環境や機能は購入時の状態が維持されます。

一方、「Microsoft 365(旧称Office 365)」はサブスクリプションサービスであるため、月額あるいは年額という形で支払いを続ける必要があります(支払いを終了すると、契約期間が終了した以後はサービスを利用できません)。また、Microsoft 365は共同作業が行えるなどのクラウド機能が利用できるほか、「常に最新の機能が提供される」という特徴があるため、アップデートにより仕様・機能・操作が変更される場合があります。

Office 2019(上)とMicrosoft 365(下)のリボンの折りたたみ状態の違い

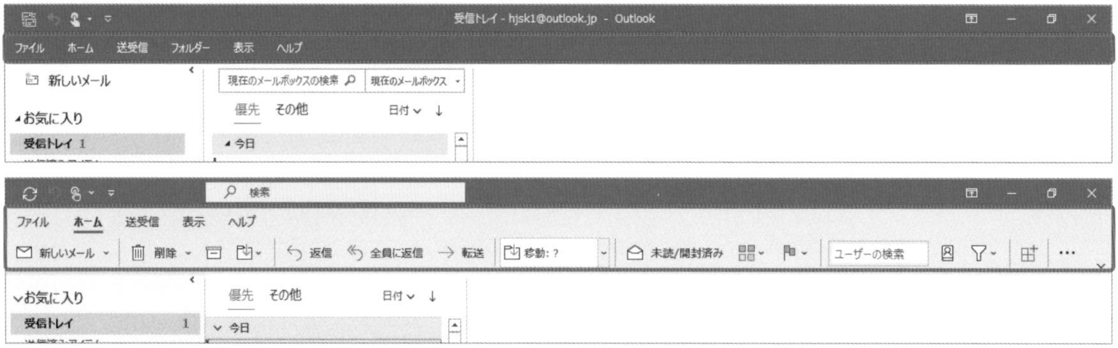

Office 2019(上)とMicrosoft 365(下)のリボンコマンドの違い

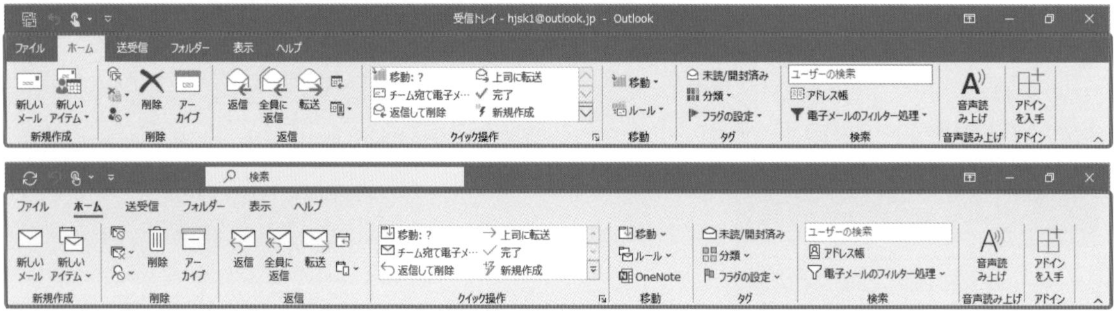

Office 2019とMicrosoft 365では、バージョンアップに伴う仕様変更の有無により、大まかな操作は同じであるものの、リボンコマンドのアイコンの形や詳細設定などに違いがあります。

第 2 章

メールの基本操作をマスターする

この章では、メール操作の基本を解説します。基本操作として、メールの確認・返信のほか、ファイルの添付やメール本文の装飾などがあります。また、便利な機能・操作としては、下書き保存・転送・印刷などがあり、覚えておくと各場面で活用することができます。

Section 09 Outlook 2019の「メール」の画面構成

ここで学ぶのは

- 画面構成
- ウィンドウペイン
- 表示サイズの変更

Outlook 2019の「メール」における画面構成を知りましょう。画面構成と各種部位名は、本書で解説する各種操作や設定を知るうえで必要になります。

1 Outlook 2019の「メール」の画面構成

Outlook 2019の「メール」の画面構成は以下のようになります。「メール」の標準設定では、大まかに「フォルダーウィンドウ」「ビュー」「閲覧ウィンドウ」の3つのウィンドウペイン（区画）が並んでいます。フォルダーを選択すると、その中のメールの一覧がビューに表示されます。また、ビューで選択したメールの内容が閲覧ウィンドウに表示されます。なお、Outlook 2019全般の共通部位名についてはp.30を参照してください。

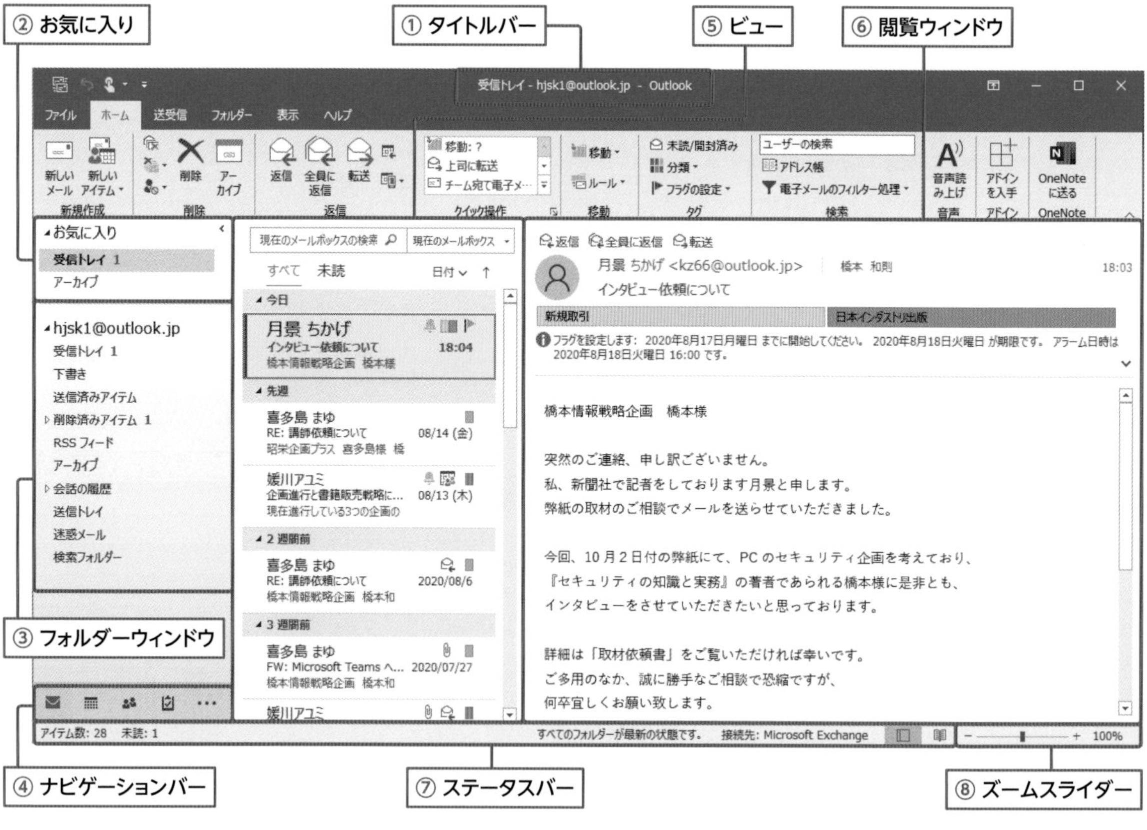

名称	機能
① タイトルバー	現在開いている「メールのフォルダー」と「アカウント」が表示される
② お気に入り	よく使うフォルダーが表示される。任意に表示／非表示にすることができる（p.46参照）
③ フォルダーウィンドウ	メールのフォルダー一覧が表示されている。任意のフォルダーをクリックして選択することにより、ビューの表示を切り替えることができる
④ ナビゲーションバー	「メール」「予定表」「連絡先」「タスク」などに切り替えることができる
⑤ ビュー	選択したフォルダー内のメールの一覧が表示される
⑥ 閲覧ウィンドウ	「ビュー」で選択しているメールの内容が表示される
⑦ ステータスバー	メールの総数や未読の数などの各種情報が表示される。表示内容はアカウントの種類によって異なる
⑧ ズームスライダー	閲覧ウィンドウの中の表示拡大率を変更できる

2 ビューや閲覧ウィンドウのサイズを変更する

Hint Outlook 2019 を扱いやすくする

Outlook 2019全般の表示サイズは、Windows 10のデスクトップ設定が大きく影響します。表示サイズに関する設定はp.224を参照してください。

● Outlook 2019 全般を大きく表示

● 小さく表示してデスクトップを広く使う

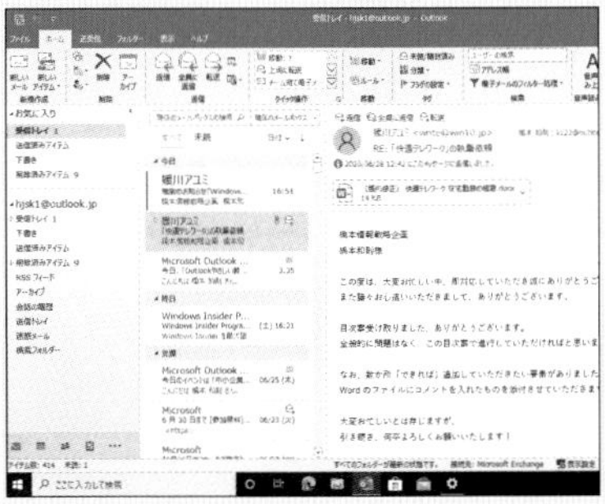

表示サイズと文字サイズの最適化はWindows 10の設定も必要です。

1 ビューと閲覧ウィンドウの境界線をドラッグします。

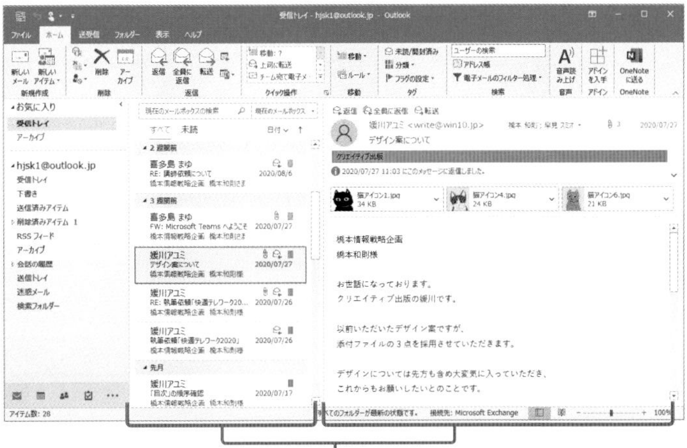

2 ビューと閲覧ウィンドウの大きさを変更できます。

Section 10

フォルダーウィンドウを扱いやすくする

ここで学ぶのは

- 「お気に入り」の非表示
- フォルダーウィンドウの表示
- 最小化時の操作方法

Outlook 2019を操作するうえでは、「フォルダーウィンドウ」から任意のフォルダーにアクセスしやすくすることが重要です。また、ここではフォルダーウィンドウを最小化して閲覧ウィンドウを大きく使いやすく表示する方法についても解説します。

1 「お気に入り」を非表示にする

解説 「お気に入り」の表示は任意

フォルダーウィンドウの上部にある「お気に入り」から、よく使うフォルダーに便利にアクセスできます。ただし、一般的には「受信トレイ」が主なアクセス先であり、また分類やフォルダーをしっかり管理している環境であれば、あえて「お気に入り」からアクセスする理由もなくなります。「お気に入り」に必要性を感じない場合には、非表示にしてしまっても構いません。

あらかじめ「お気に入り」が表示されています。

1 [表示] タブ→ [フォルダーウィンドウ] をクリックして、

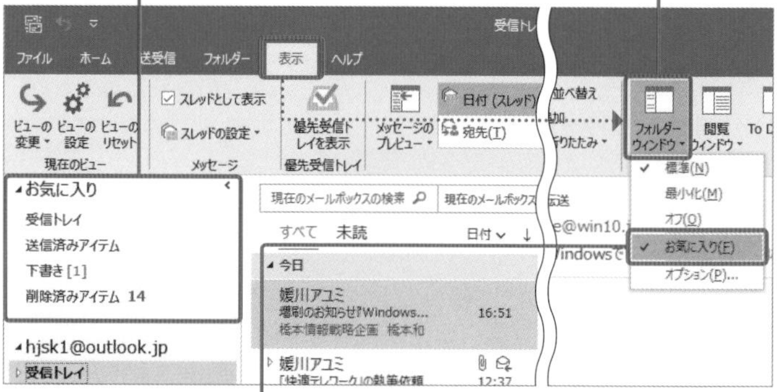

2 ドロップダウンから [お気に入り] をクリックして、チェックを外します。

3 フォルダーウィンドウの「お気に入り」が表示されなくなります。

2 フォルダーウィンドウを最小化する

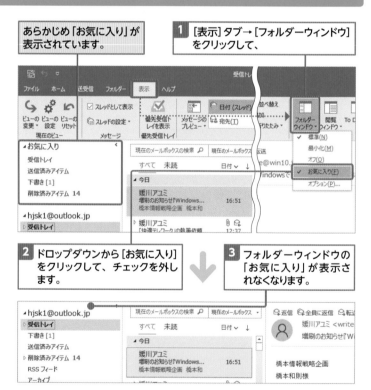

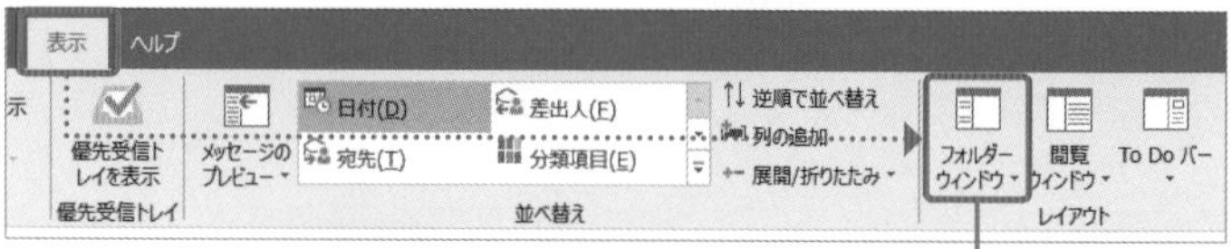

1 [表示] タブ→ [フォルダーウィンドウ] をクリックして、

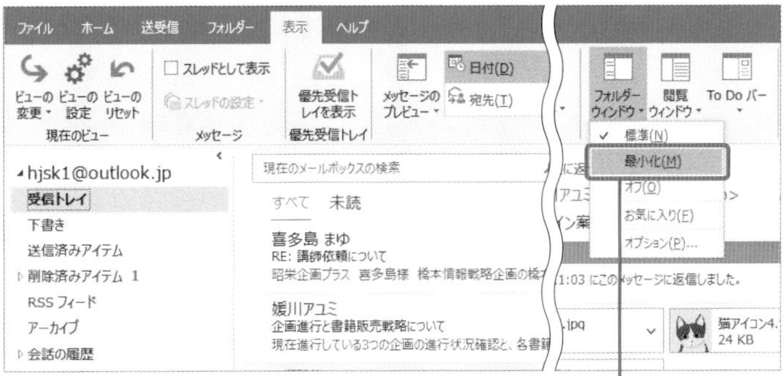

2 ドロップダウンから［最小化］をクリックします。

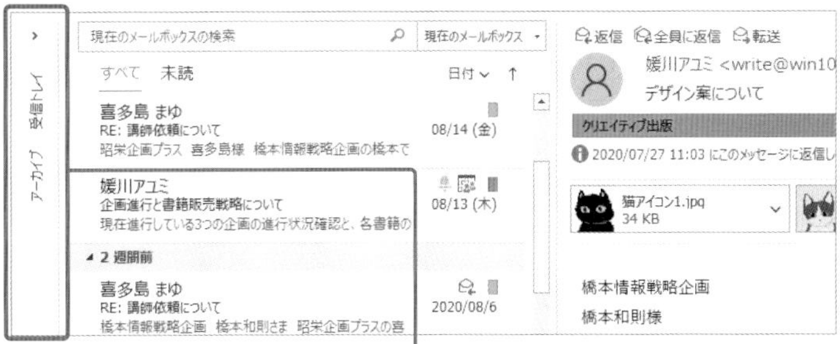

3 フォルダーウィンドウが最小化され、コンパクトな表示になります。

解説　最小化することで画面を広く使える

フォルダーウィンドウを最小化することで、結果的に閲覧ウィンドウの幅を広く表示できます。ディスプレイの解像度やOutlook 2019のウィンドウサイズにもよりますが、Outlook 2019を操作するうえで画面が狭く感じる場合には、フォルダーウィンドウの最小化は有効です。

Hint　最小化するその他の方法

フォルダーウィンドウ右上にある［<］をクリックして、フォルダーウィンドウを最小化できます。

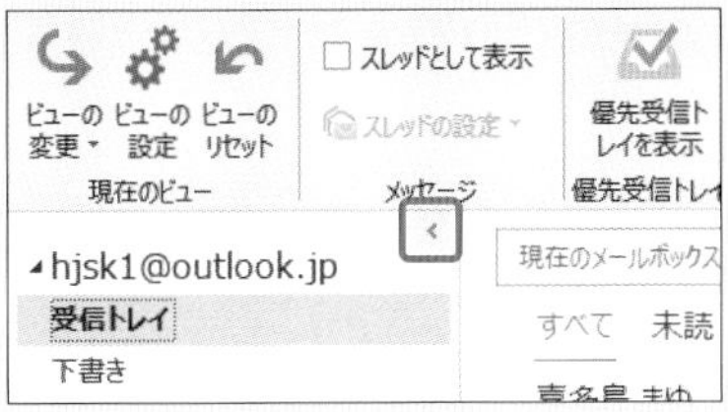

3 フォルダーウィンドウを最小化したときの操作方法

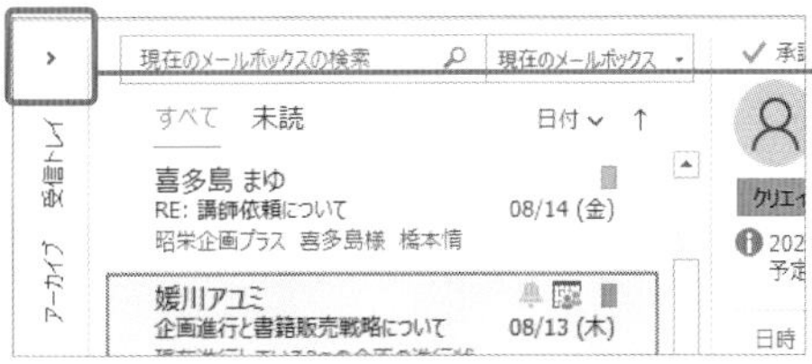

1 フォルダーウィンドウの［>］をクリックします。

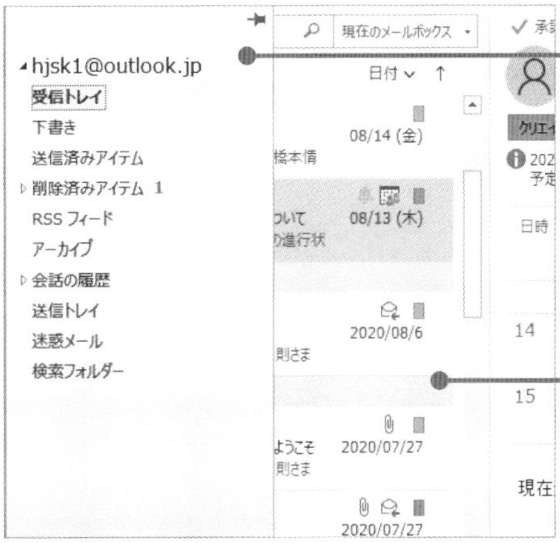

2 フォルダーウィンドウが展開表示され、フォルダーを操作することができます。

フォルダーウィンドウはビューを覆う形で表示されます。

3 フォルダーウィンドウ以外の操作をすると、再び最小化表示に戻ります。

解説　最小化からの展開表示

フォルダーウィンドウを最小化している状態で、［>］をクリックして展開した場合、フォルダーウィンドウ以外の操作を行うと、再び最小化表示に戻ります。
なお、フォルダーウィンドウの最小化表示を標準に戻したい場合には、［表示］タブ→［フォルダーウィンドウ］をクリックして、ドロップダウンから［標準］をクリックするか、あるいは展開表示内の［ピン］をクリックします。

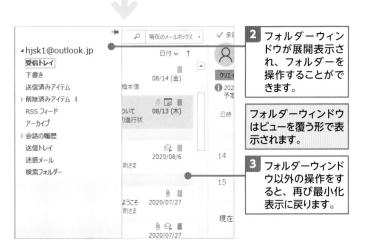

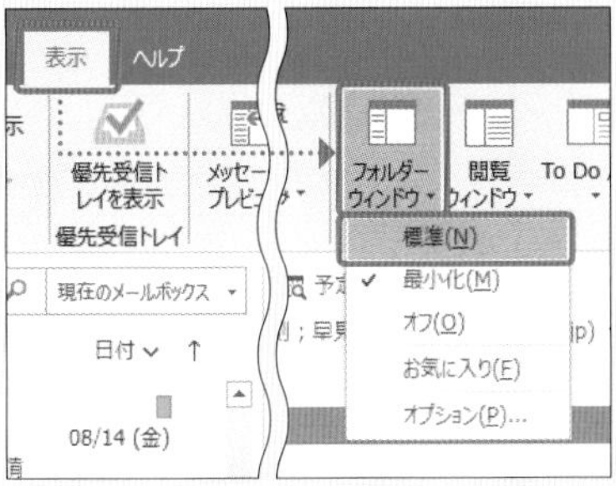

Section

11 メールを作成して送信する

ここで学ぶのは
- メールの作成
- 宛先の入力
- メールの送信

任意の**宛先**（相手のメールアドレス）を指定して、メールを送信する方法を習得しましょう。Outlook 2019は宛先指定において**オートコンプリート機能**を備えているため、一度宛先に指定したメールアドレスは以後簡単に入力することができます。

1 新しいメールを作成する

解説 メールを作成する

メールを作成するには、［ホーム］タブの［新しいメール］をクリックします。新たに表示されるメッセージウィンドウで、メールの作成を行うことができます。初めてのメールの作成・送信に不安がある場合は、自分のメールアドレスを使用して練習を行うのもよいでしょう（p.50のMemo参照）。

ショートカットキー

- 新しいメールの作成（新規アイテム）
  Ctrl + N
- 「メール」以外の画面から新しいメールの作成
  Ctrl + Shift + M

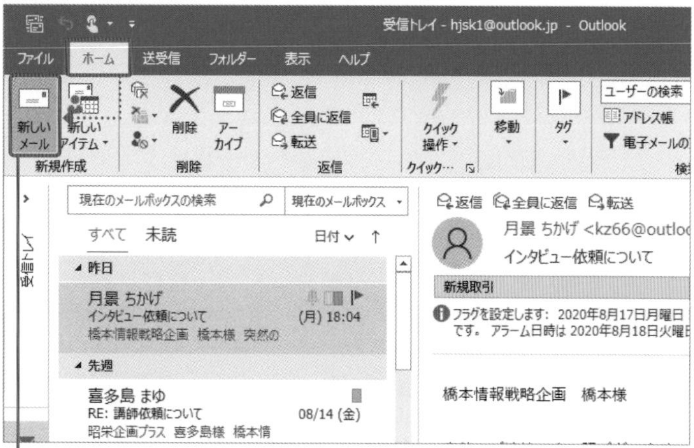

1 ［ホーム］タブ→［新しいメール］をクリックします。

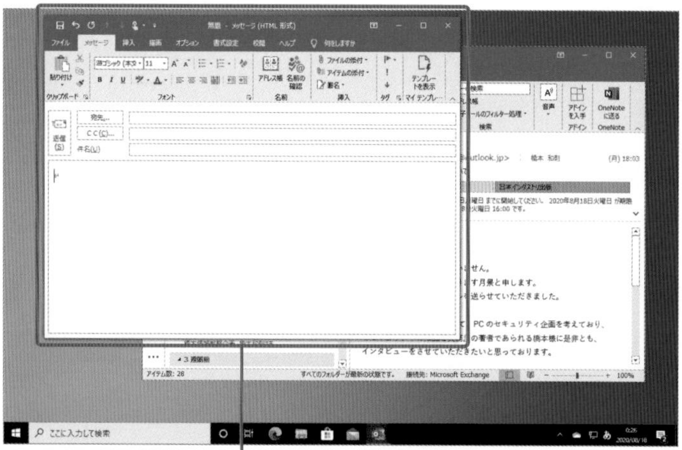

2 新しいメール作成画面がメッセージウィンドウに表示されます。

2 宛先を入力する

解説 宛先の入力

メールアドレスは1文字ずつ手入力することもできますが、ここでは記述ミスを防ぐためにOutlook 2019の「オートコンプリート機能」を利用する方法で解説しています。

新しいメール作成画面をメッセージウィンドウで表示しておきます。

1 「宛先」に送信したい相手のメールアドレスの1文字目を入力します。

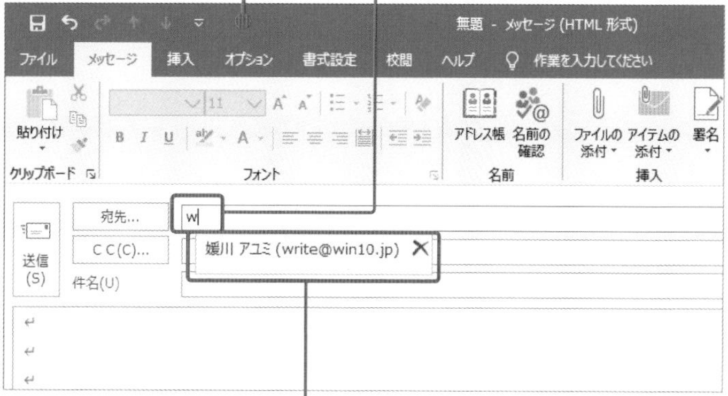

2 任意のメールアドレス・宛先候補が表示されたら、任意に選択します。

3 宛先が入力されます。

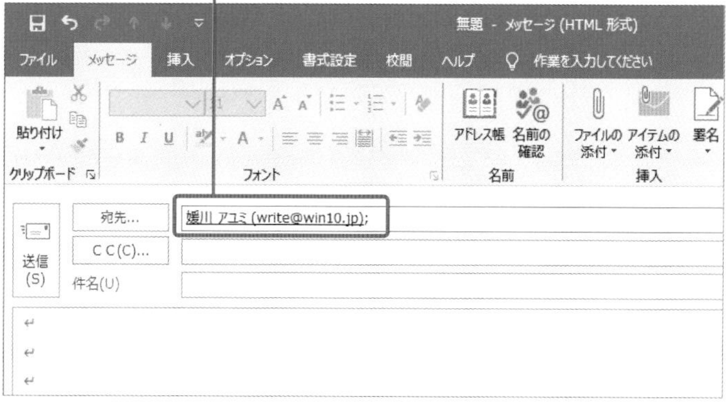

メールアドレスの候補が表示されない場合

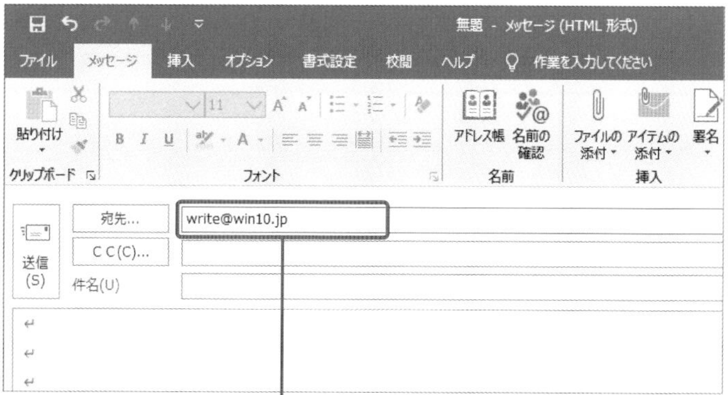

宛先候補がない場合は、メールアドレスを最後まで手入力します。

Memo オートコンプリートによる自動入力

Outlook 2019は、以前利用したことがあるメールアドレスや、「連絡先(p.234参照)」に登録されているメールアドレスについては、「宛先」の入力において適合するものを自動的に候補表示する、オートコンプリート機能を搭載しています。つまり、利用すればするほど、「宛先」の入力は便利になっていきます。

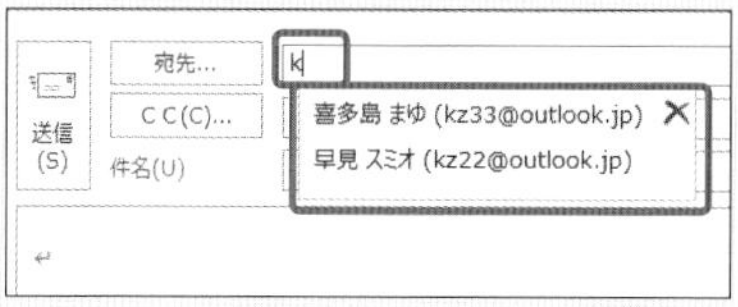

3 メールを送信する

Memo 本文の入力

本文のスムーズな入力方法についてはp.108を参照してください。

ショートカットキー

● メールの送信
Alt + S

Hint メール作成の際に「署名」を自動入力する

ビジネスメールでは、メールに自社名や連絡先などを記述した「署名」をメールの最後に付加するのが基本です。署名の作成方法や挿入方法についてはp.170で解説します。

あらかじめ宛先となるメールアドレスを入力しておきます。

1 メールの「件名」と「本文」を任意に入力します。

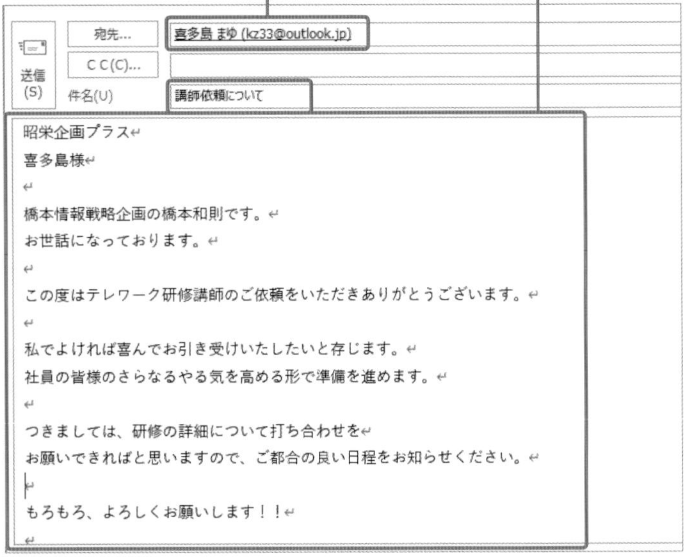

送信 (S)
宛先...
喜多島 まゆ (kz33@outlook.jp)
CC(C)...
件名(U)
講師依頼について
昭栄企画プラス
喜多島様
橋本情報戦略企画の橋本和則です。
お世話になっております。
この度はテレワーク研修講師のご依頼をいただきありがとうございます。
私でよければ喜んでお引き受けいたしたいと存じます。
社員の皆様のさらなるやる気を高める形で準備を進めます。
つきましては、研修の詳細について打ち合わせを
お願いできればと思いますので、ご都合の良い日程をお知らせください。
もろもろ、よろしくお願いします！！

2 [送信] をクリックします。

3 メールが送信されます。

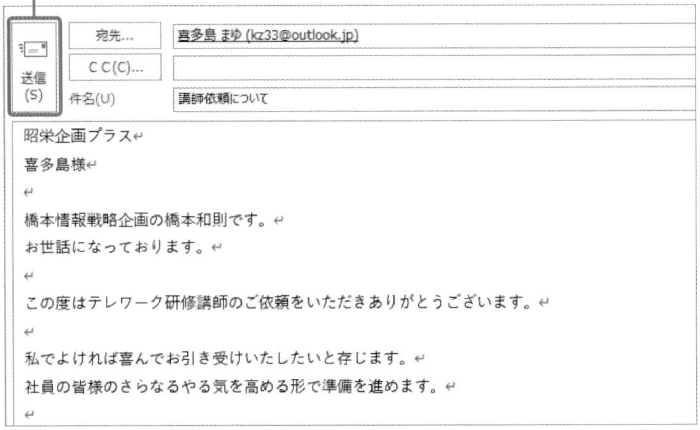

送信 (S)
宛先...
喜多島 まゆ (kz33@outlook.jp)
CC(C)...
件名(U)
講師依頼について
昭栄企画プラス
喜多島様
橋本情報戦略企画の橋本和則です。
お世話になっております。
この度はテレワーク研修講師のご依頼をいただきありがとうございます。
私でよければ喜んでお引き受けいたしたいと存じます。
社員の皆様のさらなるやる気を高める形で準備を進めます。

Memo メール送信を練習したい

新しいメールの送信を練習したい場合には、宛先に「自分のメールアドレス」を指定します。自分で送信したメールを自分で受信することで、メールの送信をテストすることができ、かつ練習もできます。

宛先を「自分のメールアドレス」にします。

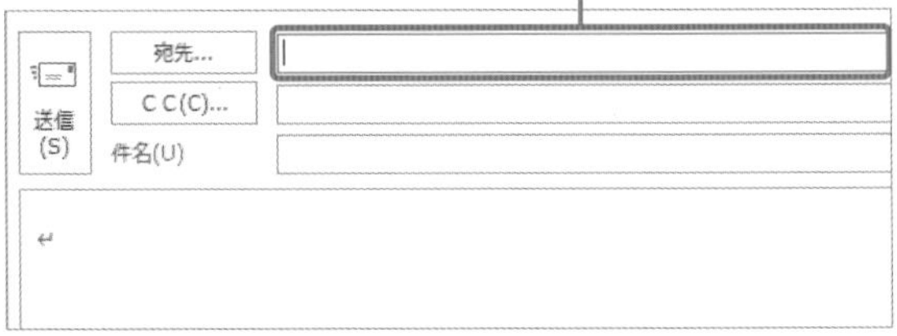

4 自分が送信したメールを確認する

Memo 「送信済みアイテム」に移動する

送信が成功したメールは、フォルダーウィンドウの「送信済みアイテム」に移動します。

1 フォルダーウィンドウから［送信済みアイテム］をクリックします。

2 送信したメールの一覧が表示されます。

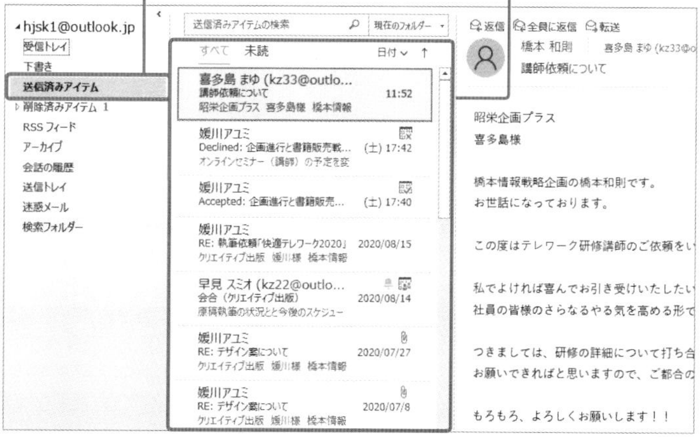

3 ビューから自分が送信したメールをクリックします。

4 送信したメールの内容を確認できます。

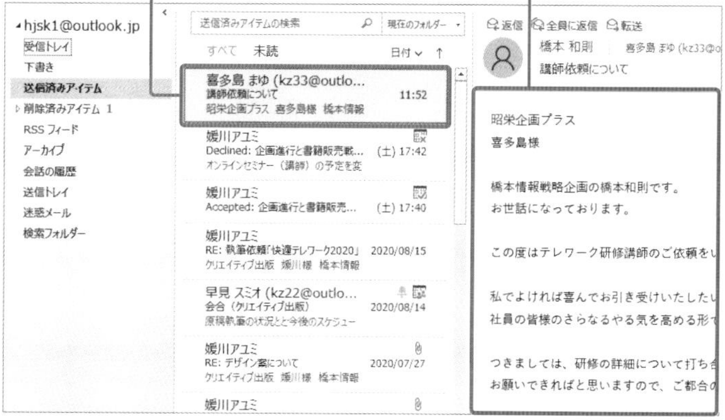

Hint 「送信済みアイテム」に表示されない場合

メールが「送信済みアイテム」に表示されていない場合は、インターネットの接続の問題などで正常にメールが送信できていないことが考えられます。そのような場合は「送信トレイ」を表示してメールが残っていないかを確認します（「送信トレイ」には、送信実行後に、通信などの問題で送信処理が保留されているメールが表示されます）。正常に送信されると、「送信トレイ」から「送信済みアイテム」に移動します。

注意 メールアドレスはなるべく手入力しない

「宛先」のメールアドレスはなるべく手入力しないのが基本です。手入力の場合、メールアドレスの記述にミスが起きる可能性があるからです。メールアドレスが1文字でも違えば、相手にメールは届きません。受信メールに返答する場合は「返信（p.62参照）」を活用して、自身で宛先にメールアドレスを入力することなく、確実に相手にメールを送信するようにします。また、よく使うメールアドレスの場合は「連絡先（p.234参照）」に登録し、「宛先」ですぐに指定できるようにしておくと、便利かつ、確実にメールアドレスを指定して間違いなく送信することができます。

「連絡先」を活用します。

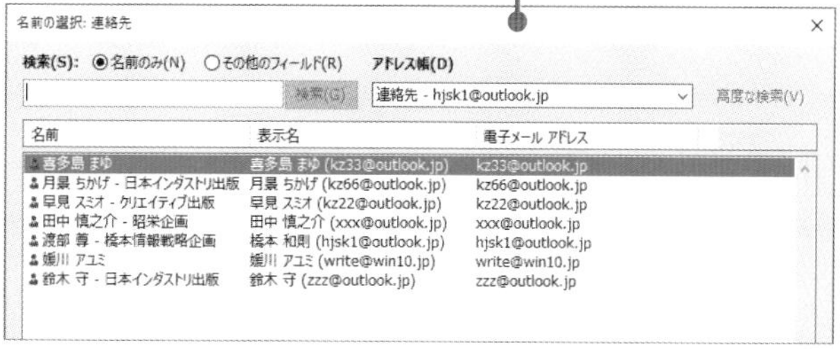

Section 12

メールを受信する

ここで学ぶのは
- メールサーバー
- メールの送受信
- 新着メールの確認

相手から送られてくるメールは「メールサーバー」に保存されており、相手からメールを受け取るには「送受信」という処理が必要になります。ここでは、メールサーバーの簡単な仕組みを知るとともに、メールを送受信して新着メールを確認する方法を解説します。

1 メールの送受信の仕組み（メールサーバーの役割）

メールのすべての情報は「メールサーバー」で管理されています。相手から送られてきたメールを確認するには、Outlook 2019がメールサーバーに接続して情報を取得する必要があります（Outlook 2019に相手からのメールが直接送られてくるわけではありません）。

また、Outlook 2019で更新した情報もメールサーバーに送信する必要があります。このようなメールサーバーとOutlook 2019間で情報を同期する操作を、「送受信」といいます。

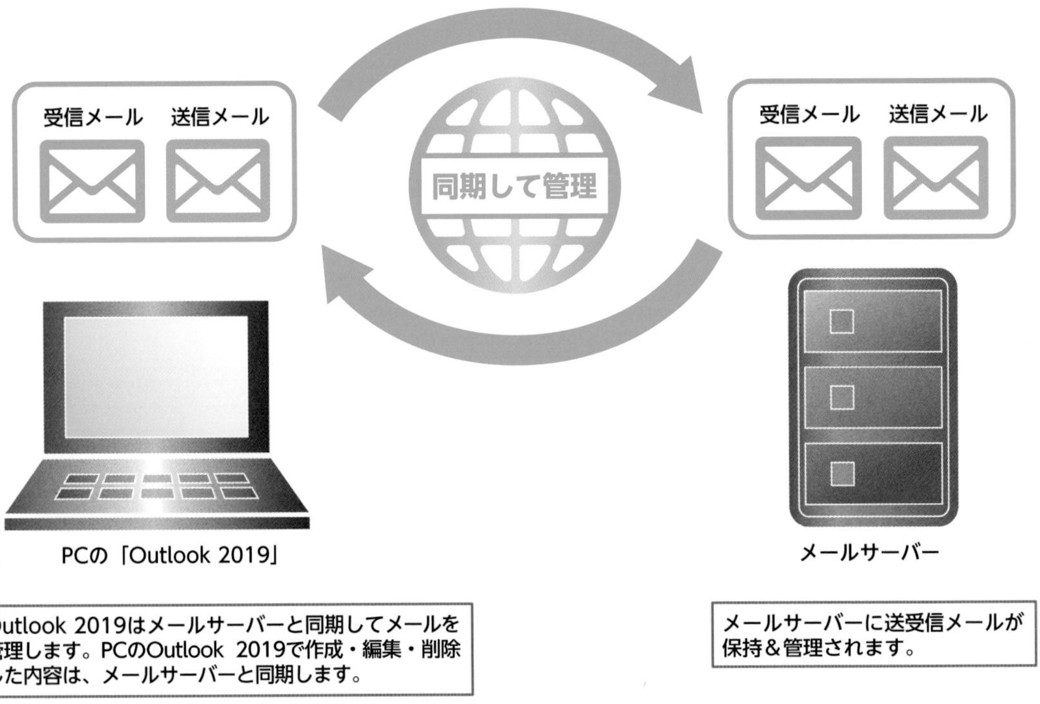
受信メール
送信メール
同期して管理
受信メール
送信メール
PCの「Outlook 2019」
メールサーバー
Outlook 2019はメールサーバーと同期してメールを管理します。PCのOutlook 2019で作成・編集・削除した内容は、メールサーバーと同期します。
メールサーバーに送受信メールが保持＆管理されます。

※メールサーバーとPCの関係は、アカウントの種類によって詳細は異なります。「POPアカウント」はこの限りではありません（p.207 参照）。

2 メールサーバーと同期する

Memo 送受信は「送信」も行う

送受信においてはオフライン（インターネット未接続状態）で送信待ちになっていたメール（送信トレイに待機しているメール）も送信されます。また、Microsoft Exchangeアカウント／Microsoft 365のアカウント／Outlook.comアカウントなどのMicrosoft系アカウントの場合には、「連絡先」「予定表」「タスク」などの情報もサーバーと同期して更新します。

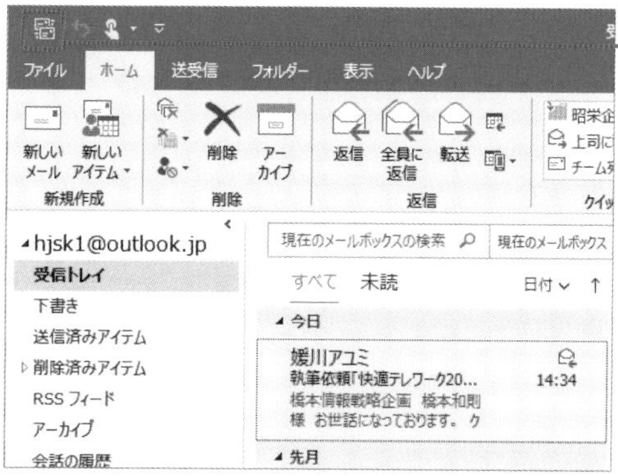

1 クイックアクセスツールバーの［すべてのフォルダーを送受信］をクリックします。

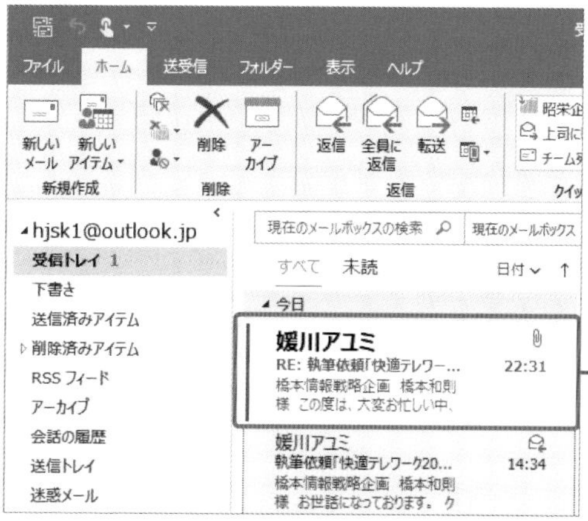

2 送受信処理が行われ、メールサーバーに届いている最新のメールを確認できます。

ショートカットキー

- 送受信の実行
  Alt + S → S
  F9

3 新着メールを確認する

Hint まだ読んでいないメールは「未読」になる

新着メールや、まだ読んでいないメールは、ビュー内で「未読」の表示になります。なお、Outlook 2019ではビュー内の該当メールを選択して、閲覧ウィンドウに表示するだけで「既読」扱いになってしまいますが、メッセージウィンドウで表示した場合のみ「既読」にしたい場合は、p.215を参照してください。

ショートカットキー

- 「受信トレイ」を表示する
  Ctrl + Shift + I

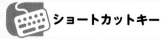

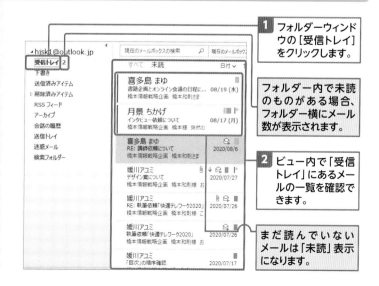

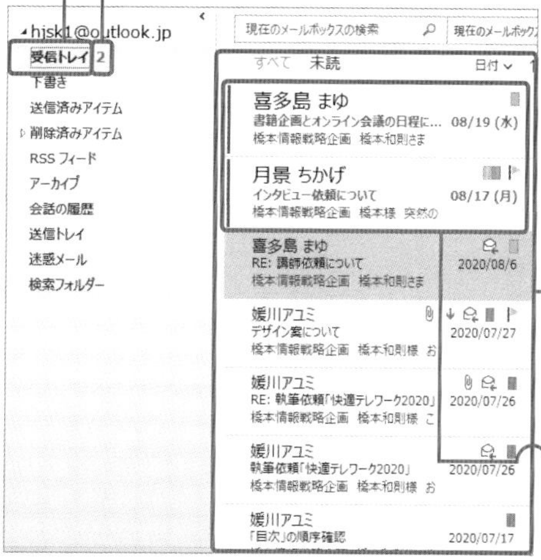

1 フォルダーウィンドウの［受信トレイ］をクリックします。

フォルダー内で未読のものがある場合、フォルダー横にメール数が表示されます。

2 ビュー内で「受信トレイ」にあるメールの一覧を確認できます。

まだ読んでいないメールは「未読」表示になります。

Section 13

メールの内容を閲覧ウィンドウで確認する

ここで学ぶのは

- メール内容の確認
- 表示位置の変更
- 表示サイズの変更

メールの内容を確認する方法を知りましょう。Outlook 2019の「閲覧ウィンドウ」では、メールをすばやく確認できるほか、任意に表示位置を変更したり拡大縮小したりすることでメールを見やすくすることもできます。

1 メールを閲覧ウィンドウで確認する

Hint 送られてきたはずのメールが見つからない

送られてきたはずのメールが見つからない場合は、フォルダーウィンドウの「迷惑メール」を確認するようにします。特に新しいメールアドレス（今までに送受信したことがないメールアドレス）は、「迷惑メール」として判定されてしまうことがあります（迷惑メールについてはp.150参照）。

ショートカットキー

- 「受信トレイ」を表示する
  Ctrl + Shift + I
- メッセージウィンドウで前のメールを見る
  Ctrl + ,
- メッセージウィンドウで次のメールを見る
  Ctrl + .

注意 標準設定での「既読」処理

標準設定では、「閲覧ウィンドウ」に表示するだけで「既読」になってしまいます。この設定を変更して、「メッセージウィンドウで表示した場合のみ既読」に変更したい場合は、p.215を参照してください。

1 フォルダーウィンドウから［受信トレイ］をクリックします。

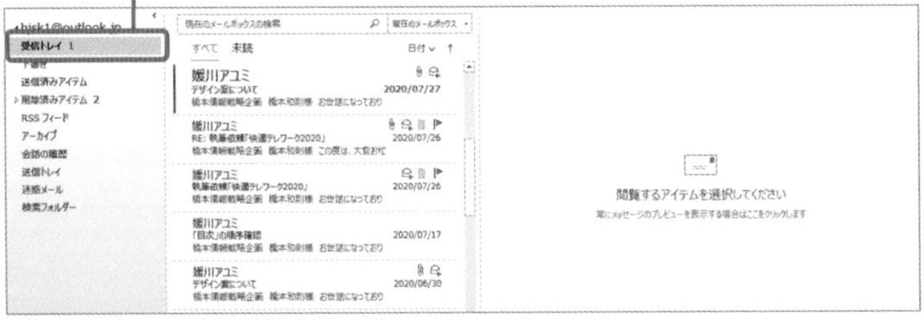

2 ビューから内容を確認したいメールをクリックします。

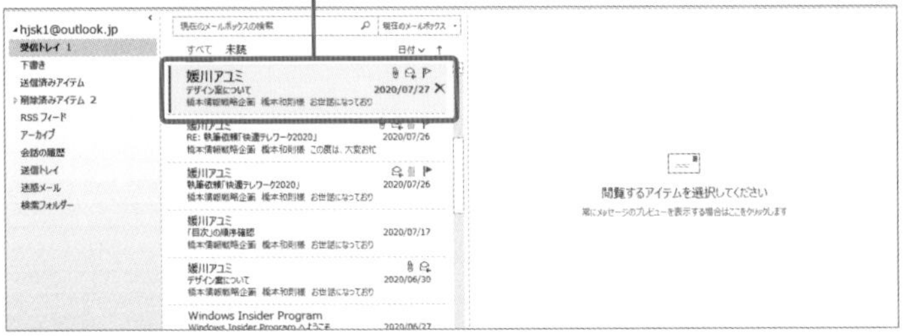

3 閲覧ウィンドウでメールの内容を確認できます。

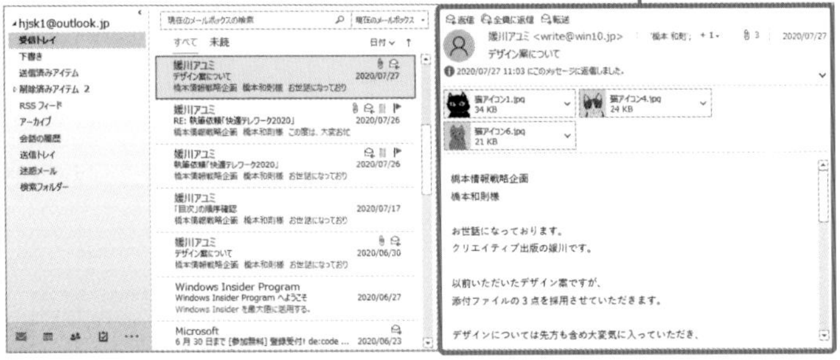

2 メールの内容の表示位置を変更する

Memo マウスホイールでスクロール操作する

メール内容の表示位置をすばやく変更したい場合は、マウスの真ん中に付いている「マウスホイール」を活用します。閲覧ウィンドウ内を1回クリックしてからマウスホイールを回転させれば、メール内容の表示位置を上下に動かすことができます。

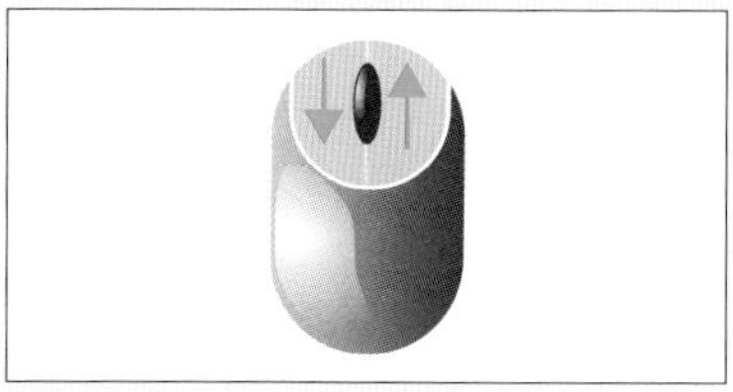

Memo タッチパッドでスクロール操作する

タッチパッドでメール内容の表示位置を変更したい場合は、2本指でタッチパッドを上や下になぞります（一部のPCを除く）。

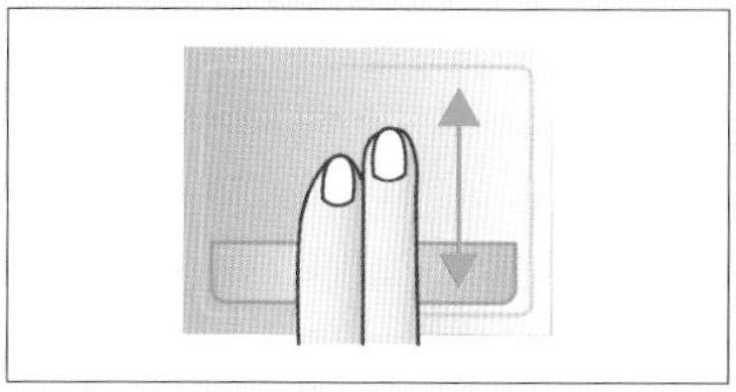

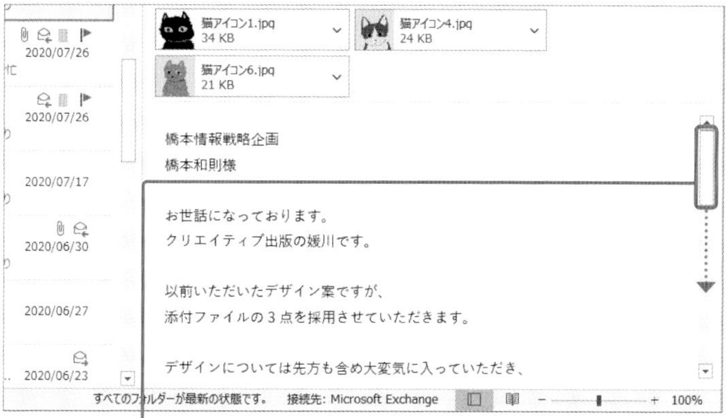
猫アイコン1.jpg
34 KB
猫アイコン4.jpg
24 KB
猫アイコン6.jpg
21 KB
2020/07/26
2020/07/26
2020/07/17
2020/06/30
2020/06/27
2020/06/23
橋本情報戦略企画
橋本和則様
お世話になっております。
クリエイティブ出版の媛川です。
以前いただいたデザイン案ですが、
添付ファイルの3点を採用させていただきます。
デザインについては先方も含め大変気に入っていただき、
すべてのフォルダーが最新の状態です。 接続先: Microsoft Exchange
100%

1 閲覧ウィンドウのスクロールバーをドラッグして移動します。

2 メール内容の表示位置を調整できます。

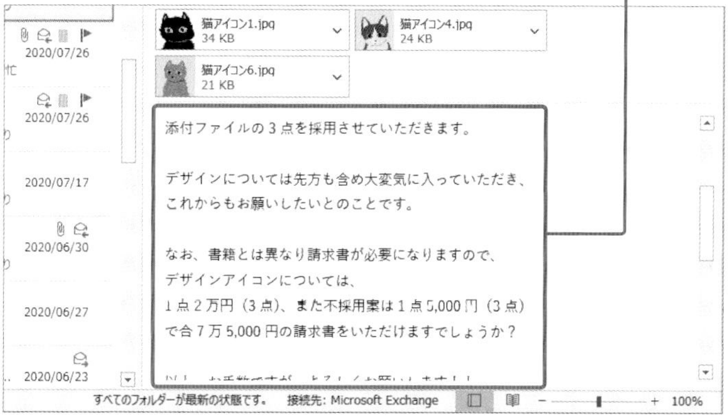
猫アイコン1.jpg
34 KB
猫アイコン4.jpg
24 KB
猫アイコン6.jpg
21 KB
添付ファイルの3点を採用させていただきます。
デザインについては先方も含め大変気に入っていただき、
これからもお願いしたいとのことです。
なお、書籍とは異なり請求書が必要になりますので、
デザインアイコンについては、
1点2万円（3点）、また不採用案は1点5,000円（3点）
で合7万5,000円の請求書をいただけますでしょうか？
すべてのフォルダーが最新の状態です。 接続先: Microsoft Exchange
100%

3 閲覧ウィンドウで表示サイズを拡大縮小する

Memo 操作画面を扱いやすくする

操作画面に窮屈さや狭さを感じる場合は、タイトルバーをダブルクリックして画面を最大化します。また、ビューや閲覧ウィンドウの境界線をドラッグしてサイズ調整を行うことも可能です。さらにショートカットキーや右クリックでのショートカットメニュー操作に慣れている場合は、リボンを折りたたむとより操作画面を広く使うことができます。

1 ウィンドウ右下のズームスライダーを動かすと、メールの内容を拡大縮小できます。

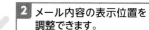

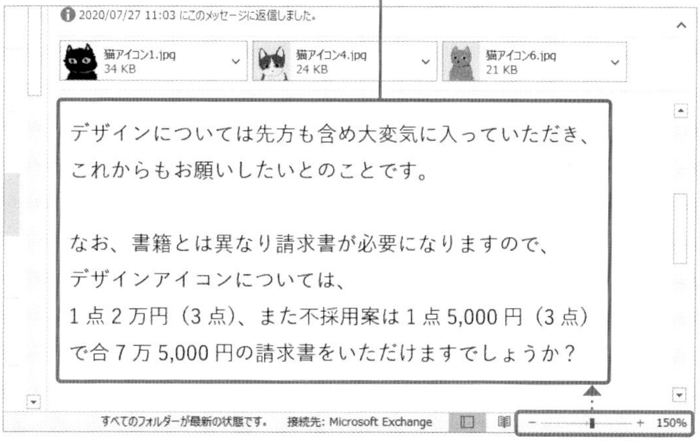
2020/07/27 11:03 にこのメッセージに返信しました。
猫アイコン1.jpg
34 KB
猫アイコン4.jpg
24 KB
猫アイコン6.jpg
21 KB
デザインについては先方も含め大変気に入っていただき、
これからもお願いしたいとのことです。
なお、書籍とは異なり請求書が必要になりますので、
デザインアイコンについては、
1点2万円（3点）、また不採用案は1点5,000円（3点）
で合7万5,000円の請求書をいただけますでしょうか？
すべてのフォルダーが最新の状態です。 接続先: Microsoft Exchange
150%

Section

14 スレッド表示と優先受信トレイを知る

ここで学ぶのは
- スレッド表示
- 優先受信トレイ
- メールの確認

Outlook 2019では「スレッド表示」という、同種のメールをまとめてひとつのグループとして表示する機能があります。ここでは、このスレッド表示の解説と、アカウントの種類によってはあらかじめ有効になっている「優先受信トレイ表示」について解説します。

1 スレッド化されたメールを確認する

Key word スレッド表示

同種のやり取りがひとつのグループとして表示されることを「スレッド表示」といいます。基本的に「件名」を基準として、件名を変えずにお互いに送受信したメールがスレッド化されるので、ビジネス環境であれば「同じ仕事についてやり取りしたメール」がまとめられる形になります。

スレッド化されているメールはビュー内のメール左横に ▷ が表示されます。

1 ▷ をクリックします。

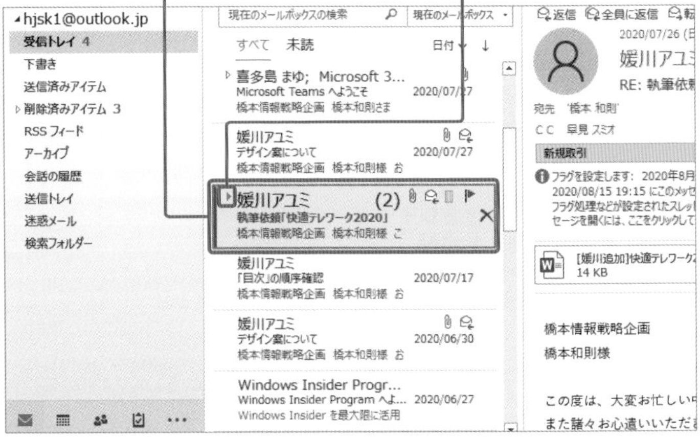

2 スレッド化された内容が展開されて表示されます。

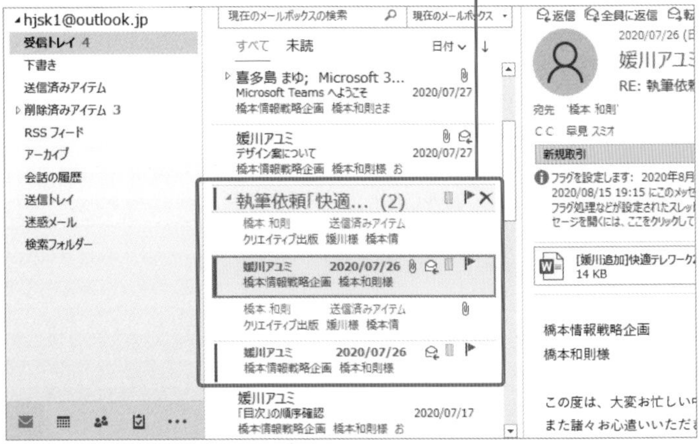

Hint スレッド表示は無効化できる

スレッド表示機能は、慣れていないと使いにくかったり、相手が同一案件のメールの件名を変えてきたり、別の場所からこと異なるメールアドレスで送信したりした場合などはスレッド化されないため、かえってやり取りが管理しづらくなります。スレッド表示に扱いにくさを感じる場合には、スレッド表示を無効化するとよいでしょう（p.72参照）。

2 優先受信トレイ表示でその他のメールを確認する

Keyword **優先受信トレイ表示**

Outlook 2019が重要と判断したメールを自動的に「優先」に振り分ける機能が、優先受信トレイ表示です。アカウントの種類によってはあらかじめ有効になっています。ビューに「優先」が表示されていると「優先受信トレイ表示」が有効になっている状態です。

ビューに「優先」が表示されている場合には「優先受信トレイ表示」が有効になっています。

1 ビュー表示内にある［その他］をクリックします。

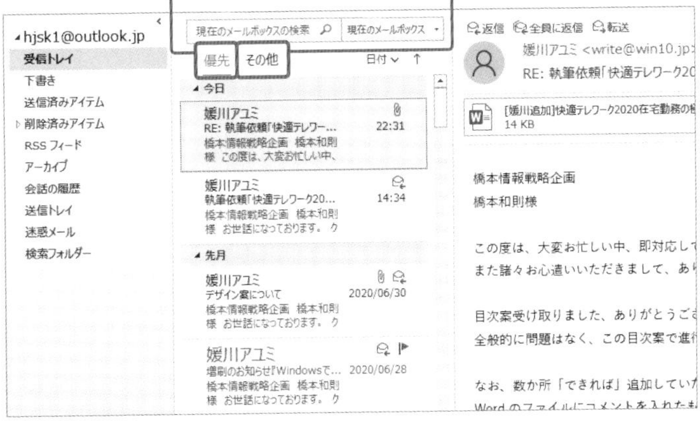

2 「優先受信トレイ」に含まれなかったメールの一覧を表示できます。

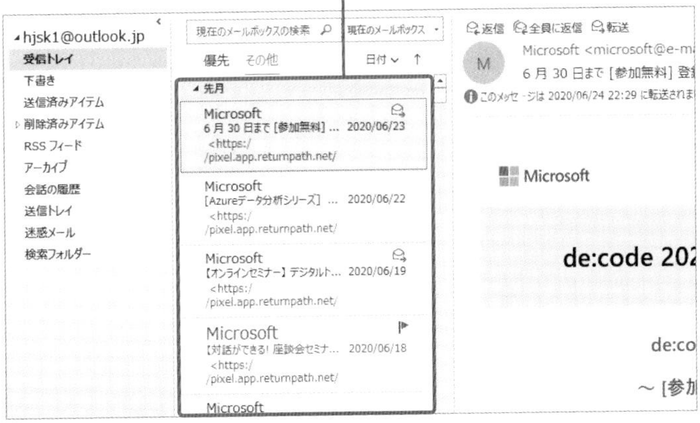

Memo **優先受信トレイ表示は無効化を推奨**

「優先受信トレイ表示」の「優先」と「その他」という分け方は、重要なメールを見逃す原因になりかねません。「優先受信トレイ表示」に必然性を感じない場合には、無効に設定することをおすすめします(p.73参照)。

注意 **スレッド表示では件名に注意！**

メールを返信する際は、「同じ案件や同じテーマ」である限り、「件名」を変更しないようにします。これはスレッド表示を行っている場合、件名を変えてしまうとひとつのスレッド内で扱われないためです。なお、返信メールにおいて件名に自動付加される「RE:」は同じグループとして扱われます。

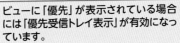

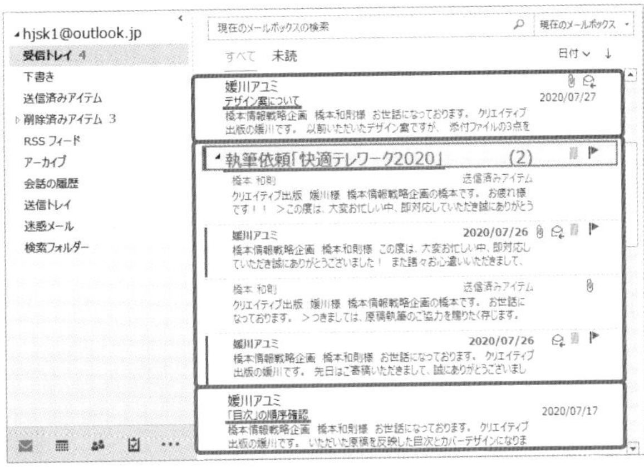

Section 15

メールをメッセージウィンドウで表示して確認する

ここで学ぶのは

- メッセージウィンドウ
- 表示サイズの変更
- ズーム

メール内容は閲覧ウィンドウで確認することも可能ですが、場面によってはメッセージウィンドウによる単体ウィンドウでメール内容を表示したほうが読みやすくなります。また環境によっては文字が小さくて読みにくい場合がありますが、そういったときはメールを拡大表示するとよいでしょう。

1 メールの内容をメッセージウィンドウで確認する

解説 内容が確認しやすいメッセージウィンドウ

メールの内容（メッセージ）はビューからメールを選択することで「閲覧ウィンドウ」で表示できますが、メールの内容を自由なウィンドウサイズで読みたい場合、あるいは複数のメールを並べて表示したい場合などは、メッセージウィンドウが便利です。また、メールを「返信」「転送」する場合にも、メッセージウィンドウからの操作のほうが見た目がわかりやすいという特徴もあります。

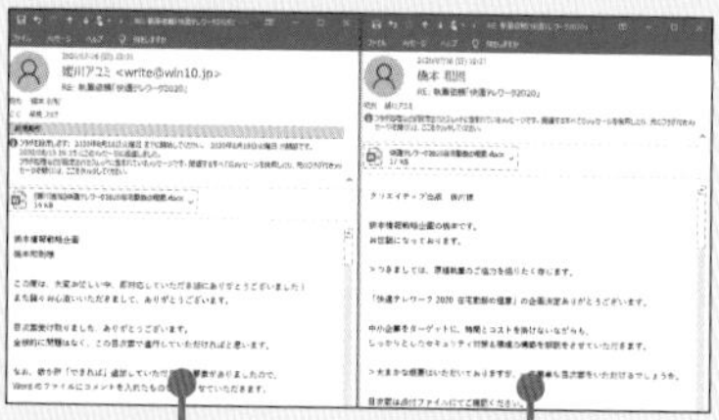

メッセージを並べて確認できます。

注意 表示するだけで「既読」になる

標準設定では、メールを閲覧ウィンドウで表示するだけで（ビュー内でメールをクリックするだけで）「既読」になってしまいます。閲覧ウィンドウでメールを表示しても「既読」にせず、「メッセージウィンドウで表示した場合のみ既読」にしたい場合には、p.215を参照してください。

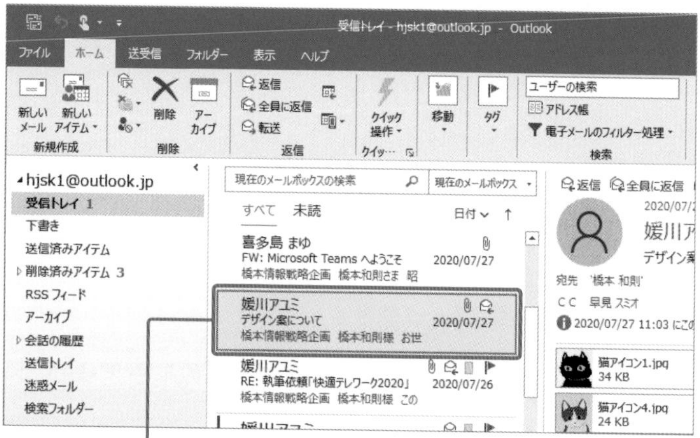

1 ビューから任意のメールをダブルクリックします。

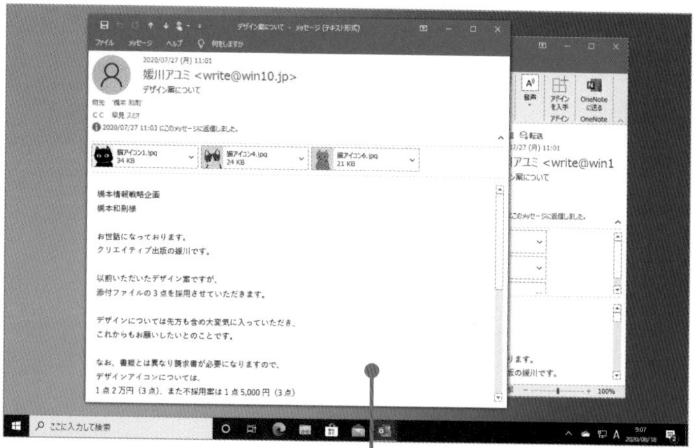

2 メールの内容（メッセージ）をメッセージウィンドウで表示できます。

2 メッセージウィンドウの表示サイズを変更して見やすくする

ショートカットキー

- メッセージウィンドウのズーム
  Alt → H → Q → 1
- メッセージウィンドウ内の文字列を検索
  F4

Hint 画像が表示されていないメール

画像入りのメールの中には、受信しただけでは画像が表示されていないものがあります。これは、画像が外部リンク先にあるなどプライバシー上問題がある可能性があるためです。任意に画像を表示したい場合は、p.60を参照してください。

時短のコツ ズーム処理をマウスですばやく操作

メールの内容が見にくい場合は、ここで解説しているようにメッセージウィンドウのリボンコマンドや閲覧ウィンドウのズームスライダーで内容を拡大表示できますが、すばやく拡大したい場合にはマウスホイールを活用します。メッセージウィンドウや閲覧ウィンドウのメールを1回クリックして、Ctrl キーを押しながらマウスホイールを回転させることで、拡大縮小をすばやく行うことができます。

時短のコツ ズーム処理をタッチパッドですばやく操作

タッチパッドでメール内容を拡大したい場合は、メッセージウィンドウや閲覧ウィンドウのメールを1回タップして、タッチパッドに親指と人差し指を置いて指と指の間を広げます。このような操作を「ピンチアウト」といいます。指と指の間を狭めることで縮小、指と指の間を広げることで拡大になります。

1 [メッセージ] タブ→ [ズーム] をクリックします。

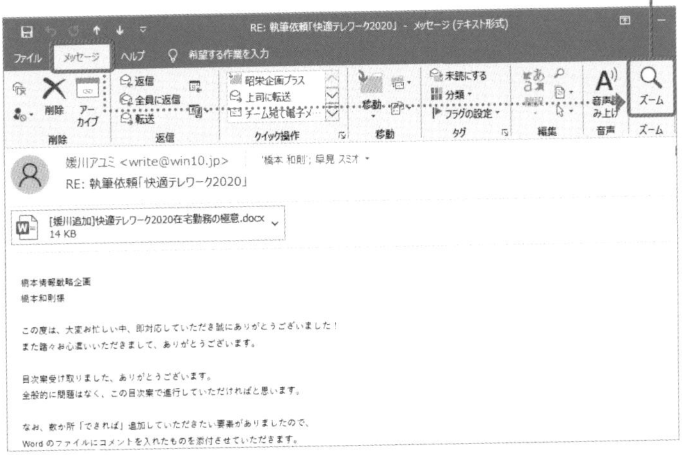

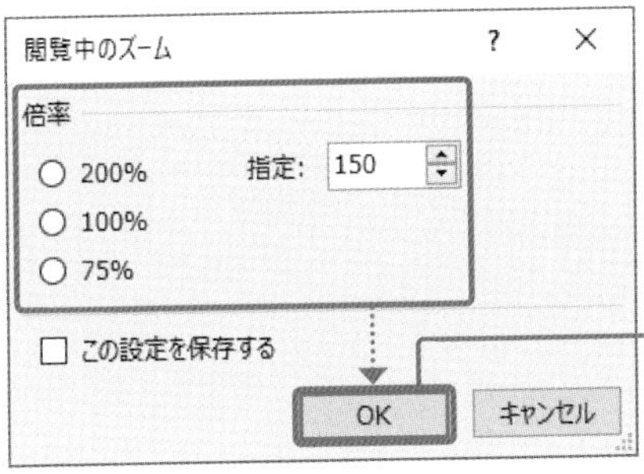

2 任意の倍率を指定して、[OK] をクリックします。

3 メールの内容を拡大表示できます。

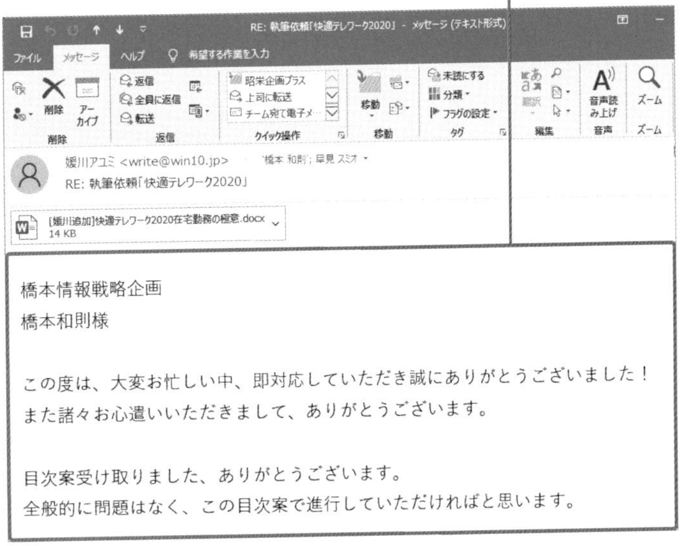

Section
16 メール内に表示されていない画像を表示する

ここで学ぶのは
- メール内の画像表示
- 信頼できる差出人
- ドメイン

一部メールにおいては、あらかじめ画像が表示されていないものがあります。ここでは、メールによって「なぜ画像が表示されないのか」を知るとともに、メールの画像表示方法や、信頼できる差出人からのメールについては自動的に画像を表示する方法などを解説します。

1 受信メールに表示されていない画像を表示する

解説 なぜ最初から画像が表示されていないのか

メールに直接埋め込まれていない外部リンクの画像（インターネットの先のサーバー上にある画像）を表示する場合、相手のサーバーにリクエストする形で画像をダウンロードする必要があります。
この操作を行った場合、モバイル回線などでは通信量がかさむほか、構造上相手にこちらのIPアドレス（インターネット上の住所にあたるもの）などの情報を渡すことになります。
一般的にインターネットは双方向通信であるため、相手にこちらのIPアドレスを渡すこと自体には問題ありません。しかし、相手に悪意がある場合には、画像を表示することで存在（メールが届き、反応したこと）が確認され、標的型攻撃メールの的になるなど攻撃を受ける可能性があるので、信頼ができるメールのみ外部リンクの画像を表示することが基本になります。

画像が表示されない受信メールを表示しておきます。

1 ［画像をダウンロードするには、ここをクリックします。～］をクリックして、

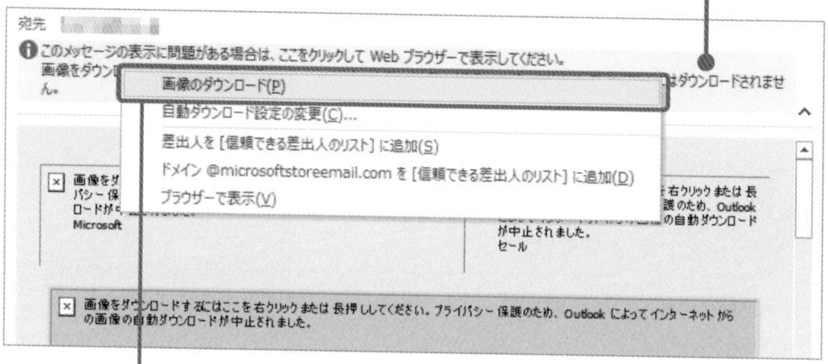

2 メニューから［画像のダウンロード］をクリックします。

3 メール内に画像を表示することができます。

2 信頼できる差出人を指定してメールの画像を表示する

Memo 信頼できるかどうかはドメインで判断する

「ドメイン」とはメールアドレスにおける「@」以下の文字列部分のことです。ある程度の規模がある法人においては、「ドメインを取得して、組織内の社員には該当ドメインを利用したメールアドレス」が配布され、業務に用いられます。右図の手順では差出人を信頼する操作を紹介していますが、信頼できる法人であれば［ドメイン @～ を［信頼できる差出人のリスト］に追加］をクリックして、ドメインを信頼して登録しても構いません。

一方、「@hotmail.com」「@outlook.jp」「@google.com」などの誰でも取得できる汎用的なドメイン（固有の組織を示さないドメイン）は登録してはいけません。

@email.teams.microsoft.com

@以下の文字列がドメイン

Hint サブドメインに注意

ドメインを取得した者は任意に「サブドメイン」を設定できます。ドメインでは組織を確認することができますが、サブドメインは自由に命名できるため、組織を確認できないことに注意が必要です。

メールアドレスの例であれば

「～@［任意文字列］.microsoft.com」

はマイクロソフトであることを示しますが、

「～@microsoft.［任意文字列］.com」

はマイクロソフトを示さないので注意が必要です。

画像が表示されない「信頼できる受信メール」を表示しておきます。

1 ［画像をダウンロードするには、ここをクリックします。～］をクリックして、

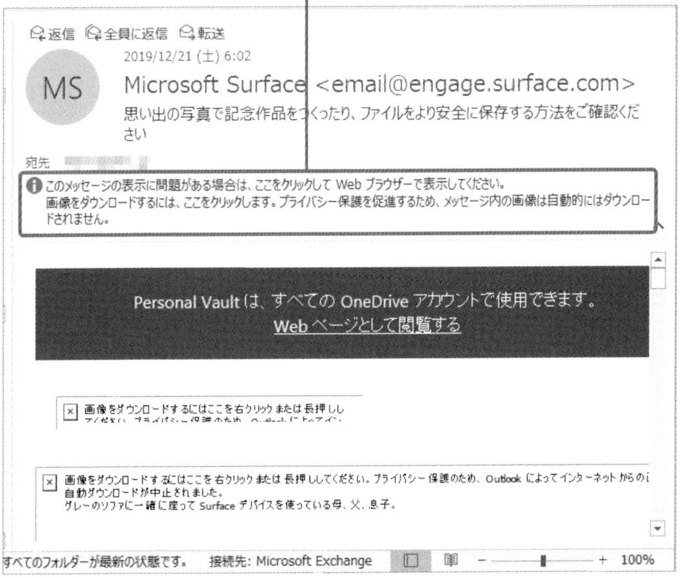

2 メニューから［差出人を［信頼できる差出人のリスト］に追加］をクリックします。

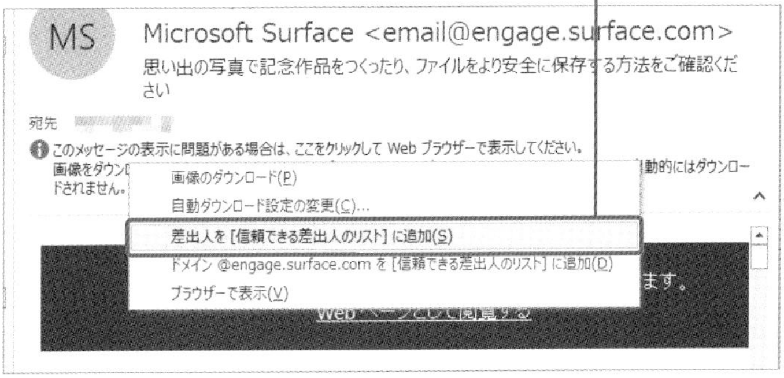

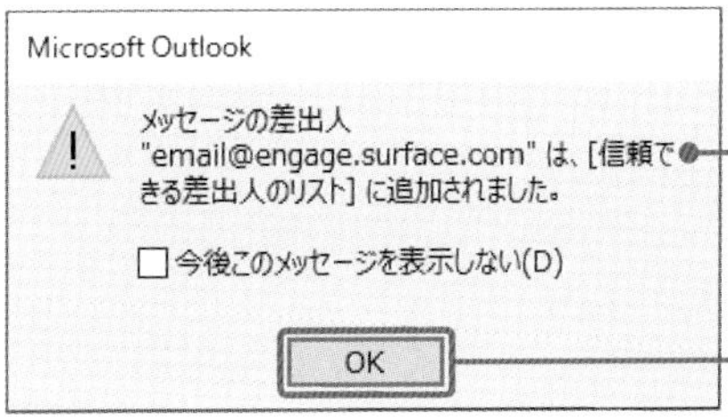

3 メッセージ内容を確認します。

4 ［OK］をクリックします。

Section 17 メールに返信する

ここで学ぶのは

- 返信
- 件名
- RE:

受信メールに対してメールを送り返したい場合には、「返信」を活用します。Outlook 2019における「返信」にはメッセージウィンドウで行う方法と閲覧ウィンドウで行う方法がありますが、わかりやすいのはメッセージウィンドウでの操作になります。

1 メッセージウィンドウでメールに返信する

解説 間違いなく相手にメールを送信するための「返信」

メールを送信する際、宛先にメールアドレスを手入力すると間違えてしまう可能性があります。その点、「返信」であれば間違いなく相手にメールを送信できるので、宛先を確実に指定するためにも基本的に「返信」を活用するようにします。

ショートカットキー

- 返信
  Ctrl + R

Memo 「件名」は基本的に変更しない

メールのマナーとして、テーマが変更されない限り基本的に「件名」は変更しないようにします。これは、メールを送信してきた相手から見て、件名が「RE: [件名]」となっているものは、自分が送信したメールに返信していることがわかりやすいからです。
また、スレッド表示（p.56参照）を利用している場合は、同じ件名のメールがグループ化されるため、件名を変えないほうがやり取りを管理しやすいという理由もあります。

1 返信するメールをダブルクリックします。

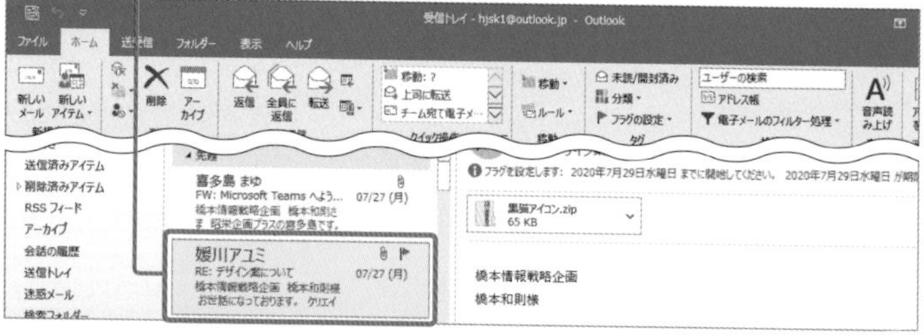

2 メッセージウィンドウでメールが表示されます。

3 ［メッセージ］タブ→［返信］をクリックします。

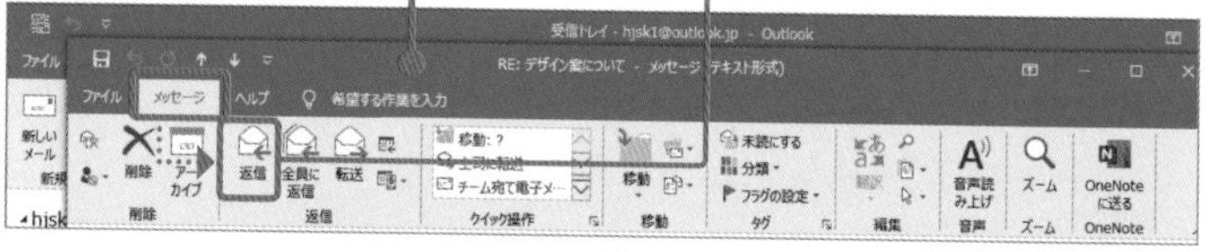

4 新しいウィンドウが開きます。

5 件名に「RE:」が付きます。

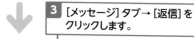

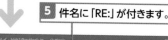

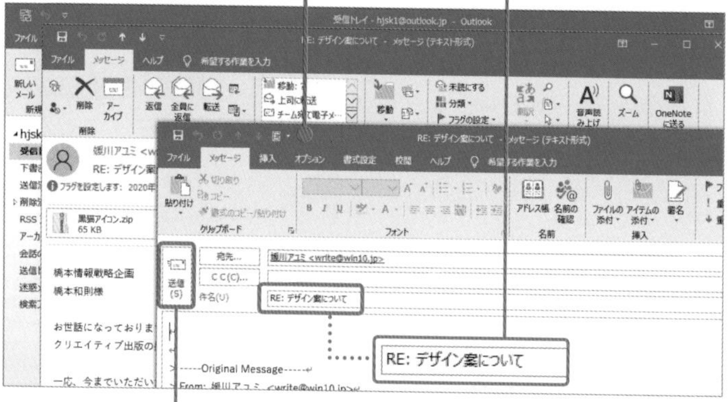

6 任意に本文を記述して［送信］をクリックします。

2 閲覧ウィンドウでメールに返信する

解説 閲覧ウィンドウによる返信

閲覧ウィンドウで行う返信は1画面で済むのですばやく行えます。一方で、同じ画面内で済んでしまうことによるわかりにくさもあるので、本書ではメッセージウィンドウで行う方法を推奨しています。

返信したい対象のメールを閲覧ウィンドウに表示しておきます。

1 閲覧ウィンドウの［返信］をクリックします。

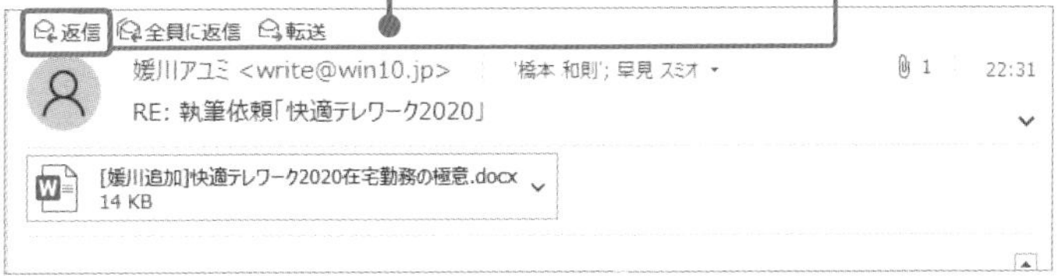

2 件名に「RE:」が付きます。

3 任意に本文を記述して［送信］をクリックします。

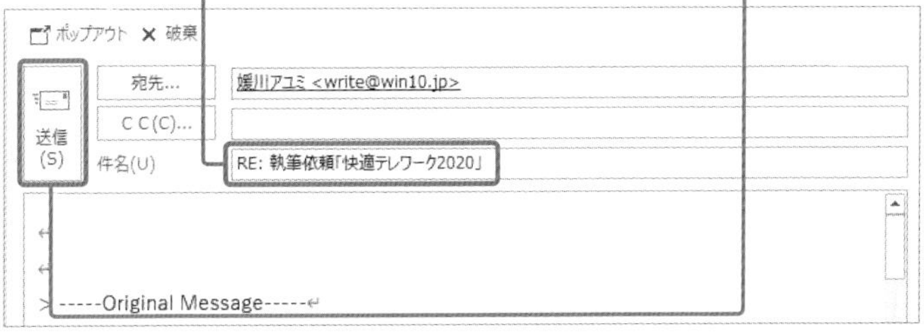

3 閲覧ウィンドウでの記述をメッセージウィンドウにする

解説 メッセージウィンドウのほうがわかりやすい

メールの返信を行う際、閲覧ウィンドウでメールの返信操作をすると、「メールを閲覧するウィンドウの中でメールを記述する」ことになり、若干わかりにくさがあります。

一方、メッセージウィンドウで表示するようにすれば独立したウィンドウになるほか、元メールを参照しながら返信メールを記述できるので便利でかつわかりやすくなります。

閲覧ウィンドウで返信メールを記述する状態にしておきます。

1 ［ポップアウト］をクリックします。

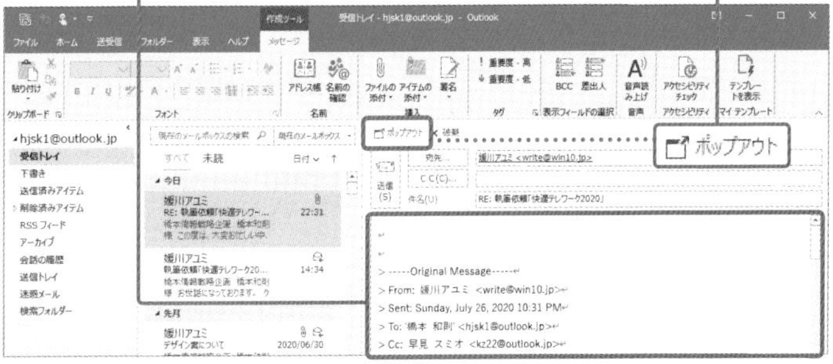

2 返信メールがメッセージウィンドウ表示になります。

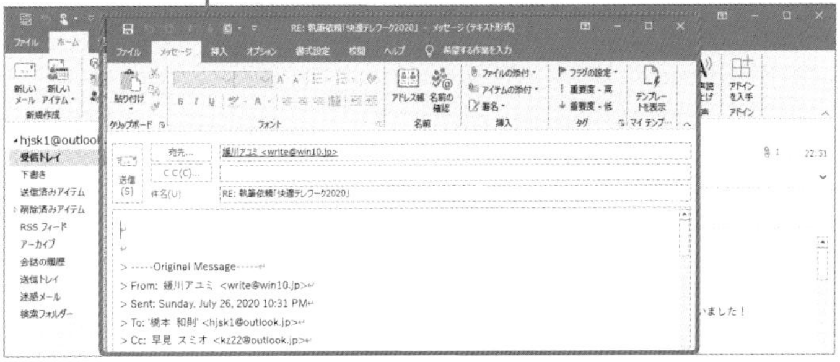

Section
18 メールを下書きとして保存する

ここで学ぶのは
- 下書きに保存
- メール作成の再開
- 下書きの表示

ビジネスではメールを書いている途中に別の仕事が発生して、メール作成を中断せざるをえない状況になることもあります。このような場合は作成中のメールは破棄せずに下書きに保存しておけば、後から書き途中のメールを開いて、メール作成の続きを行うことができます。

1 作成中のメールを保存する

解説 メールを「下書き」に保存する

メールを「下書き」に保存する方法は、右図の手順のように［閉じる］をクリックして表示されるメッセージから選択する方法と、p.36で解説しているようにクイックアクセスツールバーを利用する方法があります。

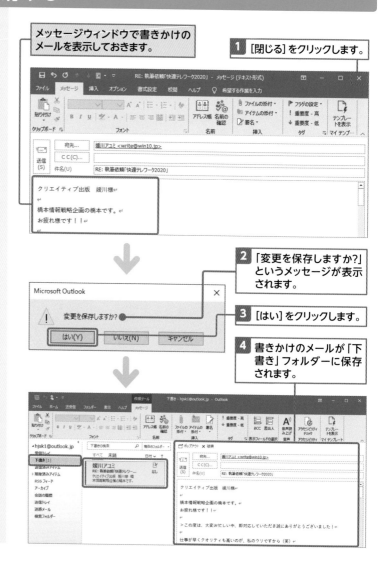

メッセージウィンドウで書きかけのメールを表示しておきます。

1 ［閉じる］をクリックします。

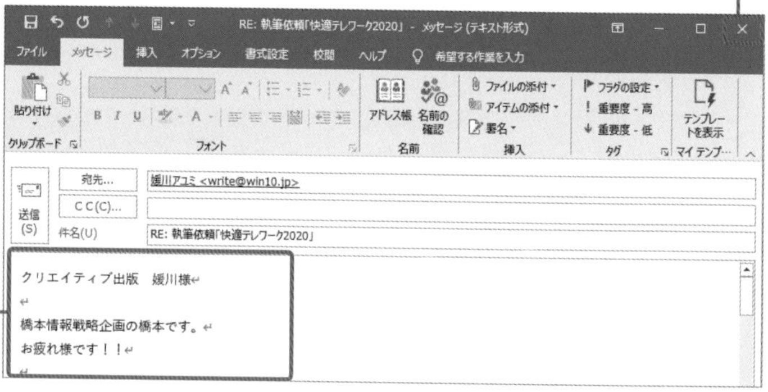

2 「変更を保存しますか?」というメッセージが表示されます。

3 ［はい］をクリックします。

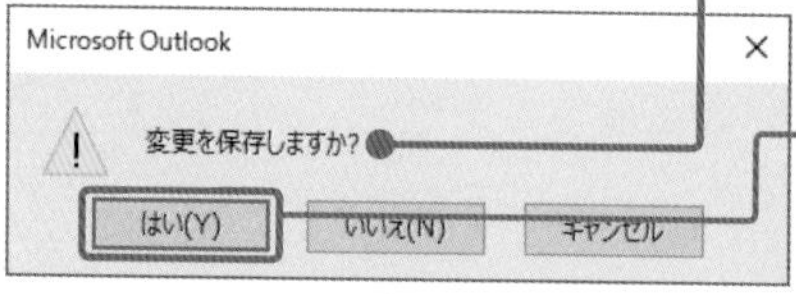

4 書きかけのメールが「下書き」フォルダーに保存されます。

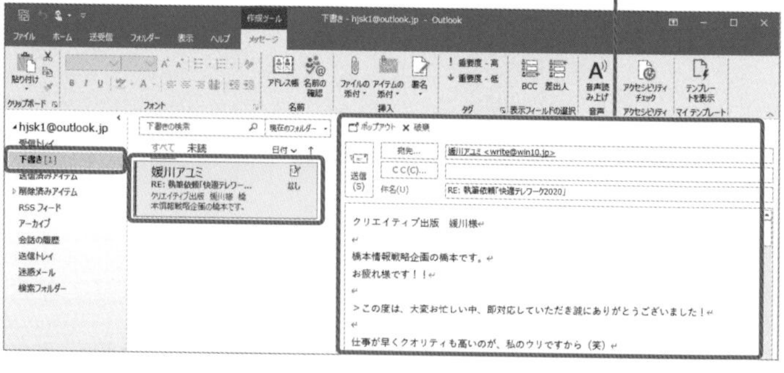

Hint 作成中のメールには「宛先」「件名」を入力しておく

作成中のメールは「宛先」「件名」を入力しておくと、「下書き」フォルダーに保存された際に、メールの目的が一目でわかりやすくなります。逆に、メールに「宛先」「件名」がないと、後で「下書き」フォルダーを参照したときに、作成途中のメールの目的がわかりにくくなってしまいます。

2 メールの作成を再開する

Hint メールの「下書き」も同期される

メールの送受信内容はメールサーバーと同期して管理されますが（POPアカウント以外の場合）、「下書き」もメールサーバーと同期することができます。つまり、複数のデバイスで同じアカウントを利用している場合、デバイスAで下書きした内容をデバイスBで引き継いで内容を書き上げて送信することなども可能です。

1 フォルダーウィンドウから［下書き］をクリックします。

2 ビューで作成途中のメールの一覧を確認できます。

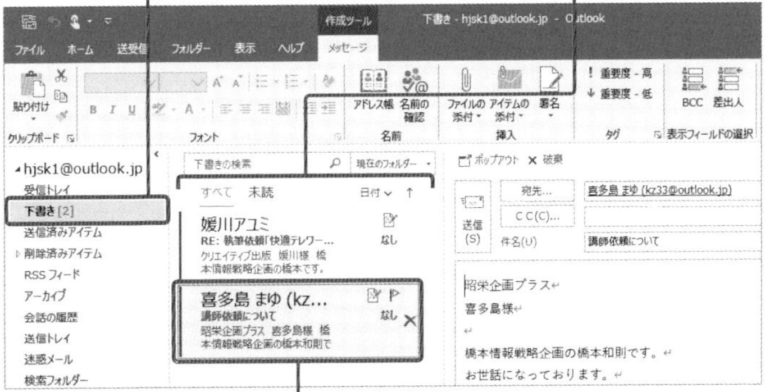

3 記述を再開したい作成途中のメールをダブルクリックします。

4 作成途中のメールがメッセージウィンドウで表示されます。

5 書きかけのメールの作成を再開できます。

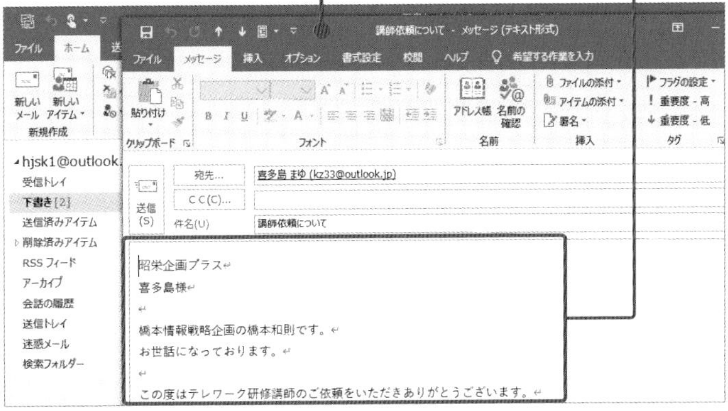

3 メールを下書きに保存しながら作成する

解説 作成中のメールを自動保存する

作成中のメールを一定時間間隔で自動保存したい場合は、Backstageビューから［オプション］をクリックして［Outlookのオプション］ダイアログを表示します。
［メール］の［メッセージの保存］欄内の［送信していないアイテムを次の時間（分）が経過した後に自動的に保存する］をチェック、任意の自動保存間隔（分）を指定して［OK］をクリックします。

1 クイックアクセスツールバーの［上書き保存］をクリックします。

2 「下書き」フォルダーに保存されます。そのままメールの作成を続けることができます。

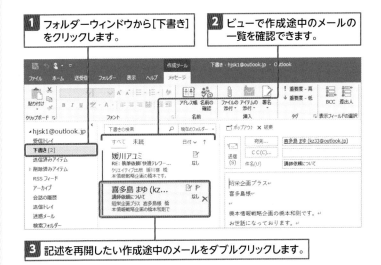

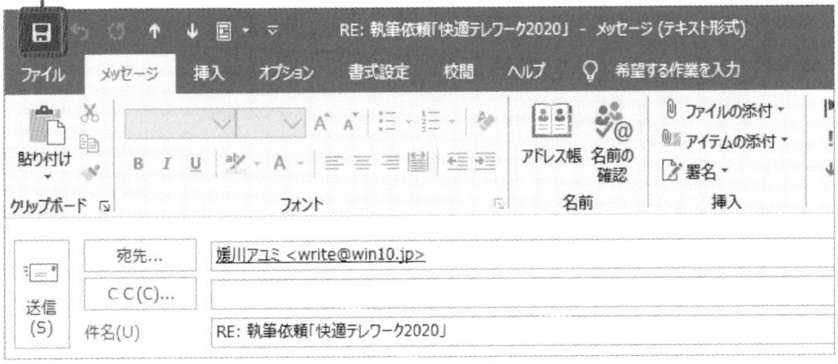

Section

19 複数の相手に同じ内容のメールを送信する

ここで学ぶのは

- 複数人に送信
- CC と BCC
- 全員に返信

複数の人に同一内容のメールを送信したい場合には、宛先で複数のメールアドレスを指定する方法のほか、「CC(Carbon Copy)」や「BCC(Blind Carbon Copy)」を利用する方法があります。これらはマナーとして場面に応じて使い分ける必要があります。

1 複数の人にメールを送る

Memo 複数のメールアドレスを指定する

複数のメールアドレスを指定するには、アドレスとアドレスの間に「;」(セミコロン)を入力します。

Hint 「宛先」に指定するメールアドレスのマナー

「宛先」に記述したメールアドレスは、メール送信対象となるすべての相手(CCやBCCで指定した相手を含む)にメールアドレスを知らせることになります。
このため、同じ内容のメールを複数の人に送信する場面において「宛先」に記述するメールアドレスは、お互い認識している相手同士の間で利用するのが基本になります。例えば、同一組織内や同一グループ内、あるいは送信相手が互いにメールアドレスを知っても問題のない関係などの場合です。

同一内容のメールを送りたい相手のメールアドレスをあらかじめ確認しておきます。

1 「宛先」に1人目のメールアドレスを入力します。

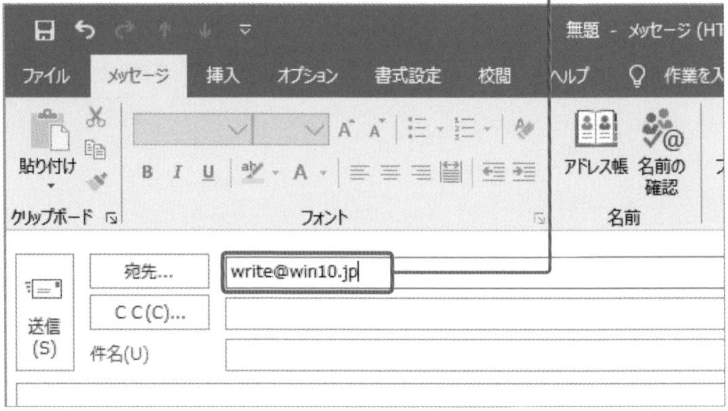

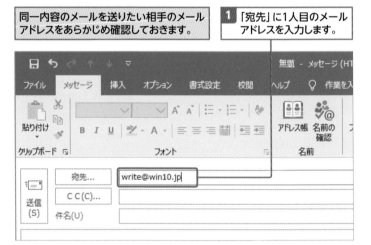

2 「;」(セミコロン)を入力します。

3 続けて2人目のメールアドレスを入力します。

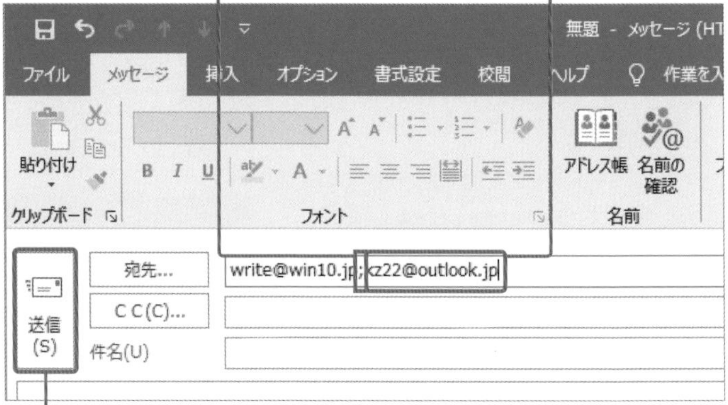

4 件名やメール本文を入力し、[送信]をクリックすると、複数人に同じ内容のメールが送信されます。

2 「CC」を利用して複数の人にメールを送る

Key word CC

「CC」は「Carbon Copy」の略で、宛先以外の相手にメールを送信できる機能です。「CC」には複数のメールアドレスを指定できます。

1 「宛先」にメールアドレスを入力します。

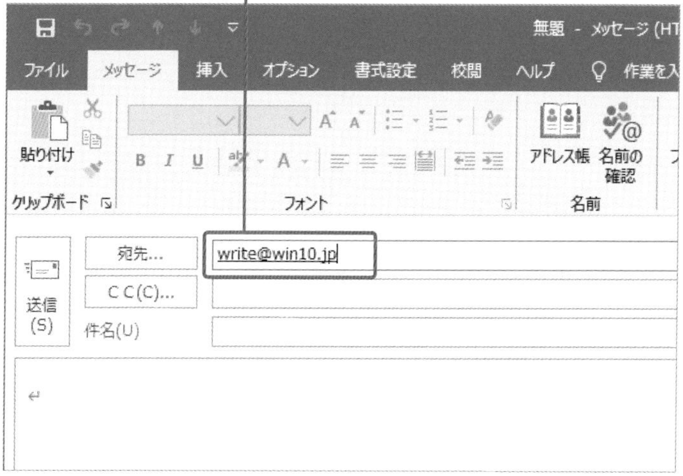

2 「CC」にその他のメールアドレスを入力します。

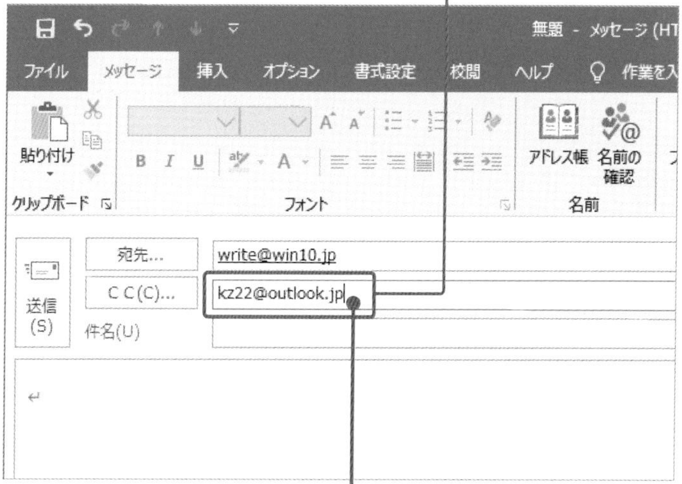

「;」(セミコロン)で区切れば、「CC」に複数のメールアドレスを記述することもできます。

Hint 「宛先」をメインの相手とする

「宛先」に指定するのはメインとなる相手(例えば取引先の担当者)とし、「CC」に記述するのはその内容を同じく伝えておかなければならない相手(情報を共有しておきたい人)とするのが基本になります。
この「宛先」と「CC」の区別に明確なルールはありませんが、基本的に送信メールに返信してほしい相手(テーマのメインとなる相手)を「宛先」に指定します。返信してほしい人を「CC」で指定するのはやや失礼にあたります。

注意 「宛先」「CC」でのメールアドレス指定は場面によってはマナー違反になる

「宛先」や「CC」に記述したメールアドレスは、メール送信対象となる相手全員にメールアドレスを公開する形になります。例えば「Aさん」のメールアドレスを「宛先」、「Bさん、Cさん」のメールアドレスを「CC」に指定した場合、結果的に「Aさん、Bさん、Cさん」のすべてのメールアドレスが、Aさん、Bさん、Cさんそれぞれで確認できてしまうことになります。これは互いに既知の間柄ではない限り「相手の名前とメールアドレスを勝手に第三者に教えてしまう」というマナー違反になり、プライバシー的に問題がないとはいえません。

3 「BCC」を利用して複数の人にメールを送る

Key word **BCC**

「BCC」は「Blind Carbon Copy」の略です。「CC」同様に宛先以外の相手にメールを送信できる機能で、複数のメールアドレスを指定することも可能です。

メールの作成画面をメッセージウィンドウで表示しておきます。

1 [オプション] タブ→ [BCC] をクリックします。

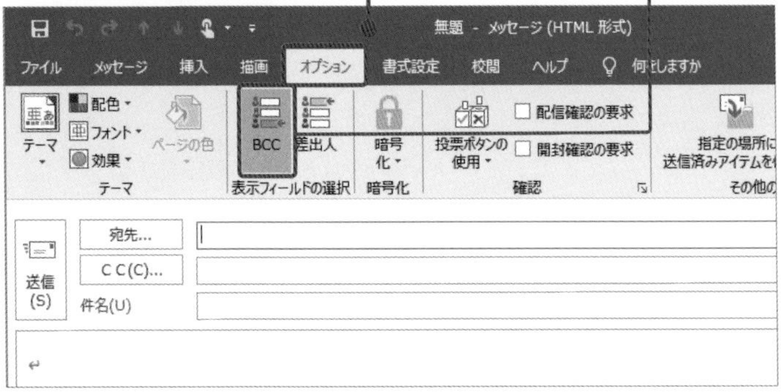

2 「BCC」欄が表示されます。

3 「宛先」にメールアドレスを入力します。

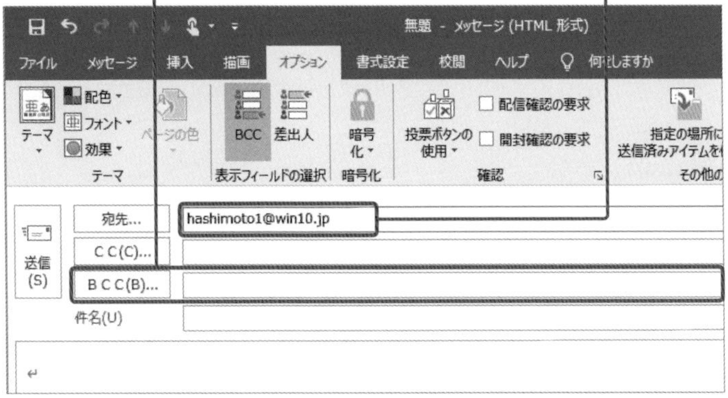

4 「BCC」にメールアドレスを任意に入力します。

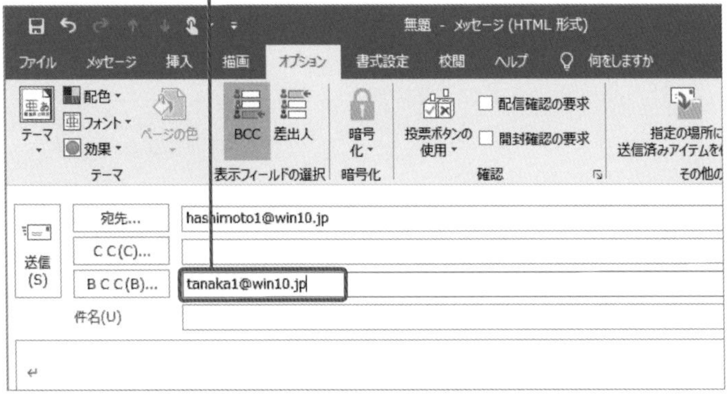

「BCC」に入力したメールアドレスは、「宛先」「CC」に指定した送信相手に知られずに済みます。

Memo **「CC」と「BCC」の違い**

「CC」も「BCC」も複数のメールアドレスを指定して宛先以外の相手にメールを送信できますが、「CC」は「記述したメールアドレスは、メール送信対象の全員に知られてしまう」という特性があります。
一方「BCC」は、ほかの送信対象にはメールアドレスが見えない形で、指定したメールアドレスにメール送信することができます。

4 全員に返信する

解説 全員に返信する

受信したメールで、送信相手が自分以外の複数人のメールアドレスを指定している場合、あくまでも自分に送信してきた相手のみに返信したい場合は[返信]（p.62参照）、また相手が指定した複数人すべてに返信したい場合には[全員に返信]をクリックします。ここでは、ビジネスメールの基本である「全員に返信する」方法を解説します。

受信メールにおいて相手が複数の人に送ったメールをメッセージウィンドウで表示しておきます。

1 [メッセージ]タブ→[全員に返信]をクリックします。

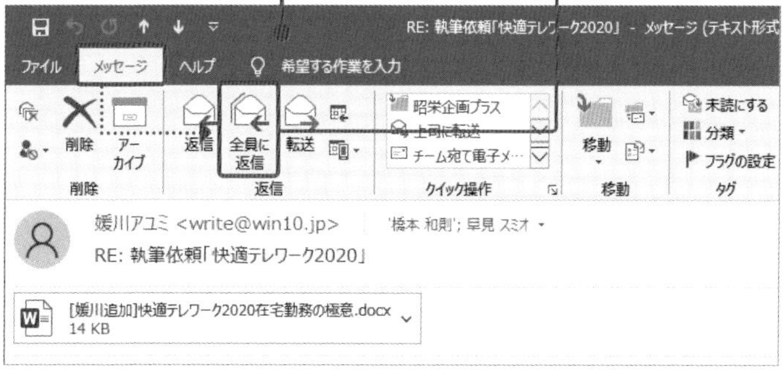

2 送信相手が「宛先」「CC」で指定したメールアドレスが送信対象になり、全員に返信できます。

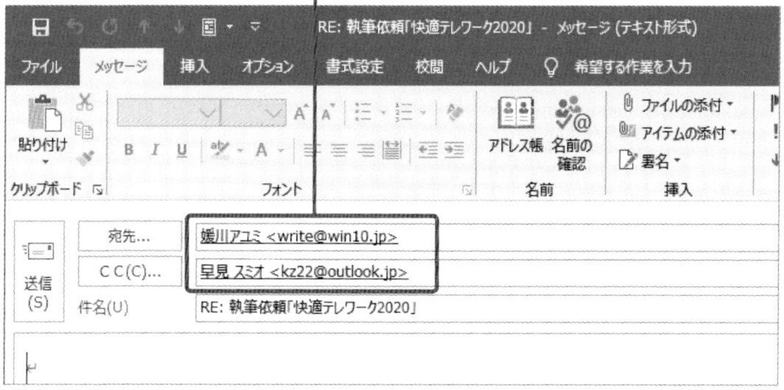

ショートカットキー

- 全員に返信
  Ctrl + Shift + R

Memo ビジネスでは「全員に返信」が基本

一般的なビジネスにおいて、複数人のメールアドレスの指定は「上司や関係者にも共有しておきたい」という意味になるため、ビジネスメールである限り相手に従って「全員に返信（つまり自分がメールに記述した返信内容も共有される）」が基本になります。

- アユミから送られてきたメール

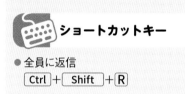

Section 20

ビューや閲覧ウィンドウを使いやすくする

ここで学ぶのは

- 閲覧ウィンドウの位置
- 閲覧ウィンドウのオフ
- ビュー表示の拡張

Outlook 2019を操作するうえで一番利用する部位が「ビュー」と「閲覧ウィンドウ」です。「ビュー」ではメールの差出人、件名、受信日時、添付ファイルの有無などを確認できます。これらの表示は環境に合わせて表示サイズや位置を最適化することにより、より使いやすくすることができます。

1 閲覧ウィンドウの表示位置を下にする

ショートカットキー

- 閲覧ウィンドウの表示位置の変更
  Alt→V→P→N

通常、閲覧ウィンドウは右に表示されています。

1 ［表示］タブ→［閲覧ウィンドウ］をクリックして、

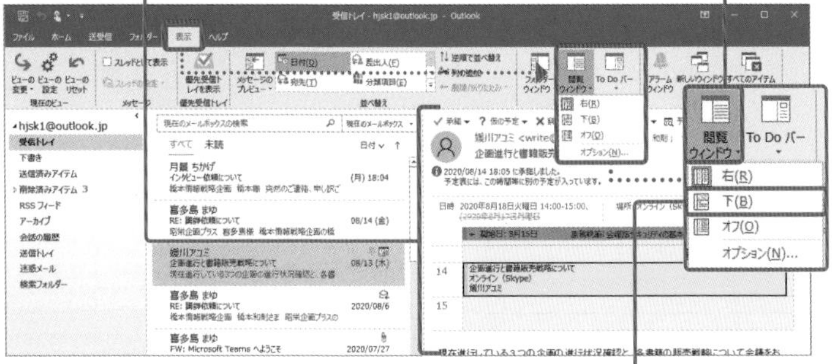

2 ドロップダウンから［下］をクリックします。

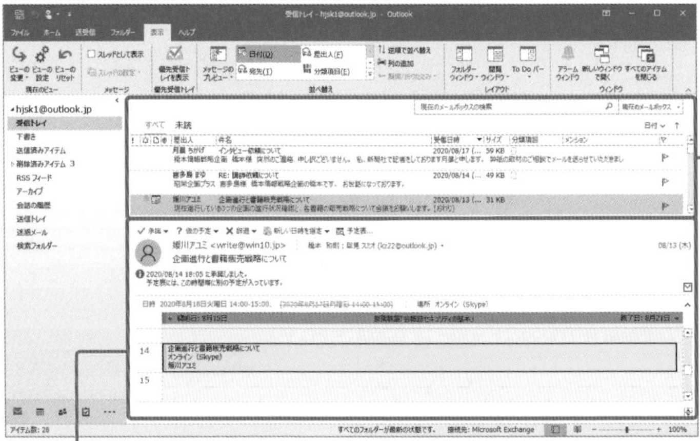

3 閲覧ウィンドウがビューの「下」に表示されるようになります。

ビュー表示が横に広がるため、ビューでメールの内容や詳細が確認しやすくなります。

Hint ドラッグでサイズ変更できる

「閲覧ウィンドウ」を下に表示しても「ビュー」と「閲覧ウィンドウ」の境界線をドラッグすることにより、任意の大きさに変更できます。

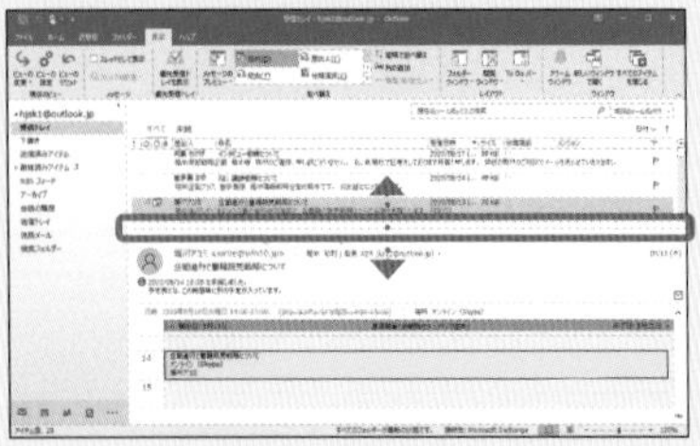

2 閲覧ウィンドウを表示しない

解説 環境によっては「閲覧ウィンドウなし」も有効

閲覧ウィンドウ表示がなくても、「ビュー」内のメールをダブルクリックすることにより、メールをメッセージウィンドウで表示できます。常にメッセージウィンドウでメールの内容を確認する作業スタイルであれば、閲覧ウィンドウを「オフ(非表示)」にしても問題はありません。

1 ［表示］タブ→［閲覧ウィンドウ］をクリックして、

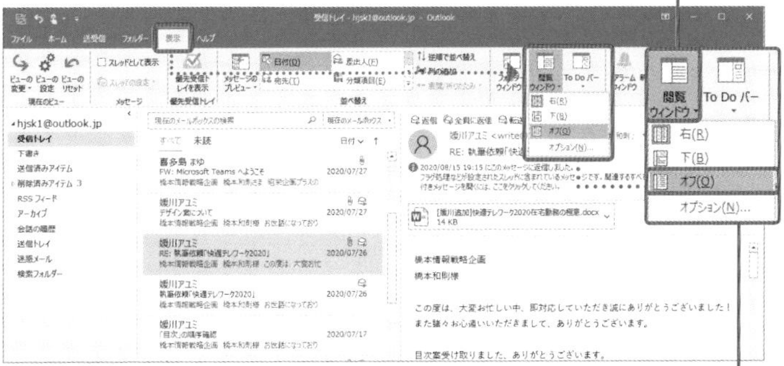

2 ドロップダウンから［オフ］をクリックします。

3 閲覧ウィンドウの表示がなくなります。

ビュー表示が拡張され、件名のほかメール内容の一部などがビュー内で見やすくなります。

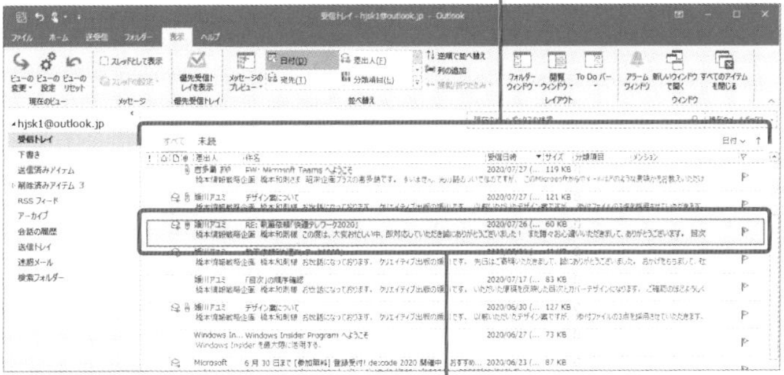

4 メールの内容を確認したい場合には、任意のメールをダブルクリックしてメッセージウィンドウで表示します。

Hint Outlook 2019 を超コンパクト表示にする

フォルダーウィンドウを最小化 (p.46 参照) して、閲覧ウィンドウをオフにすれば、Outlook 2019をかなりコンパクトに扱うことができます。フォルダーウィンドウやメッセージウィンドウも任意に表示できるため、このようなコンパクト表示でも問題なく操作できます。

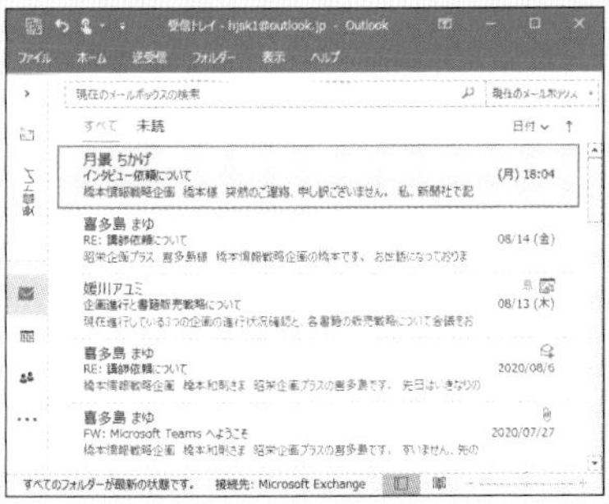

使えるプロ技! ビューを詳細にカスタマイズする

ビューで表示される情報を任意に設定したい場合は、［表示］タブ→［ビューの設定］をクリックして、［ビューの詳細設定］ダイアログから［列］をクリックして、列で表示すべき情報を設定します。「必要な情報を優先的に表示する」というイメージを持つと、自身で使いやすいビュー表示を実現できます。また、必要に応じて、「任意の差出人のみ強調表示する」などの設定を行うことも可能です (p.185参照)。

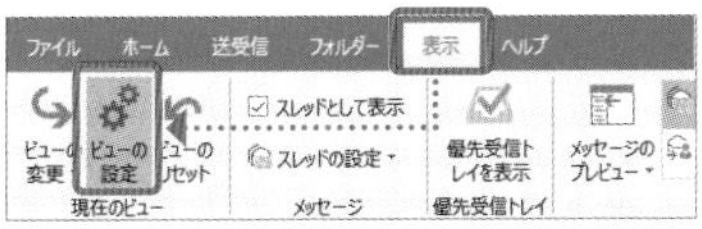

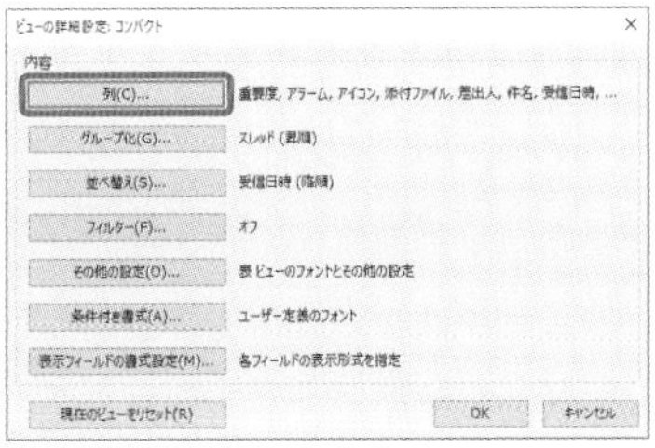

Section

21 スレッド表示と優先受信トレイ表示を無効化する

ここで学ぶのは

- スレッド表示
- スレッド表示の無効化
- 優先受信トレイ表示の無効化

スレッド表示とはメールの送受信において同一件名のやり取りがひとつのグループとして表示される機能ですが、この機能がわかりにくいと感じる場合は、スレッド表示を無効にします。

1 スレッド表示を無効にする

解説 スレッド表示は「無効」を推奨

スレッド表示は同一案件のメールがまとめられて便利という言い方もできれば、メールがまとめられてしまうので逆に見つけにくいという考え方もあります。
また、同一案件であっても相手が新しい件名でメールを返信した場合、結果的にスレッド表示があまり活きない形になってしまいます。
メール管理として「普通にメールを新着順に並べたい」「同一案件のメールをさかのぼって参照する場合には検索や並べ替えを活用する」「メールをフォルダー分けして管理している」などの場合には、スレッド表示を無効にするとよいでしょう。

1 ［表示］タブ→［スレッドとして表示］のチェックを外します。

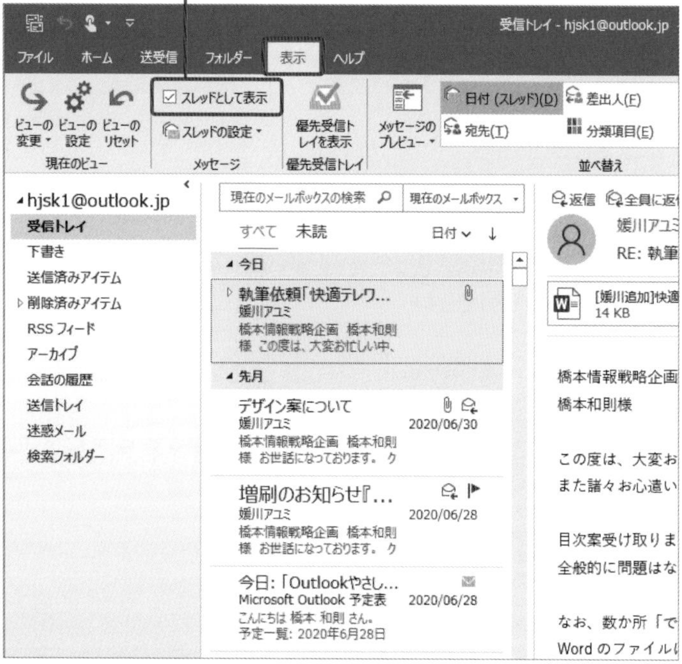

2 メッセージが表示されるので内容を確認します。

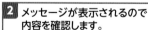

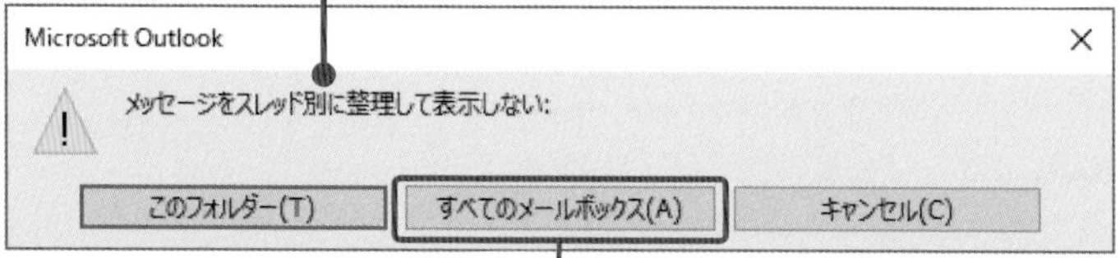

3 ［すべてのメールボックス］をクリックします。

Memo　スレッド表示にしたければお互い「件名」を変えない

メールの送受信において「スレッド表示」を活用したければ、基本的に同一案件の「件名」を変更しないようにします。件名を変更してしまうと、スレッド化されなくなるためです。なお、返信時の件名に「RE:」が入るのは構いません。件名の先頭に「RE:」があっても同一スレッドで表示されます。

4 ビュー内のメールのスレッド表示が解除されます。

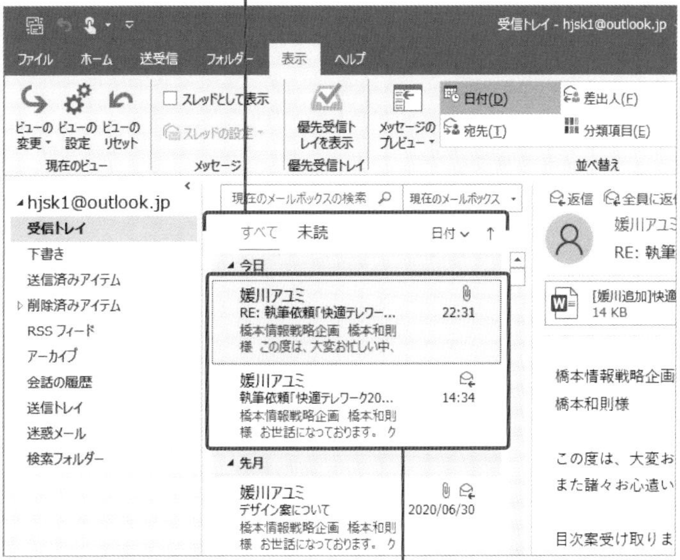

5 同一件名のメールがまとめられなくなり、個々のメールがビュー内に並ぶようになります。

2 優先受信トレイ表示を無効にする

解説　優先受信トレイ表示は「無効」でよい

アカウントの種類によっては（Microsoft Exchangeアカウント／Microsoft 365のアカウント／Outlook.comアカウントなど）、メールが「優先」と「その他」という形で分類されますが、これはアカウント側の勝手な判定によります。そのため、重要なメールも「その他」に分類され見逃してしまうことがあるほか、一般的にもこのような分類を行う意味はあまりないため、「優先受信トレイ表示」は無効にすることをおすすめします。

優先受信トレイが有効な場合、「優先」「その他」でビューが分けられます。

1 ［表示］タブ→［優先受信トレイを表示］をクリックします。

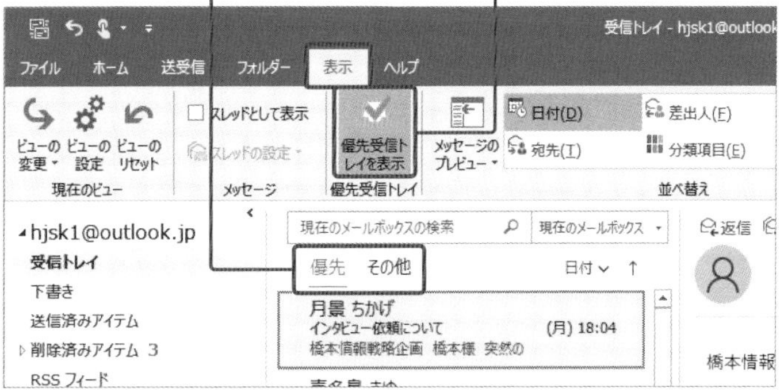

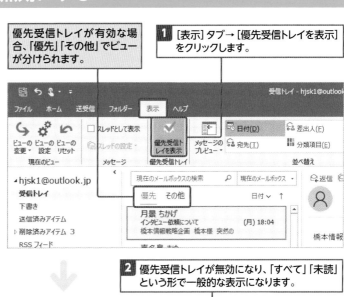

2 優先受信トレイが無効になり、「すべて」「未読」という形で一般的な表示になります。

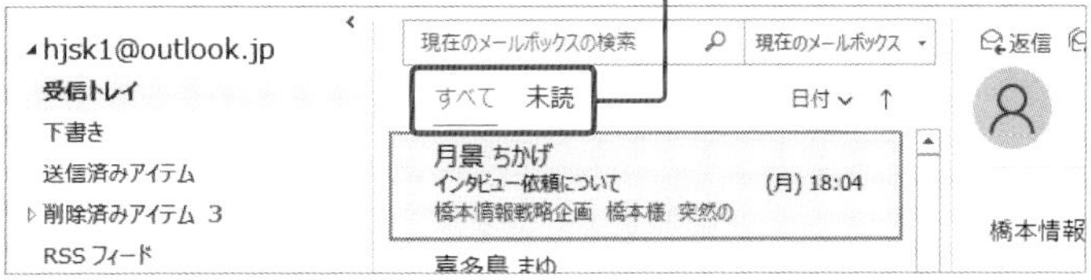

Section 22

メールにファイルを添付する

ここで学ぶのは

- ファイルの添付
- ファイルサイズ
- ファイルの圧縮

メールには任意のファイルを添付して送信できます。ビジネス文書やスプレッドシート、プレゼンシートなどのファイルを添付できますが、メールにファイルを添付する際にはファイルサイズに気を付ける必要があります。

1 メールにファイルを添付する

Key word 添付ファイル

メールに添付したファイルのことを「添付ファイル」といいます。本書で解説している手順のほか、メッセージウィンドウの「本文」に任意のファイルをドラッグ&ドロップしてもメールにファイルを添付できます。

メールの作成画面をメッセージウィンドウで表示しておきます。

1 メッセージウィンドウの［メッセージ］タブ→［ファイルの添付］をクリックします。

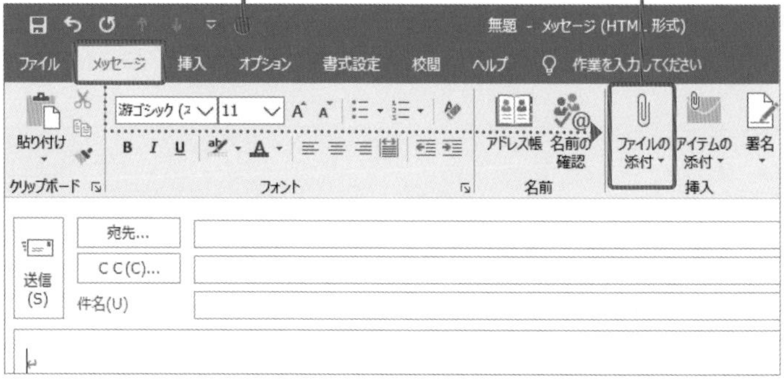

2 ［最近使ったアイテム］に添付したいファイルがあれば、任意のファイルをクリックします。

3 ［最近使ったアイテム］にない場合には、［このPCを参照］をクリックします。

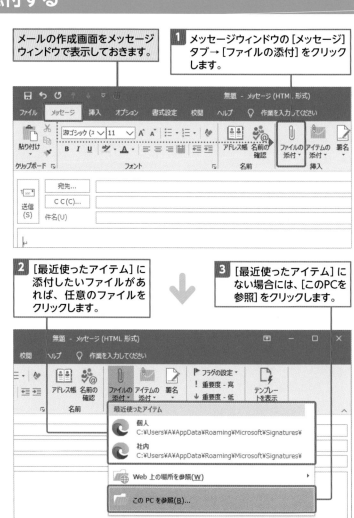

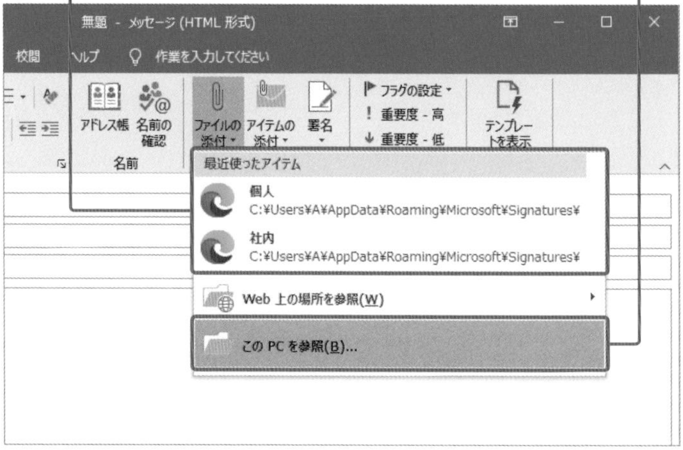

Memo 新しいメールの作成

新しいメールを作成するには、［ホーム］タブ→［新しいメール］をクリックします。あるいは Ctrl + N キーでもすばやく新しいメールを作成できます。

Hint 複数のファイルが添付可能

メールには複数のファイルを添付することも可能です。なお、複数のファイルを添付する際には「ファイルサイズ（すべてのファイルの合計サイズ）」に着目して、あまり大きなサイズのファイルはメールに添付せず、クラウドによるファイル共有など別の手段で送信するようにします。

ショートカットキー

- ファイルの添付
  Alt→H→A→F

4 ［ファイルの挿入］ダイアログが表示されます。

5 添付したいファイルをクリックして、［挿入］をクリックします。

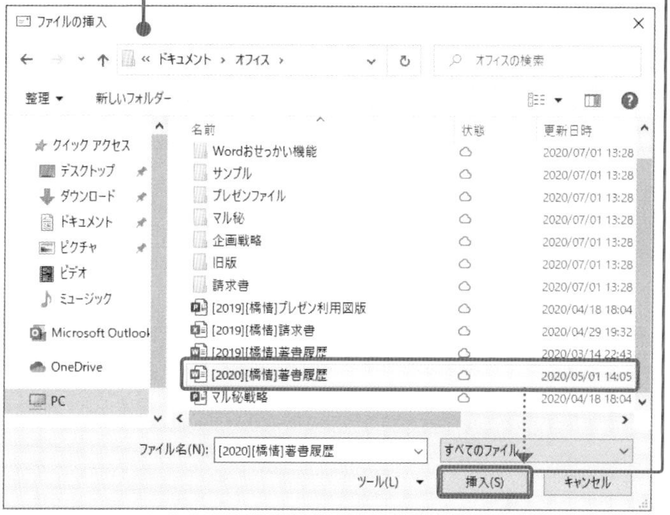

6 メールにファイルが添付されます。

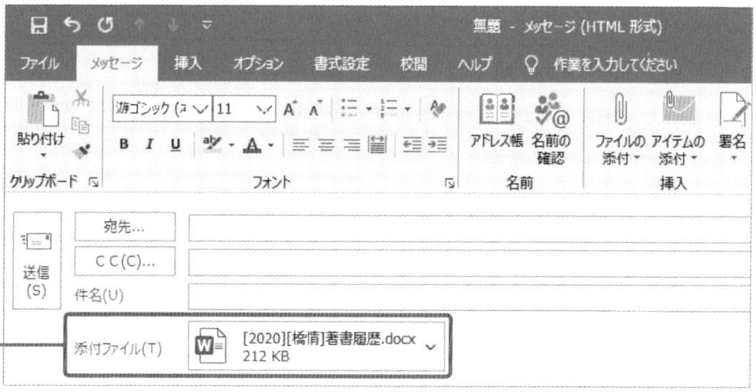

2 メールに添付したファイルを確認する

解説 添付ファイルの確認

送りたいファイルがきちんと選択されているかどうか、メールを送信する前に一度添付ファイルの内容を確認しておくと安心です。

1 添付ファイルの［∨］をクリックして、

Hint 添付ファイルの最大容量

メールのアカウントによって異なりますが、Outlook 2019の添付ファイルサイズの上限は「20MB」までになります。なお、Microsoft Exchangeアカウント／Microsoft 365のアカウント／Outlook.comアカウントなどのMicrosoft系アカウントの場合は、既定の上限は現状「10MB」です（この上限は将来変更される可能性があります）。

注意 画像ファイルはできるだけ本文に貼らない

HTML形式のメール（p.78参照）であれば、画像ファイルを本文に貼って送信することもできます。例えば、集合場所の地図などをメールの本文内で表示したい場合などでは、メール内に画像を貼ることは有効です。しかし、業務そのものに利用する画像ファイルの場合は、メール本文に画像を貼ってしまうと相手が画像ファイルとして抽出しにくくなるため、「添付ファイル」で送信することが基本になります。

2 ドロップダウンから［開く］をクリックします。

3 添付したファイルの内容を確認できます。

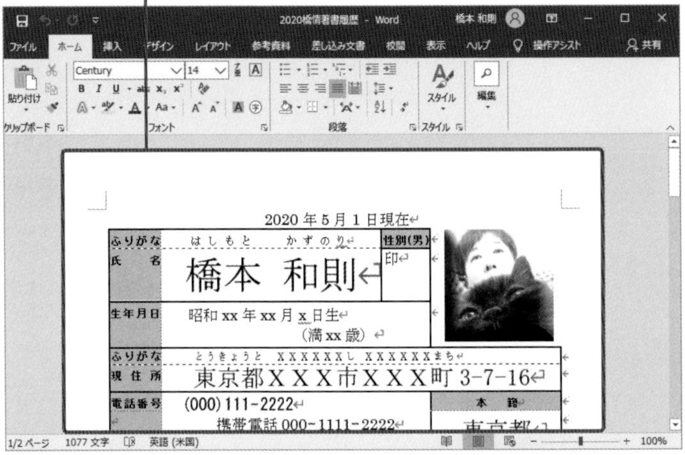

3 メールに添付したファイルを削除する

1 添付ファイルの［∨］をクリックして、

Hint ファイルを添付する際のファイルサイズマナー

メールにファイルを添付する際には「ファイルサイズ（ファイルの容量）」に注意します。大きなサイズのファイルを添付することは相手のメールサーバーに負担をかけます（送信したメールや添付ファイルは相手のメールサーバーでも管理されます）。また、相手のメールサーバーによっては、大きなファイルサイズの添付ファイルは自動的に受信拒否されることもある点に注意が必要です。
基本的に5MBを超えるファイルはメールに添付して送信せず、クラウドによるファイル共有など別の手段で送信するようにします。

● **ファイル添付の際の配慮とマナー**

メール内に添付ファイルの説明を記述する
相手が開くことができる一般的なファイル形式にする
ファイル容量に気を付ける（5MB以下を推奨）
データにマクロを付加しない（Word、Excel ファイルの場合）

2 ドロップダウンから［添付ファイルの削除］をクリックします。

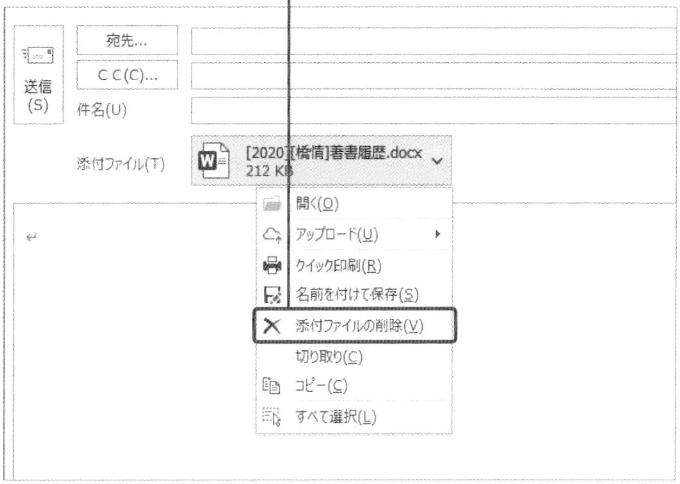

3 添付したファイルをメールから削除できます。

使えるプロ技！ 複数の添付ファイルは「圧縮」する

ビジネスシーンでは、相手に複数の添付ファイルを渡す際には「圧縮」が有効です。
複数のファイルを圧縮してひとつのファイルにすることにより、ファイルサイズを減らすという効果のほか、いくつかのファイルを添付し忘れるというミスを防げます。また、圧縮ファイルにすることにより「ファイル名の文字化け」などを防ぐこともできます。さらに、相手側の管理を考えても、社内で別の相手に渡して作業する際などに、ひとつのファイルにしておいたほうがミスを軽減できます。
なお、圧縮ファイルは複数の形式（ZIP形式、RAR形式、LZH形式など）が存在しますが、相手の開きやすさを考えて、基本的にどのような環境でも簡単に解凍できる「ZIP形式（*.zip）」を用いるようにしましょう。
ZIP形式の圧縮ファイル（通称「ZIPファイル」）は、エクスプローラー上で圧縮ファイルに含めたい複数のファイルを選択したうえで右クリックして、［送る］→［圧縮（zip形式）フォルダー］で作成できます。

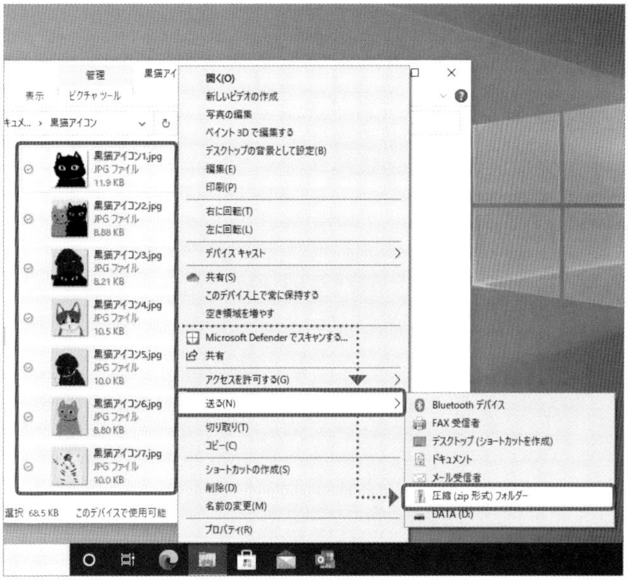

Section
23 メールの形式を知って相手に配慮する

ここで学ぶのは
- HTML 形式
- テキスト形式
- メール形式の指定

メール形式には「テキスト形式」「HTML 形式」のほか、Outlook シリーズの独自形式である「リッチテキスト形式」があります。それぞれの特性を知ってメールを作成しないと、相手にメール内容が伝わらなかったり、扱いづらかったりするなどの迷惑をかけてしまうため、メール形式を必要に応じて使い分ける必要があります。

1 装飾ができる「HTML 形式」とシンプルな「テキスト形式」

Outlook 2019では標準で「HTML形式」が有効になっており、Webページの表示のように文字の色やサイズを装飾することや、画像や表を埋め込むことが可能です。箇条書き、段落番号、文字強調（ボールドやサイズ変更）などが可能であるため、比較的長めのビジネス文書において要点が伝えやすいなどのメリットがあります。一方、「テキスト形式」は「Plain（プレーン、簡素、あっさりという意味）」ともいわれ、文字に対する装飾は全く行えない形式であり、画像や表なども本文に埋め込むことができません。しかし、余計な装飾がない分メールのデータサイズが軽く、またどのメーラー（メールアプリ）でも確実に表示できるというメリットがあります。なお、「リッチテキスト形式」はOutlook独自形式であるため、相手が正常に表示できない可能性を考えても利用は控えるようにします。

「HTML 形式」のメール

返信
全員に返信
転送
ME
Microsoft Edge <edge@e.microsoft.com>
Microsoft の新しいブラウザに備えましょう
2020/06/10
このメッセージの表示に問題がある場合は、ここをクリックして Web ブラウザーで表示してください。

さまざまな装飾や画像や表などを任意に配置することが可能です。

「テキスト形式」のメール

返信
全員に返信
転送
姫川アユミ <write@win10.jp>
hjsk1@outlook.jp
23:02
「快適テレワーク」の執筆依頼
橋本情報戦略企画
橋本和則様
お世話になっております。
クリエイティブ出版の姫川です。
先日はご寄稿いただきまして、誠にありがとうございました。
おかげをもちまして、社内外で好評を得ることができました。
さてこの度、以前からご提案いただいておりました
「快適テレワーク 在宅勤務の極意」というテーマで
書籍企画を進めることとなりました。
つきましては、原稿執筆のご協力を賜りたく存じます。

シンプルに「文章のみ」。文字装飾や画像や表を埋め込むことはできません。

Memo 悪意ある仕掛けを埋め込むことも不可能ではない HTML 形式

HTML形式はWebページ同様の仕組みを持つため、悪意ある仕掛け（マルウェアプログラムへの誘導など）をメールの本文中に埋め込むことも不可能ではありません。偽装リンクなどで表記とは異なるWebページに誘導することなども可能です。このような意味でも、HTML形式は一部のビジネス環境においてはセキュリティリスクがあるメール形式として敬遠されています。

2 メール作成時にメール形式を指定する

ショートカットキー

- メッセージ作成時に「HTML形式」にする
  Alt → O → T → H
- メッセージ作成時に「テキスト形式」にする
  Alt → O → T → P

Memo あらかじめテキスト形式にするには

送信メールにおいて「テキスト形式」を基本としたい場合は、Backstageビューから［オプション］をクリックして［Outlookのオプション］ダイアログを表示します。［メール］の［メッセージの作成］欄内の［次の形式でメッセージを作成する］をクリックして、ドロップダウンから［テキスト形式］をクリックし、［OK］をクリックします。また、受信メールを「テキスト形式」に変換して表示したい場合はp.222で解説する設定を行います。

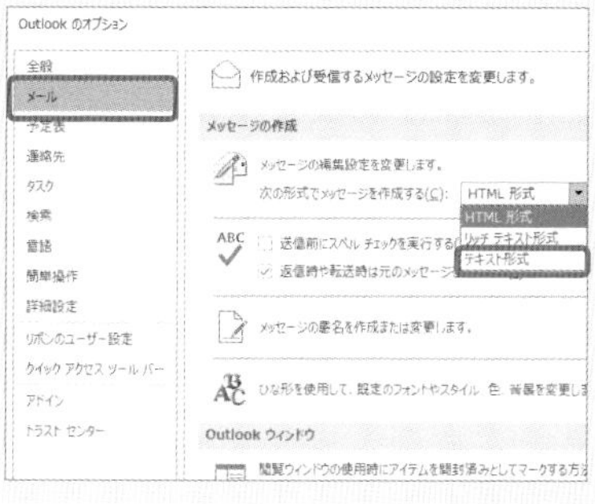

新しいメールの作成画面をメッセージウィンドウで表示しておきます。

ここではHTML形式のメールをテキスト形式に変換する例を示します。

1 ［書式設定］タブ→［テキスト］をクリックします。

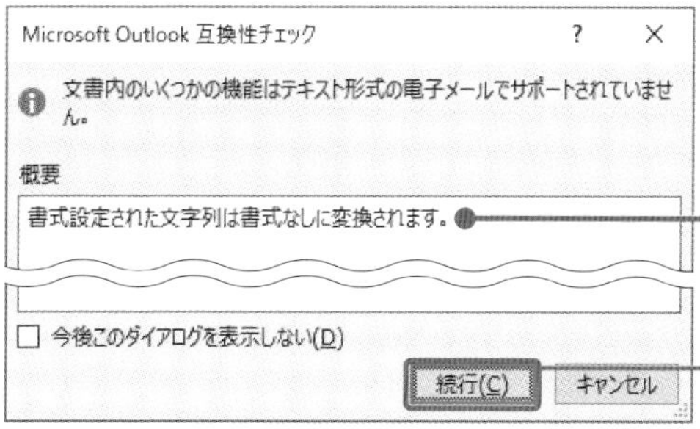

2 HTML形式しかサポートしない要素が含まれる場合、互換性のチェックが表示されるので確認します。

3 ［続行］をクリックします。

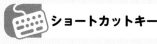

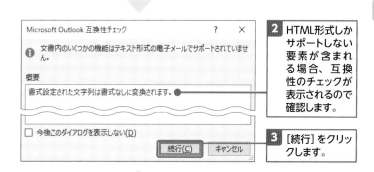

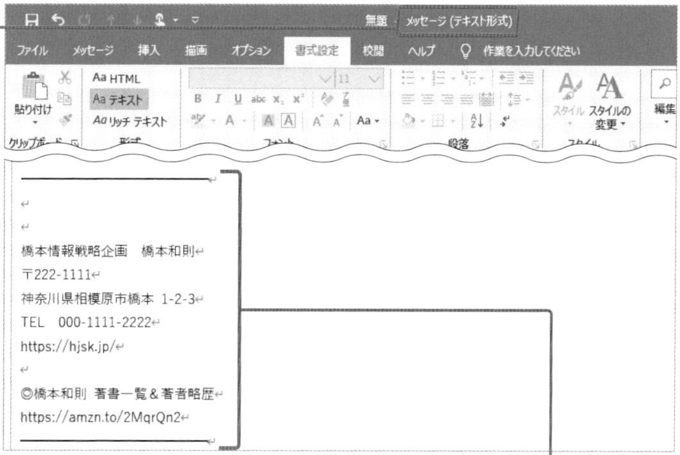

4 メールが「テキスト形式」に変換されます。タイトルバーの「～形式」で、現在のメール形式を確認できます。

5 サポートしない文字書式や挿入されていた画像などは消去されます。

Section 24

メールの本文を装飾する（HTML形式）

ここで学ぶのは

- 文字に色を付ける
- 文字サイズの変更
- その他の文字装飾

作成するメールが「HTML形式」である場合、メールの本文を自由に装飾できます。フォントサイズやフォントの種類を指定できるほか、文字色やマーカー、また太字や斜体（イタリック）などの装飾を施すことが可能です。

1 文字に色を付ける

注意 装飾ができるのはHTML形式のみ

メールの本文に書式（太字／斜体／下線／色／マーカー／フォントサイズなど）を適用できるのは「HTML形式」のみです。「テキスト形式」では適用できません（メールの形式についてはp.78参照）。

Key word フォント

フォントとは、PCで利用できる書体（文字）のことです。なお、Outlook 2019では、自分のPCにインストールされたすべてのフォントが利用できます。ただし、メールを受け取る相手側が自分と同じフォントを持っているとは限らないため、意図したフォントで見てもらうためにはOSおよびOfficeに標準搭載される基本的なフォントを利用するのが無難です。

ショートカットキー

- [フォント] ダイアログの表示
  Ctrl + Shift + P

新しいメールの作成画面をメッセージウィンドウで表示しておきます。

1 マウスをドラッグし文字列を選択します。

2 [書式設定] タブ→ [フォントの色] の [▼] をクリックして、

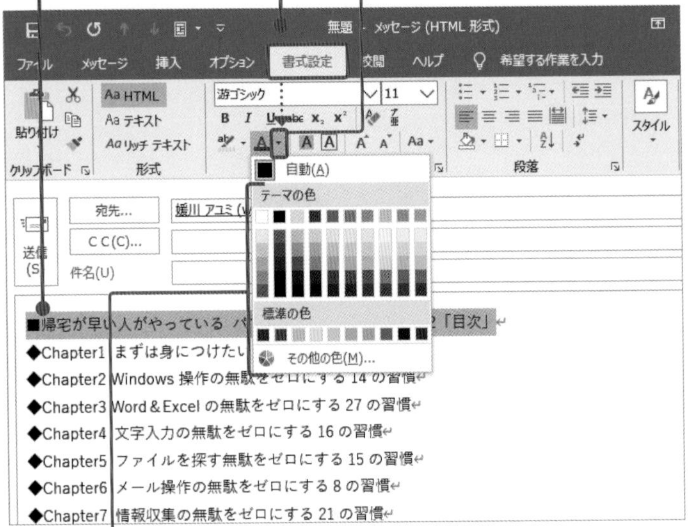

3 一覧から任意の色をクリックします。

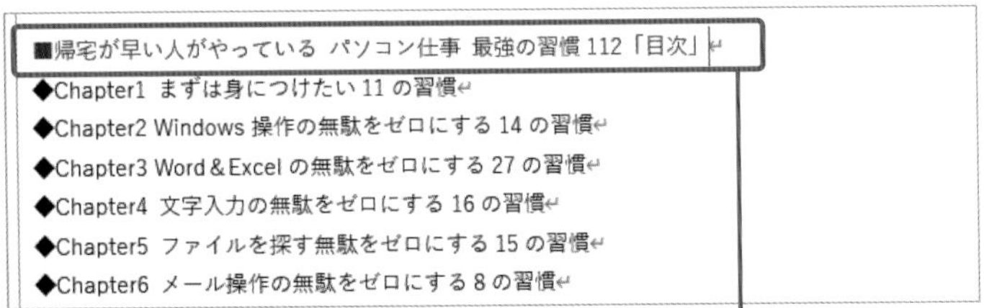

4 指定した文字列を任意の色にすることができます。

2 文字の大きさを変更する

Memo 文字の大きさの単位

文字（フォント）の大きさの単位はpt（ポイント）です。

Hint 文字のサイズを微調整する

［フォントサイズ］のドロップダウンからの選択では、指定してみてから「もう少しだけ大きく／小さく」などの調整が必要になることがあります。その場合は、文字列を選択している状態で Ctrl ＋ ］ キーで「大きく」、Ctrl ＋ ［ キーで「小さく」できるので、微調整に最適です。

Hint 文字の種類を変える

手順1で［フォントの種類］をクリックすると、文字（フォント）の種類を変えることもできます。

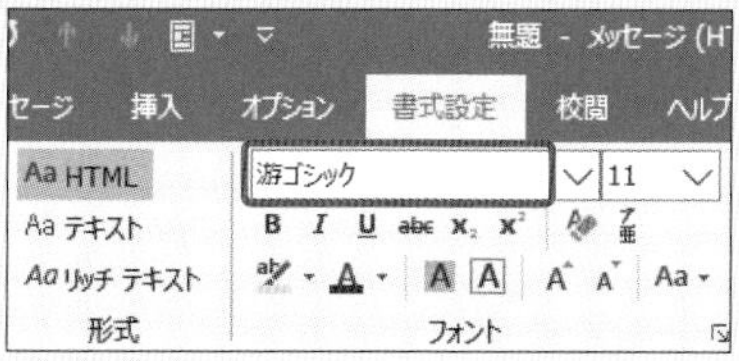

ショートカットキー

- 段落の中央揃え
  Ctrl ＋ E
- 段落の右揃え
  Ctrl ＋ R
- 段落の左揃え
  Ctrl ＋ L

あらかじめ文字列を選択しておきます。

1 ［書式設定］タブ→［フォントサイズ］の［∨］をクリックして、

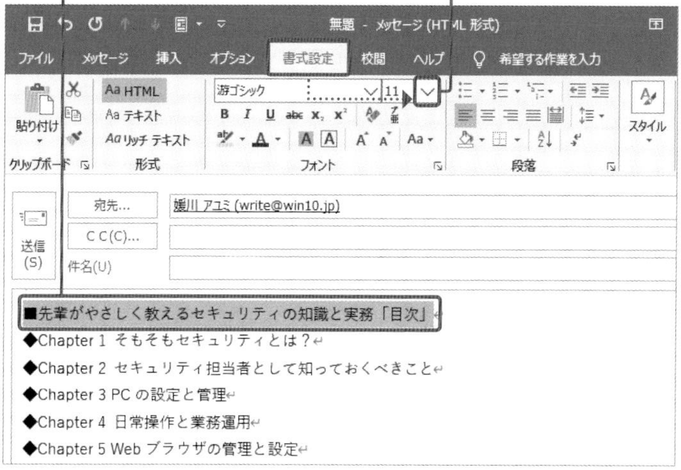

2 ドロップダウンから任意のサイズをクリックします。

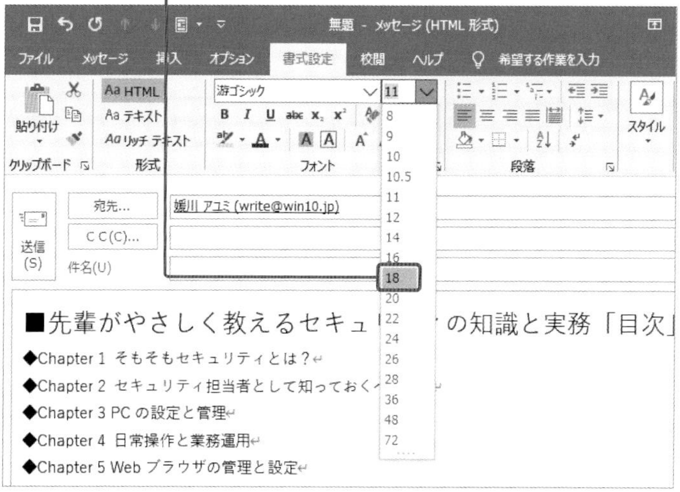

3 指定した文字列の文字サイズを変更できます。

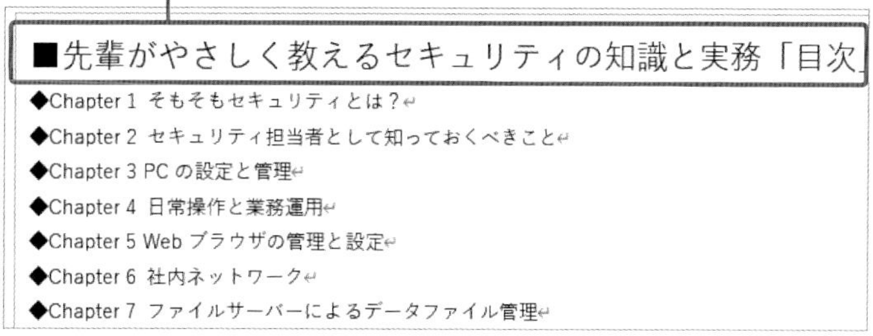

3 文字に蛍光ペンでマーカーする

Memo 蛍光ペンで装飾できる

「蛍光ペンの色」を使用すると、文字列に蛍光マーカーで線を引いたような装飾ができます。

Hint 先行指定によるマーカー

文字列を先に選択してから①、[書式設定]タブ→[蛍光ペンの色]をクリックしても②、文字列をマーカーすることができます。

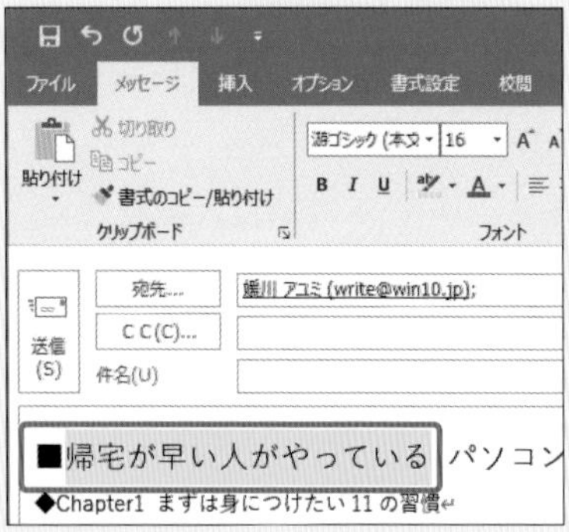

Memo 操作の取り消し

任意の操作を行った後に、やはり操作を取り消して元の状態に戻したいという場合には、作業直後にCtrl+Zキーを入力します。直前の作業を取り消すことができます。

1 [書式設定]タブ→[蛍光ペンの色]をクリックします。

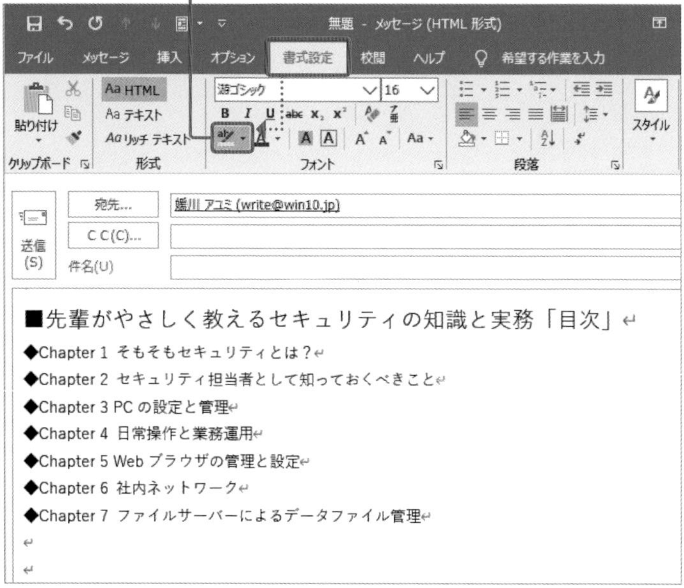

2 任意の文字列をマウスでドラッグして選択します。

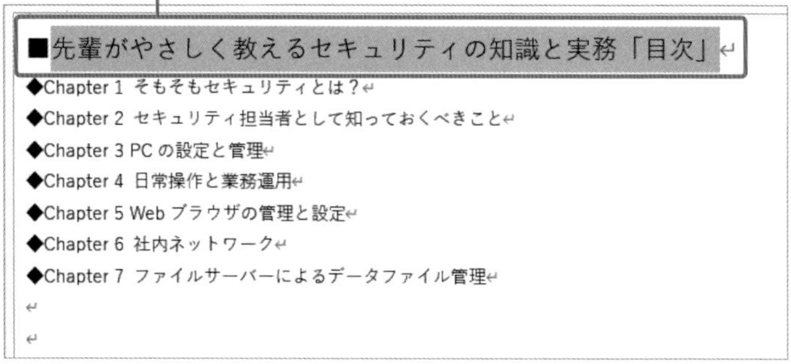

3 指定した文字列をマーカーで装飾できます。

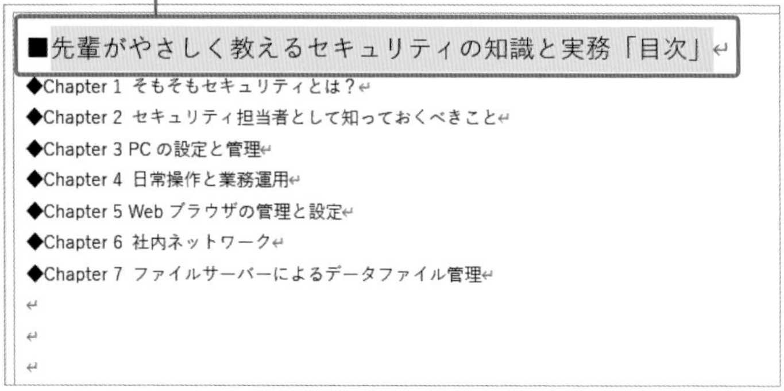

4 その他の文字装飾を加える（太字／斜体／下線）

Hint キーボード操作での文字列の選択

文字列の選択はマウスでドラッグすることでも実現できますが、確実な文章選択方法に Shift ＋カーソルキーがあります。カーソルキーとは←→↑↓のキーのことです。選択したい文章の始点にカーソルを置いた後、Shift ＋カーソルキーで簡単に文字列を選択できます。

あらかじめ文字列を選択しておきます。

1 ［書式設定］タブ→［太字］をクリックします。

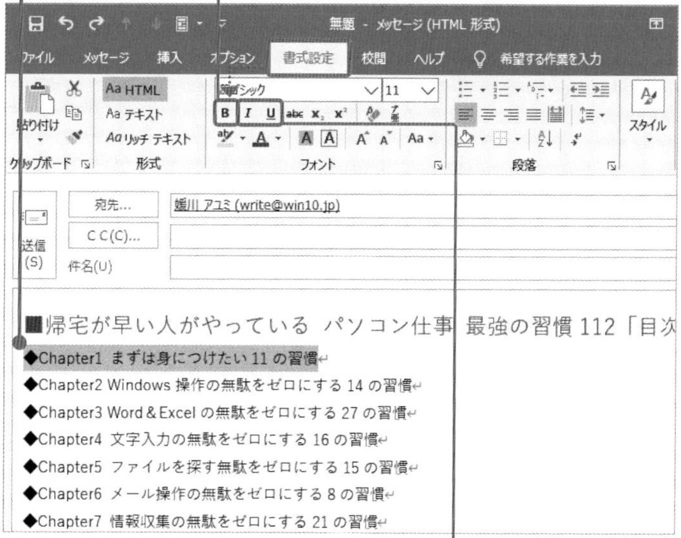

2 同様に任意の文字列を選択して、「斜体（イタリック）」、「下線（アンダーライン）」などをクリックします。

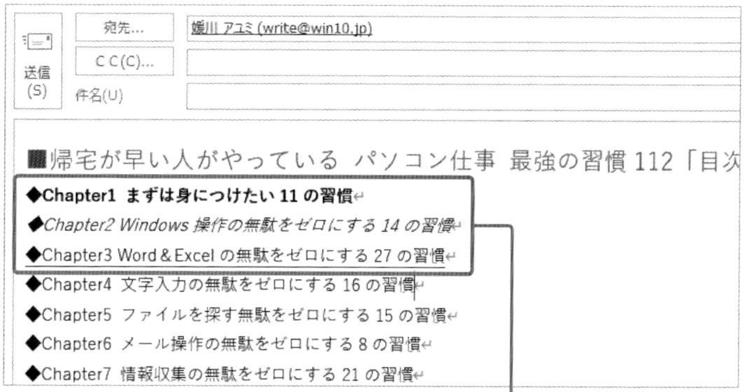

3 文字列に対して指定の装飾を加えることができます。

ショートカットキー

- 太字
  Ctrl ＋ B
- 斜体（イタリック）
  Ctrl ＋ I
- 下線（アンダーライン）
  Ctrl ＋ U

注意 メールの装飾し過ぎに注意

HTML形式では文字列に対して自由に装飾が可能です。ただし、さまざまな色やフォントサイズでメールの本文を装飾してしまうと、「品（ひん）がないメール」になり、ビジネスメールとしてはかなり怪しく見えてしまいます。
メールの本文を装飾するコツとしては、「なるべく装飾しない」ことを前提に、どうしても強調したい部分のみに「太字」や「マーカー」を活用する程度にとどめます。またアクセントになる部分（例えば見出しや注意点）に対してのみフォントサイズや色を変更するなど、「相手が読みやすいこと」を踏まえて全体で統一感のある装飾を心掛けるとよいでしょう。
なお、メールの送信相手によっては、そもそも装飾を行うことができない「テキスト形式」で送ることが推奨されます（p.78参照）。

Section 25

メールの本文を箇条書きにして見やすくする(HTML形式)

ここで学ぶのは

- 行頭文字の追加と解除
- 箇条書きのレベル設定
- 行頭文字の変更

メールの本文を必要に応じて「箇条書き」にすれば、相手に情報が伝わりやすくなります。ここでは「箇条書き」の設定方法と、行頭に番号を付けることができる「段落番号」について解説します。

1 箇条書きにする

解説 **箇条書きですっきり見せる**

書き並べる情報が多い場合は「箇条書き」を活用すると便利です。箇条書きでは任意の行頭文字を付けて情報をリスト化できるほか、レベルを設定すれば「○○の中に含まれる△△」という形の情報が一目で見てわかるようになります。

注意 **箇条書きや段落番号はHTML形式のみ設定可能**

メールの本文に箇条書きや段落番号を設定できるのは「HTML形式」のみです。「テキスト形式」では適用できません(メールの形式についてはp.78参照)。

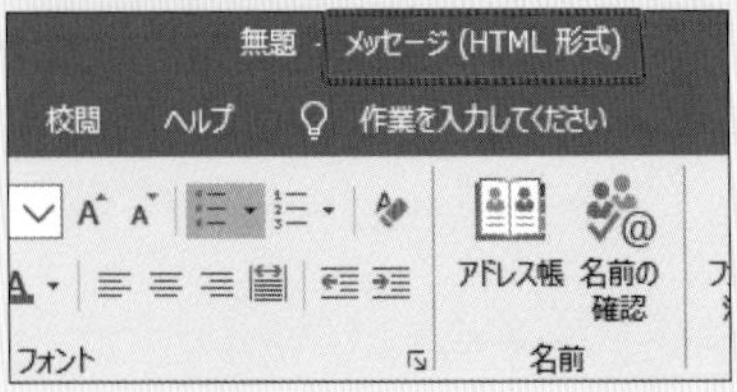

あらかじめ箇条書きにしたい文字列を選択しておきます。

1 [メッセージ] タブ→[箇条書き] の[▼]をクリックして、

2 ドロップダウンから任意の行頭文字をクリックします。

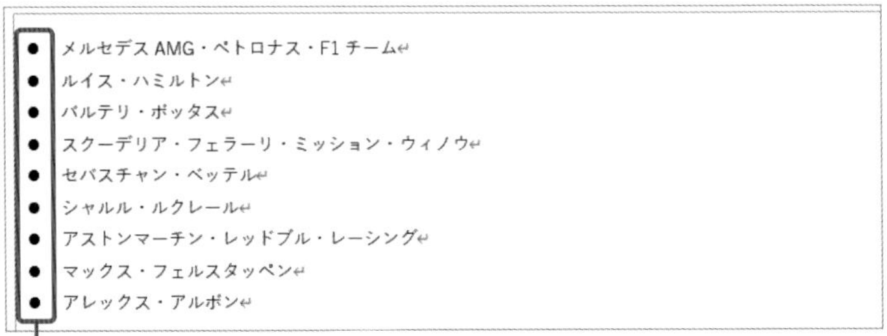

3 箇条書きにして行頭文字を追加できます。

2 箇条書きを解除する

Memo キーボード操作での文字列の選択

文字列の選択はマウスでドラッグすることでも実現できますが、確実な文章選択方法に Shift +カーソルキーがあります。
選択したい文章の始点にカーソルを置いた後、 Shift +カーソルキーで簡単に文字列を選択できます。
また、行選択であれば、始点から Shift +↓キーですばやく選択が可能です。

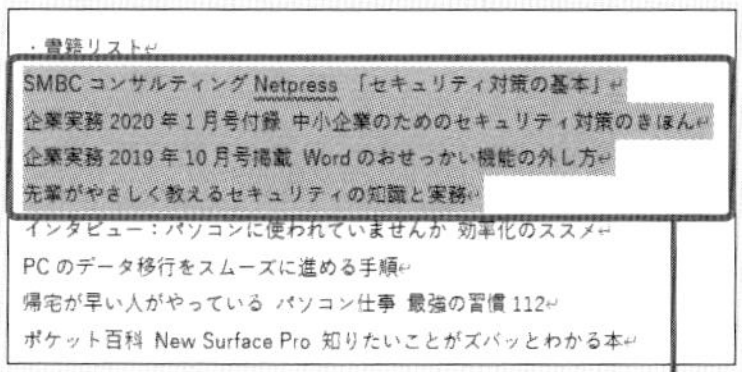

Shift +カーソルキーで選択できます。

ショートカットキー

● 箇条書きにする／箇条書きを解除
Ctrl + Shift + L

ショートカットキー

● 操作をやり直す
Ctrl + Z

あらかじめ箇条書きを解除したい文字列を選択しておきます。

1 [メッセージ] タブ→ [箇条書き] の [▼] をクリックして、

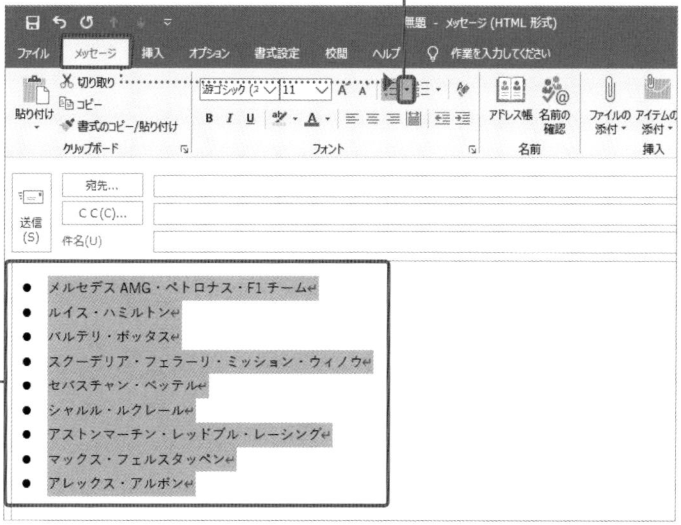

2 ドロップダウンから [なし] をクリックします。

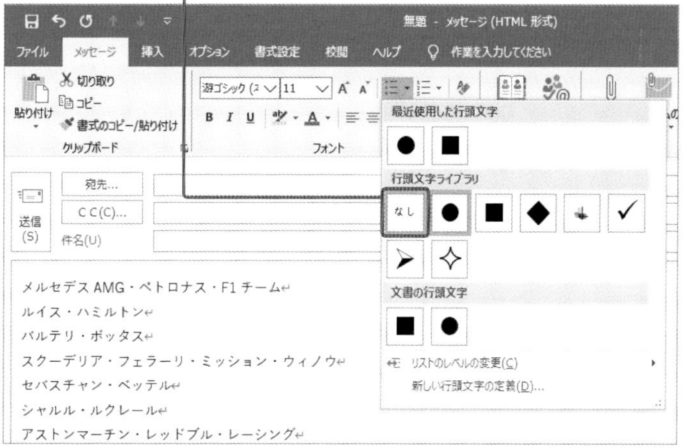

3 箇条書きを解除できます。

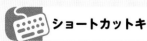

3 箇条書きのレベルを設定する

解説 箇条書きのレベル

箇条書き内で強弱を付けたい場合は、「レベル」を設定するとよいでしょう。

あらかじめ箇条書きを設定しておきます。

1 レベルを下げたい段落の行頭にカーソルを合わせて、Tab キーを押します。

- メルセデス AMG・ペトロナス・F1 チーム↵
- ルイス・ハミルトン↵
- バルテリ・ボッタス↵
- スクーデリア・フェラーリ・ミッション・ウィノウ↵
- セバスチャン・ベッテル↵

2 箇条書きのレベルが1段下がります。

- メルセデス AMG・ペトロナス・F1 チーム↵
    - ➤ ルイス・ハミルトン↵
- バルテリ・ボッタス↵
- スクーデリア・フェラーリ・ミッション・ウィノウ↵
- セバスチャン・ベッテル↵

Hint 箇条書きの記号を変更する

箇条書きのレベルに対する記号を変更したい場合は、任意の箇条書きのレベルを適用した段落にカーソルがある状態で、[メッセージ]タブ→[箇条書き]の[▼]をクリックして、ドロップダウンから変更したい記号をクリックします。

● 変更前

- メルセデス AMG・ペトロナ
    - ➤ ルイス・ハミルトン↵
    - ➤ バルテリ・ボッタス↵

● 変更後

- メルセデス AMG・ペトロナ
    - ◆ ルイス・ハミルトン↵
    - ◆ バルテリ・ボッタス↵

ショートカットキー

● 箇条書きのレベルを下げる
Tab

● 箇条書きのレベルを上げる
Shift + Tab

Hint インデントを増やす

箇条書きの先頭行で[メッセージ]タブ→[インデントを増やす]をクリックすれば、箇条書き全体を1段下げることができます。また、次段落以降で[インデントを増やす]をクリックすると、さらにレベルを下げることができます。

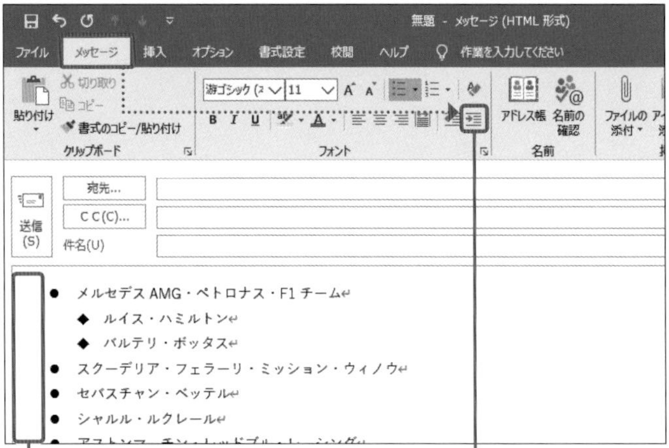

インデントを増やす

4 段落番号を追加する

Hint 段落番号の番号書式を変更する

段落番号の番号書式を変更したい場合は、変更したい段落番号にカーソルを合わせた状態で、[メッセージ] タブ→[段落番号] の [▼] をクリックして、ドロップダウンから [新しい番号書式の定義] をクリックします。[番号の種類] のドロップダウンから、任意の番号の種類をクリックすれば、番号書式を変更できます。

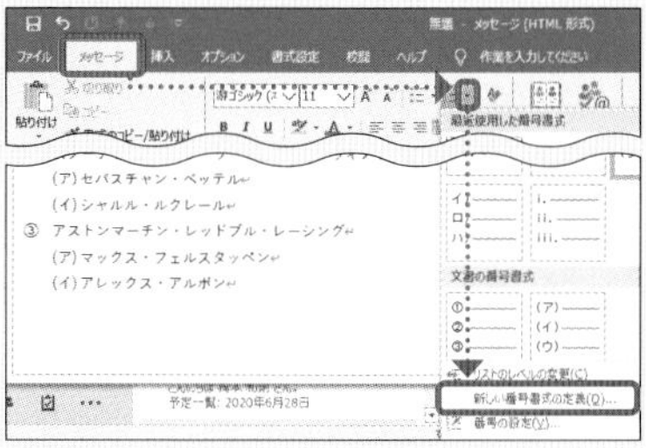

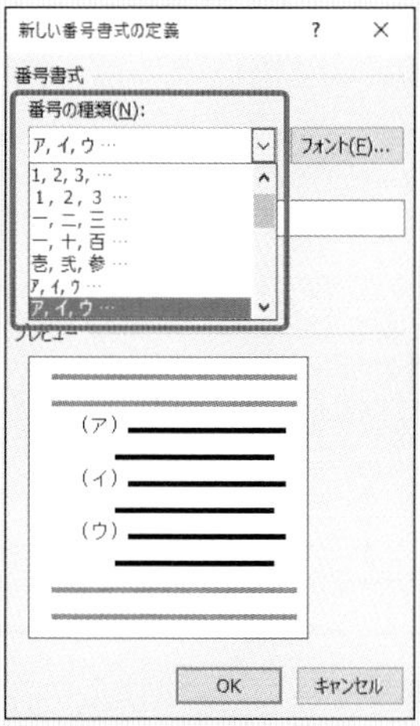

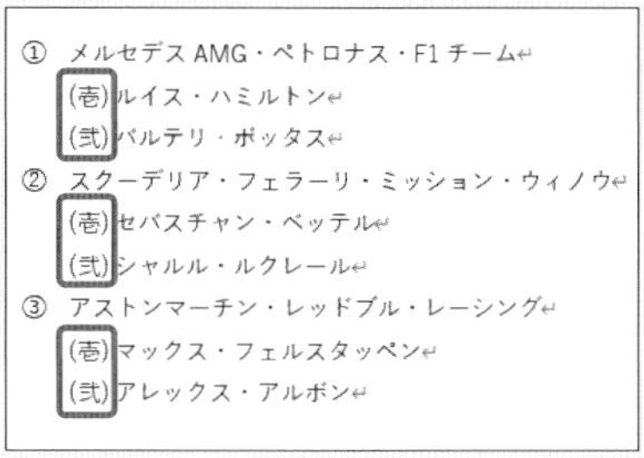

あらかじめ段落番号を追加したい文字列を選択しておきます。

1 [メッセージ] タブ→[段落番号] の [▼] をクリックして、

2 ドロップダウンから任意の番号書式をクリックします。

3 段落番号を追加できます。

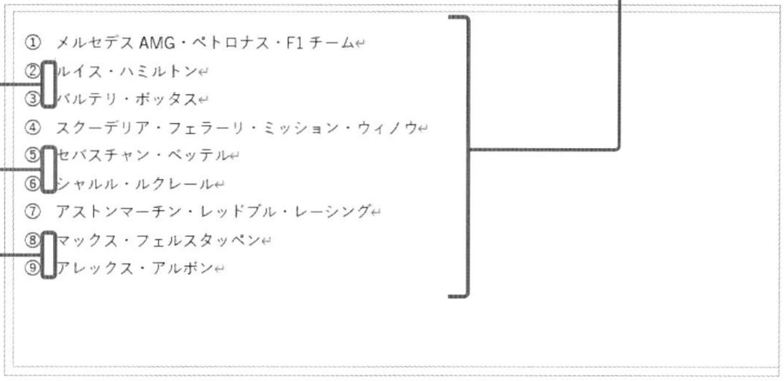

4 レベルを下げたい任意の段落を選択して、Tab キーを押します。

5 段落番号を追加して階層を整えることができます。

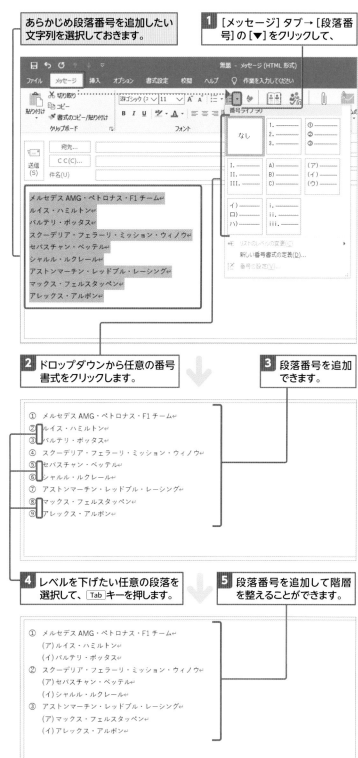

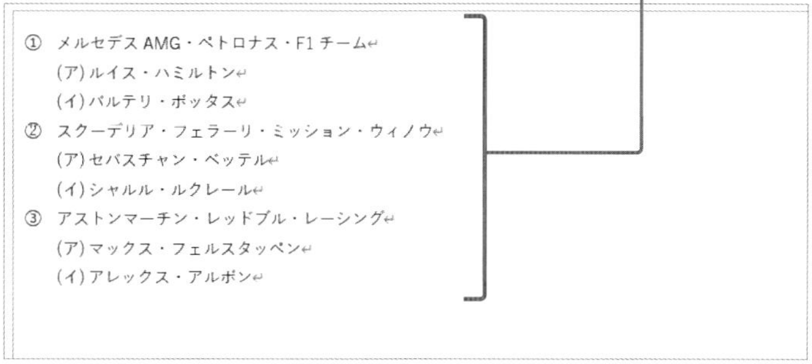

Section 26

メール本文に画像や表を貼り付ける（HTML形式）

ここで学ぶのは

- 画像の挿入
- 表の挿入
- 図の挿入

作成するメールがHTML形式である場合、本文に「画像」や「表」を貼り付けることができます。ここでは、任意の画像を挿入する方法のほか、Excelの表など別のアプリのデータをメール本文に貼り付ける方法を解説します。

1 メール本文に画像を挿入する

注意 画像や表を挿入できるのは HTML 形式のみ

メール本文に画像や表を挿入できるのは「HTML形式」のみです。「HTML形式」では、フォントのサイズ・色などを変更できるほか、画像や表の挿入、箇条書きなどメール本文に装飾が可能です。「テキスト形式」にはこのような装飾機能はありません（メールの形式についてはp.78参照）。

Memo 複数の画像の挿入

［図の挿入］ダイアログでは、任意の画像を Ctrl キーを押しながらクリックして複数選択し、メール本文に挿入することもできます。

1 メールの本文内の画像を貼り付けたい場所にカーソルを置きます。

クリエイティブ出版
媛川アユミ様
デザインのサンプルが完成しました。
ご確認お願い致します。
-----Original Message-----

2 ［挿入］タブ→［画像］をクリックして、

3 ドロップダウンから［このデバイス］をクリックします。

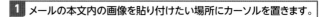

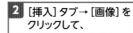

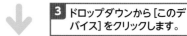

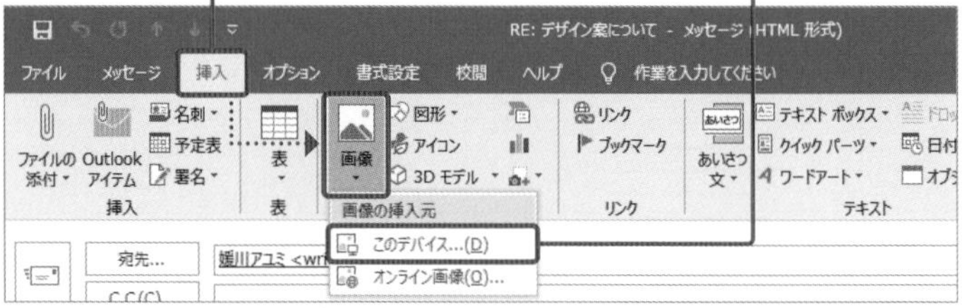

4 ［図の挿入］ダイアログが表示されます。

5 挿入したい画像ファイルをクリックして、［挿入］をクリックします。

注意 画像のファイルサイズに注意

メール内に画像を貼り付ける場合は、画像ファイルの総容量に注意します。あまりにも高解像度（画素数の多い）の画像ファイルや多数の画像ファイルをメール内に挿入してしまうと、相手のメールサーバーに負担をかけてしまったり（送信したメールの内容は相手のメールサーバーでも管理され、受信拒否されることもあります。
一般的に、メール内に挿入する（あるいは添付する）画像ファイルは、総容量5MBを超えないように注意し、高解像度の画像ファイルや多数の画像ファイルを相手に送信したい場合には、クラウドによるファイル共有など別の手段を検討する必要があります。

6 メール本文に画像が挿入されます。

7 画像のハンドルをドラッグしてサイズを変更します。

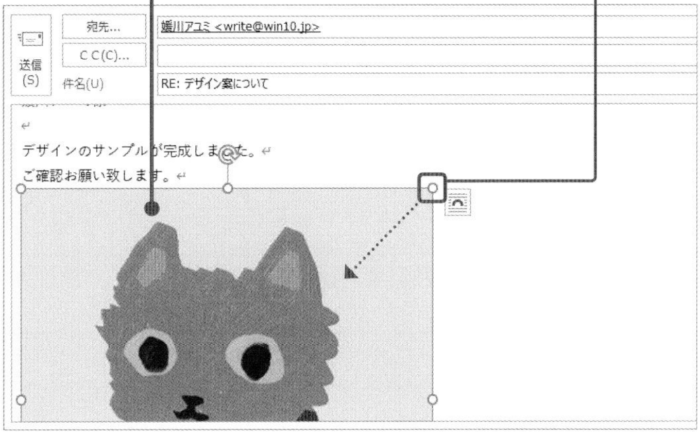

2 メール本文にExcelの表を挿入する

Memo PowerPointの図なども挿入できる

メールがHTML形式であれば、Excelで作成したグラフやPowerPointの図などもメール本文に挿入できます。

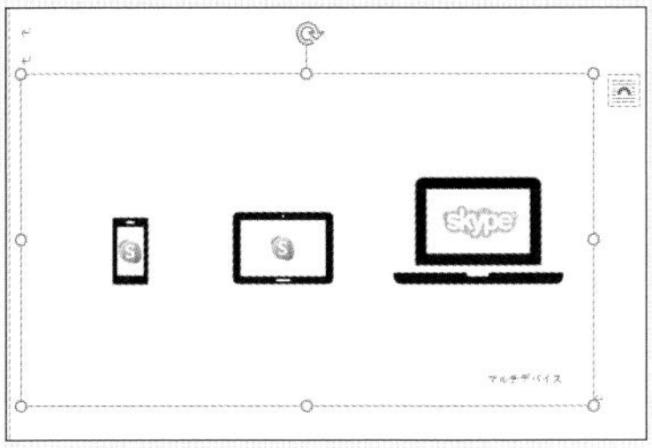

Excelのデータをあらかじめ用意しておきます。

1 Excelでメールに挿入したいセルを選択します。

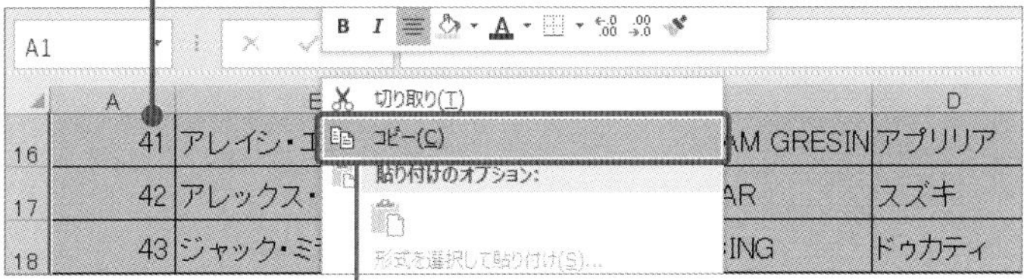

2 右クリックして、ショートカットメニューから［コピー］をクリックします。

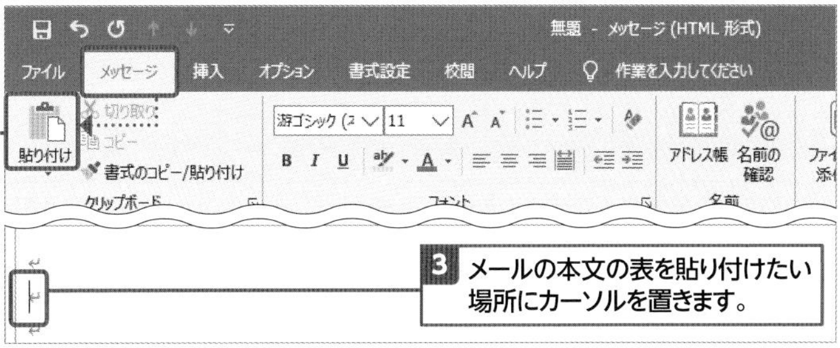

3 メールの本文の表を貼り付けたい場所にカーソルを置きます。

4 ［メッセージ］タブ→［貼り付け］をクリックします。

5 メールにExcelの表データを挿入できます。

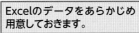

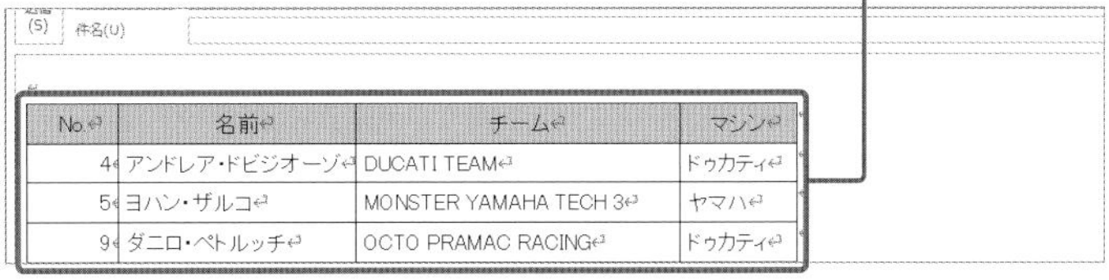

Section 27

メールの本文にURLやWeb情報を挿入する（HTML形式）

ここで学ぶのは

- URLの挿入
- Web情報の挿入
- テキストのみの引用

メールが「HTML形式」であれば、本文にハイパーリンクや画像・書式を含めたWeb情報などを貼り付けることができます。ここではWebサイトのアドレスやWebページに書かれている情報を、メールの本文として利用する方法を解説します。

1 Webサイトのアドレスをメール本文に挿入する

Memo URLはコピー＆ペーストで挿入する

メールの本文上に記述するWebサイトのアドレス（URL）は、入力を間違えてしまうこともあるため必ず「コピー＆ペースト」で挿入するのが基本です。

Hint Webサイトの安全性

Webサイトの安全性はアドレスバーのURLの手前に表示される「カギ」マークがひとつの目安になります。「カギ」マークがあるサイトは「証明書を取得して接続がセキュリティ保護されている（SSL証明書がある）」という意味になります。
なお、悪意のあるWebサイトでも、SSL証明書を取得しているものもあるため、「カギ」マークがあるサイトは悪意がないという意味ではない点に注意が必要です。

URLを記述したいWebサイトをあらかじめWebブラウザーで表示しておきます。

1 Webブラウザーの「アドレスバー」をクリックして、Webサイトのアドレス（URL）を選択状態にします。

2 右クリックして、ショートカットメニューから［コピー］をクリックします。

3 メール本文の挿入したい位置にカーソルを移動します。

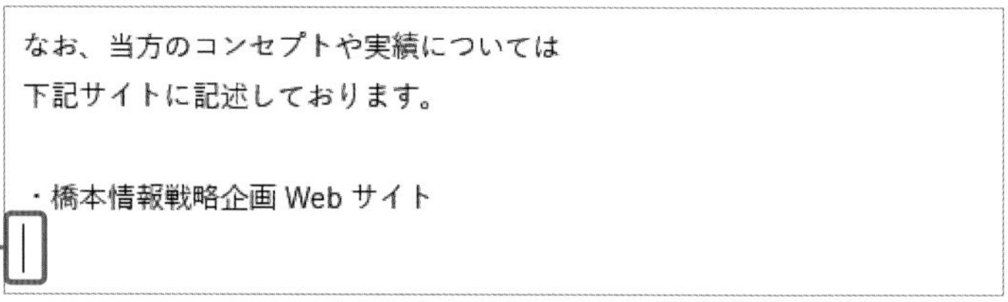

なお、当方のコンセプトや実績については
下記サイトに記述しております。
・橋本情報戦略企画 Web サイト

4 ［メッセージ］タブ→［貼り付け］をクリックします。

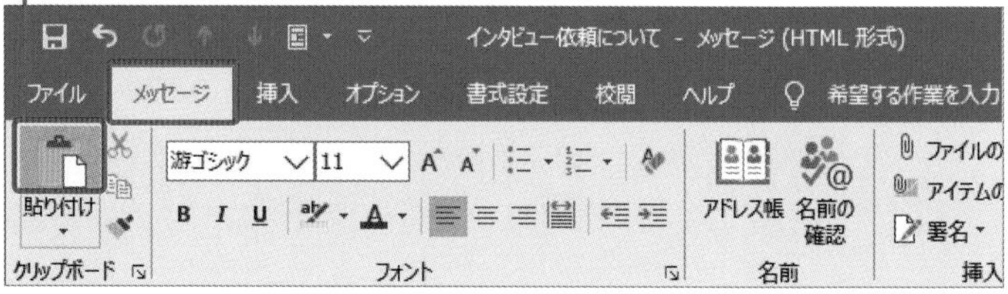

Memo **Webサイトのアドレスの記述マナー**

メールを受信した相手から見た場合、いきなり本文中にWebサイトのアドレスが登場すると戸惑います。見出しを付けるなどして「このURLが何を示しているのか」をあらかじめ記述しておくのがマナーになります。

5 メールの本文にWebサイトのアドレス（URL）を挿入することができます。

URLには受信者がわかりやすい見出しを付けましょう。

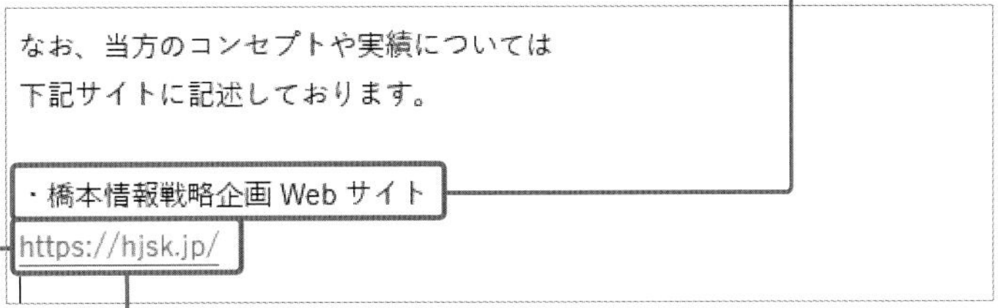

コピー元のWebブラウザーによっては、Webページタイトルになる場合もあります。

2 Webの情報を画像や書式付きで引用してメール本文に挿入する

Hint **WebサイトとWebページの違い**

「Webサイト」とは複数の「Webページ」を包括したものを意味します。一般的にいわれるホームページは「Webサイト」であり、またWebサイト内にあるそれぞれのコンテンツは「Webページ」になります。

あらかじめ引用したいWebページを表示しておきます。

1 Webブラウザー上の任意のWeb情報をドラッグして選択します。

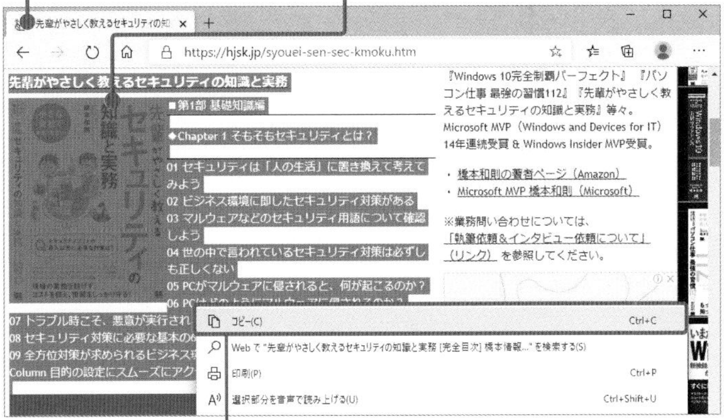

2 右クリックして、ショートカットメニューから［コピー］をクリックします。

3 メール本文の挿入したい位置で、右クリックして、ショートカットメニューの［貼り付けのオプション］から［元の書式を保持］をクリックします。

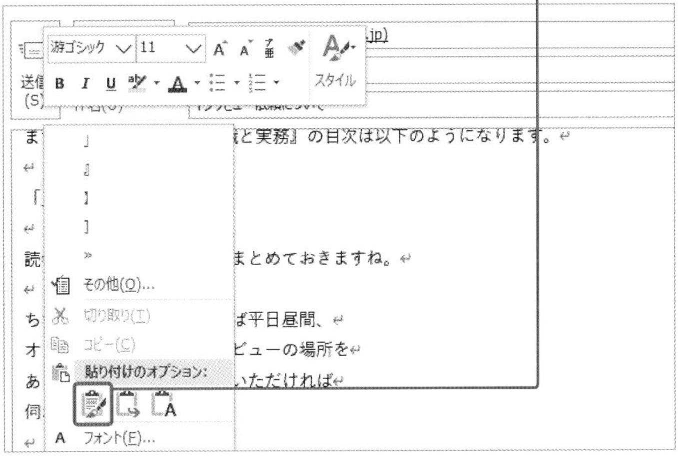

Hint **貼り付けのオプション**

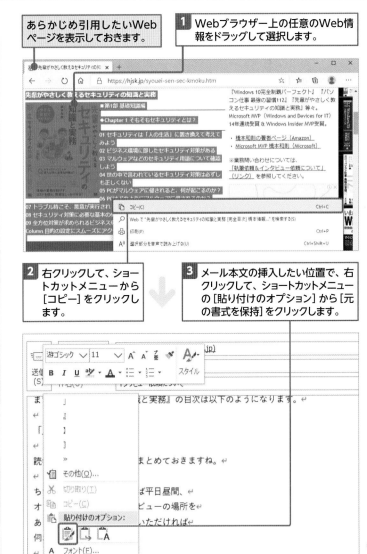

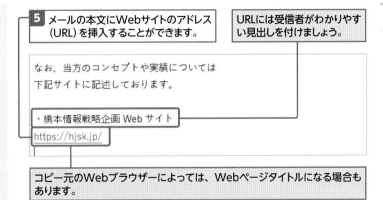

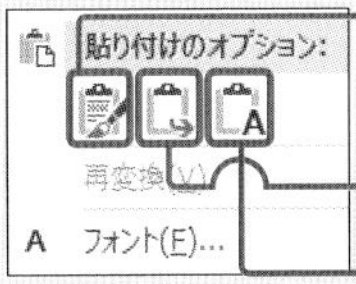

［元の書式を保持］

［書式を結合］

［テキストのみ保持］

注意 **Web情報を挿入できるのはHTML形式のみ**

メールの本文にURLやWeb情報をハイパーリンク形式で貼り付けられるのは「HTML形式」のみです。

Hint セキュリティ面で敬遠されることも

HTML形式はWebページ同様の仕組みを持つため、悪意ある仕掛け(ウイルスを含むプログラムへの誘導など)をメールの本文中に埋め込むことも不可能ではありません。偽装リンクなどで表記とは異なるWebページに誘導することなども可能です。このような理由もあり一部のビジネス環境においては、URL情報の埋め込まれたHTML形式のメールは、セキュリティリスクがあるとして敬遠されています。

4 Web情報を画像や書式付きでメールに挿入できます。

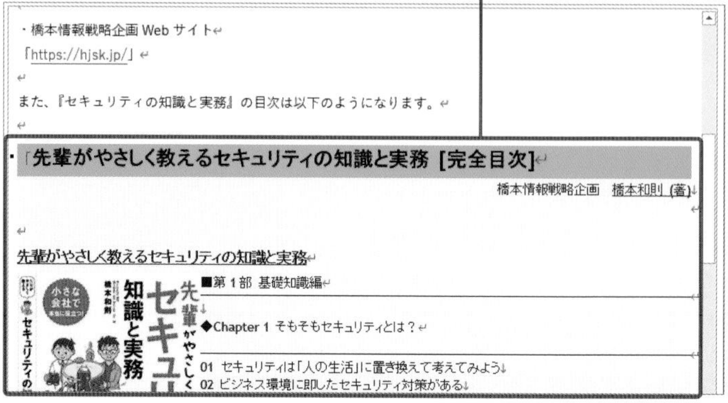

・橋本情報戦略企画 Web サイト
「https://hjsk.jp/」
また、『セキュリティの知識と実務』の目次は以下のようになります。
「先輩がやさしく教えるセキュリティの知識と実務 [完全目次]
橋本情報戦略企画 橋本和則 (著)
先輩がやさしく教えるセキュリティの知識と実務
■第1部 基礎知識編
◆Chapter 1 そもそもセキュリティとは?
01 セキュリティは「人の生活」に置き換えて考えてみよう
02 ビジネス環境に即したセキュリティ対策がある

3 Webの情報からテキストのみ引用してメール本文に挿入する

あらかじめ引用したいWebページをWebブラウザーで表示しておきます。

1 Webブラウザー上の任意のWeb情報をドラッグして選択します。

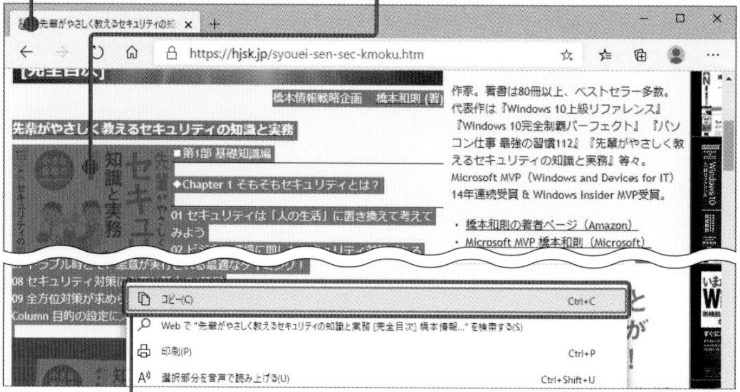

2 右クリックして、ショートカットメニューから[コピー]をクリックします。

3 メール本文の挿入したい位置で、右クリックして、ショートカットメニューの[貼り付けのオプション]から[テキストのみ保持]をクリックします。

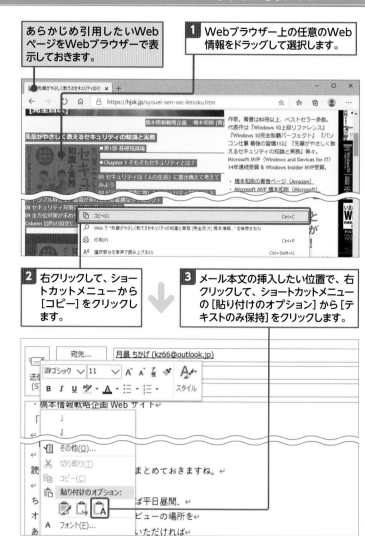

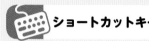

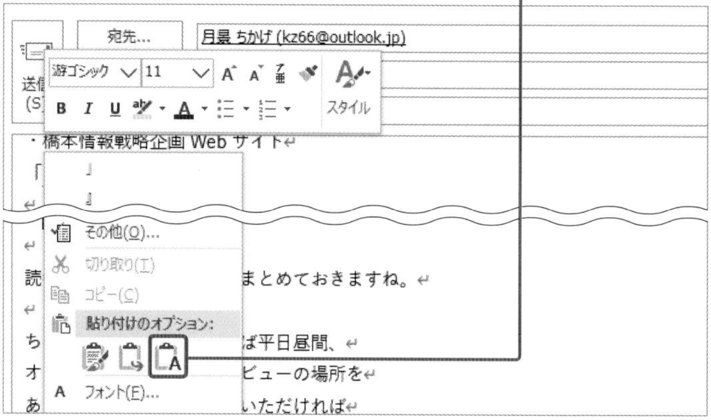

ショートカットキー

- コピー
  Ctrl + C
- 貼り付け
  Ctrl + V
- 形式を選択して貼り付け
  Ctrl + Alt + V

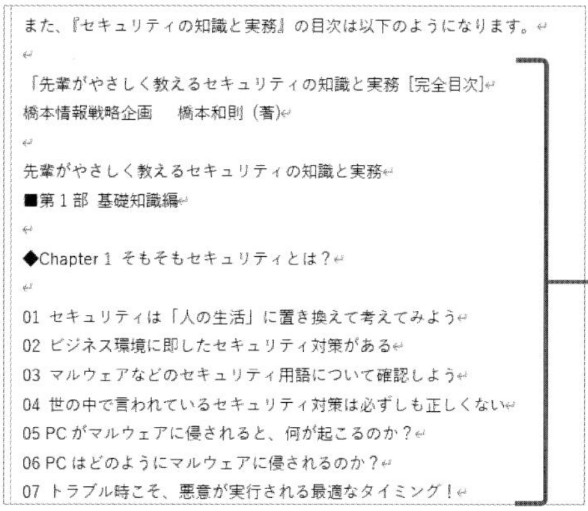

4 Web情報のテキストのみを引用してメールに挿入できます。

Memo 「書式を結合」して貼り付ける

比較的きれいな形でWeb情報を引用したい場合は、書式を結合しましょう。Webページの任意の情報をコピーした後、メール本文で右クリックします。表示されるショートカットメニューの［貼り付けのオプション］から［書式を結合］をクリックすれば、Webページの書式の太字などの強調スタイルは保持され、メール本文のスタイルと結合されます。

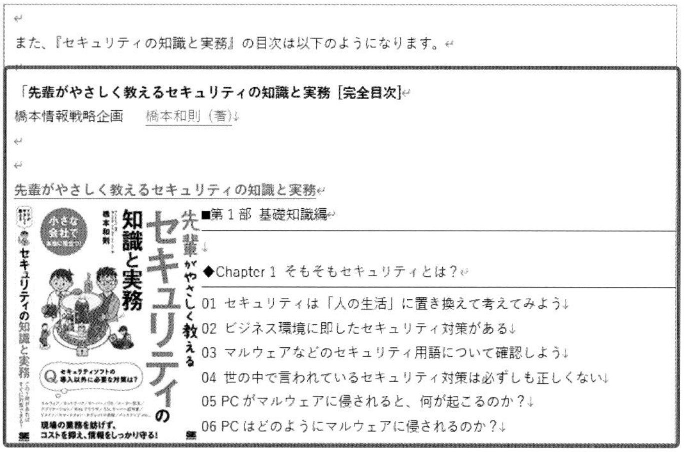

Hint 形式を選択して貼り付ける

［メッセージ］タブ→［貼り付け］の［▼］をクリックして、［形式を選択して貼り付け］を選択すれば、ダイアログで任意の形式を選択して貼り付けることができます。

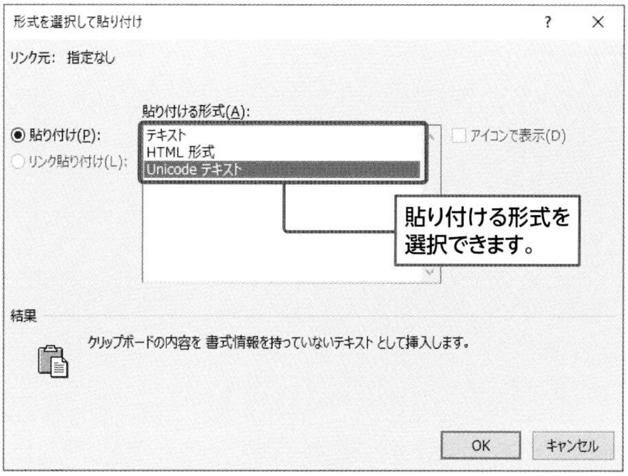

Section 28

添付ファイルをさまざまな方法で確認する

ここで学ぶのは

- ファイルのプレビュー
- 添付ファイルの扱い
- 圧縮ファイルの扱い

受信メールに添付されてきたファイル（添付ファイル）を確認するには、ファイルを直接開かないでプレビューする方法と、ファイルをアプリで開く方法があります。ここでは添付ファイルを確認する方法や、PCに保存する方法について解説します。

1 ファイルを直接開かずにプレビューする

解説 添付ファイルをプレビューする

「プレビュー」とは、ファイルを開かないで閲覧ウィンドウでファイルの内容を確認できる便利な機能です。しかし、データ形式（ファイルの種類）によっては完全な形で表示されるわけではありません。レイアウトや詳細内容を確認したい場合には、添付ファイルをアプリで開く必要があります。

あらかじめファイルが添付されたメールを表示しておきます。

1 閲覧ウィンドウの添付ファイルをクリックします。

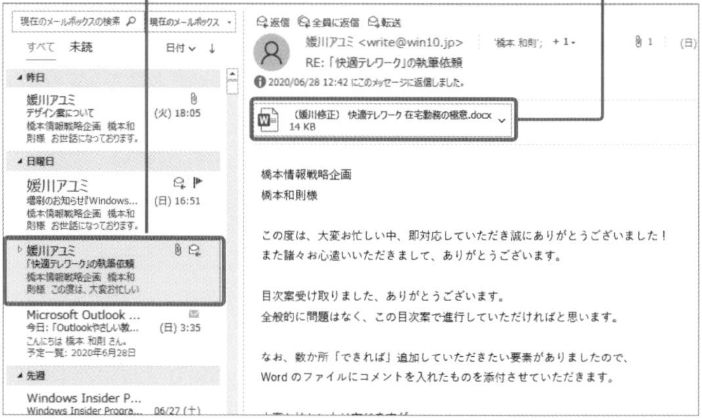

2 閲覧ウィンドウで添付ファイルの内容を確認できます。

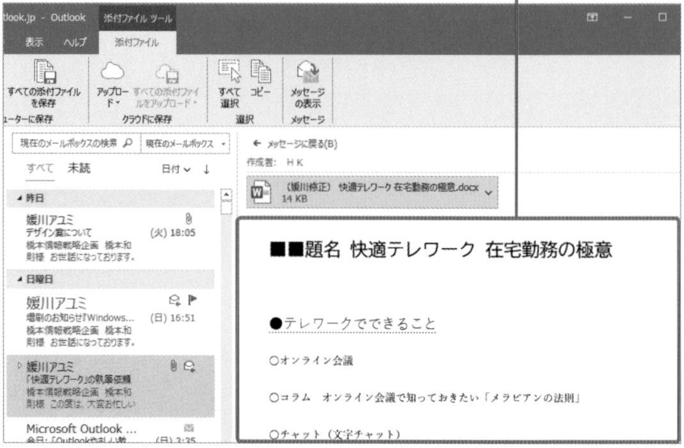

Memo プレビュー機能の制限

メールに添付されてきたファイルをプレビューするには、添付されてきたファイルのデータ形式に適合した「アプリ（プログラム）」があらかじめWindows 10にインストールされている必要があります。一般的なテキストや画像などのデータ形式は、Windows 10が標準でサポートしています。

2 添付ファイルをアプリで開く

解説 添付ファイルをアプリで開く

添付ファイルの内容をきちんと確認したい場合は、アプリで開く必要があります。添付ファイルの［∨］をクリックして、ドロップダウンから［開く］をクリックする方法のほか、添付ファイルをダブルクリックして開くこともできます。

注意 知らない相手からの添付ファイルは開かない

知らない相手からのメールに添付されてきたファイルを開くと、PCがマルウェア（悪意あるプログラム）に侵されて「情報漏えい」などの被害を受ける可能性があります。また、古いアプリ（サポート期間が終了したアプリ：例えばOffice 2010やOffice 2007など）を利用し続けている場合は、一般的なOfficeファイルを開くだけで脆弱性を突かれてマルウェアに侵される可能性もあります。なお、「マルウェア」とは、トロイの木馬、ウイルス、ワームなどの「PC上で悪事を行う」プログラム全般を指します。

ビジネスシーンにおけるセキュリティリスクを軽減するには、OSやアプリなどPC全体を最新の安全な状態に保ったうえで（p.228参照）、信頼のおける添付ファイルのみを開くようにします。

あらかじめファイルが添付されたメールを表示しておきます。

1 任意の添付ファイルの［∨］をクリックして、

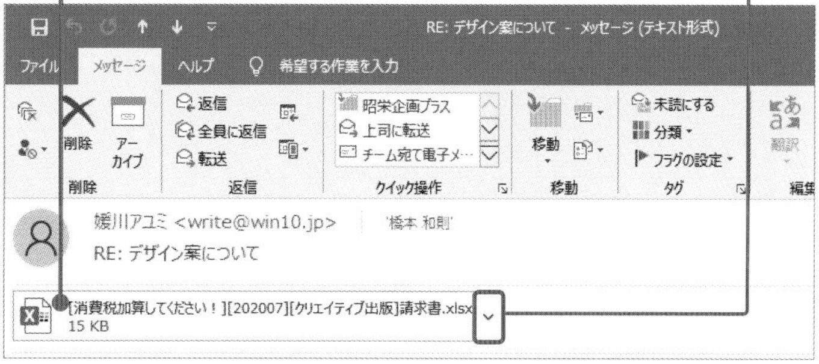

2 ドロップダウンから［開く］をクリックします。

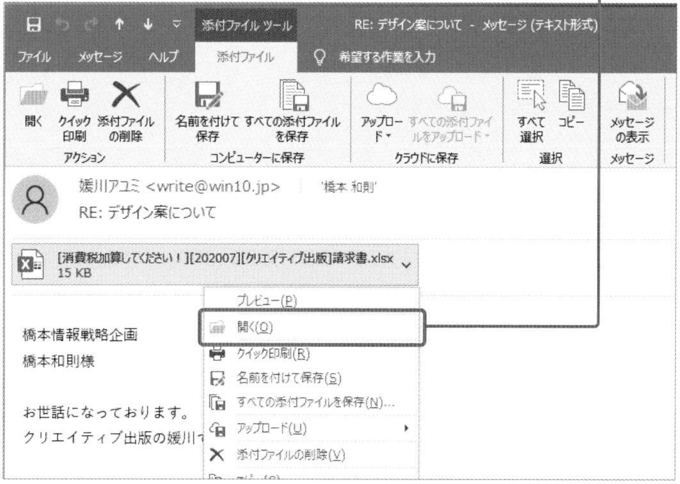

3 添付ファイルがアプリで開かれます。

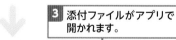

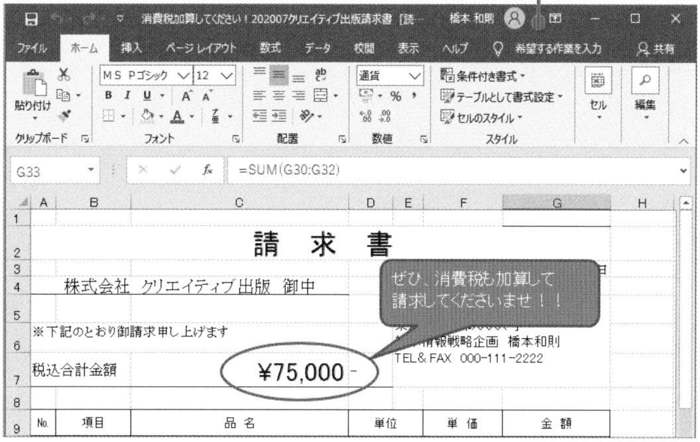

3 添付ファイルを保存する

Hint 複数の添付ファイルを一度に保存する

複数のファイルが添付されている場合、右図の手順2で［すべての添付ファイルを保存］をクリックすると、一度に複数保存することができます。［すべての添付ファイルを保存］をクリックした後に表示される［添付ファイルの保存］ダイアログで、保存したいファイルを選択し、［OK］をクリックします。

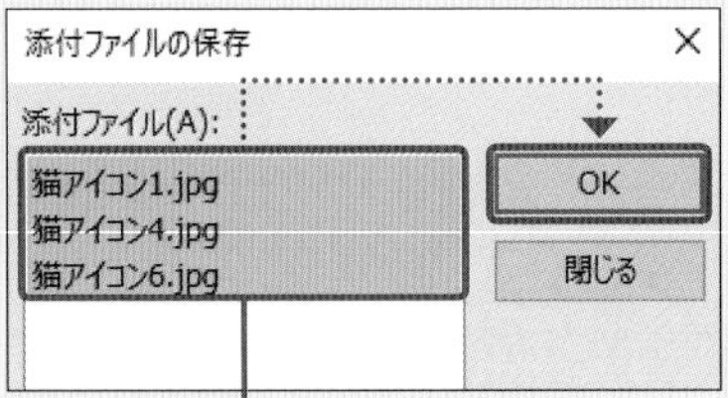

Ctrlキーを押しながらクリックすることで選択状態を切り替えられます。

注意 添付ファイルとセキュリティ

添付ファイルに悪意のある仕掛け（ウイルスなど）が含まれる場合、ファイルを開いてしまうとPCがそれに侵されてしまう可能性があります。

PCとメールのセキュリティについてはp.230でも解説しますが、注意したいのは「添付ファイルを開く／プレビューする」こともセキュリティリスクがある行為だということです。

基本的に信頼のおける相手からのメールや、自分が認識できるデータ形式のファイルのみを開くようにします。

あらかじめファイルが添付されたメールを表示しておきます。

1 ファイルとして保存したい添付ファイルの［∨］をクリックして、

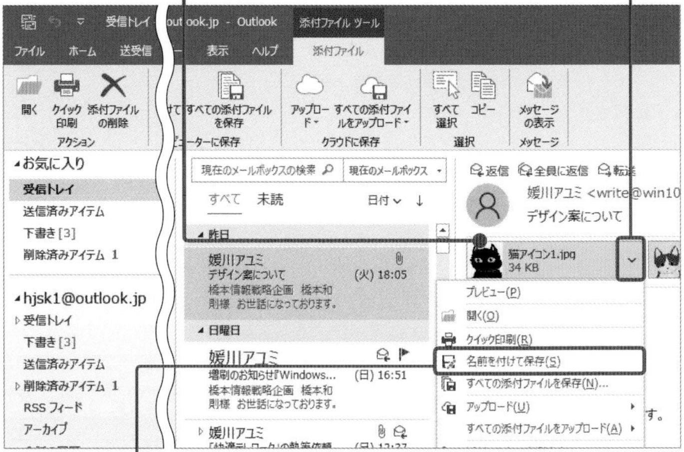

2 ドロップダウンから［名前を付けて保存］をクリックします。

3 ［添付ファイルの保存］ダイアログが表示されます。

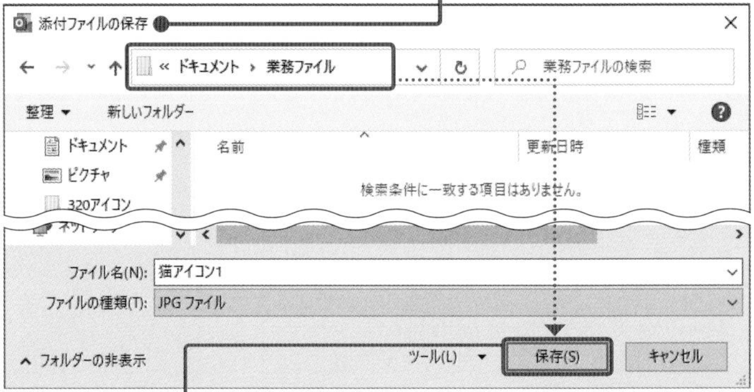

4 ファイルの保存先となる任意のフォルダーを指定して、［保存］をクリックします。

5 指定フォルダーに添付ファイルを保存できます。

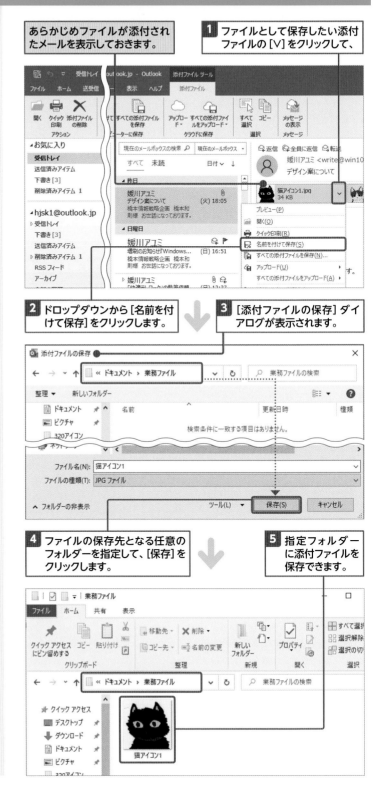

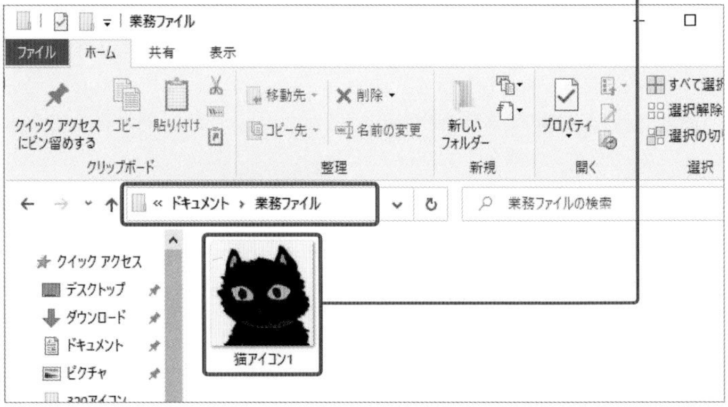

4 添付されてきた ZIP ファイルを参照する

Key word ZIP ファイルとは

ZIPファイルの「ZIP（ジップ）」とはデータ圧縮フォーマットのひとつであり、PC上で最も利用されている圧縮形式でもあります。Windows 10では標準でZIP形式の圧縮と解凍に対応しています。そのZIP形式で圧縮されたファイルのことを「ZIPファイル」といいます。拡張子「.zip」が表示されているファイルはZIPファイルです。

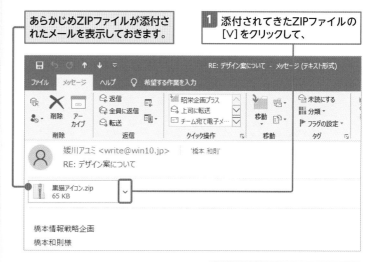

Memo 圧縮ファイルはプレビューできない

ZIPファイルをクリックしても、プレビュー表示できません。これは圧縮されているという理由のほか、圧縮ファイル内には複数の種類のファイルが存在することがあるためです。メールにZIPファイルが添付されてきた場合には、ZIPファイルを「解凍」してから、ファイルを確認する必要があります。

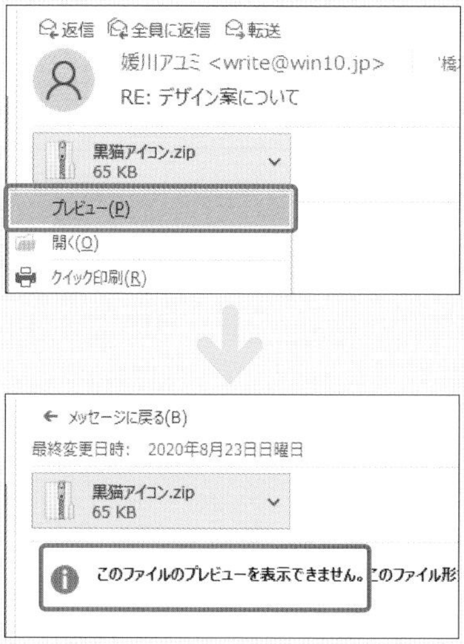

あらかじめZIPファイルが添付されたメールを表示しておきます。

1 添付されてきたZIPファイルの[V]をクリックして、

2 ドロップダウンから[名前を付けて保存]をクリックします。

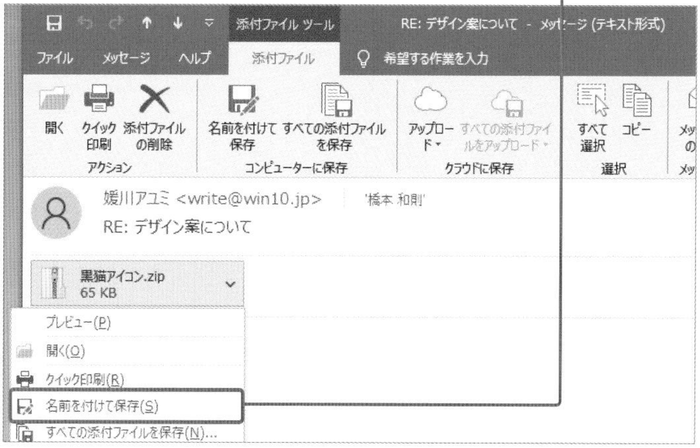

3 [添付ファイルの保存] ダイアログが表示されます。

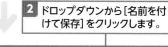

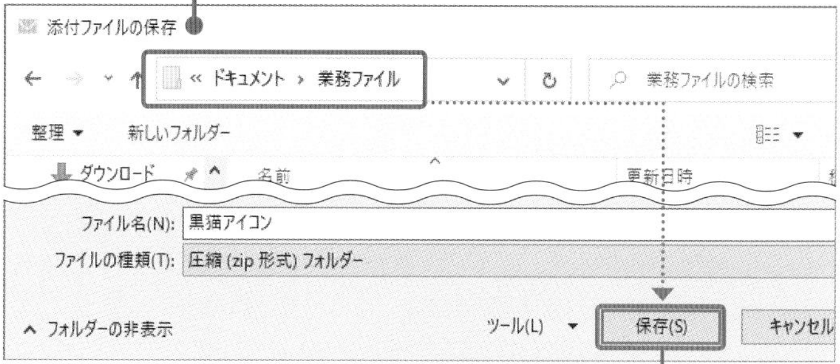

4 ファイルの保存先となる任意のフォルダーを指定して、[保存]をクリックします。

Memo 圧縮ファイルが使われる場面

圧縮ファイルには「ファイルサイズを小さくできる」という特性のほか、「ファイルをまとめてひとつにできる」という特徴があります。つまり、ファイルサイズを小さくしたい場合や、複数のファイルをひとつのファイルにして送信したい場合などにZIPファイルが用いられます。

Hint その他の圧縮形式

圧縮形式は「ZIP（ジップ）」以外にも、「RAR（ラー）」や「LZH（エルゼットエイチ）」など多数存在します。メールの世界での事実上のスタンダードは「ZIP圧縮形式」であり、その他の圧縮形式をファイルに添付するのは基本的にマナー違反になります。

5 エクスプローラーで、ZIPファイルを保存したフォルダーを開きます。

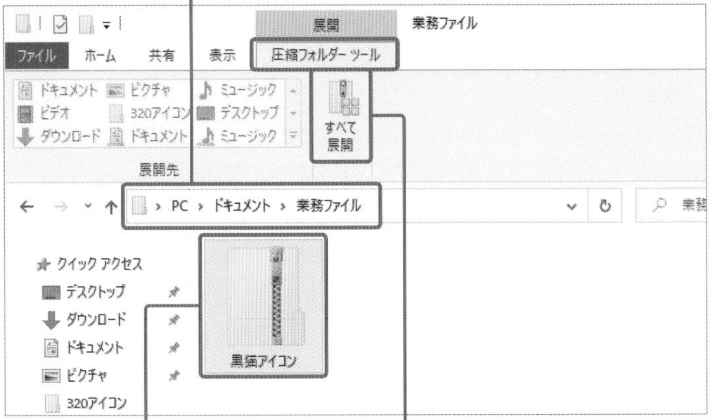

6 ZIPファイルをクリックして選択します。

7 ［圧縮フォルダーツール］タブ→［すべて展開］をクリックします。

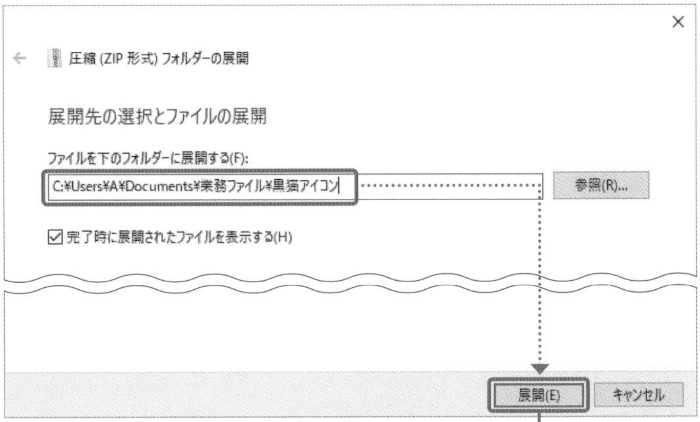

8 展開先となる任意のフォルダーを指定して、［展開］をクリックします。

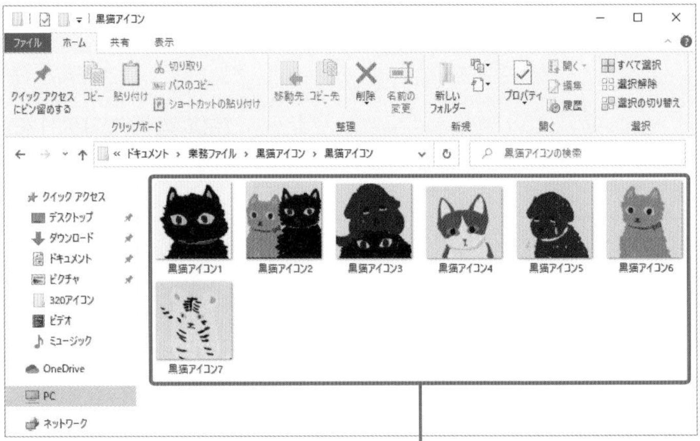

9 ZIPファイルに含まれていた内容が展開され、各ファイルを独立して扱うことができます。

Hint メール表示が文字化けしていたら

文字コードを確認する

受信したメールの本文が「文字化け」を起こしてしまい、正常に表示できない場合があります。このような場合は文字コード（文字列データ）の問題である可能性があるので、まずは文字コードを変更して確認します。

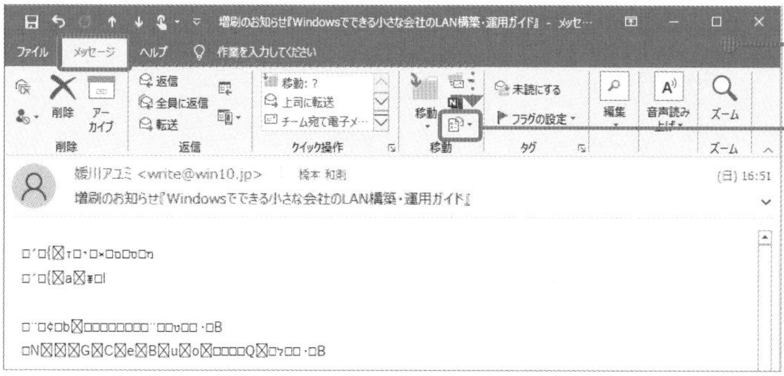
文字化けしているメールをメッセージウィンドウで開きます。
1 ［メッセージ］タブ→［アクション（その他の移動アクション）］をクリックして、
増刷のお知らせ『Windowsでできる小さな会社のLAN構築・運用ガイド』
媛川アユミ <write@win10.jp>

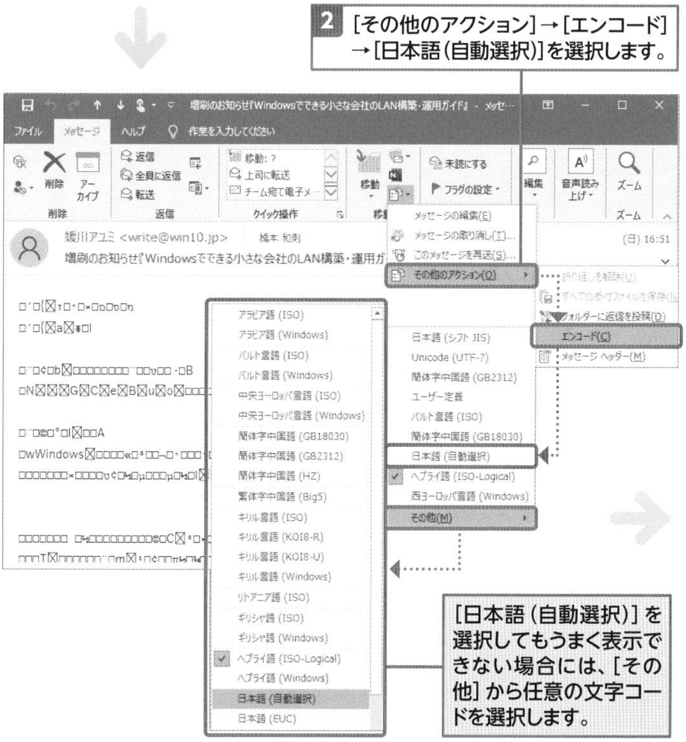
2 ［その他のアクション］→［エンコード］→［日本語（自動選択）］を選択します。
その他のアクション(O)
エンコード(C)
日本語 (自動選択)
その他(M)
［日本語（自動選択）］を選択してもうまく表示できない場合には、［その他］から任意の文字コードを選択します。

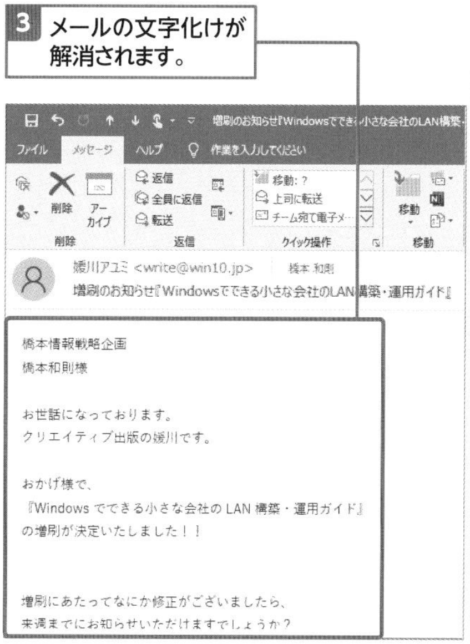
3 メールの文字化けが解消されます。
橋本情報戦略企画
橋本和則様
お世話になっております。
クリエイティブ出版の媛川です。
おかげ様で、
『Windows でできる小さな会社の LAN 構築・運用ガイド』
の増刷が決定いたしました！！
増刷にあたってなにか修正がございましたら、
来週までにお知らせいただけますでしょうか？

文字化けが解消できない場合は

メールの文字化けにはいくつかのパターンがありますが、一般的な国内メールアプリから送信されてきたメールはまず文字化けを起こさないため、送信相手が国内である限りは相手側の何らかの問題が考えられます。また、サーバーが自動応答するシステムなどを利用して送られてきたメールの場合は、そもそもサーバーの設定ミスなども考えられます。
つまり、文字化けの多くは「こちら側の問題ではない」場合が多いので、取引先や既知の相手であれば、素直に問い合わせることをおすすめします。

Section 29 メールを転送する

ここで学ぶのは

- メールの転送
- 添付ファイルとして転送
- 添付ファイルの展開

受信したメールの本文を任意の相手にもそのまま伝えたい場合は「転送」を用います。転送方法には「メール本文をメールとして転送する方法」と「メールを添付ファイルとして送信する方法」の2つがあります。

1 メールを転送する

Hint 閲覧ウィンドウの場合

閲覧ウィンドウでメールを転送したい場合は、閲覧ウィンドウ内にある［転送］をクリックしても同様の操作を行えます。

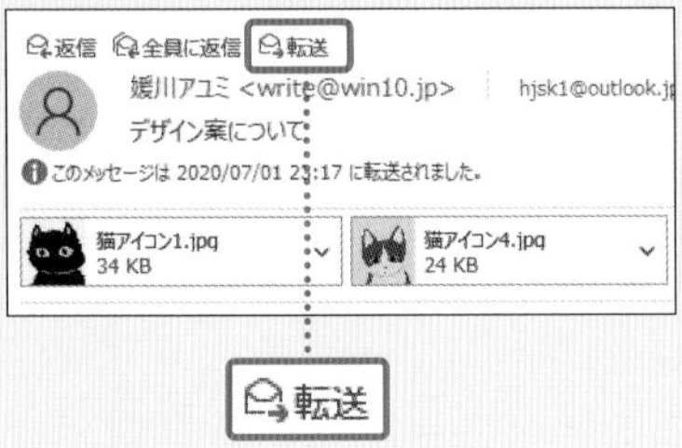

注意 プライバシーに注意

相手が任意の組織に対して送ったメールであれば、組織内で共有しても構いませんが、個人的に受け取ったメールや、公開すべきではない個人情報が含まれるメールの場合には、編集して内容を削除してから転送するようにします。

ショートカットキー

- メールの転送
  Ctrl＋F

転送したいメールをメッセージウィンドウで開いておきます。

1 ［メッセージ］タブ→［転送］をクリックします。

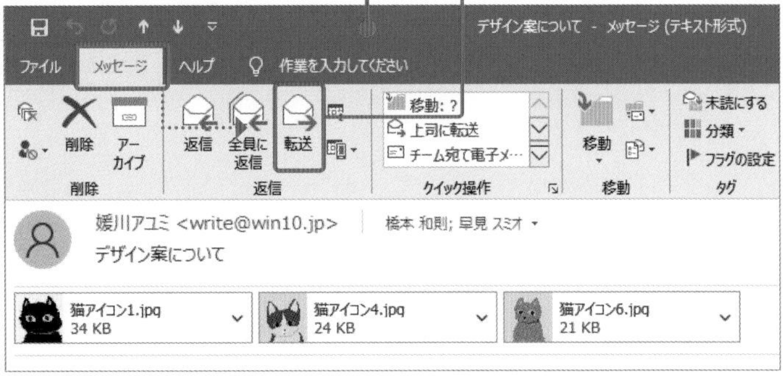

2 必要に応じて任意のメッセージを入力します。

3 ［宛先］に転送先となるメールアドレスを入力します。

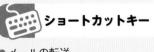

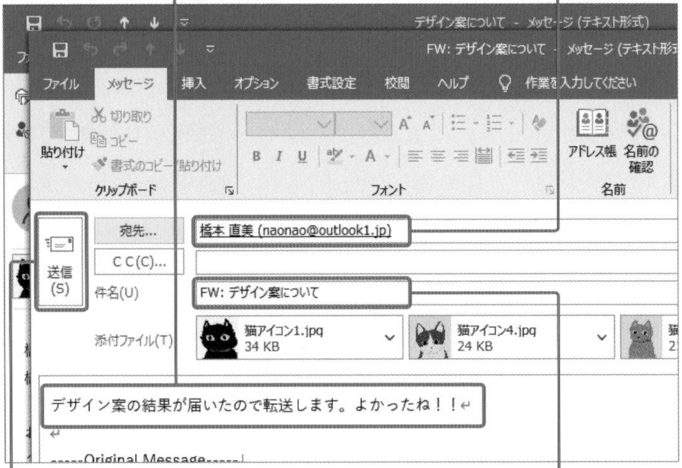

4 ［送信］をクリックします。

件名に「FW:」が付きます。

2 メール内容を添付ファイルとして転送する

ショートカットキー

- 添付ファイルとして転送する
  Ctrl + Alt + F

Hint 転送されたメールを展開する

「添付ファイルとして転送されたメール」を受信した場合は、添付ファイルの [∨] をクリックして、ドロップダウンから [開く] をクリックすれば、内容を確認できます。

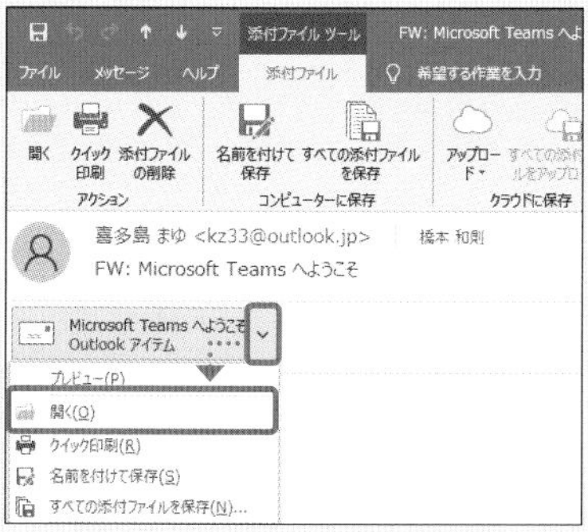

- **添付ファイルを開いた画面**

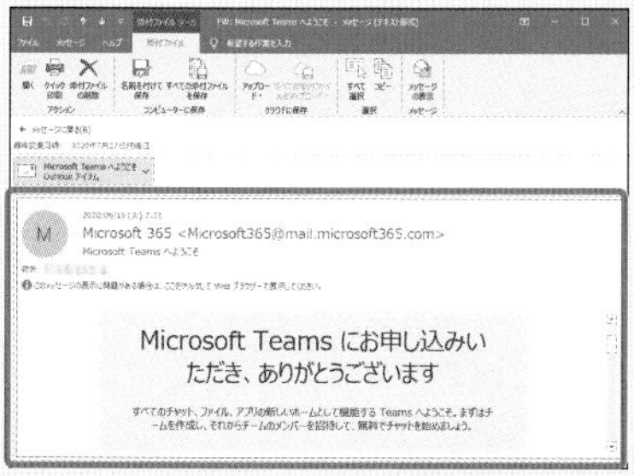

転送したいメールをメッセージウィンドウで開いておきます。

1 [メッセージ] タブ→ [その他の返信アクション] をクリックして、

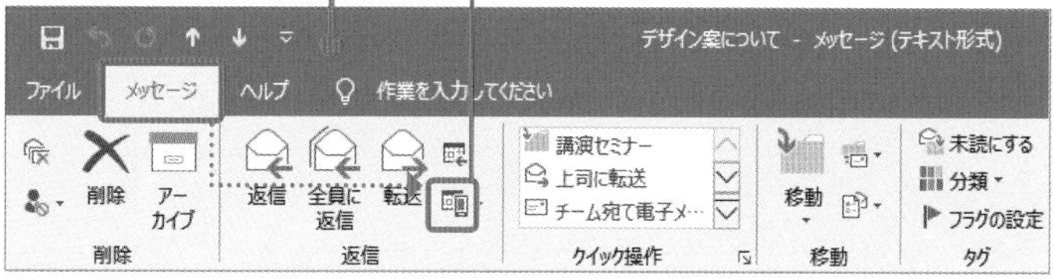

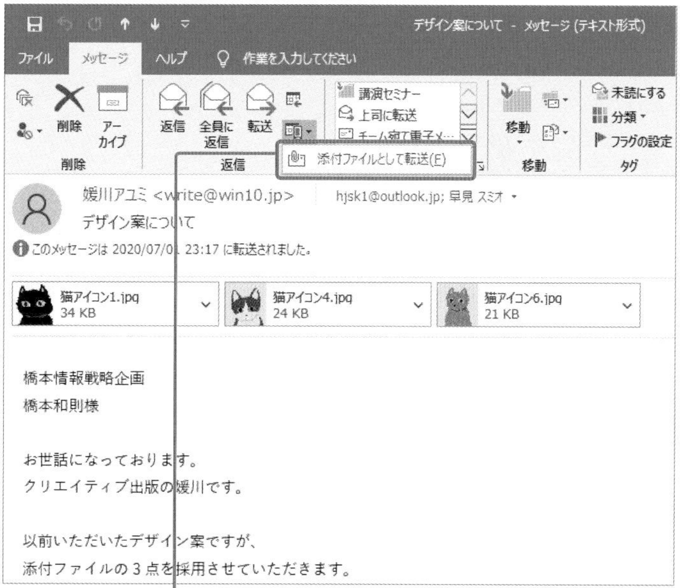

2 [添付ファイルとして転送]をクリックします。

3 メールの内容がファイルとして添付されます。

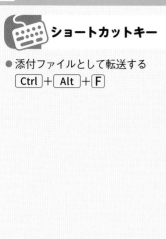

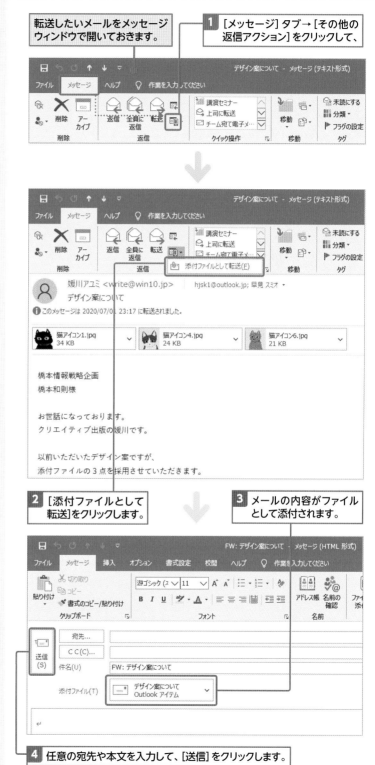

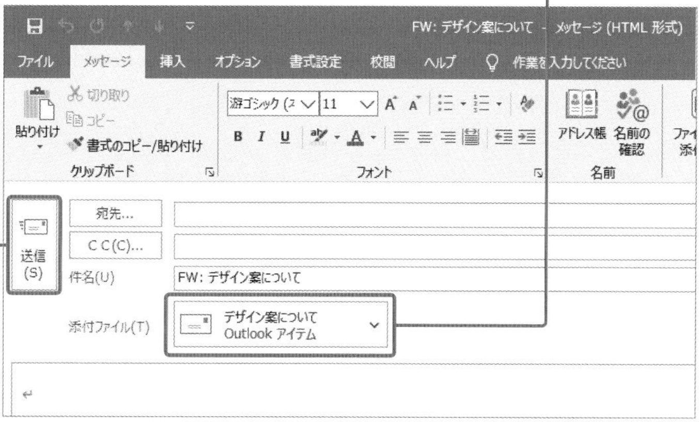

4 任意の宛先や本文を入力して、[送信] をクリックします。

Section 30

メールを印刷する／PDFファイル化する

ここで学ぶのは

- 印刷イメージの確認
- メールの印刷
- PDF ファイル化

メールの内容は紙にプリントアウトして印刷物として保管することもできます。印刷の際には、いくつかの設定を行うと紙の無駄を軽減できるほか、小冊子レイアウト（見開き）で印刷することやPDFファイルとして出力するなどの応用も可能です。

1 印刷プレビューで印刷イメージを確認する

Memo　Backstage ビューを表示する

Backstageビューは、Outlook 2019の操作画面から［ファイル］タブをクリックすることで表示できます。

ショートカットキー

- Backstageビューの表示
  Alt → F

Hint　最初にプリンターを指定する

印刷の詳細設定項目はプリンターによって異なります。例えば同じA4用紙にプリントアウトする場合でも、プリンターの機種によって許容される余白や設定の詳細が異なるため、最初に出力先となるプリンターを指定してから、印刷オプションの設定を行うようにします。

印刷したいメールをメッセージウィンドウで表示します。

1 ［ファイル］タブをクリックします。

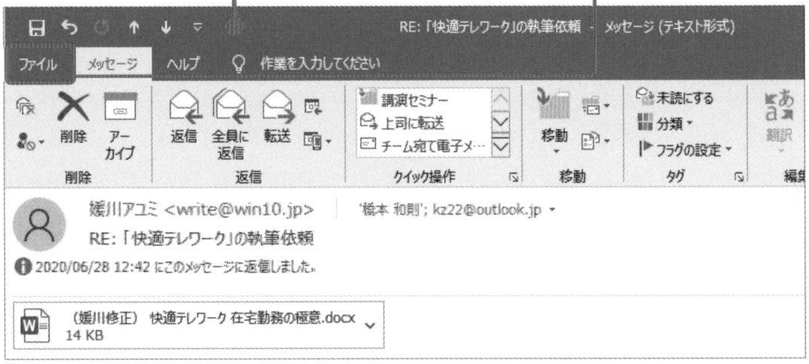

2 Backstageビューから［印刷］をクリックします。

3 印刷プレビューと設定画面が表示されます。

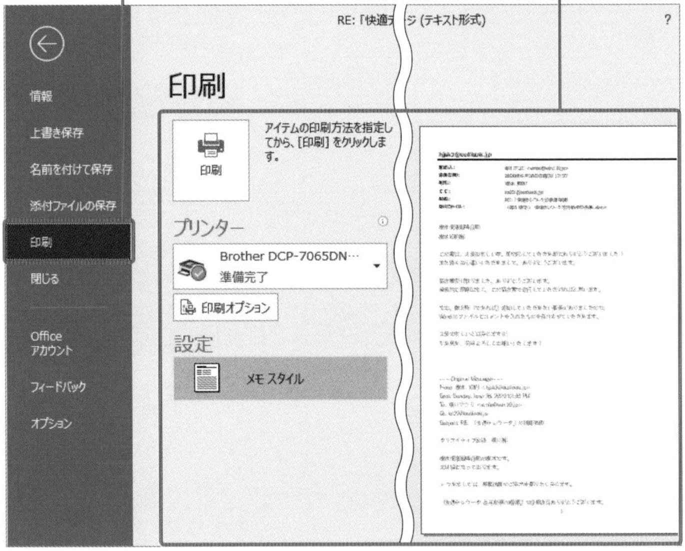

Memo プリンターが見つからない場合は

プリンター全般の管理はWindows 10で行います。印刷したいプリンターが見当たらない場合には、プリンターの電源を入れて、Windows 10の[設定]画面から[デバイス]をクリックします。[プリンターとスキャナー]から[＋プリンターまたはスキャナーを追加します]をクリックして該当のプリンターを追加します。

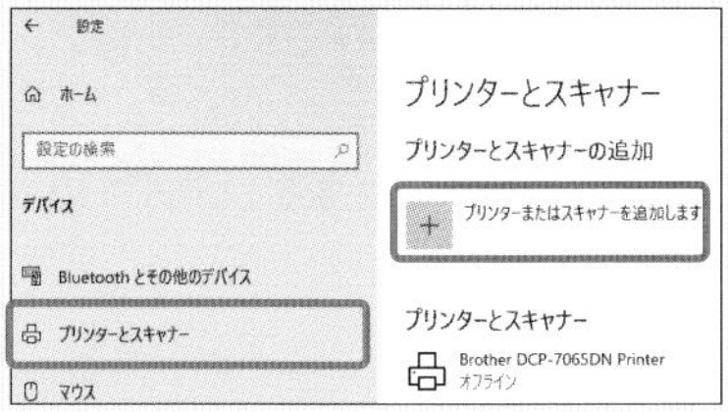

4 プリンターの[▼]をクリックして、出力先となるプリンターを選択します。

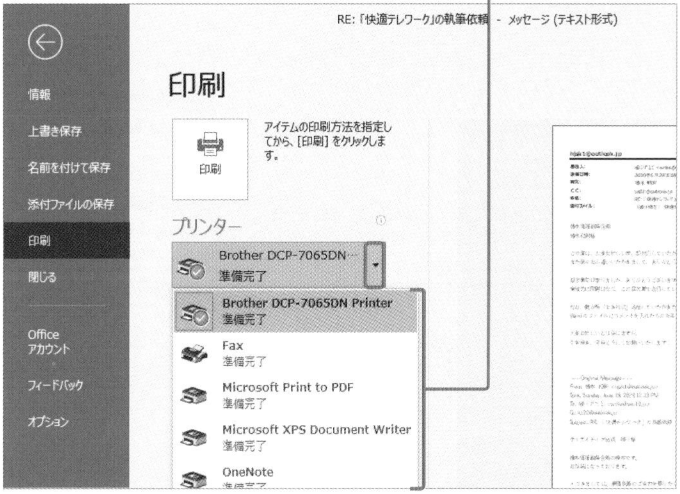

2 用紙の種類や向き・余白を整える

ショートカットキー

- 印刷（印刷プレビュー）
  Ctrl＋P
  Alt→F→P→I
- 印刷オプション（印刷）
  Alt→F→P→R

あらかじめ印刷プレビューを表示し、プリンターを選択しておきます。

1 [印刷オプション]をクリックします。

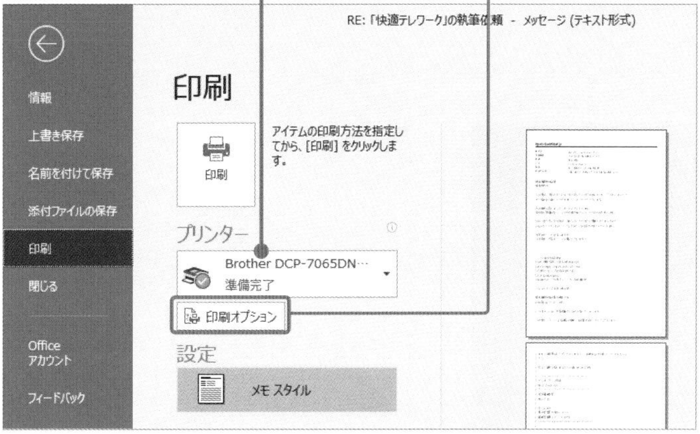

2 [印刷] ダイアログが表示されます。

3 [ページ設定] をクリックします。

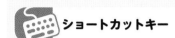

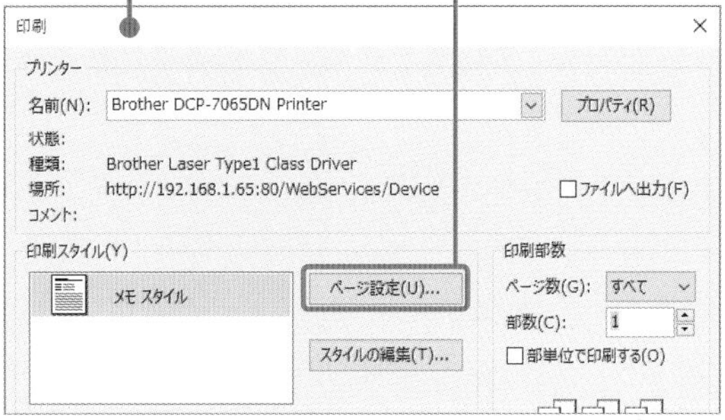

Memo 用紙の「余白」の設定

用紙に対して印刷できる範囲はプリンターの機種によって異なります。利用するプリンターによっては1cm以上の余白が必要になることもあるので、プリンターの機種と余白の関係を確認してから設定する必要があります。

Memo 用紙の向き

印刷内容によっては、用紙を横向きにしたほうが最適な場合があります。おさまりが悪い場合には、用紙の向きを［横］にして、プレビューで確認してみるとよいでしょう。

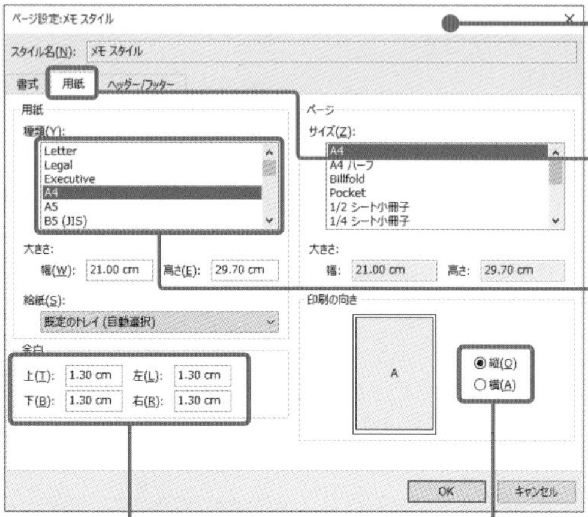

4 ［ページ設定］ダイアログが表示されます。

5 ［用紙］タブをクリックします。

6 ［用紙］欄の［種類］から任意の用紙をクリックします。

7 ［余白］欄で用紙に対する［上］［下］［左］［右］の余白cm数を任意に設定します。

8 ［印刷の向き（用紙の縦／横）］を任意に指定します。

3 メールを紙にプリントアウトする

Hint 長文の印刷

長文を印刷するのであれば、［印刷範囲］の［ページ指定］で「1」を指定し、1ページだけプリントアウトして、実際の印刷状態を確認してから、残りのページをプリントアウトするのもよいでしょう。あるいは「PDFファイル」に出力して確認するのもひとつの方法です（p.106参照）。

あらかじめ印刷設定を整えておきます。

1 ［印刷］をクリックします。

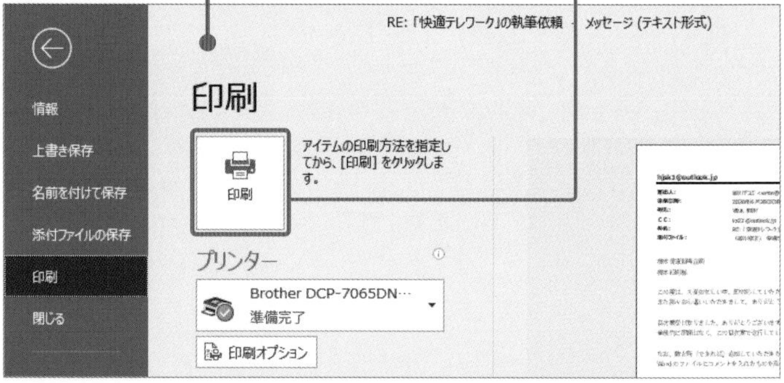

2 指定のプリンターでメール内容を印刷できます。

4 印刷の範囲を指定してプリントアウトする

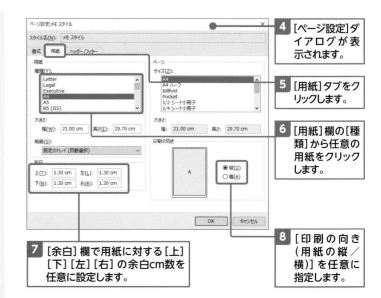

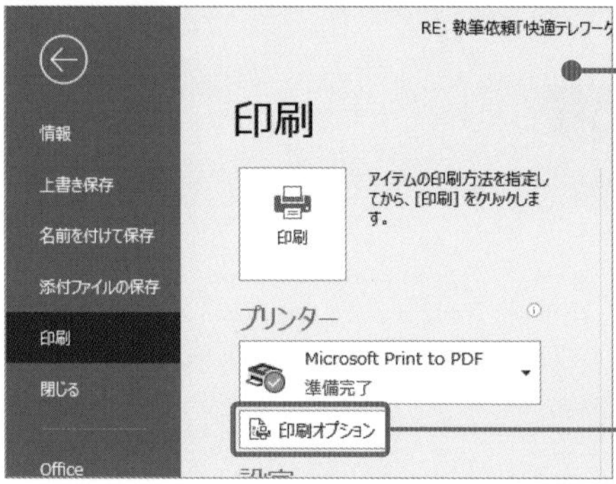

あらかじめ印刷プレビューを表示しておきます。

1 ［印刷オプション］をクリックします。

Hint 任意の部数を印刷する

同じ内容を複数枚印刷したい場合には、[印刷オプション] をクリックして、[印刷部数] で任意の印刷部数を指定できます。

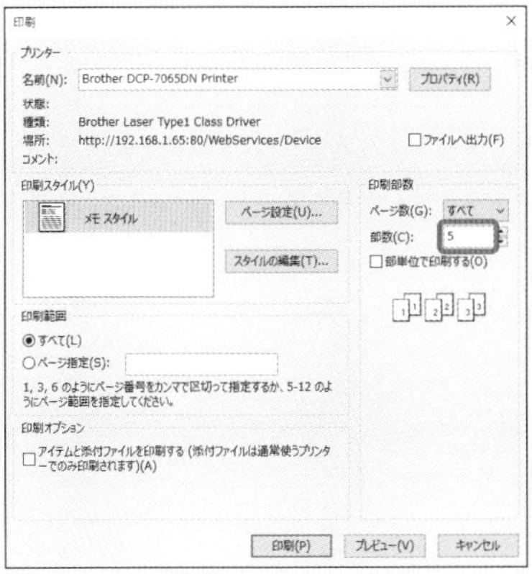

Memo 印刷を止めたい場合は

印刷を実行したものの間違いに気づくなどして、プリンターの印刷を止めたい場合には、Windows 10の通知領域の [プリンター] アイコンをダブルクリックします。印刷のキュー (印刷待ちデータ) が確認できるので、停止したいドキュメント名を右クリックして、ショートカットメニューから [キャンセル] をクリックします。

2 [印刷] ダイアログが表示されます。

3 [印刷範囲] から [ページ指定] をクリックして、チェックします。

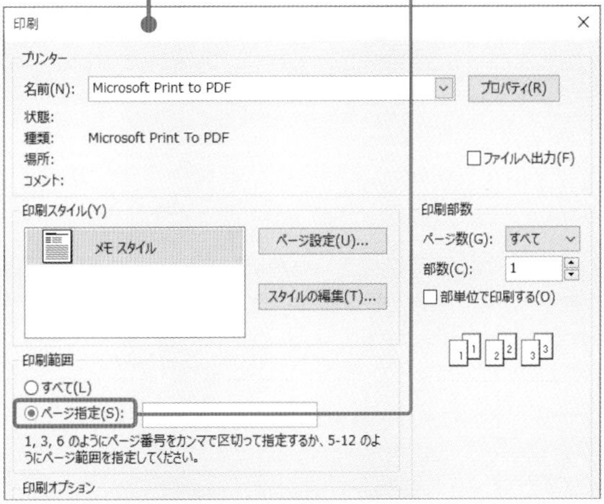

「1ページ目」だけを印刷したい場合

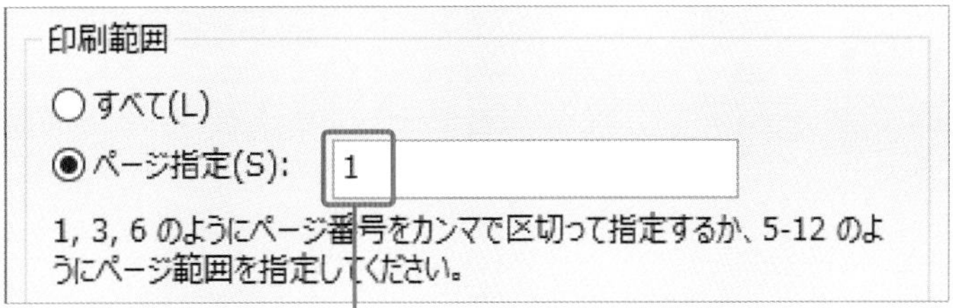

「1」と入力します。

「1ページ目」と「3ページ目」を印刷したい場合

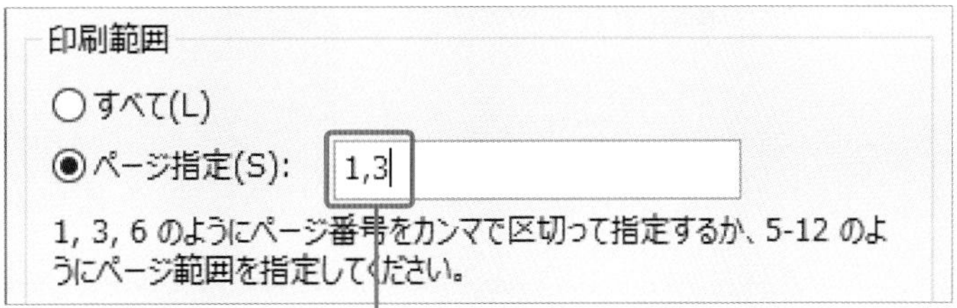

「1,3」と入力します。

「2ページ目から4ページ目」を印刷したい場合

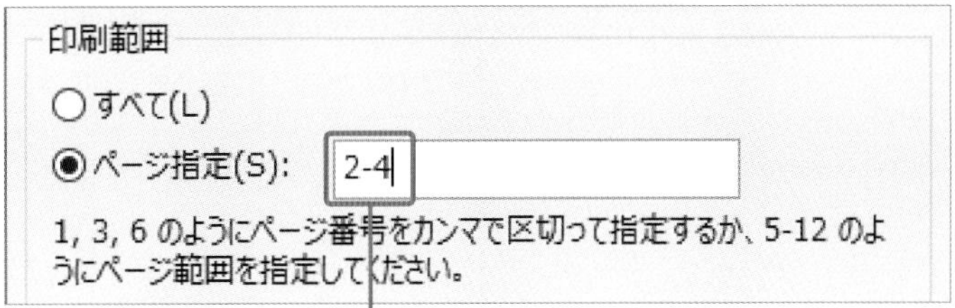

「2-4」と入力します。

5 メールをPDF形式で保存する

Key word　PDFファイル

PDFファイルとは、紙に印刷したイメージをファイルとして保持できる形式のひとつで、PDFとは「Portable Document Format」の略になります。一般的なPCおよびスマートフォンは、PDFファイルを開くことができるため、PDFファイルとして保存しておけば、ほとんどの人がファイルを開いて印刷イメージでメールの内容を確認できます。

プリンターで実際に紙に印刷するのに対して、コスト（インク代や紙代）がかからず、また印刷内容をファイルとして相手に渡すこともできるので、利便性が高いのが特徴です。

Memo　PDFで保存・確認してから印刷する

印刷テクニックのひとつとして、「PDFファイルにしてから、それをプリントアウトする」という方法があります。この方法であれば、PDFファイルにしているのでレイアウトが確認しやすいほか、PDFファイルの印刷になるため、PDFファイルビューアーの機能で柔軟に印刷することができます。

印刷したいメールをメッセージウィンドウで表示しておきます。

1 Backstageビューから［印刷］をクリックします。

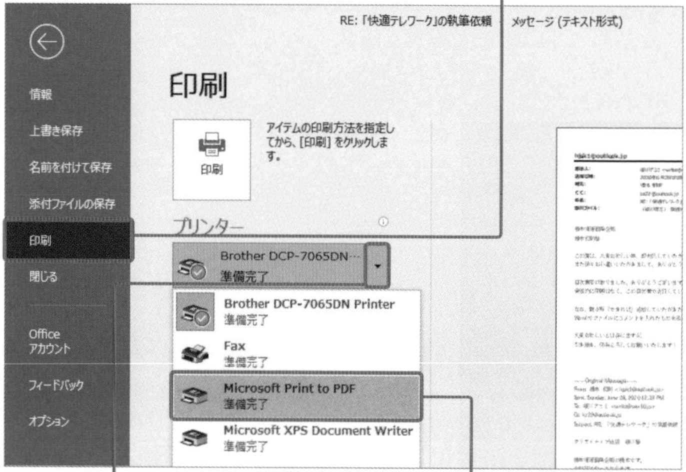

2 プリンターの［▼］をクリックして、

3 ドロップダウンから［Microsoft Print to PDF］をクリックします。

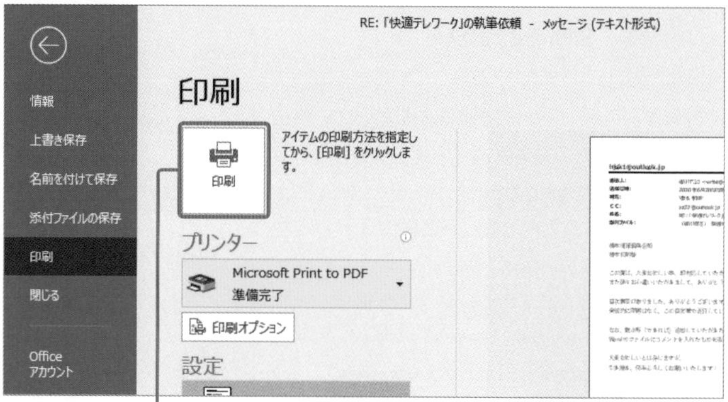

4 ［印刷］をクリックします。

5 ［印刷結果を名前を付けて保存］ダイアログが表示されます。

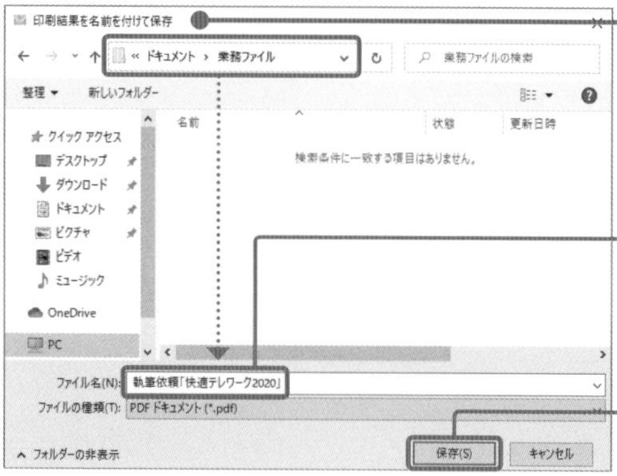

6 ファイルの保存先となる任意のフォルダーを指定して、任意のファイル名を入力します。

7 ［保存］をクリックします。

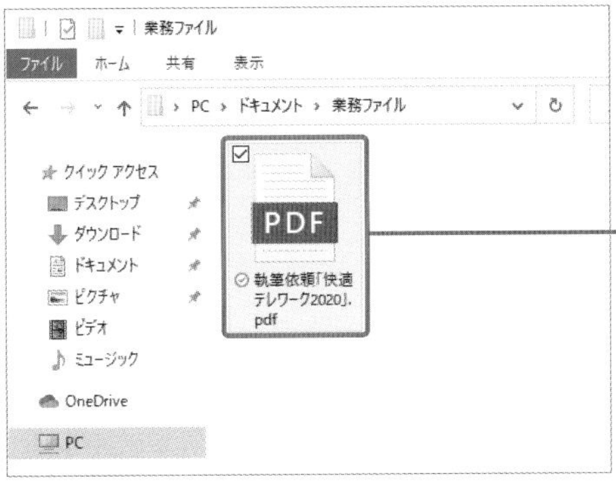

8 メール内容をPDFファイルとして保存できます。

Hint メールを小冊子レイアウト（見開き）で印刷する

［ページ設定］ダイアログの［用紙］タブを利用して、メールを小冊子の形式で印刷できます。見開きでメールの内容を確認できるので、メモとして印刷しておきたいときなどに便利です。

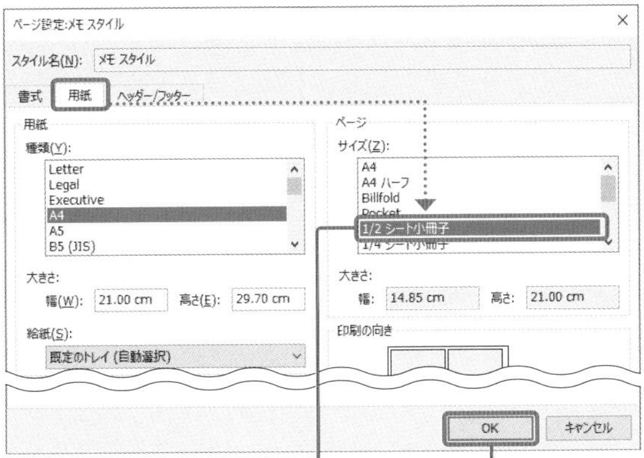

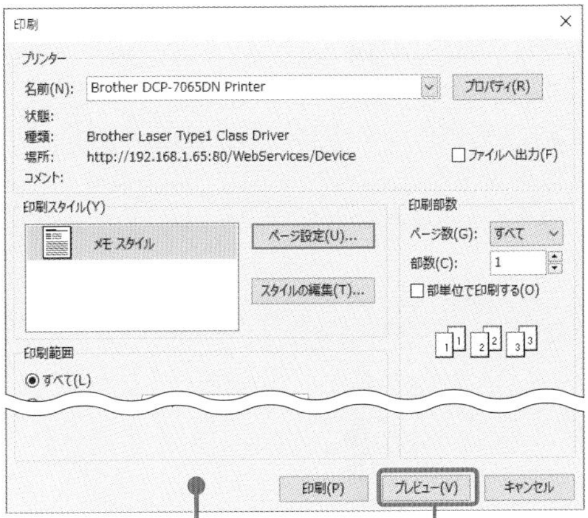

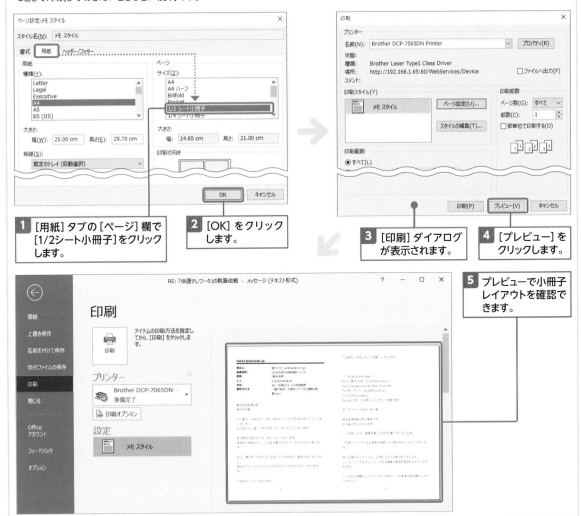

1 ［用紙］タブの［ページ］欄で［1/2シート小冊子］をクリックします。

2 ［OK］をクリックします。

3 ［印刷］ダイアログが表示されます。

4 ［プレビュー］をクリックします。

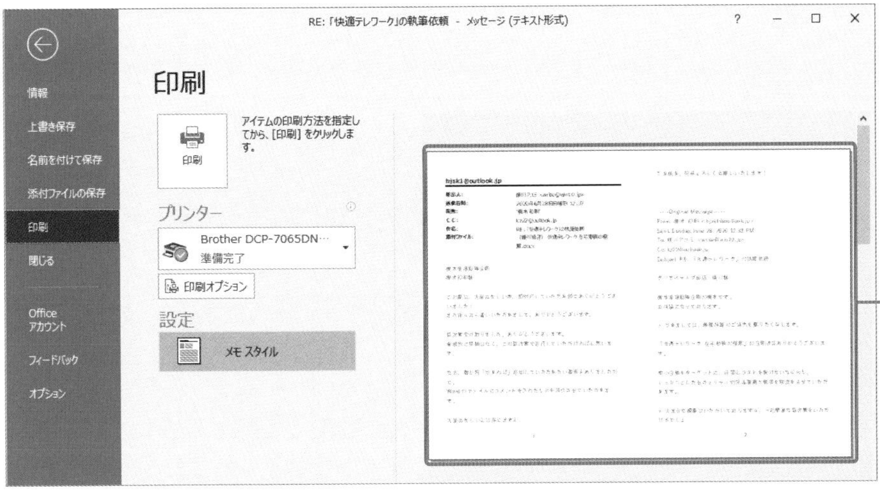

5 プレビューで小冊子レイアウトを確認できます。

Section 31

メールでの日本語入力をスムーズに行う

ここで学ぶのは

- 記号や住所の入力
- 英単語の入力
- 文字の再変換

メールの本文作成において重要になるのが「文字入力」です。いくつかのテクニックを駆使すれば、文字入力をスムーズに行うことができるほか、日本語入力変換効率を劇的にアップすることができます。ここでは、Windows 10標準のMicrosoft IMEによる各種入力変換について解説します。

1 記号を簡単に入力する

解説 記号の入力

ショートカットキー［Windows］＋［.］キーで絵文字や記号を入力できます。なお、この機能を利用するには最新のWindows 10バージョンを利用する必要があります。

Memo 入力モードを切り替える

日本語入力のオン／オフを切り替えるには［半角/全角］キーを利用します。日本語入力がオンの状態では通常「ひらがな入力」になり、そこから［無変換］キーで「全角カタカナ」などに切り替えることもできますが、タスクバーにある［入力インジケーター］を右クリックすることにより表示されるメニューからも、任意の入力モードに切り替えることができます。

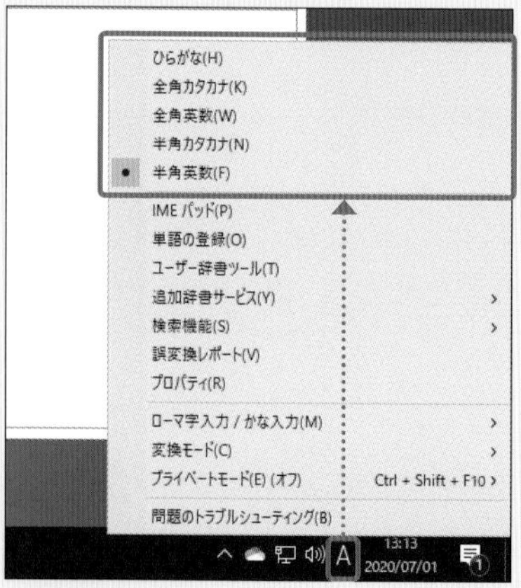

1 記号を入力したい場所で［Windows］＋［.］キーを入力します。

2 [絵文字]ダイアログが表示されるので、Ωをクリックします。

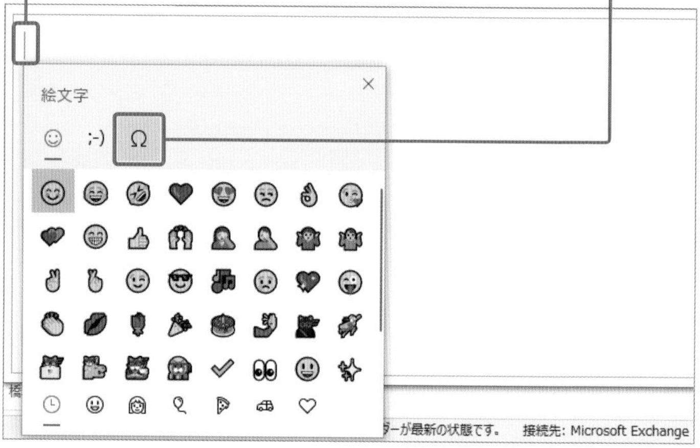

3 記号の種類をクリックします。

4 任意の記号をクリックして入力します。

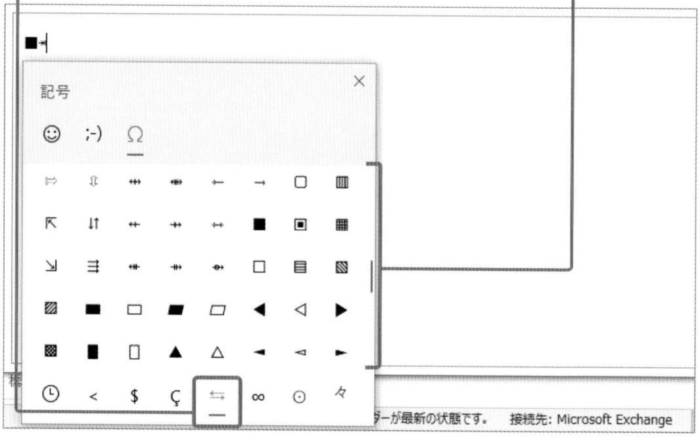

2 住所を簡単に入力する

解説 住所の入力

7桁の郵便番号を入力して Space キーを押すと、変換候補の中に該当する住所が表示されるので、それを選択して簡単に入力できます。

日本語入力をオンにします。

1 7桁の郵便番号を入力します。

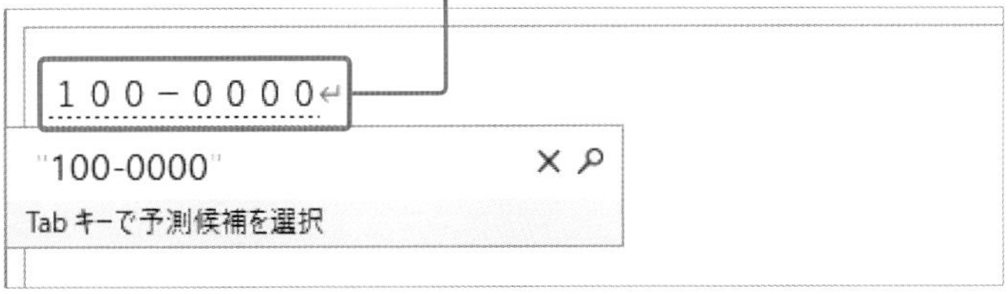

2 Space キーを2回押して変換候補を表示します。

3 任意の候補をカーソルキーで選択して、Enter キーを押します。

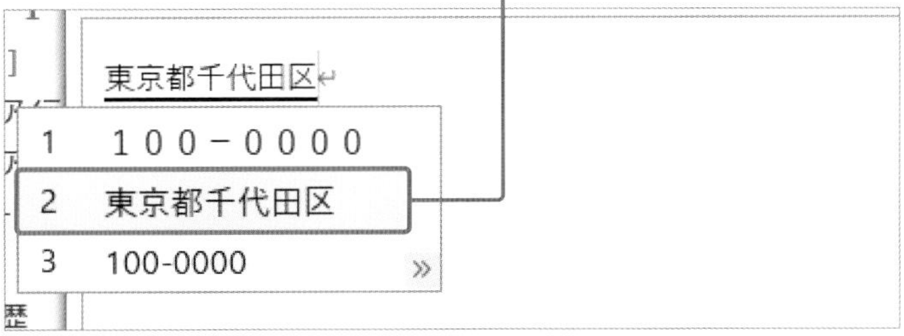

4 郵便番号から住所を入力できます。

ショートカットキー

- 日本語入力をオンにする
  半角/全角
- 日本語入力の変換
  Space

3 英単語のスペルを間違いなく入力する

解説 多くの英単語はカタカナ英語で OK

多くの英単語はカタカナ英語でそのままスペルを入力できます。また、辞書に登録されている英単語は確実なスペルであるため、英字スペルを手入力するよりも間違いのない英単語を入力できます。

日本語入力をオンにします。

1 「みししっぴ」と入力して、Space キーを2回押します。

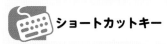

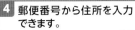

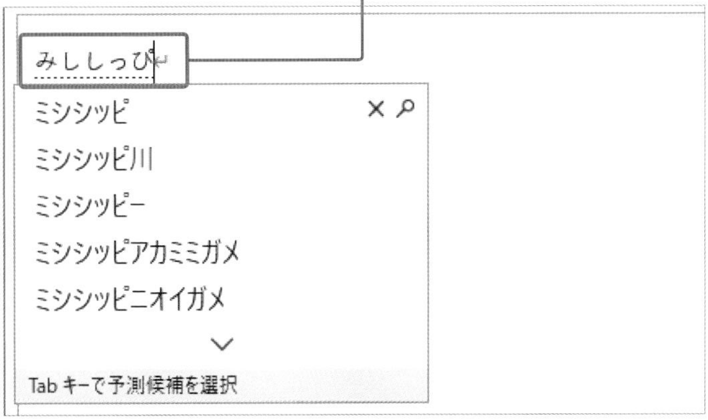

2 変換候補に英語スペルである「Mississippi」が表示されます。
3 任意の候補をカーソルキーで選択して、Enter キーを押します。
Mississippi
1 ミシシッピ
2 Mississippi
3 Ｍｉｓｓｉｓｓｉｐｐｉ
4 ＭＩＳＳＩＳＳＩＰＰＩ
5 ｍｉｓｓｉｓｓｉｐｐｉ
6 MISSISSIPPI
7 mississippi
8 みししっぴ
4 英単語を記述ミスすることなく入力できます。
Mississippi

Hint 英単語の大文字・小文字を切り替える

英単語の大文字・小文字を切り替えるには、文字列を選択してショートカットキー Shift ＋ F3 キーが便利です。例えば「WIN」という単語であれば、「WIN」→「win」→「Win」という形でショートカットキー Shift ＋ F3 キーを押すごとに大文字・小文字を切り替えることができます。

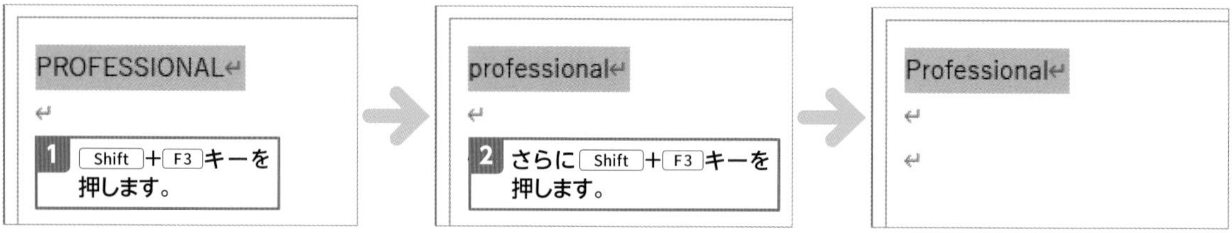
PROFESSIONAL
1 Shift ＋ F3 キーを押します。
professional
2 さらに Shift ＋ F3 キーを押します。
Professional

Hint 全角スペースと半角スペースの使い分け

日本語入力がオンの状態で Space キーを押すと「全角スペース」、日本語入力がオフの状態で Space キーを押すと「半角スペース」が入力できますが、いちいち日本語入力モードを切り替えながら Space キーを押すのは面倒です。

日本語入力がオンの状態で任意のスペースを入力したい場合は、Space キーで「全角スペース」、Shift ＋ Space キーで「半角スペース」を入力することができます。

4 文字列を再変換する

Memo 単語の再変換

再変換したい単語の前にカーソルを置き、変換キーを押しても再変換できます。ただし、この手順ではMicrosoft IMEが自動的に文節を区切り再変換するため、不適切な文字範囲で再変換されてしまうことがあります。一方、右図の手順のように、あらかじめ文字列を選択しておけば、任意の範囲を再変換できるほか、文章であれば再変換中にShift+カーソルキーで任意に文節を区切って適切な再変換を行うことが可能です。特に文節を間違えて変換してしまった文字列の再変換に効果的です。

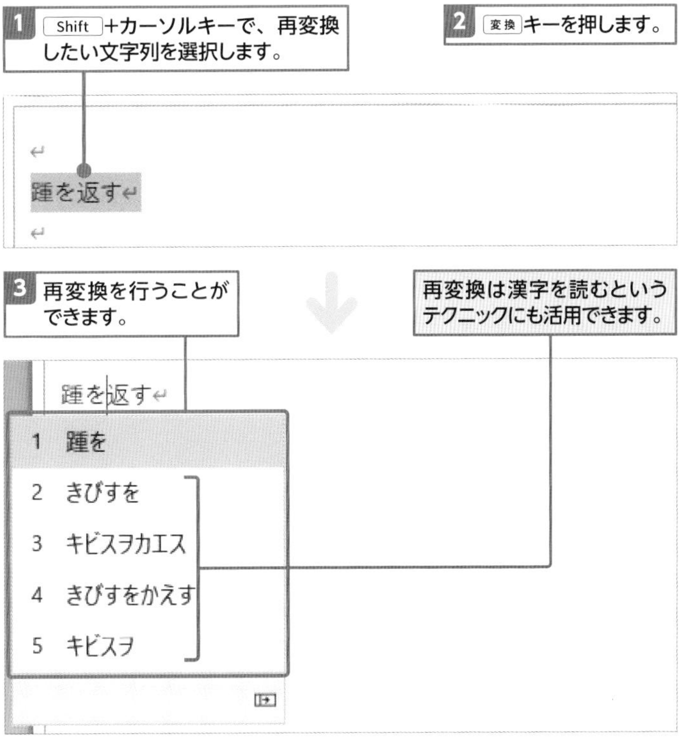

Memo Microsoft IME の進化

最新バージョンのWindows 10では、Microsoft IMEの仕様変更により以前サポートしていた機能の一部が利用できなくなっています。以前利用していた機能を最新バージョンのWindows 10のMicrosoft IMEでも利用したい場合には、通知領域の[入力インジケーター]を右クリックして、ショートカットメニューから[設定]をクリックします。[全般]をクリックして、[互換性]欄にある[以前のバージョンのMicrosoft IMEを使う]をオンにすれば、以前のMicrosoft IMEにあった機能を利用できるようになります。

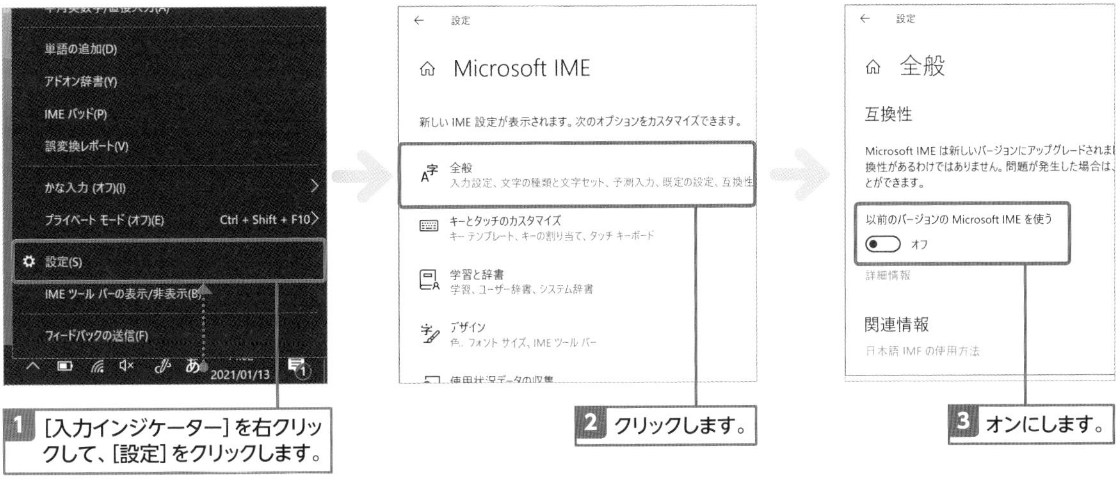

5 日本語入力中に英単語をそのまま入力する

「私はMicrosoft MVPです」と入力してみます。

1 「わたしは」と入力します。

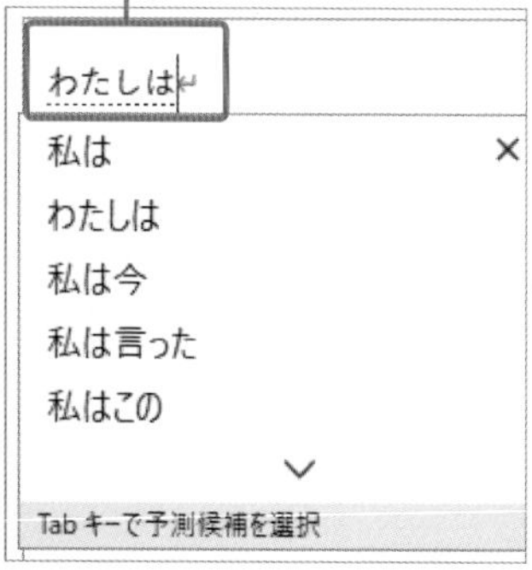

2 Shift キーを押しながら「M」を入力します。

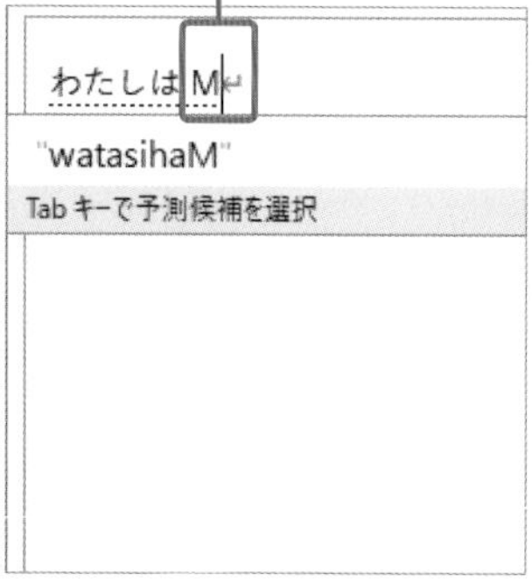

3 続けて「icrosoft」と入力します。

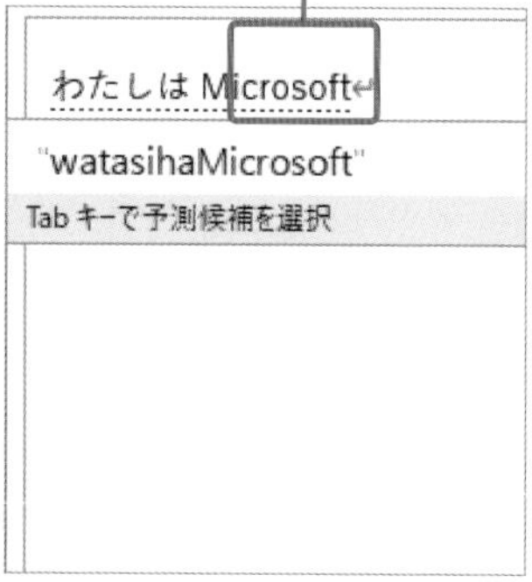

4 続けて Space キーを押します。

5 Shift キーを押しながら「MVP」と入力します。

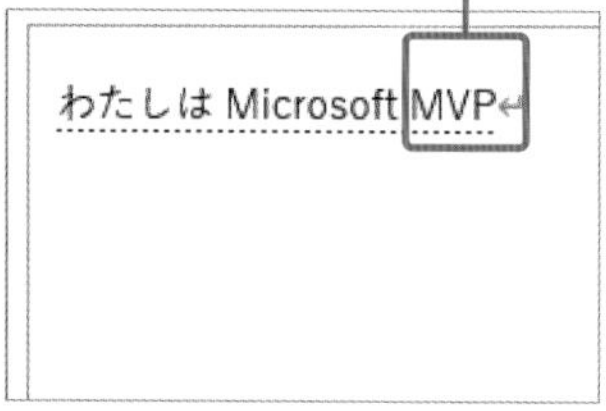

6 Shift キーから指を離して「です」と入力します。

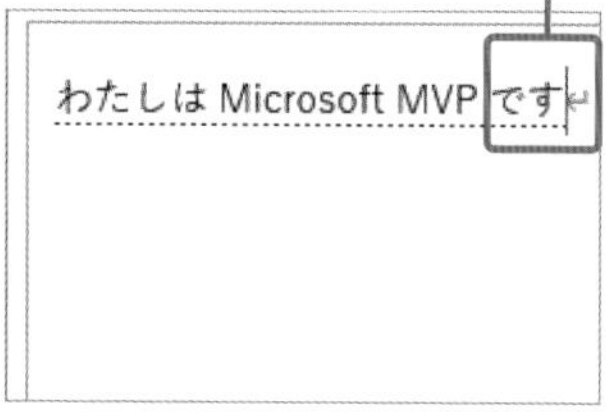

7 Space キーを押して変換し、Enter キーで確定します。

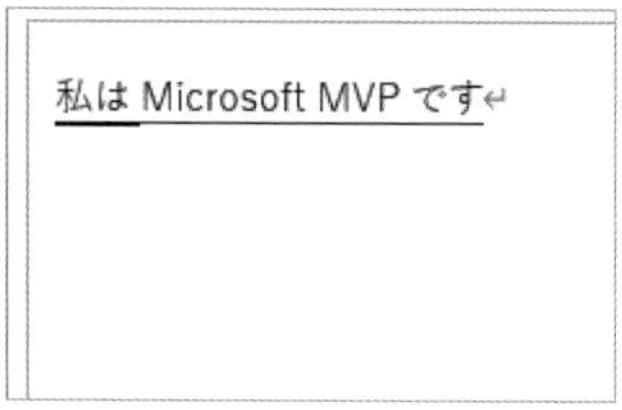

8 「私はMicrosoft MVPです」と和英混合文章を入力できます。

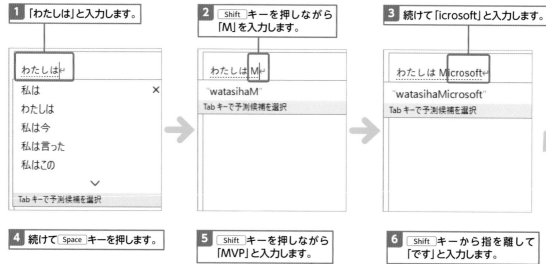

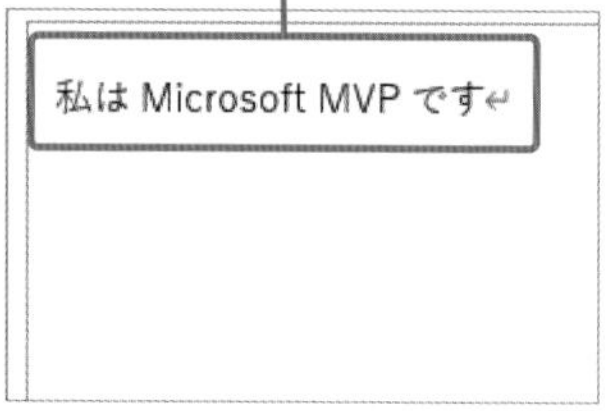

Hint 記号は読みで入力することもできる

p.108では記号の一覧を利用した記号入力の方法を紹介しましたが、読みをそのまま変換して入力することもできます。主な記号の読みは右表になります。

● 記号の読み方

記号	読み方
○	まる
◎	にじゅうまる
×	ばつ
□	しかく
△	さんかく

記号	読み方
＝	イコール
・	なかぐろ
☆	ほし
(^ ^)	かおもじ
〒	ゆうびん

第 3 章

メールの整理と検索

Outlook 2019を利用するにあたって、目的のメールをすばやく見つけて作業しやすくするためのテクニックや管理を知っておくことは重要です。この章ではメールの検索やフラグの設定、メールの分類、フォルダー仕分け、迷惑メールの設定などについて解説します。

Section
32
メールを探す／整理する／分類する

ここで学ぶのは
- メールの検索
- メールの管理
- メールの分類

メールがたまってくると、重要なメッセージを見逃してしまったり、あるいは過去に取引内容を記述した重要なメールを見つけにくくなってしまったりします。ここでは検索・整理・分類・アーカイブなどのメール管理全般について解説します。

1 目的のメールを「検索」して見つける

Outlook 2019ではメールを検索して見つけ出すことができます。検索キーワードを入力して単純にそのキーワードが含まれるメールを一覧化できるほか、任意の条件を指定して検索することも可能です。
また、「高度な検索」では、検索条件を複数指定して目的のメールを探し出すことができます。

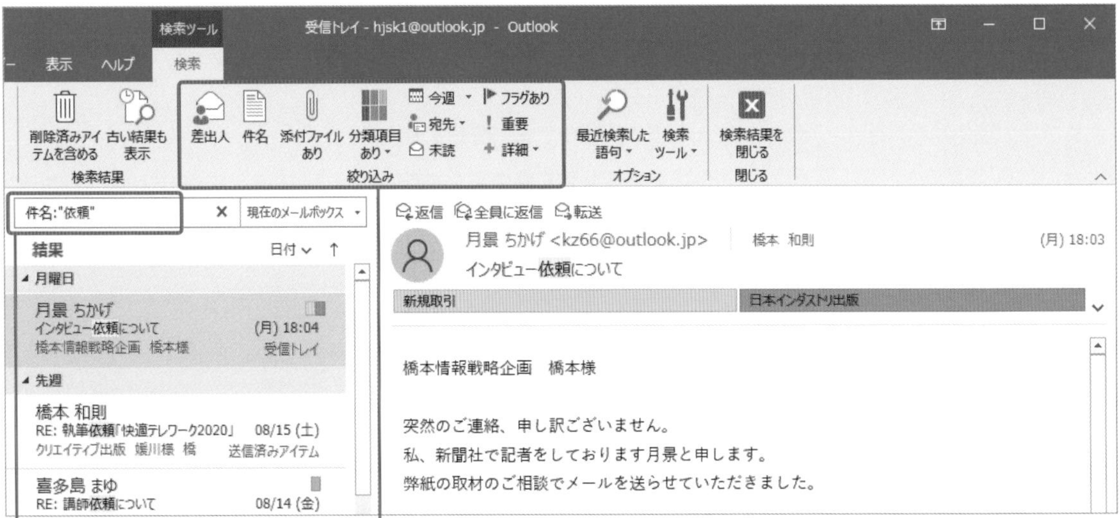

検索キーワードでメールを探すことができます（p.120参照）。

絞り込みで条件指定してより精度の高い検索ができます（p.122参照）。

高度な検索では詳細な条件指定を行うことができます（p.124参照）。

2 作業をするメールは「フラグ」で管理する

「後で返信しなければならないメール」や「タスクとして管理したいメール」などの作業を行わなければならないメールは、「フラグ」で管理します。
フラグを付けたメールは「To Doバーのタスクリスト」でタスクとして管理することができ、期限や優先度などを設定できます。また、作業が完了したメールは「作業完了」のフラグを付けることができるので、処理しなければならないメールをわかりやすく管理できます。

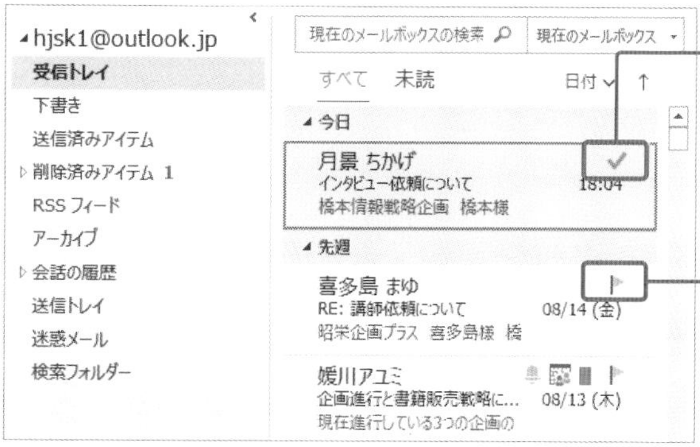

作業が終了したメールには✓を付けて作業完了をわかりやすく確認できます。

作業をしなければならないメールには「フラグ」を付けて管理します。

フラグを付けたメールは「To Doバーのタスクリスト」として管理できます。

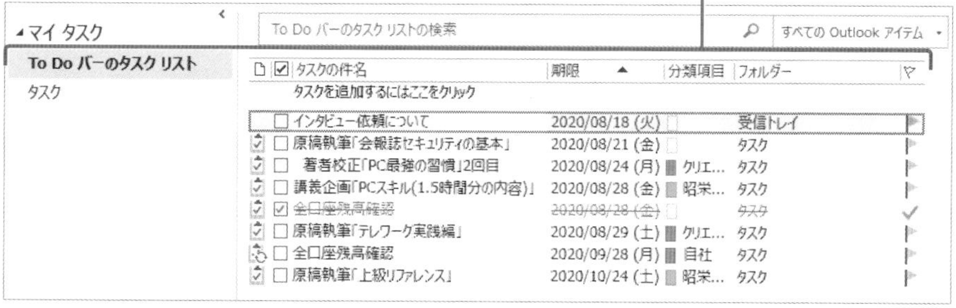

3 メールをフォルダー分けして管理する

取引先ごとや作業内容ごとに「フォルダー」を作成しておくと、各作業のメールをフォルダーごとに仕分けすることができて便利です。任意のフォルダーにメールを移動するには、ドラッグ＆ドロップなどの操作で移動する方法と、「仕分けルール」を設定して自動的にメールを移動させる方法があります。

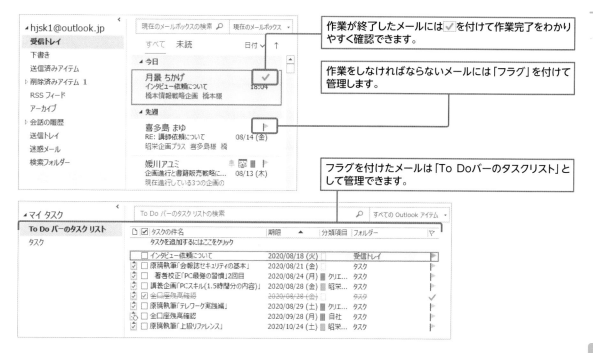

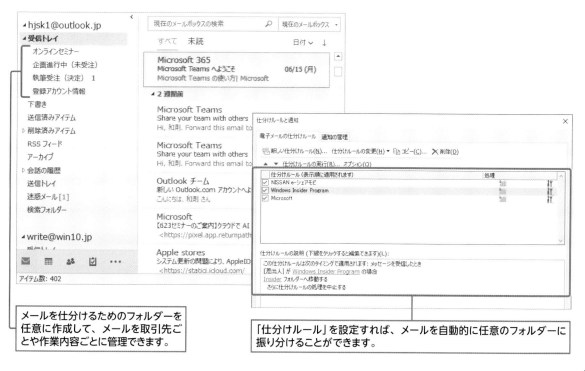

メールを仕分けるためのフォルダーを任意に作成して、メールを取引先ごとや作業内容ごとに管理できます。

「仕分けルール」を設定すれば、メールを自動的に任意のフォルダーに振り分けることができます。

4 メールを分類（色分け）して管理する

Outlook 2019では、メールを分類して色分けすることが可能です。付箋の色分けのようなイメージで、自分の決めたルールでメールを分類できます。また、分類に対しては任意の「分類項目名」を命名できるので、取引先別や業種別などでメールを分類すると、目的のメールを見つけやすくできます。
「分類」はOutlook 2019の共通設定であるため、「予定表」「連絡先」などでも活用できるのもポイントです。

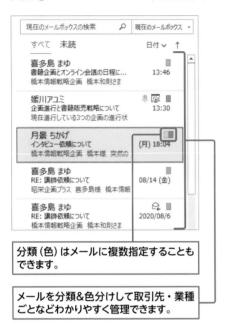

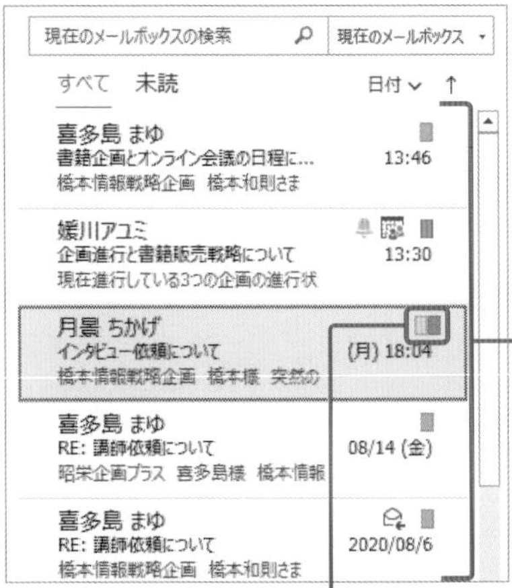

分類（色）はメールに複数指定することもできます。

メールを分類&色分けして取引先・業種ごとなどわかりやすく管理できます。

分類は、任意の「分類項目名」でわかりやすく管理できます。

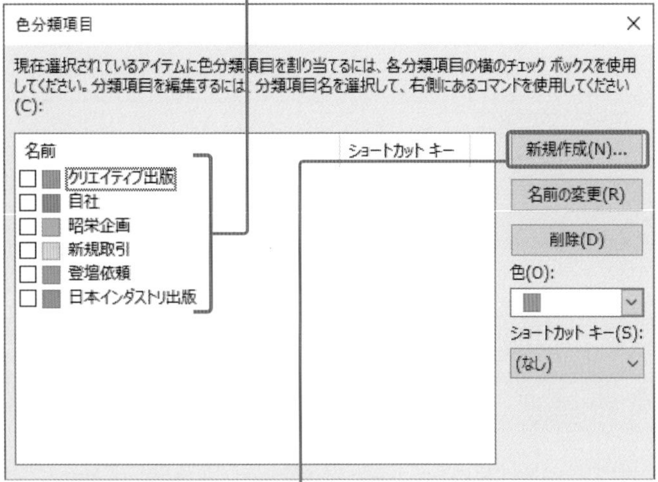

分類（色）を任意に追加することもできます。

5 不要だがとっておきたいメールはアーカイブする

完全に不要なメールは削除してしまえばよいですが、中には「今は不要だが後々もしかすると利用するかもしれないメール」というものがあります。Outlook 2019のメール管理においては、完全に要らないメールは「削除」、不要だが念のためとっておきたいメールは「アーカイブ」にします。

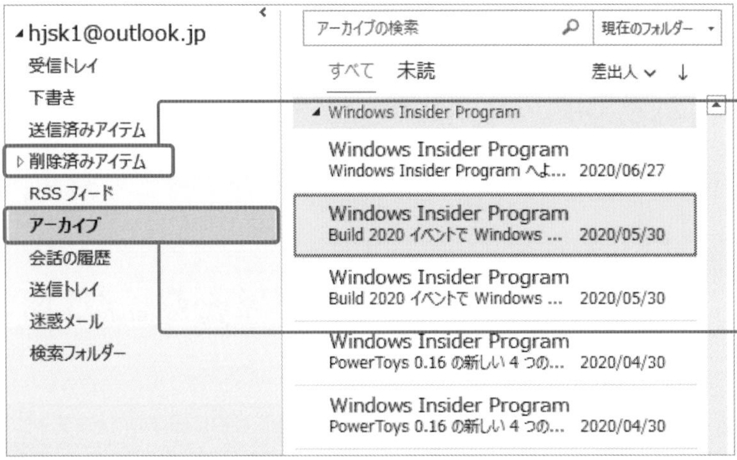

完全に必要がないメールは削除します。

受信トレイに保持しておく必要のないメールは「アーカイブ」にします。

6 迷惑メールの判別を調整する

Outlook 2019では、迷惑メールを自動判別します。迷惑メールは「迷惑メール」フォルダーで管理されますが、重要なメールを見逃さないためにも、定期的に迷惑メールが「誤判定」していないか、また、スパムメールなどを迷惑メールとして判別するように、受信拒否リストや迷惑メールの処理レベルを任意に設定して管理する必要があります。

なお、迷惑メールの判定はメールを供給するプロバイダー（インターネットサービスプロバイダー・レンタルサーバーなど）の側でも行われることがある点に注意が必要です。

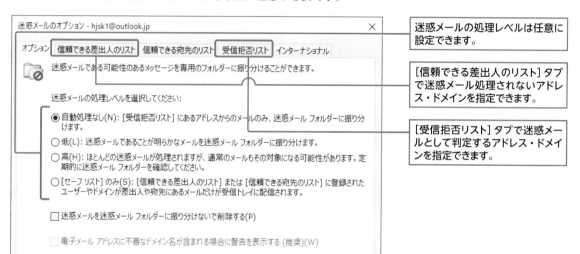

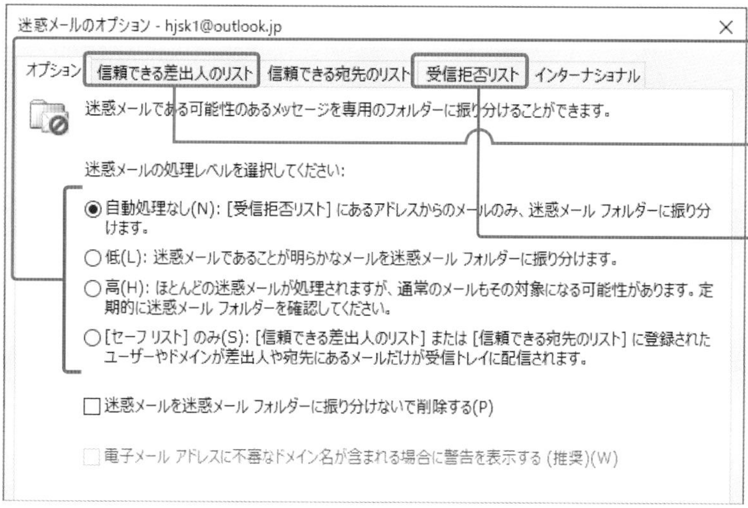
迷惑メールのオプション - hjsk1@outlook.jp
オプション
信頼できる差出人のリスト
信頼できる宛先のリスト
受信拒否リスト
インターナショナル
迷惑メールである可能性のあるメッセージを専用のフォルダーに振り分けることができます。
迷惑メールの処理レベルを選択してください:
自動処理なし(N): [受信拒否リスト] にあるアドレスからのメールのみ、迷惑メール フォルダーに振り分けます。
低(L): 迷惑メールであることが明らかなメールを迷惑メール フォルダーに振り分けます。
高(H): ほとんどの迷惑メールが処理されますが、通常のメールもその対象になる可能性があります。定期的に迷惑メール フォルダーを確認してください。
[セーフ リスト] のみ(S): [信頼できる差出人のリスト] または [信頼できる宛先のリスト] に登録されたユーザーやドメインが差出人や宛先にあるメールだけが受信トレイに配信されます。
迷惑メールを迷惑メール フォルダーに振り分けないで削除する(P)
電子メール アドレスに不審なドメイン名が含まれる場合に警告を表示する (推奨)(W)
迷惑メールの処理レベルは任意に設定できます。
[信頼できる差出人のリスト] タブで迷惑メール処理されないアドレス・ドメインを指定できます。
[受信拒否リスト] タブで迷惑メールとして判定するアドレス・ドメインを指定できます。

Hint 不要なメールをため込まない&確実に処理するための鉄則

不要なメールをため込まないためには、「受信トレイになるべくメールを置かない」ことが鉄則になります。

決められた取引先からのメールなどは「仕分けルール」で自動的に任意のフォルダーに振り分け、また既読で特に今後必要になることはないもののとっておきたいものは「アーカイブ」、迷惑メールは確実に目に入ることがないように受信拒否リストで管理します。

また、受信トレイ上のメールにおいて業務上の処理（作業）が必要なものには「フラグ」を付けてタスク管理することや、「分類」を利用してメールを分類するなど場面に応じて管理を工夫することで、すっきりとした受信トレイと、業務先と業務内容を確実に把握&区別できるビジネス向けのメール管理環境を実現できます。

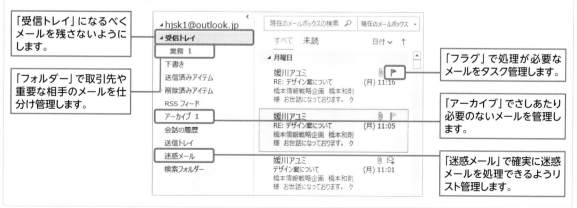

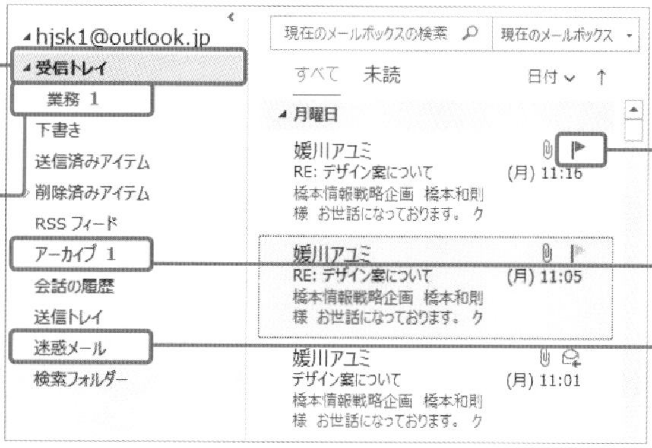
「受信トレイ」になるべくメールを残さないようにします。
「フォルダー」で取引先や重要な相手のメールを仕分け管理します。
hjsk1@outlook.jp
受信トレイ
業務 1
下書き
送信済みアイテム
削除済みアイテム
RSS フィード
アーカイブ 1
会話の履歴
送信トレイ
迷惑メール
検索フォルダー
現在のメールボックスの検索
現在のメールボックス
すべて 未読
日付
月曜日
媛川アユミ
RE: デザイン案について (月) 11:16
橋本情報戦略企画 橋本和則 様 お世話になっております。ク
媛川アユミ
RE: デザイン案について (月) 11:05
橋本情報戦略企画 橋本和則 様 お世話になっております。ク
媛川アユミ
デザイン案について (月) 11:01
橋本情報戦略企画 橋本和則 様 お世話になっております。ク
「フラグ」で処理が必要なメールをタスク管理します。
「アーカイブ」でさしあたり必要のないメールを管理します。
「迷惑メール」で確実に迷惑メールを処理できるようリスト管理します。

Section 33

メールの表示を整えて見やすくする

ここで学ぶのは
- メールの一覧表示
- 差出人の一覧表示
- グループ化

メールの表示は任意にカスタマイズできます。メールの**並べ替え**を行えば、同じ「差出人」のメールを並べて表示することができるほか、**グループ化**を活用することで同じ差出人や件名のメールをグループ化してわかりやすくまとめて表示できます。

1 差出人別にメールを一覧表示する

解説 「差出人」での並べ替え

「差出人」での並べ替えは、同じ相手からのメールを並べて表示したい場合に便利です。ちなみに「ビュー」内のメールを選択した状態で、↑↓キーを押せば、閲覧ウィンドウで順にメール内容を表示することができます。

Hint メールの並べ替え指定

メールの並べ替えは、「ビュー」の上部にある[並べ替え]をクリックすることでも実行することができます。また、ここでの表示は、現在どんな条件で並べ替えているかを確認できるので便利です。並べ替えの種類には、日付や差出人などがあります。

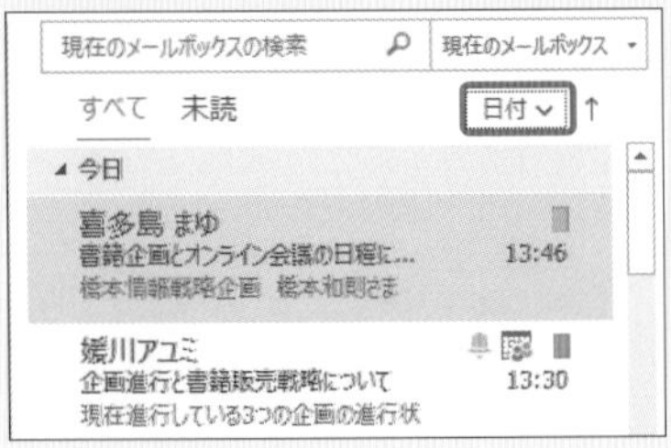

並べ替えたいフォルダー(受信トレイなど)を選択します。

1 [表示]タブ→[差出人]をクリックします。

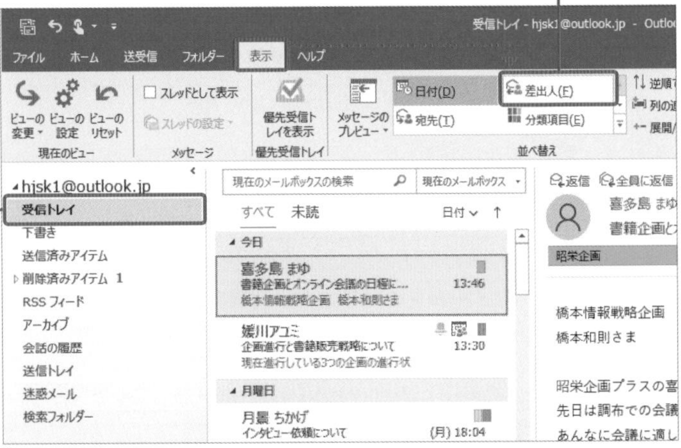

2 メールを「差出人」順で並べ替えることができます。

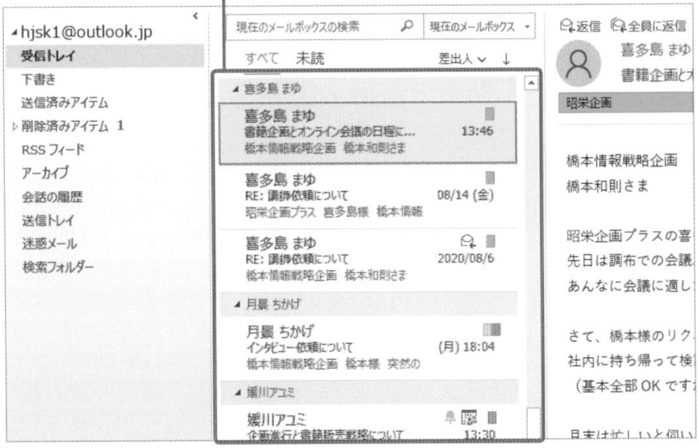

2 「差出人」をグループにして一覧表示する

解説 「グループ化」で便利にメールを見つける

「差出人」や「日付」で並べ替えた状態で「すべてのグループの折りたたみ（グループ化）」を実行すれば、並び替えに従ってメールを一覧化できるので便利です。場合によっては「検索」などよりもすばやく目的のメールを探し出すことができます。

Hint 件別でメールを一覧表示する

ビュー内の［並べ替え］横の［∨］をクリックして、［件名］をクリックすれば、案件別にメールを一覧表示することができます。

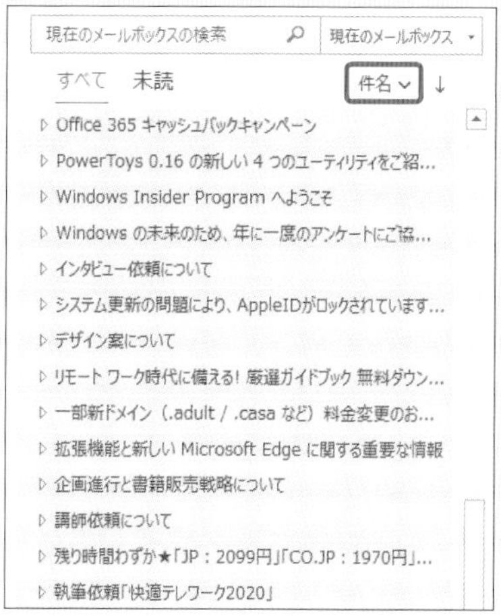

Hint グループの解除

設定したグループを解除するには、［表示］タブ→［展開／折りたたみ］をクリックして、ドロップダウンから［すべてのグループの展開］をクリックします。

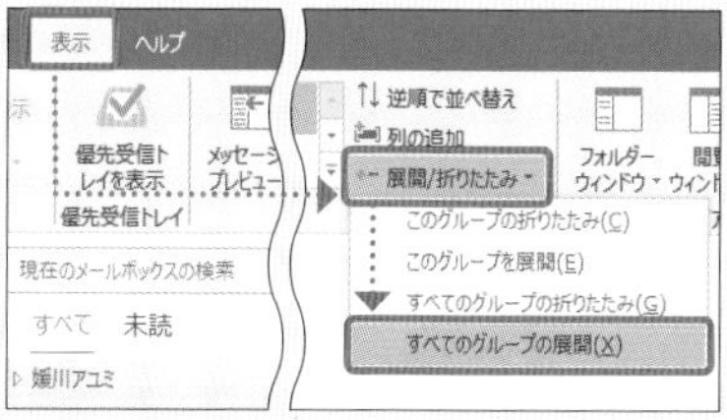

あらかじめ「差出人」でメールを並べ替えておきます。

1 ［表示］タブ→［展開／折りたたみ］をクリックして、

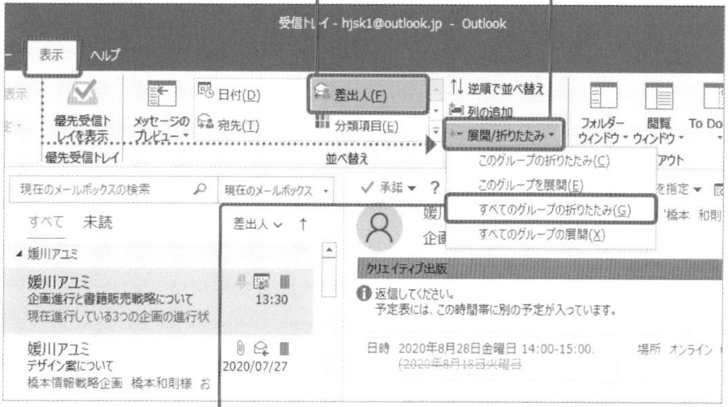

2 ドロップダウンから［すべてのグループの折りたたみ］をクリックします。

3 ビューを「差出人」でグループ化して一覧表示にできます。

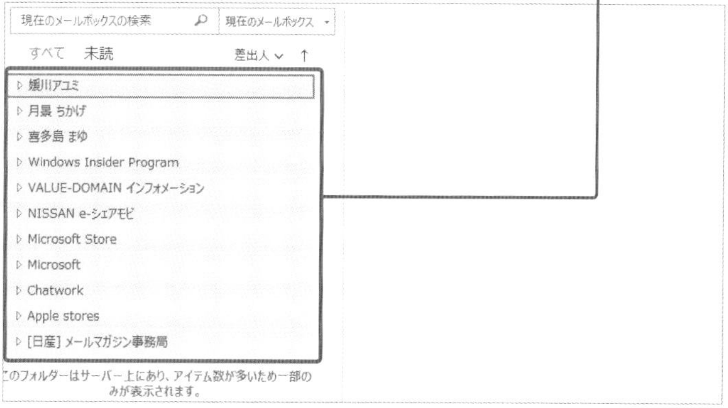

4 任意の項目の▷をクリックすれば、指定した差出人のメールを一覧表示できます。

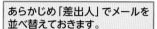

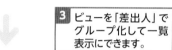

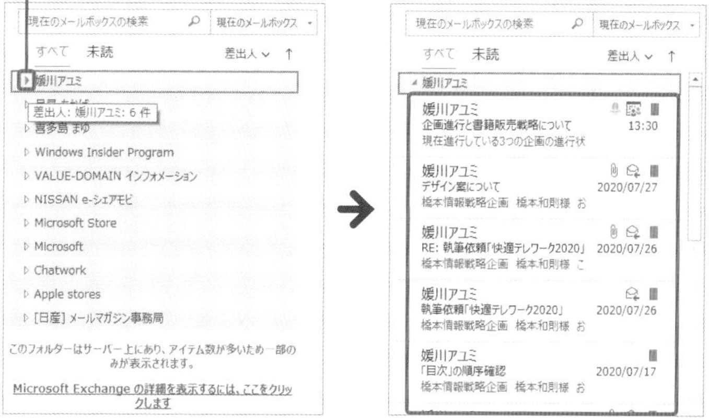

Section 34

検索して目的のメールを探す

ここで学ぶのは

- メールの検索
- 件名の検索
- 差出人の検索

メールの件数が増えてくると、目的のメールが見つけにくくなってしまいますが、そんなときに活用したいのが「検索」です。任意のキーワードでメールを検索すれば、目的のメールを簡単に見つけることや、条件に合致しているメールだけを絞り込んで表示することができます。

1 メールを検索する

Memo 検索時には[検索]タブが表示される

「検索ボックス」にカーソルを置くと、自動的にリボンに[検索]タブが表示され、詳細な検索を行うことができます。検索においてはキーワード入力して検索を行うのが基本ですが、場面によっては[検索]タブの「絞り込み」を活用したほうが目的のメールをすばやく探し当てることができます。

Hint 検索ボックスはインクリメントサーチ

Outlook 2019の検索ボックスは、「インクリメントサーチ」に対応します。インクリメントサーチとは、文字を入力するごとに検索結果が絞り込まれていく検索のことで、すべての文字を入力しなくても先頭の文字から1文字ずつ入力していけば、結果を絞り込んで目的のメールを見つけることができます。

Memo 検索キーワードにはマーカーが付く

検索を実行した際、検索キーワードにはマーカーが付きます。件名内のキーワードのほか、メール本文のキーワードもマーカーが付きます。

1 検索ボックスをクリックし、任意の検索キーワードを入力します。

[検索]タブが表示されます。

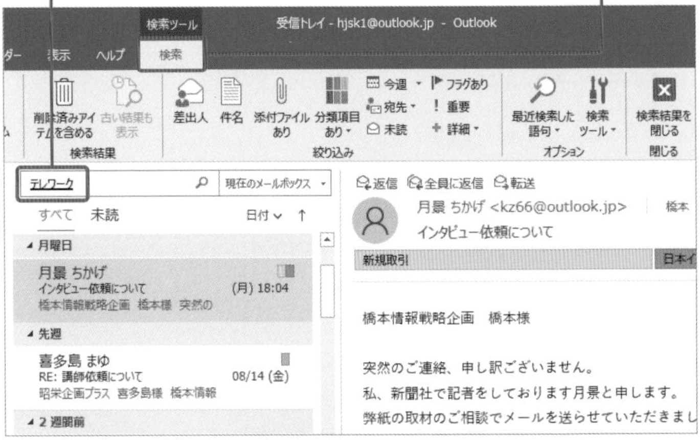

2 「件名」や「本文」に検索キーワードが含まれるメールがビューに一覧表示されます。

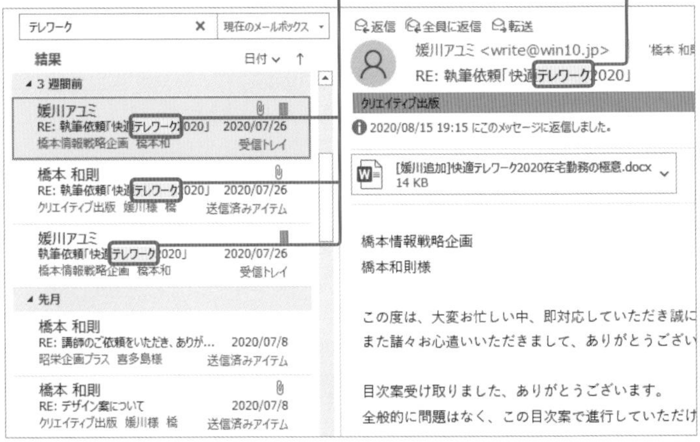

Hint 任意のフォルダーを対象に検索する

本文では「受信トレイ」を指定して検索していますが、フォルダーウィンドウから任意のフォルダーを選択してから「検索ボックス」に検索キーワードを入力すれば、そのフォルダーを対象に検索できます。

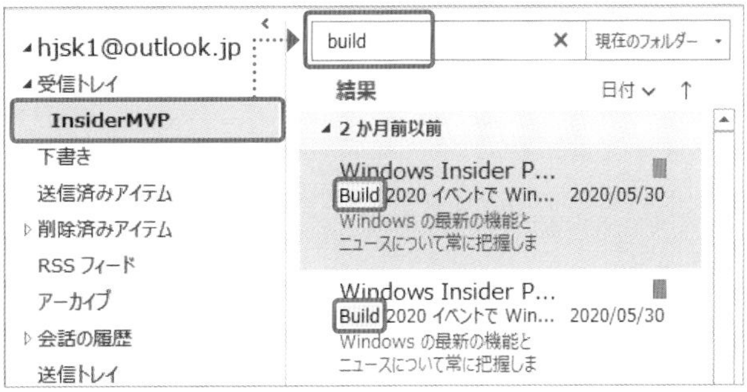

2 検索結果を閉じる

Hint 別の方法で閉じる

検索結果を閉じたい場合は、検索ボックスの［×］をクリックする方法のほか、［検索］タブ→［検索結果を閉じる］をクリックする方法があります。

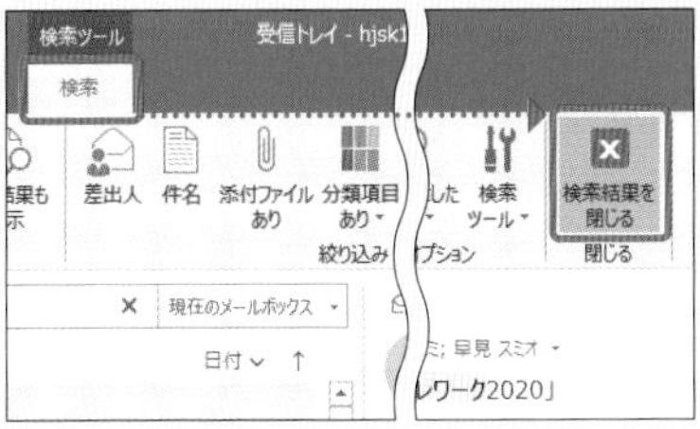

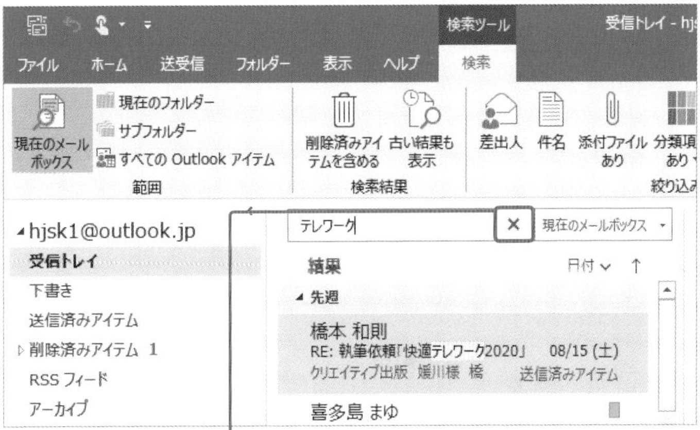

1 検索ボックスの［×］をクリックします。

2 検索結果が解除され、通常のビュー表示に戻ります。

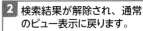

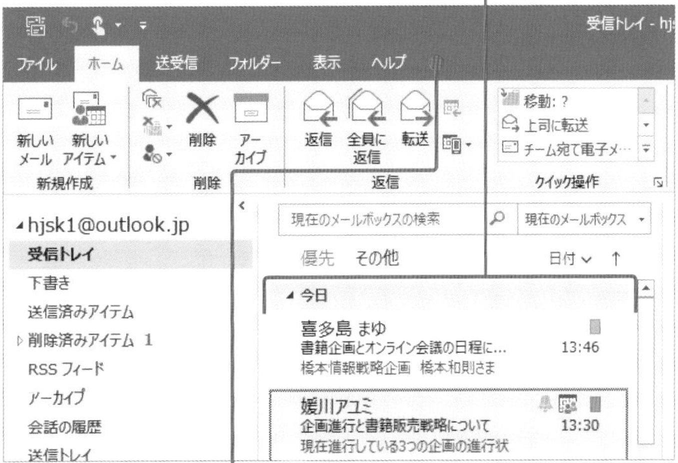

［検索］タブの表示が消えます。

ショートカットキー

- 検索結果を閉じる
  Esc

3 件名を対象に検索する

Hint 添付ファイルがあるメールを一覧表示する

添付ファイルがあるメールを一覧表示にしたい場合は、[検索] タブ→ [添付ファイルあり] をクリックします。
添付ファイルがあるメールのみを、ビューで一覧表示にできます。

ショートカットキー

- 検索対象を「現在のフォルダー」にする
  Ctrl + Alt + K
- 検索対象を「サブフォルダー」にする
  Ctrl + Alt + Z

1 検索ボックスをクリックします。

2 [検索] タブが表示されます。

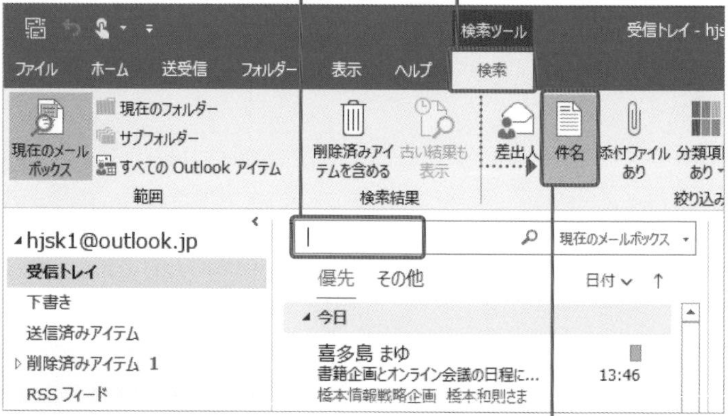

3 [検索] タブ→ [件名] をクリックします。

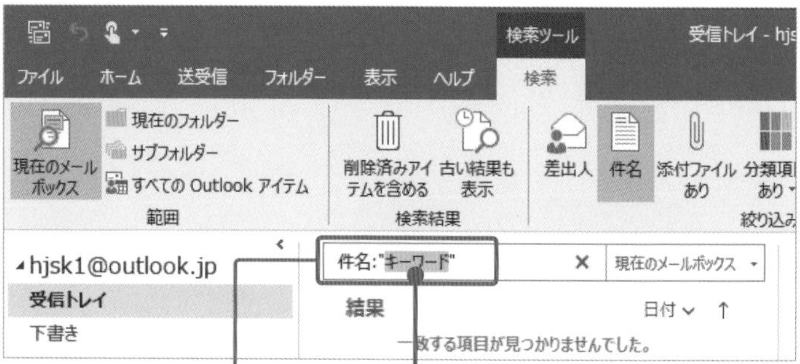

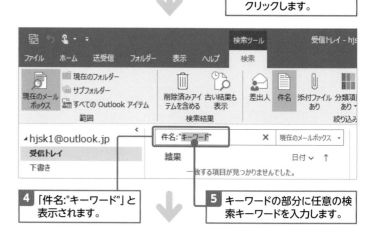

4 「件名:"キーワード"」と表示されます。

5 キーワードの部分に任意の検索キーワードを入力します。

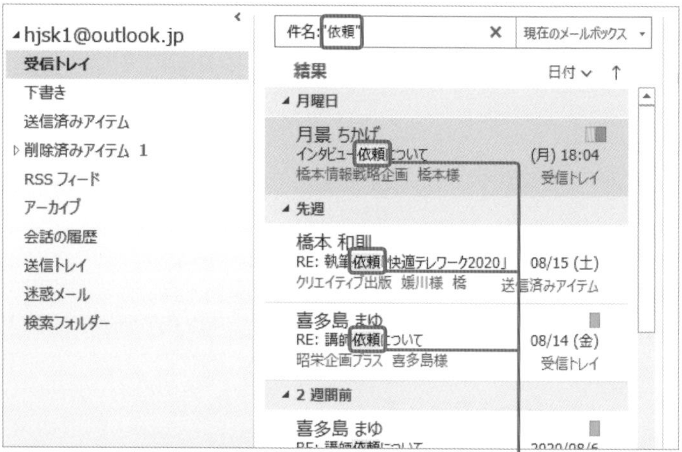

6 「件名」を対象に、任意の検索キーワードでメールを検索できます。

4 差出人を対象に検索する

使えるプロ技！ 「先週」「先月」などのメールを表示する

「先月」のメールを一覧表示にしたい場合は、検索ボックスをクリックして、[検索] タブが表示されたら、[今週] の [▼] をクリックして、ドロップダウンから [先月] をクリックします。「先月」のメールのみを、ビューで一覧表示にできます。

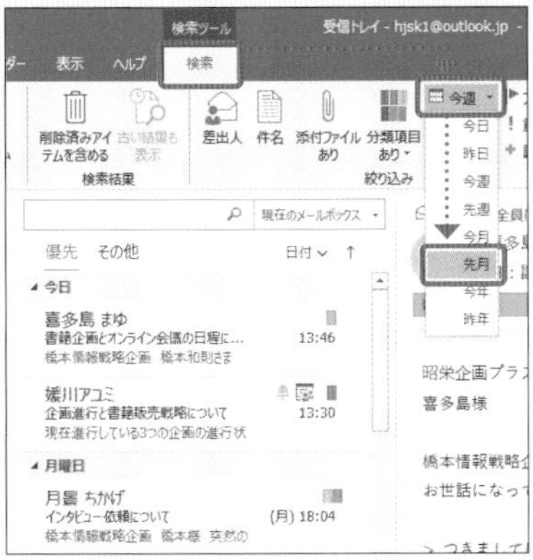

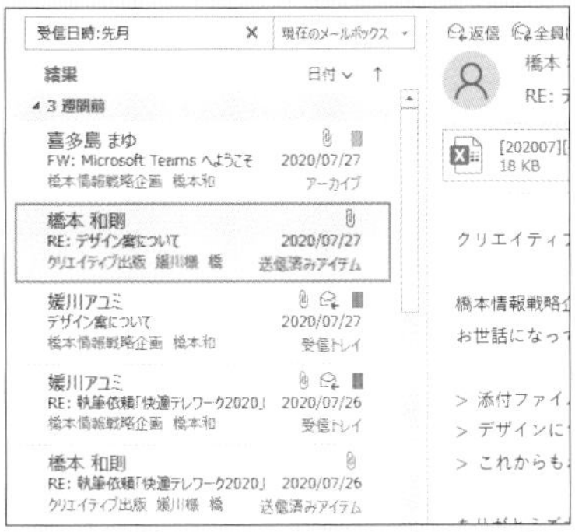

1 検索ボックスをクリックします。

2 [検索] タブが表示されます。

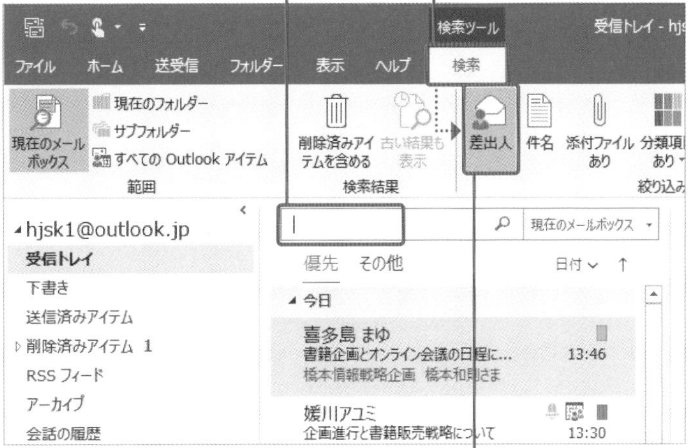

3 [検索] タブ→ [差出人] をクリックします。

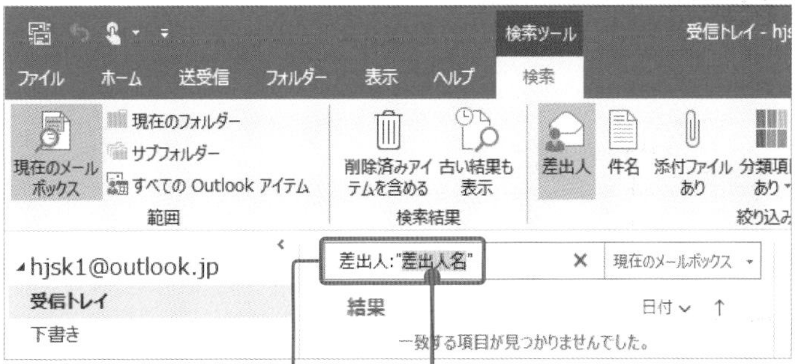

4 「差出人:"差出人名"」と表示されます。

5 差出人名の部分に任意の差出人の名前を入力します。

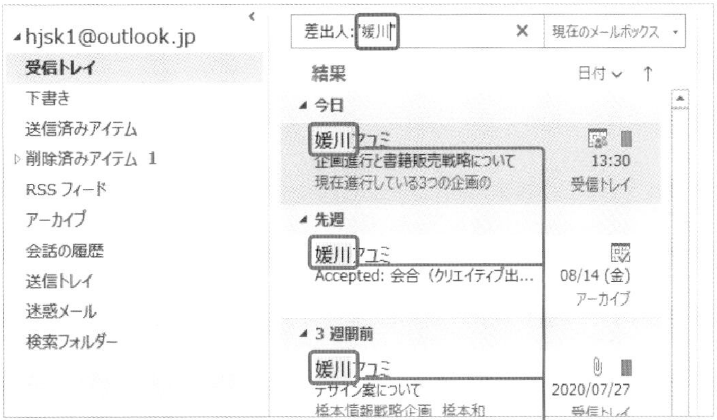

6 「差出人」を対象に、任意の検索キーワードでメールを検索できます。

Section 35

高度な検索で目的のメールを探し当てる

ここで学ぶのは

- 複合的な検索
- 検索のフィールド
- 検索の「条件」

目的のメールを見つけたい場合は「検索」で任意のキーワード入力して探すのが基本ですが、ここで解説する「高度な検索」を用いれば、複数のフィールドを選択したうえで複合的に検索条件を指定できるため、より精度の高い検索結果を得ることができます。

1 差出人と件名を複合的に検索する

解説 「高度な検索」の活用

[検索ツール] の [高度な検索] では、複数の検索条件を複合的に指定した検索を行うことができます。ここでは、差出人と件名という2つのフィルターを指定した検索の例を解説します。

ショートカットキー

- 高度な検索
  Ctrl + Shift + F

Memo 「高度な検索」であれば複合的に検索できる

「高度な検索」であれば、条件を複合的に指定して検索を行うことができます。ここでは「差出人」と「件名」を指定して検索を行いますが、このほかにも「フラグ」「重要度」など任意の項目を指定して検索することが可能です。

例として差出人「アユミ」、件名「増刷」のメールを検索します。

1 検索ボックスをクリックして、[検索] タブを表示します。

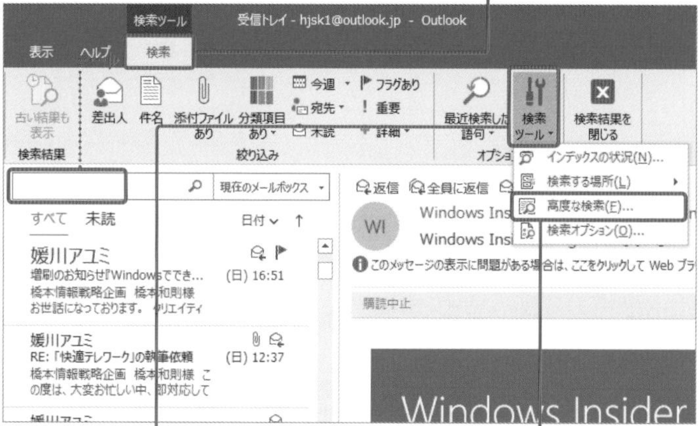

2 [検索ツール] をクリックして、

3 ドロップダウンから [高度な検索] をクリックします。

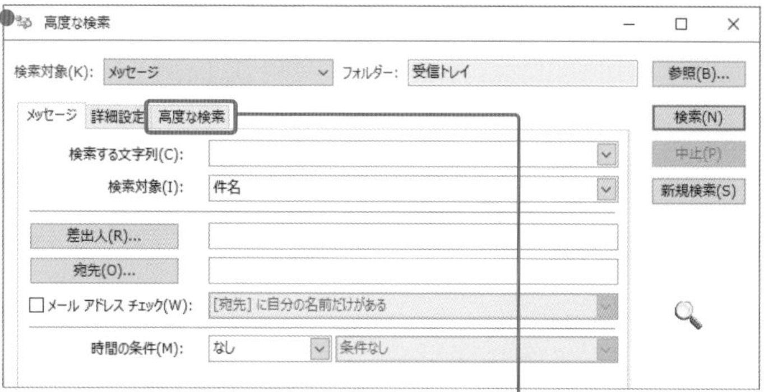

4 [高度な検索] ダイアログが表示されます。

5 [高度な検索] タブをクリックします。

使えるプロ技！ 検索対象フォルダーを追加する

［高度な検索］ダイアログでは、［参照］をクリックすることで、検索対象フォルダーを任意に指定することが可能です（複数指定可能）。受信したメールなら［受信トレイ］、送信したメールなら［送信済みアイテム］をチェックして検索を行います。

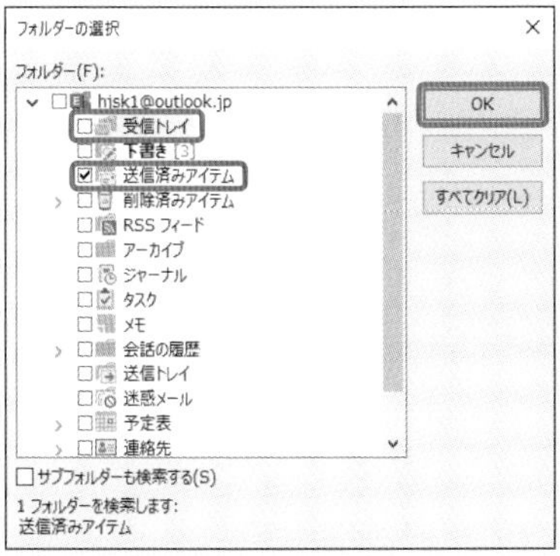

Hint 操作画面を扱いやすくする

操作画面に窮屈さや狭さを感じる場合には、タイトルバーをダブルクリックして画面を最大化します。またビューや閲覧ウィンドウの境界線をドラッグしてサイズ調整を行うことも、操作のしやすさにつながります。また、主にショートカットキーや右クリックでの操作に慣れている場合には、リボンを折りたたむとより操作画面を広く、使いやすくできます（p.34 参照）。

6 ［フィールド］をクリックして、ドロップダウンから［よく使用するフィールド］→［差出人］をクリックします。

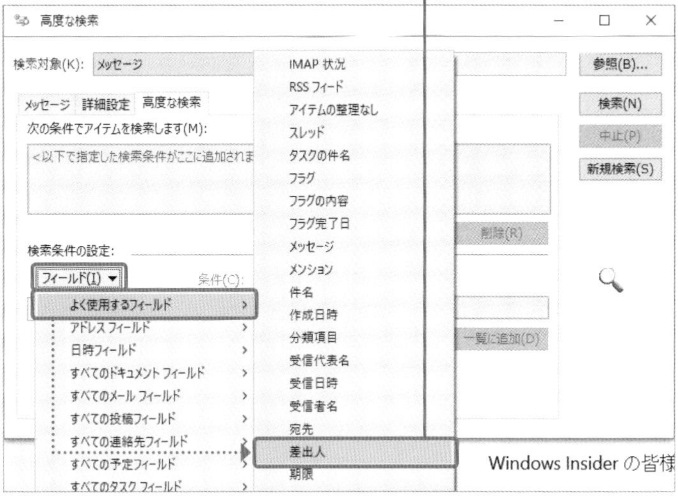

7 ［差出人］の値に差出人の名前（ここでは「アユミ」）を入力して、［一覧に追加］をクリックします。

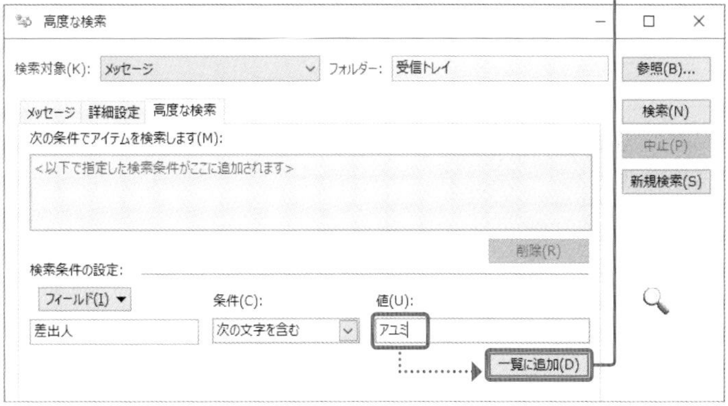

8 ［差出人］の検索キーワードとして「アユミ」が登録されます。

9 ［検索］をクリックします。

Hint シンプルに検索できる[メッセージ]タブ

[高度な検索]ダイアログの[メッセージ]タブでは、シンプルに「件名」や「差出人」などのよく利用するフィールドを指定してメールを探し当てることができます。複合的に特殊なフィールドを指定して検索する必要のない場面で活用できます。

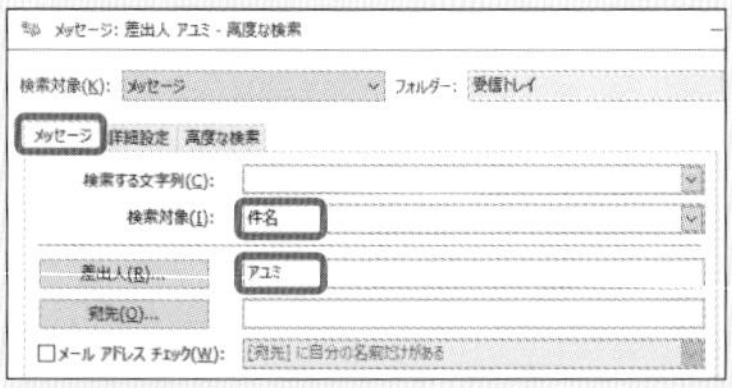

Memo 「受信日時」「作成日時」で検索する

フィールドで指定できる項目にはさまざまなものがありますが、「受信日時」「作成日時」は「大体～頃に送信・受信したメール」を探し出すのに便利です。「今日」「昨日」「過去7日以内」などの指定ができます。

また、例えば「2020年7月15日から2020年7月31日の間に受信したメール」を検索したければ、[フィールド]から[受信日時]を指定したうえで、[条件]から[次の値の間]を選択し、[値]に「2020/7/15 and 2020/7/31」と指定することで実現できます。

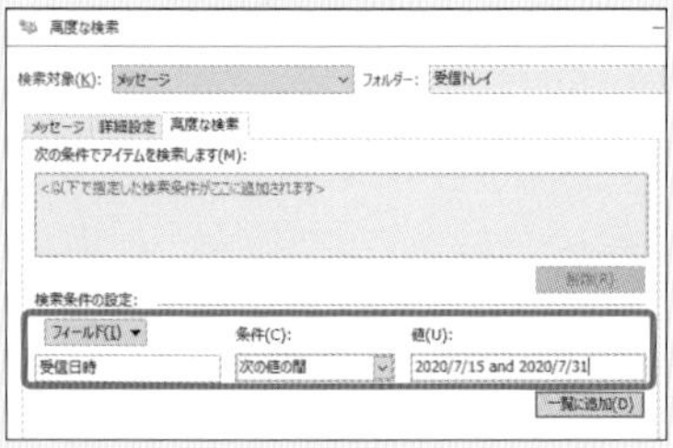

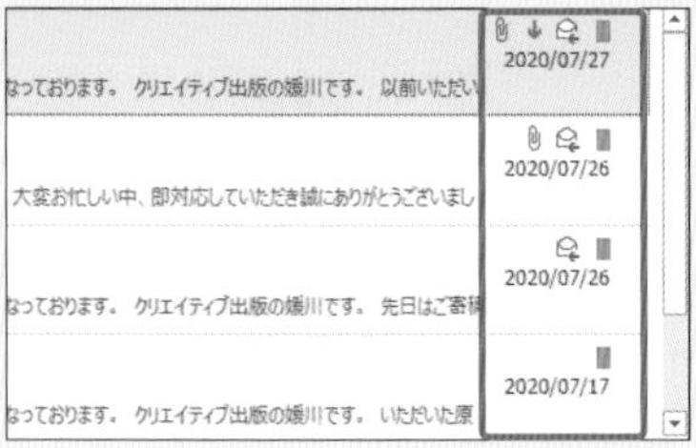

10 差出人に「アユミ」が含まれるメールが検索結果として表示されます。

11 [フィールド]をクリックして、[よく使用するフィールド]→[件名]をクリックします。

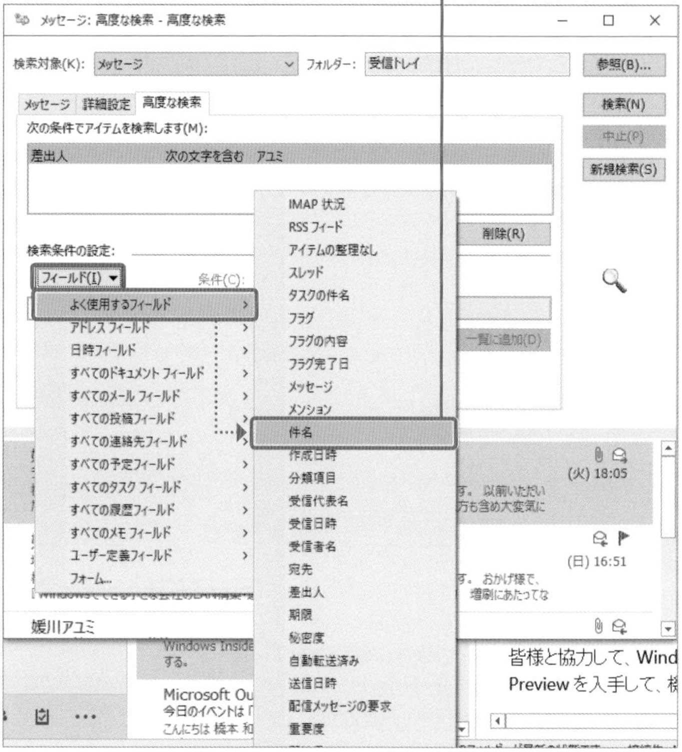

Hint 条件の指定を工夫する

フィールドの指定とともに「条件」を指定すると検索を行いやすくなります。例えば、「ある件名を含む」キーワードに適合するメールにおいて、「ある差出人を含まないメール」を検索したい場合には、[フィールド]から[差出人]を指定したうえで、[条件]から[次の文字を含まない]を選択して、[値]に任意の差出人を指定することにより、「任意の件名を含む、任意の差出人以外からのメール」を検索できます。

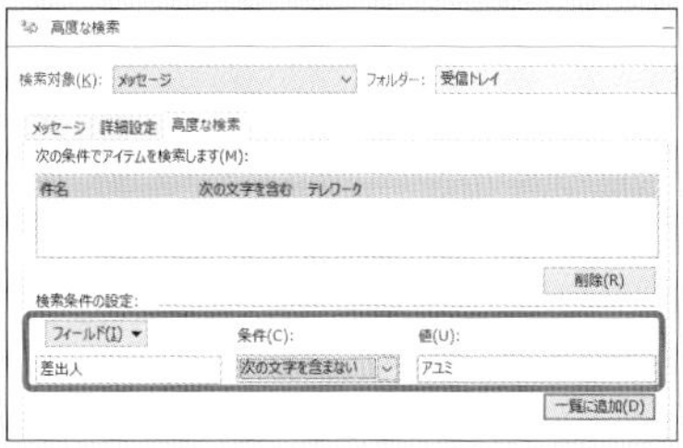

使えるプロ技！ 「詳細設定」による検索

[高度な検索]ダイアログの[高度な検索]タブでは複数のフィールドを指定して複合的な検索が行えますが、「分類項目」「優先度」などの任意に管理した項目を指定して検索したい場合には、[詳細設定]タブが便利です。[分類項目]で任意の分類を指定したうえで、重要度などを指定して検索すれば、自身の管理ルールに合わせて目的のメールをすばやく見つけ出すことができます。

12 [件名]の値に任意の件名（ここでは「増刷」）を入力して、[一覧に追加]をクリックします。

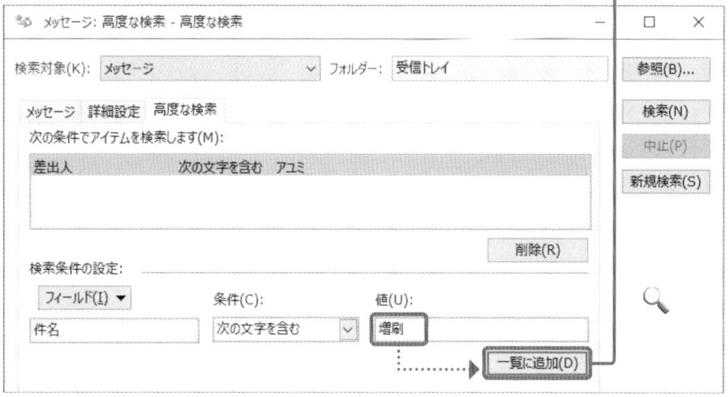

13 [件名]の検索キーワードとして「増刷」が登録されます。

14 [検索]をクリックします。

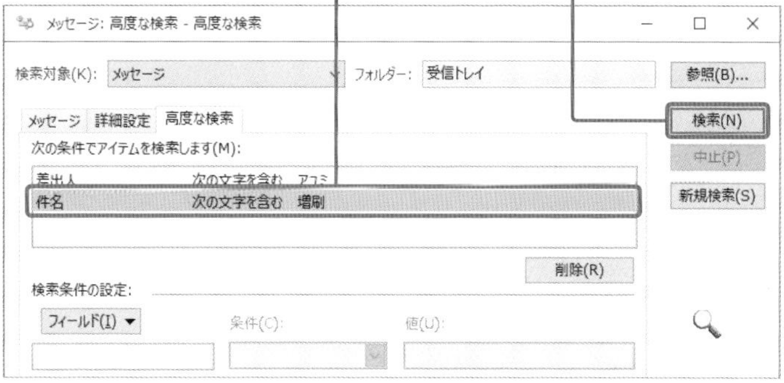

15 差出人に「アユミ」が含まれ、さらに件名として「増刷」が含まれるメールが検索結果として表示されます。

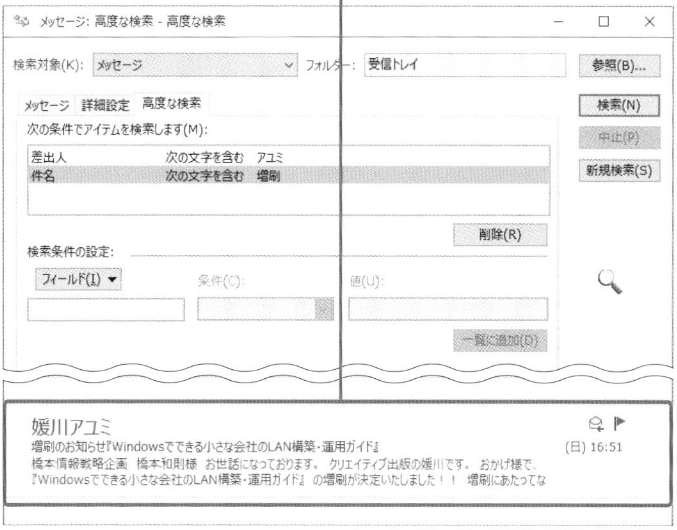

Section 36

フラグを付けてメールをタスク管理する

ここで学ぶのは
- フラグの設定
- フラグの削除
- フラグの管理

メールを受信した際に、「今は時間がないので後で返信する」や「このメール内容は後日必ず処理しなければならない」などの管理には「フラグ」を利用します。フラグによりメールをタスクとして管理することができ、終了後には「完了」をマークすることで作業の進行を管理できます。

1 メールにフラグを設定する

Keyword フラグ

フラグは英語で「旗」という意味で、重要な事柄に対しての目印として使用されます。メールの場合、主に「後で作業すべきメールとしてマーク」して、「処理して完了したか」を管理するために利用します。

フラグを付けたいメールをあらかじめ選択しておきます。

1 [ホーム] タブ→ [フラグの設定] をクリックして、

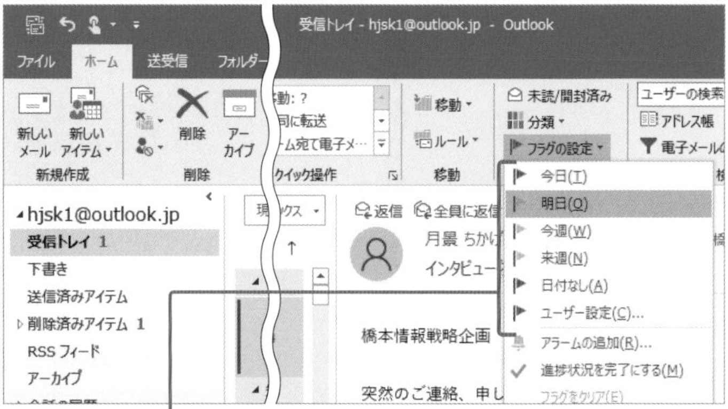

2 ドロップダウンから任意のフラグをクリックします。

3 メールにフラグを設定できます。

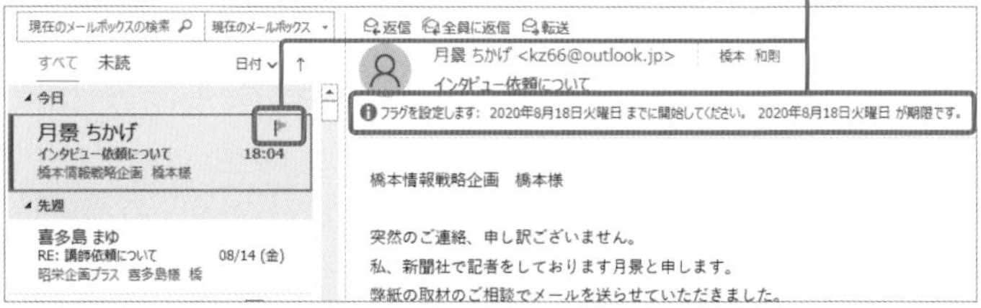

Memo メールに対するフラグ選択は大体でOK

フラグは「メール内容を処理すべき日」を指定すべきですが、明確な納期がないもの(例えば後でメールを返信するなど)については、あまり細かく考えずに大体の期限の指定で構いません。

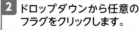

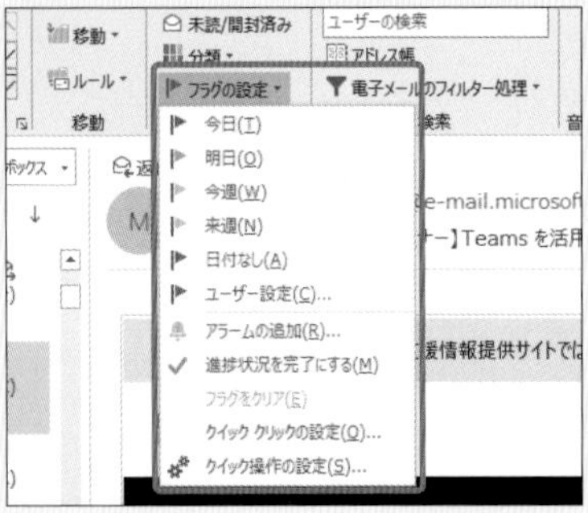

Hint フラグはタスクでも管理できる

フラグを付けたメールは、「タスク（p.308参照）」における「To Doバーのタスクリスト」で管理することができます。また、「To Doバーのタスクリスト」はメール画面に表示することも可能です（p.314参照）。

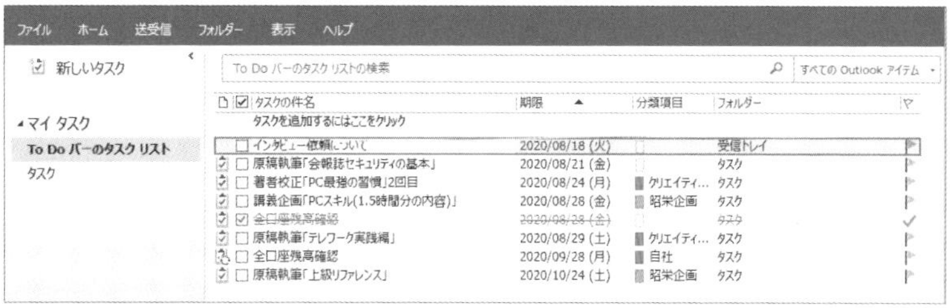

2 フラグを消す

解説 フラグを消す

フラグを消す操作は、一般的にはタスクではなくなった（作業をする必要がなくなった）メールに対して設定します。作業が完了した場合には、クリアするのではなく［進捗状況を完了にする］を選択しましょう。

ショートカットキー

- フラグのクリア
  Alt + Insert

Hint 詳細なフラグの設定

「今日」「明日」「今週」といった詳細なフラグの設定は、アカウントの種類がMicrosoft Exchangeアカウント／Microsoft 365のアカウント／Outlook.comアカウントなどのMicrosoft系アカウントの場合のみ可能です。その他のアカウントの種類（IMAPアカウントなど）では操作・設定に制限があります。

- Microsoft系アカウントの場合

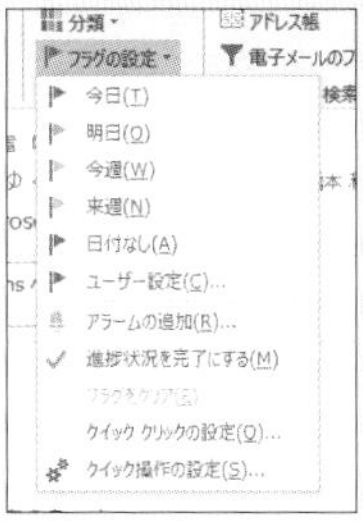

- IMAPアカウントの場合

フラグを取り消したいメールを選択しておきます。

1 ［ホーム］タブ→［フラグの設定］をクリックして、

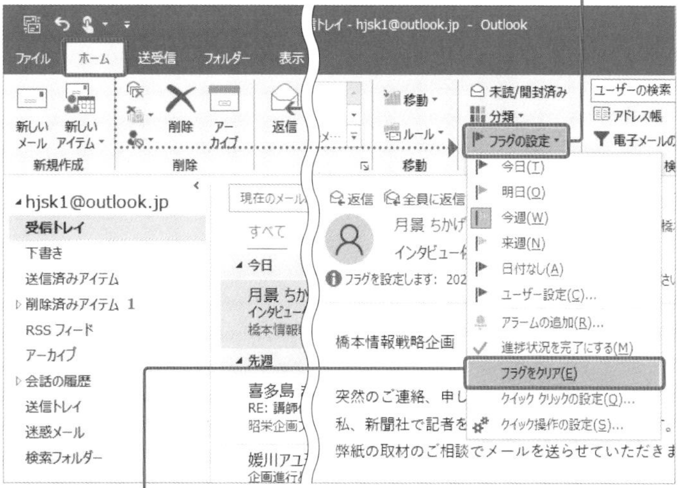

2 ドロップダウンから［フラグをクリア］をクリックします。

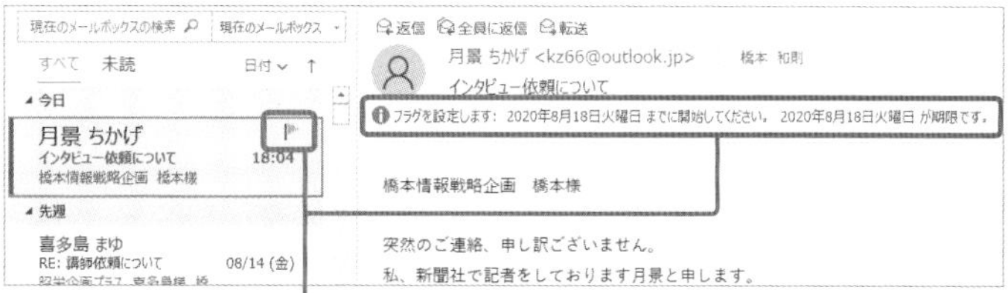

3 メールからフラグを消すことができます。

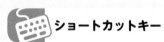

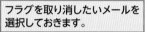

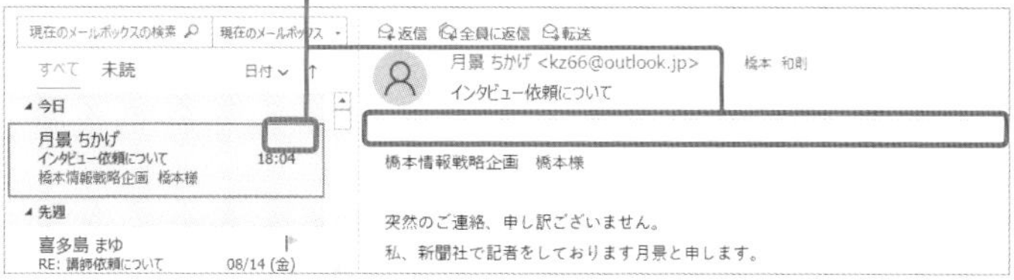

3 フラグの進捗状況を完了にする

解説 フラグを「完了」にする

作業が完了した場合は［進捗状況を完了にする］を選択します。また、タスクではなくなった（作業をする必要がなくなった）場合は、［フラグをクリア］を選択します。

時短のコツ 一度に複数選択する

ビュー内のメールは Ctrl キーを押しながらクリックすることで複数選択が可能です。また始点をクリックしたうえで、終点を Shift キーを押しながらクリックすれば範囲選択を行うこともできます。複数のメールにフラグを付けたい場合などに便利な操作方法です。

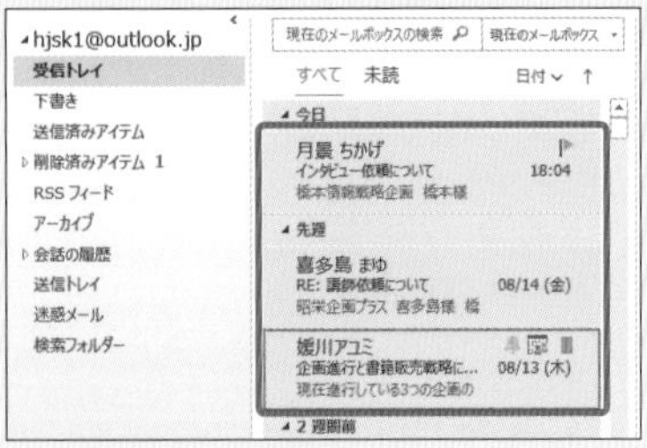

Hint 作業が完了したタスクを確認する

［進捗状況を完了にする］を選択すると、「タスク（p.308参照）」の「To Doバーのタスクリスト」（p.314参照）では該当タスクに取り消し線が引かれます（ビューが「タスクリスト」の場合）。これは作業が完了してもう作業する必要がないことを意味します。

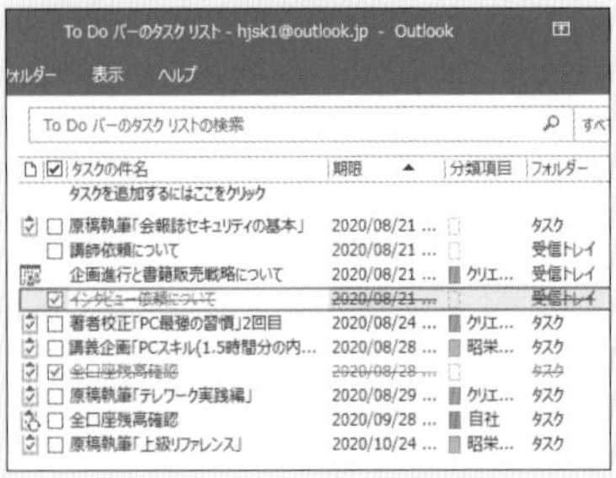

タスクが完了したメールを選択しておきます。

1 ［ホーム］タブ→［フラグの設定］をクリックして、

2 ドロップダウンから［進捗状況を完了にする］をクリックします。

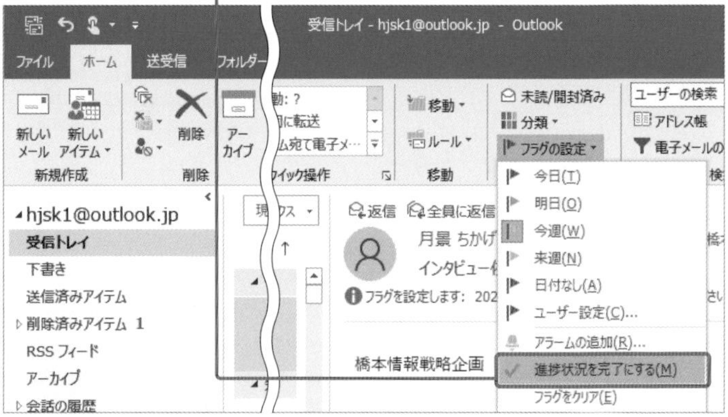

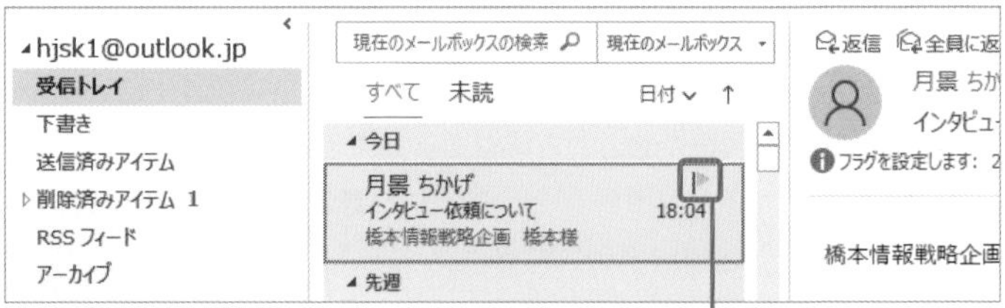

3 メールに「完了」を示すチェックマークが表示されます。

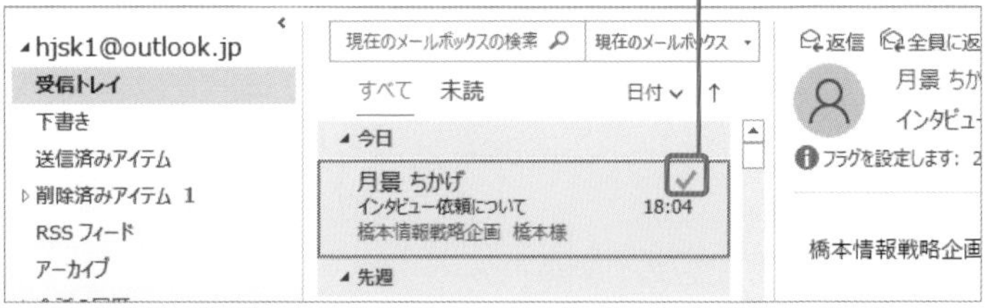

4 IMAPアカウント（非Microsoft系アカウント）でフラグを付ける

解説 IMAPアカウントでのフラグ操作

IMAPアカウントの場合、フラグは「付ける」か「クリア」のどちらかの選択になります。p.128で解説した「詳細なフラグの設定」は、アカウントの種類がMicrosoft Exchangeアカウント／Microsoft 365のアカウント／Outlook.comアカウントなどのMicrosoft系アカウントの場合のみ指定が可能です。

IMAPアカウントの場合

フラグを付けたいメールをあらかじめ選択しておきます。

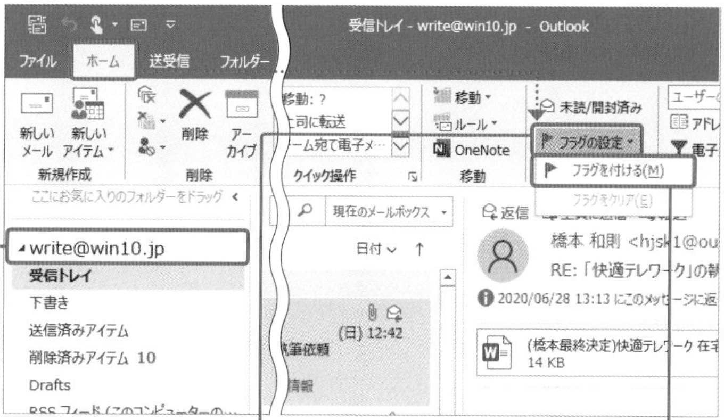

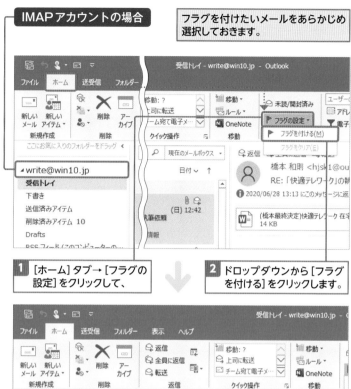

1 ［ホーム］タブ→［フラグの設定］をクリックして、

2 ドロップダウンから［フラグを付ける］をクリックします。

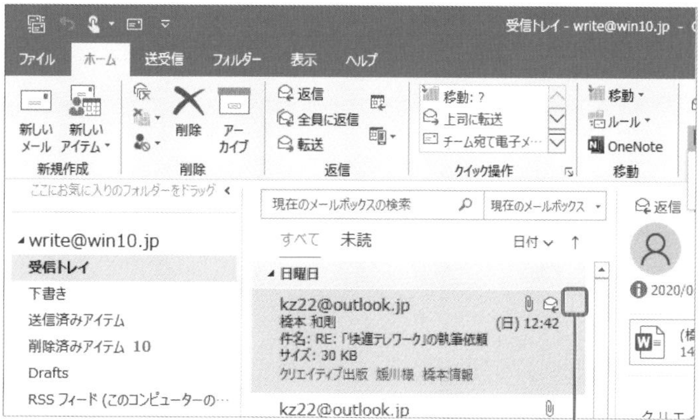

3 メッセージにフラグを設定できます。

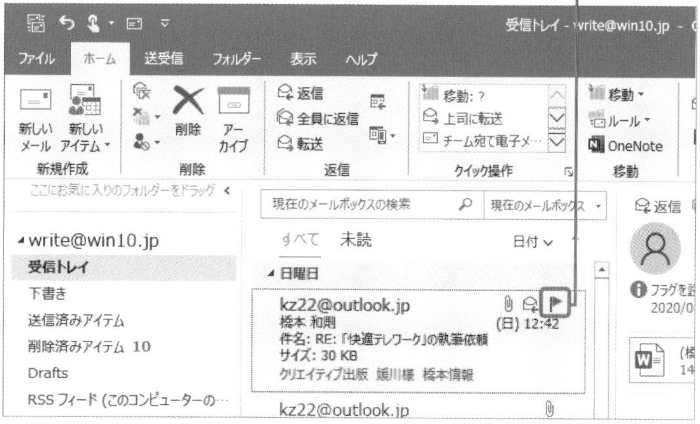

Section 37

メールを分類して色分けする

ここで学ぶのは

- メールの色分け
- 分類名を付ける
- 色で表示する

メール管理では、任意のメールを**分類**して**色分け**することができます。分類(色)には任意の分類項目名を命名でき、書類にカラー付箋を付けるようなイメージでメールを分類できます。

1 メールを分類して色分けする

Memo 複数の分類(色)をメールに設定できる

メールに設定できる「分類(色)」はひとつだけではありません。ひとつのメールに対して、複数の分類(色)を設定することが可能です。

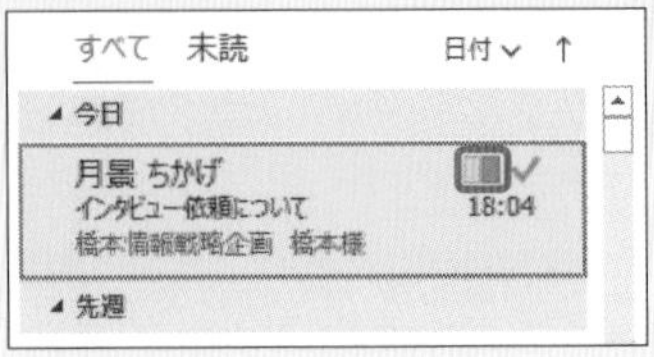

注意 Microsoft系アカウントのみ有効

ここで解説する「分類(色)」は、アカウントの種類がMicrosoft Exchangeアカウント/Microsoft 365のアカウント/Outlook.comアカウントなどのMicrosoft系アカウントの場合のみ操作・設定が可能です。その他のアカウントの種類(IMAPアカウントなど)では操作・設定できません。

あらかじめ分類したい任意のメールを選択しておきます。

1 [ホーム]タブ→[分類]をクリックして、

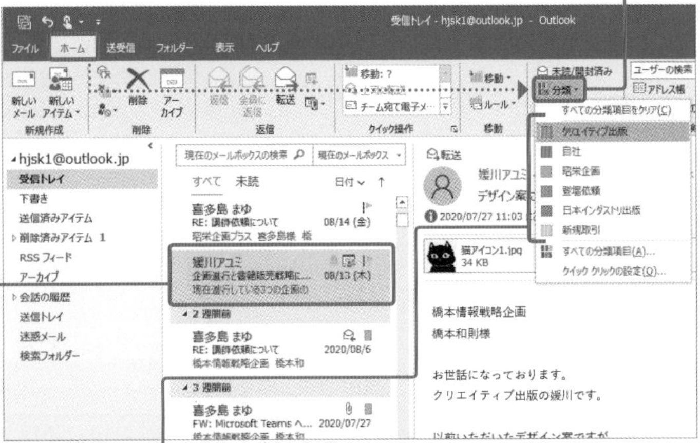

2 ドロップダウンから任意の分類(色)をクリックします。

3 メールに対して任意の分類(色)を指定することができます。

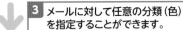

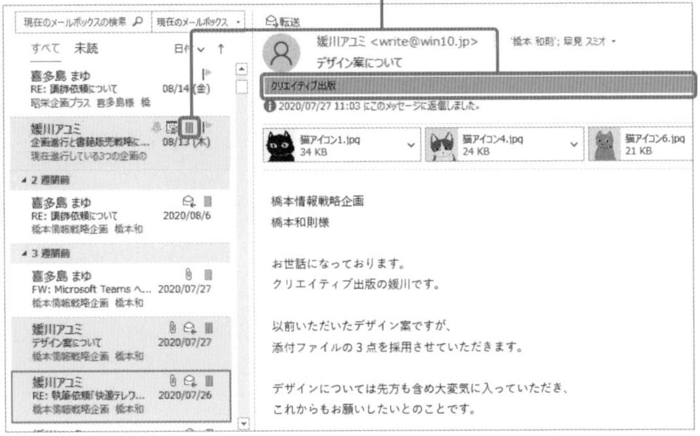

2 メールに設定した分類（色）を消去する

時短のコツ　一度に複数選択する

ビュー内のメールは、Ctrlキーを押しながらクリックすることで複数選択が可能です。また、始点をクリックしたうえで、終点をShiftキーを押しながらクリックすれば範囲選択を行うこともできます。複数のメールに対して一括で分類を指定したい場合には、便利な操作方法です。

あらかじめ分類（色）を付けたメールを選択しておきます。

1 ［ホーム］タブ→［分類］をクリックして、

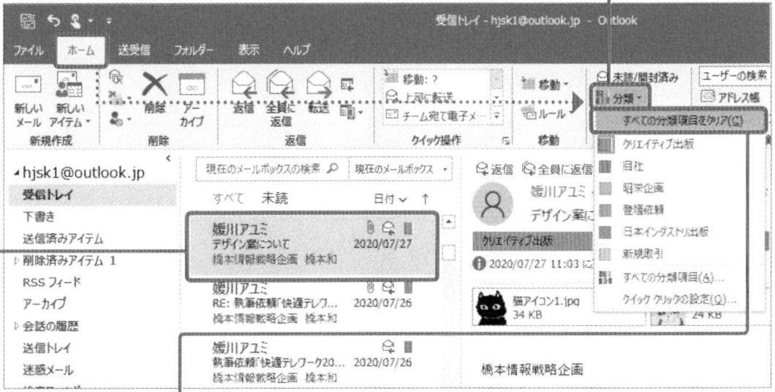

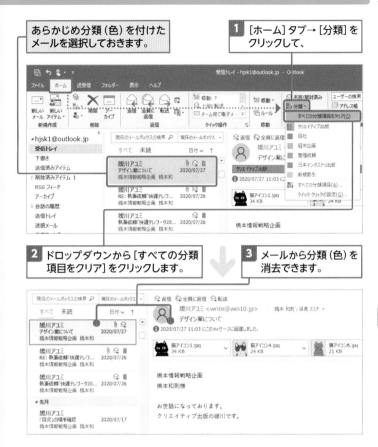

2 ドロップダウンから［すべての分類項目をクリア］をクリックします。

3 メールから分類（色）を消去できます。

3 「色」に対し分類項目名を付ける

Memo　分け方のコツ

色分けや分類はユーザーが自由に行えますが、例えばビジネスであれば「取引先別」「業種別」「作業内容別」などで分けると便利です。

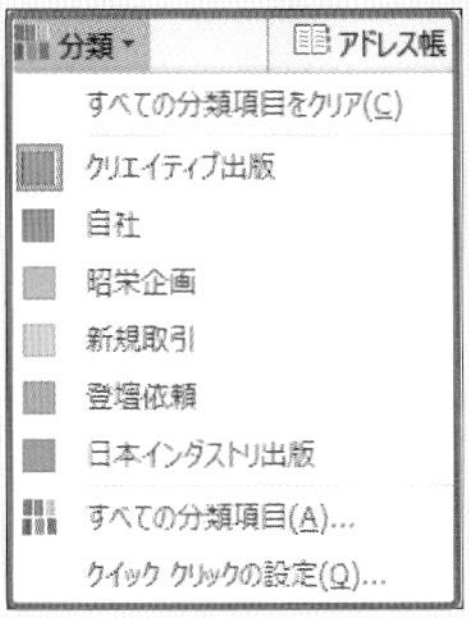

1 ［ホーム］タブ→［分類］をクリックして、

2 ドロップダウンから［すべての分類項目］をクリックします。

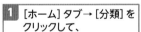

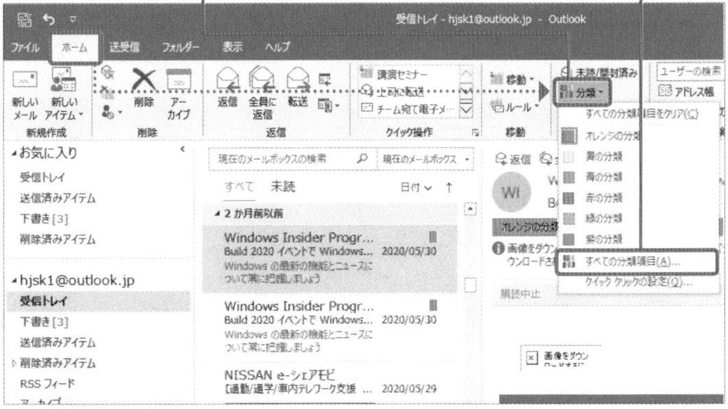

3 ［色分類項目］ダイアログが表示されます。

4 任意の分類（色）をクリックして、［名前の変更］をクリックします。

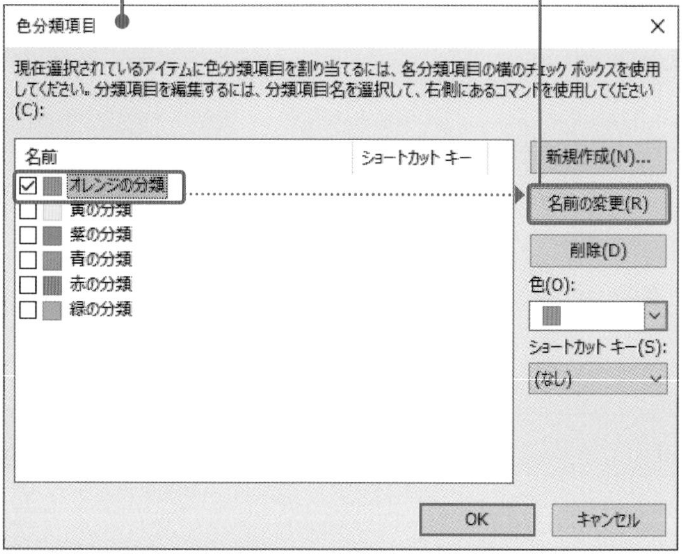

5 分類（色）に対して任意の分類項目名を命名します。

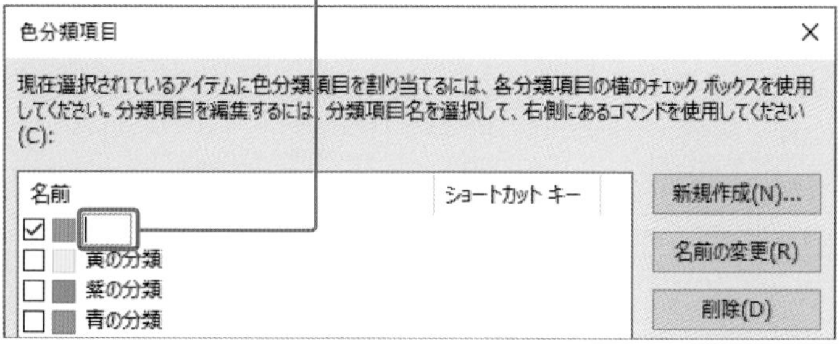

6 分類（色）に対して任意の分類項目名を付けることができます。

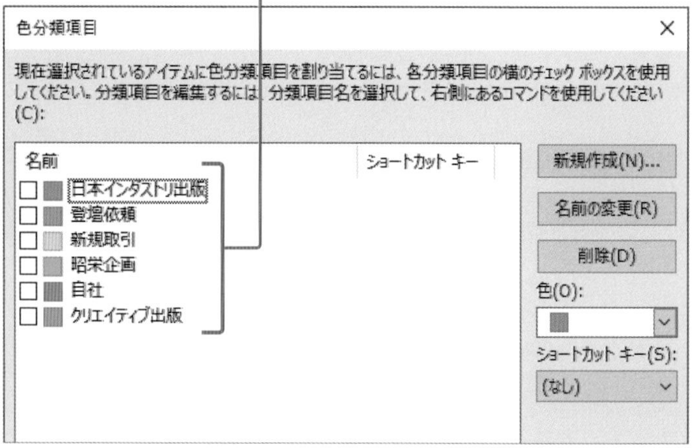

Hint 「色」は追加できる

Outlook 2019ではあらかじめ分類（色）として、「オレンジ」「黄」「紫」「青」「赤」「緑」が用意されていますが、［色分類項目］ダイアログで［新規作成］をクリックすれば、任意の分類項目（色）を追加することもできます。

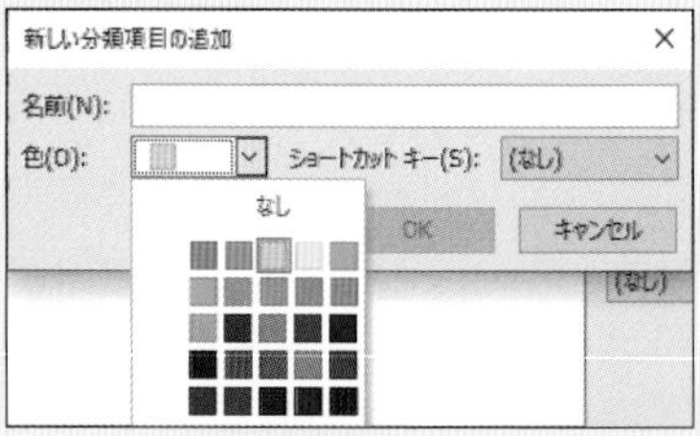

使えるプロ技！ 分類（色）は「予定表」でも役立つ

連絡先で利用する「分類（色）」は、「メール」以外にも「予定表」「タスク」などOutlook 2019全体で利用できます。また、設定内容も共通しています。例えば予定表で活用する場合は、予定に同じ色を使うと識別しにくいため、ある程度決まった相手との仕事が多い場合などは、色を「取引先名」で分類してしまうのも手です。

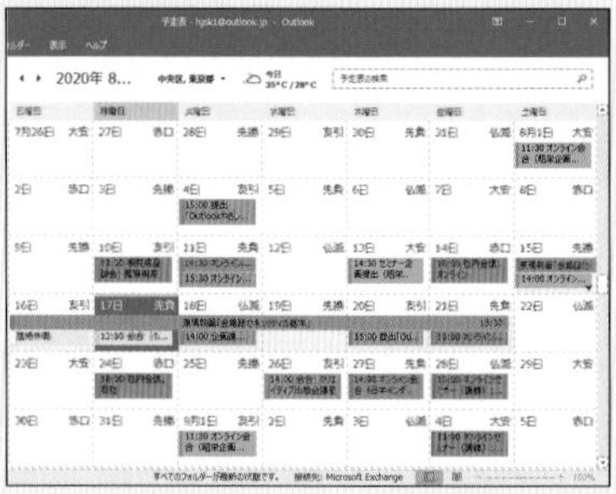

4 「分類（色）」で絞り込み表示を行う

ショートカットキー

- メールの検索（検索ボックスに移動）
  Ctrl + E
  F3

1 検索ボックスをクリックします。

2 ［検索］タブが表示されます。

3 ［検索］タブ→［分類項目あり］をクリックして、

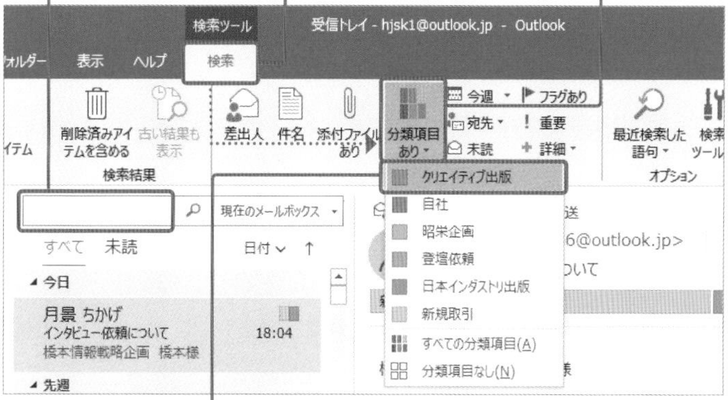

4 ドロップダウンから任意の分類（色）をクリックします。

5 任意の分類（色）を付けたメールだけを一覧表示にすることができます。

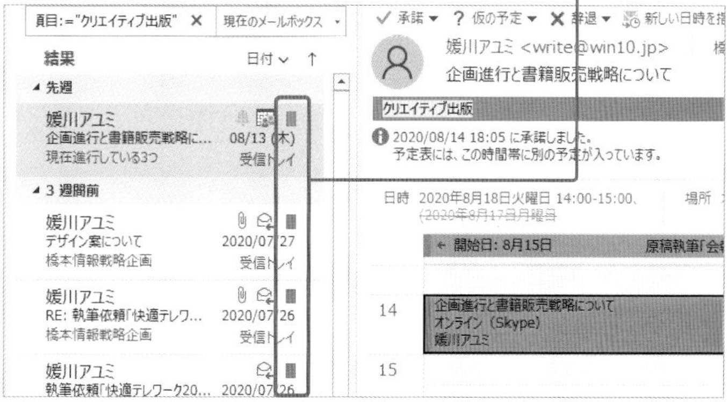

Memo 検索結果を閉じる

検索が終了した後、元の画面（検索以前の画面）に戻りたい場合は、「検索ボックス」の［×］をクリックするか、［検索］タブ→［検索結果を閉じる］をクリックします。検索結果を閉じることができます。

Hint 分類（色）を付けたメールをすべて表示する

ビュー内で分類（色）を付けたメールだけ一覧表示にしたい（分類を付けていないメールを除外して表示したい）という場合は、［検索］タブ→［分類項目あり］をクリックして、ドロップダウンから［すべての分類項目］をクリックします。

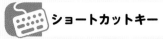

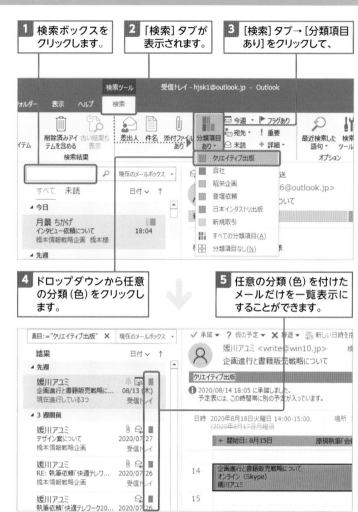

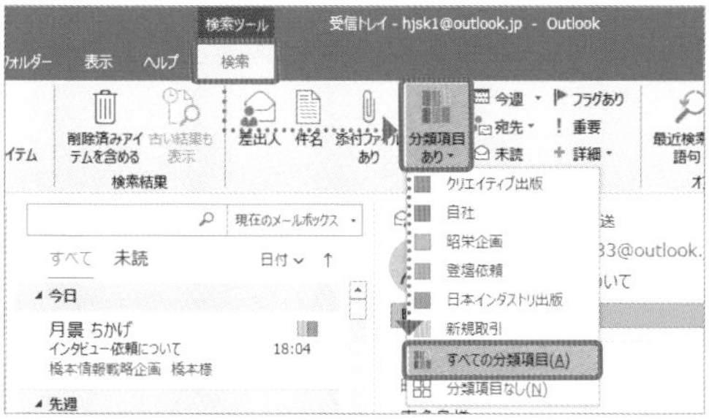

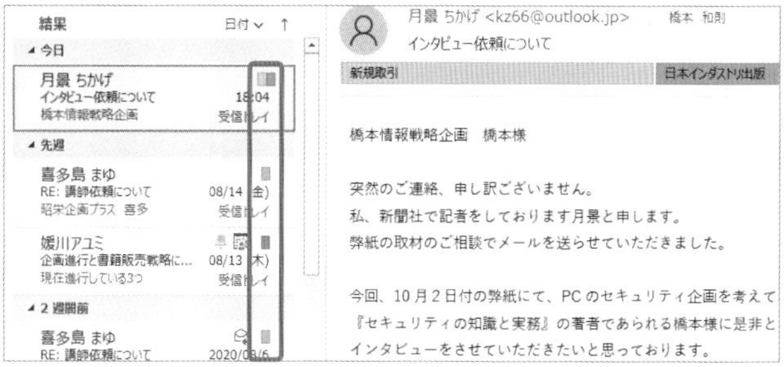

Section 38

メールをわかりやすくフォルダーで管理する

ここで学ぶのは

- フォルダーの作成
- フォルダー名の変更
- フォルダーの移動

Outlook 2019では任意の「フォルダー」を作成してメールを振り分けて保持することができます。仕事の種類や取引先などでフォルダーを作成しておけば、メールをわかりやすく分類して管理することができます。

1 新しいフォルダーを作成する

ショートカットキー

- フォルダーの作成
  Ctrl + Shift + E

Memo その他のフォルダー作成方法

フォルダーウィンドウから、任意のフォルダーを作成したい場所を右クリックして、ショートカットメニューから［フォルダーの作成］をクリックしても、フォルダーを作成できます。

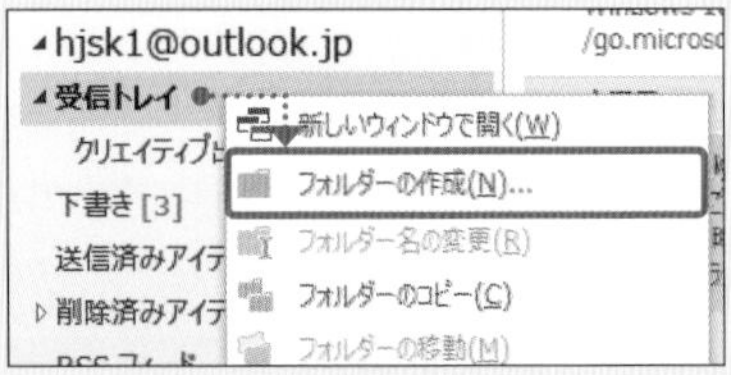

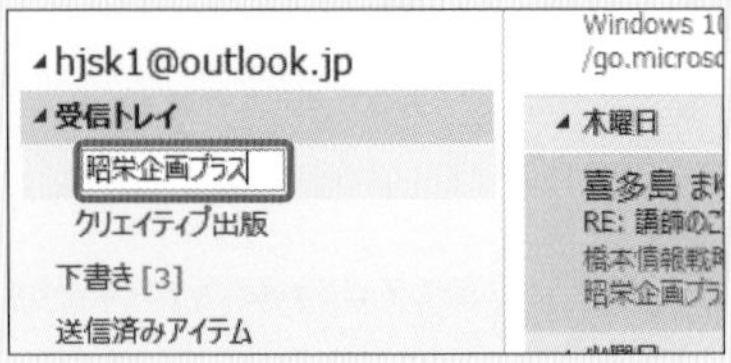

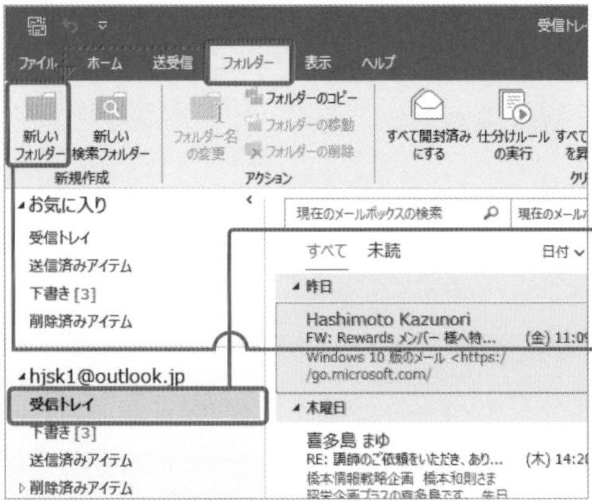

ここでは「受信トレイ」の下にフォルダーを作成します。

1 フォルダーウィンドウから［受信トレイ］をクリックします。

2 ［フォルダー］タブ→［新しいフォルダー］をクリックします。

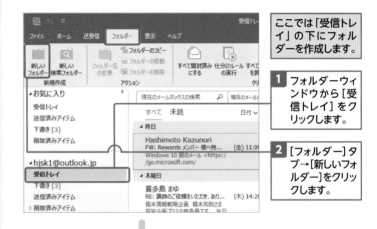

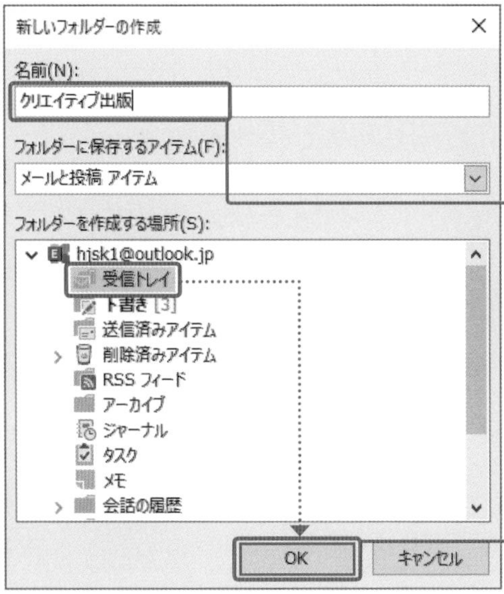

3 ［新しいフォルダーの作成］ダイアログが表示されます。

4 任意の「名前（フォルダー名）」を入力します。

5 フォルダーを作成する場所（ここでは［受信トレイ］）を確認して、［OK］をクリックします。

6 指定した場所に任意の名称の「フォルダー」を作成できます。

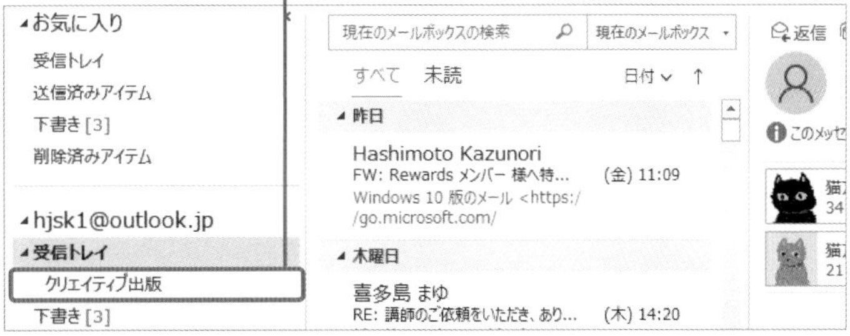

2 フォルダーにメールを移動する

ショートカットキー

● 別のフォルダーへの移動
Ctrl + Y

Hint フォルダーが表示されなかったら

メールを右クリックして、ショートカットメニューから [移動] をクリックした際に、移動先のフォルダーが表示されない場合は、[その他のフォルダー] をクリックして、[アイテムの移動] ダイアログから目的のフォルダーを指定します。

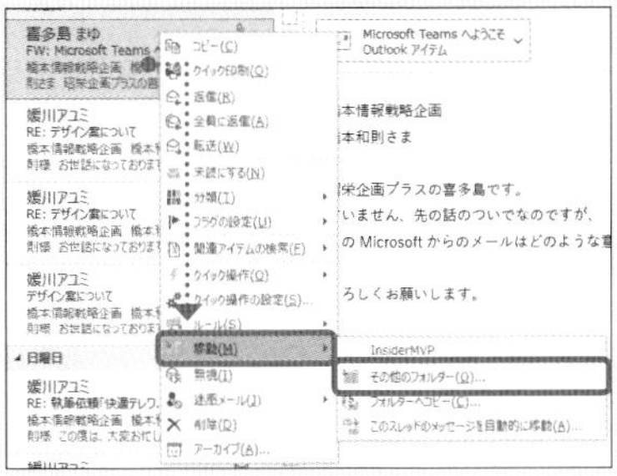

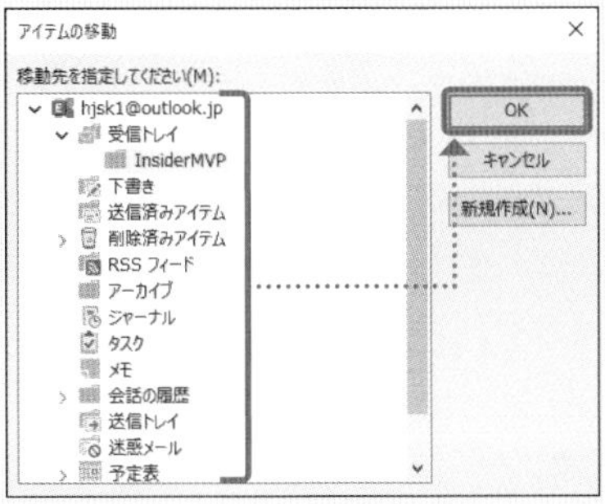

あらかじめ移動したいメールをビュー内で選択しておきます。

1 メールを右クリックして、ショートカットメニューから [移動] → [(任意のフォルダー)] とクリックします。

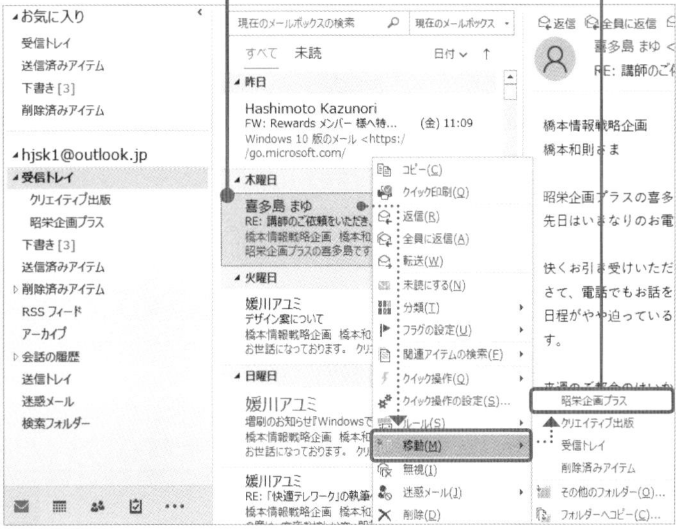

2 該当フォルダーに、メールを移動することができます。

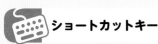

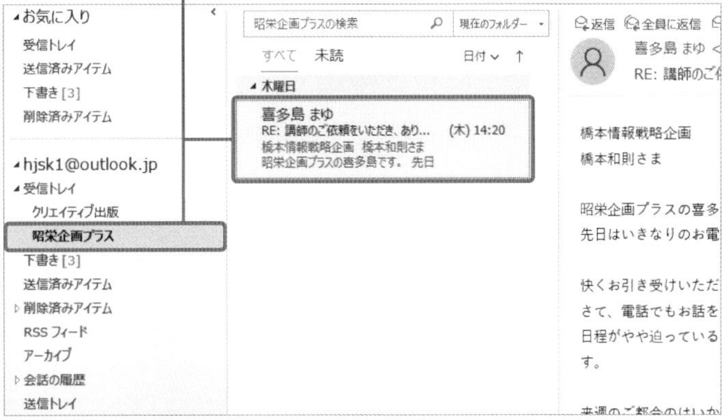

3 フォルダー名を変更する

ショートカットキー

● フォルダー名の変更
F2

1 フォルダーウィンドウから名称を変更したいフォルダーをクリックします。

2 [フォルダー] タブ→ [フォルダー名の変更] をクリックします。

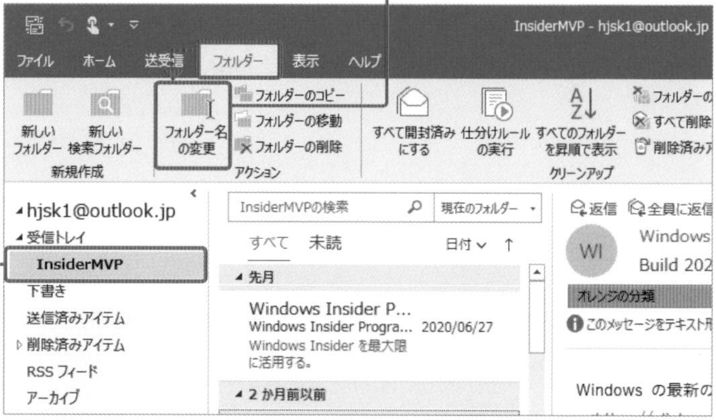

3 指定フォルダーが入力状態になるので、任意のフォルダー名を入力して、Enter キーを押します。

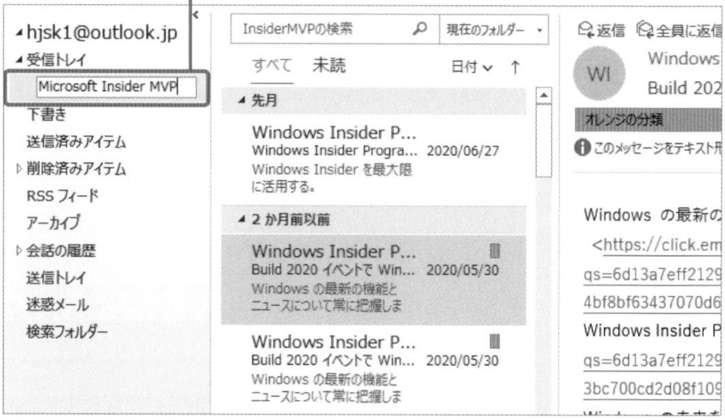

4 フォルダー名を変更できます。

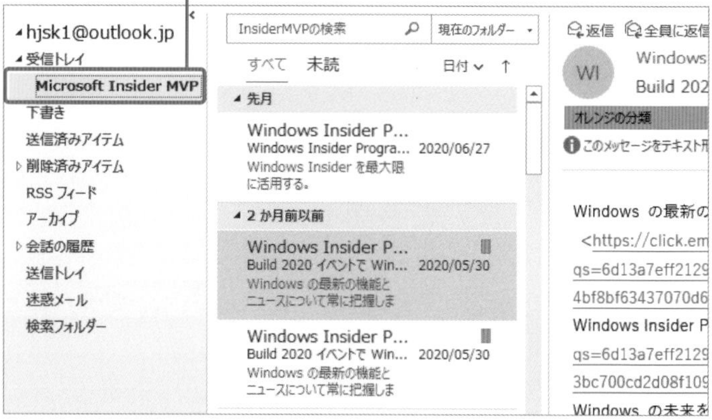

Hint フォルダーへの移動

メールのフォルダーへの移動はドラッグ&ドロップでも行うことができます。ただし、ドラッグ&ドロップでは思いがけない場所にメールを移動してしまうこともあるため、操作には注意が必要です。もし間違った操作を行ってしまった場合は、Ctrl + Z キーで元に戻すことができます。

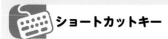

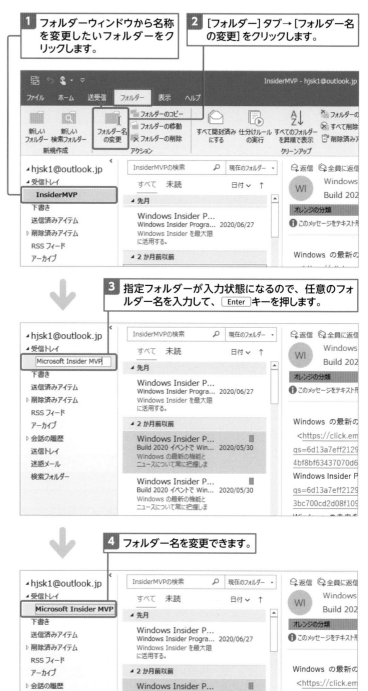

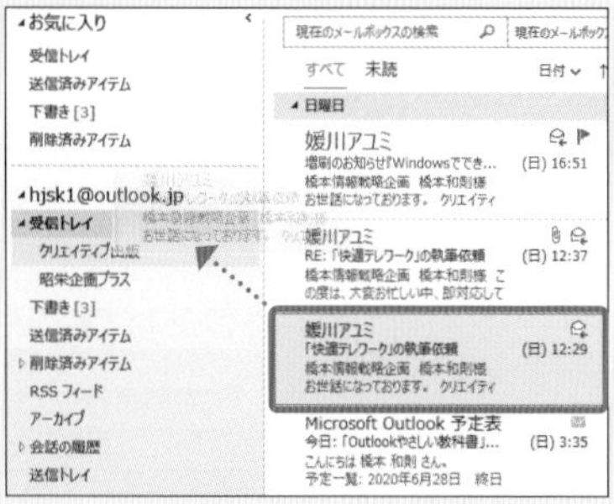

4 フォルダーを移動する

Memo フォルダー配置はルールを定める

フォルダーの作成や配置はメール管理や使い方次第ですが、「受信メール」「送信メール」などがごちゃ混ぜになってわかりにくくならないためにも、受信メールを整理するためのフォルダーは「受信トレイ」の配下に配置しておくことをおすすめします。

注意 フォルダーの作り過ぎは厳禁

「フォルダーでメールを仕分けて管理できる」となると、いくつものフォルダーを作成して、きちんとジャンルや取引先ごとにフォルダーを分けて管理したくなるものです。しかし、フォルダーを作りすぎると結局「フォルダーを見つける操作」が発生して、逆に作業効率が悪くなります。
Outlook 2019は「検索」のほか、「フラグ」「分類（色）」などの機能もありますので、最小限のフォルダーだけを作成して、メールを振り分けて管理するとよいでしょう。

1 フォルダーウィンドウから移動したいフォルダーをクリックします。

2 ［フォルダー］タブ→［フォルダーの移動］をクリックします。

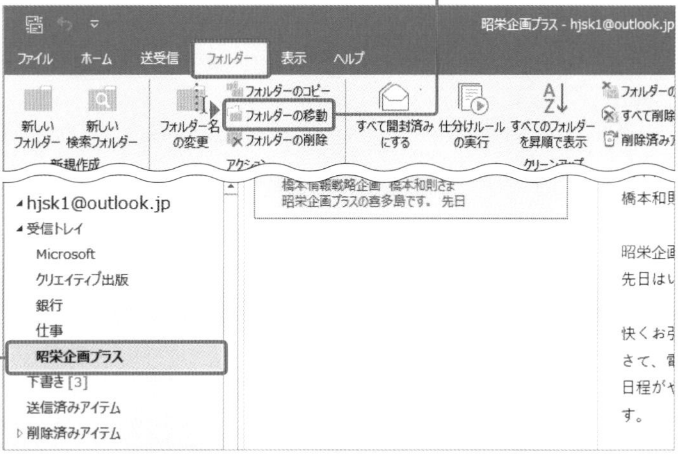

3 ［フォルダーの移動］ダイアログが表示されます。

4 移動先のフォルダーをクリックして選択し、［OK］をクリックします。

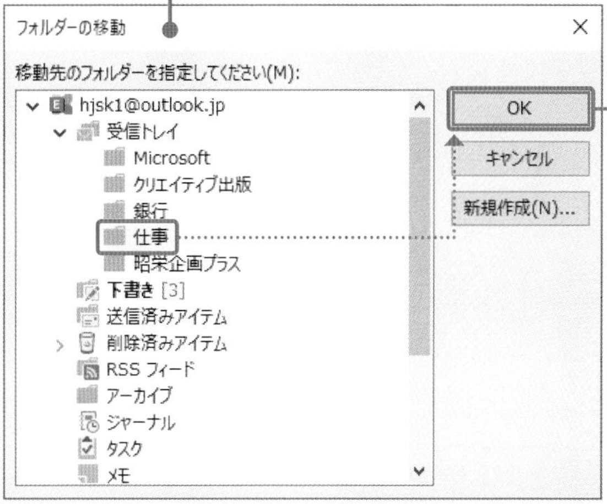

5 指定のフォルダーを指定の位置に移動できます。

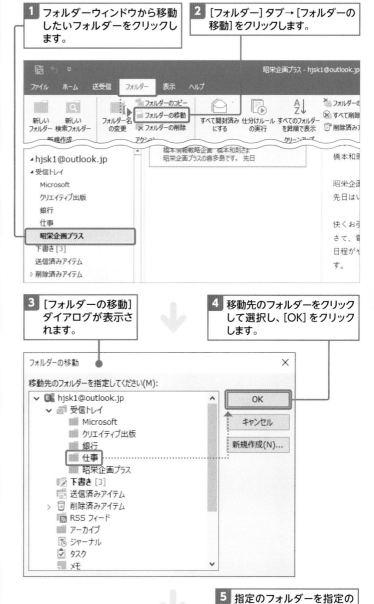

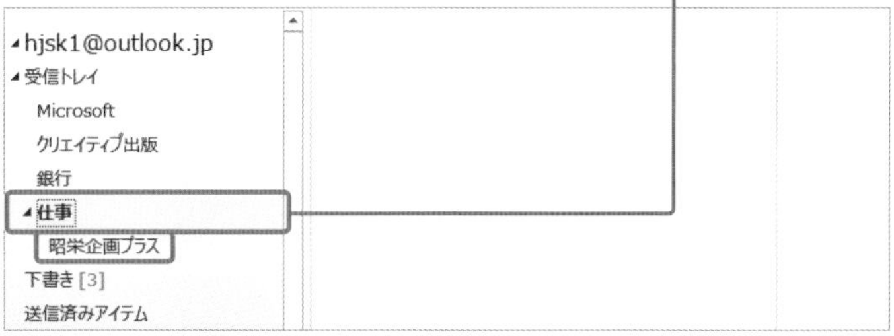

Section 39

特定の差出人のメールを自動的にフォルダーに移動させる

ここで学ぶのは

- 差出人ごとの振り分け
- 仕分けルールの確認
- 仕分けルールの削除

メールをフォルダー分けするとわかりやすい管理が実現できますが、いちいち任意のメールを選択して、任意のフォルダーに移動するのは面倒です。「仕分けルール」を活用すれば、特定の差出人から届いたメールを自動的に指定フォルダーに振り分けることができます。

1 差出人ごとにメールを自動的に振り分ける

解説 ルールに従ってメールを自動的に振り分ける

仕分けルールを作成すると、任意に設定した定義に従って、自動的に指定フォルダーに該当メールが移動します。
ビジネス向けの管理方法としては、仕事において重要なもの、例えば「仕事先別」で仕分けルールを作成して振り分けるという考え方もあれば、逆に仕事に関連するものは受信トレイに残して、それ以外の「仕事には直接関係ないもの（配送連絡や広告、サービスからの連絡など）」を仕分けルールに従って任意のフォルダーに振り分けるという考え方もあります。

1 自動的にフォルダーに移動したいメール（該当する差出人のメール）をクリックして選択します。

2 ［ホーム］タブ→［ルール］をクリックして、

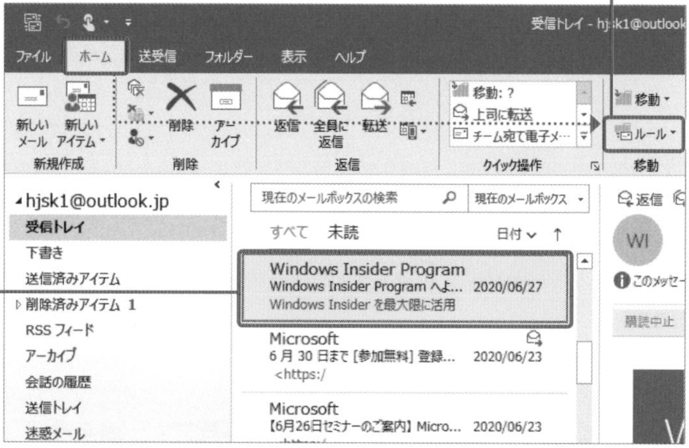

3 ドロップダウンから［次の差出人からのメッセージを常に移動する: ～］をクリックします。

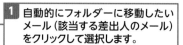

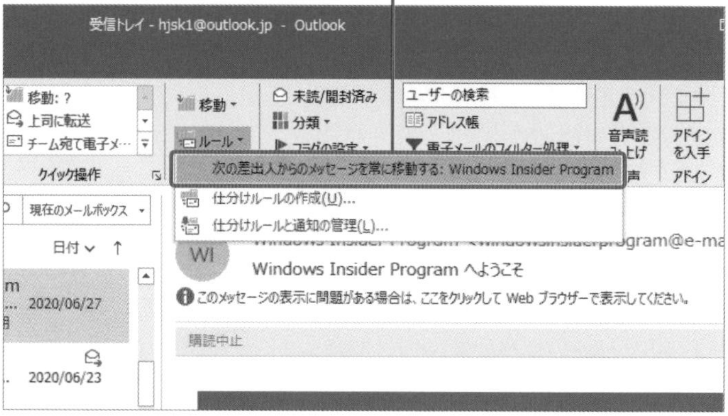

Hint 移動先フォルダーの作成

仕分けルールにおいて移動先となるフォルダーを新規作成したい場合には、［仕分けルールと通知］ダイアログから［新規作成］をクリックして、［新しいフォルダーの作成］ダイアログで任意にフォルダーを作成します。

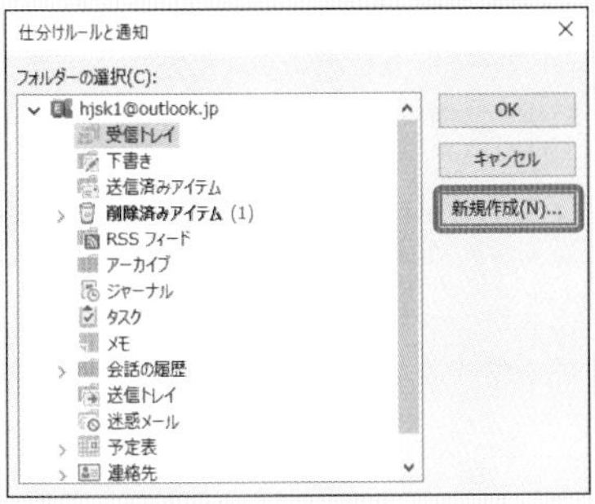

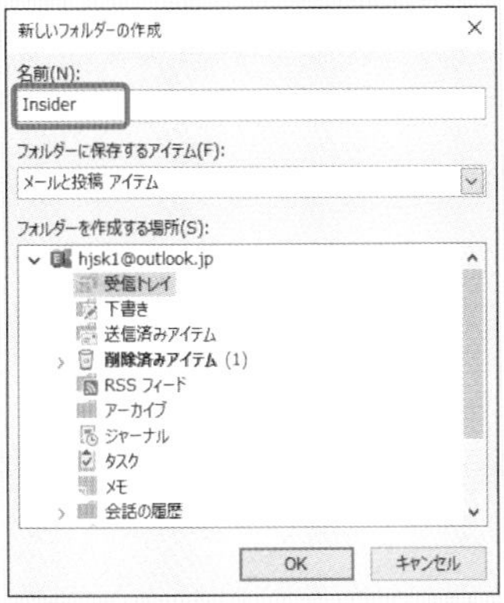

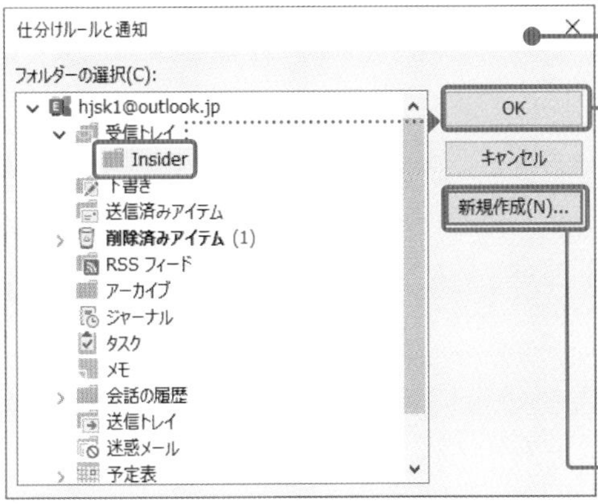

4 ［仕分けルールと通知］ダイアログが表示されます。

5 移動先となる任意のフォルダーを選択して、［OK］をクリックします。

移動先フォルダーがない場合には、［新規作成］をクリックして移動先フォルダーを作成します。

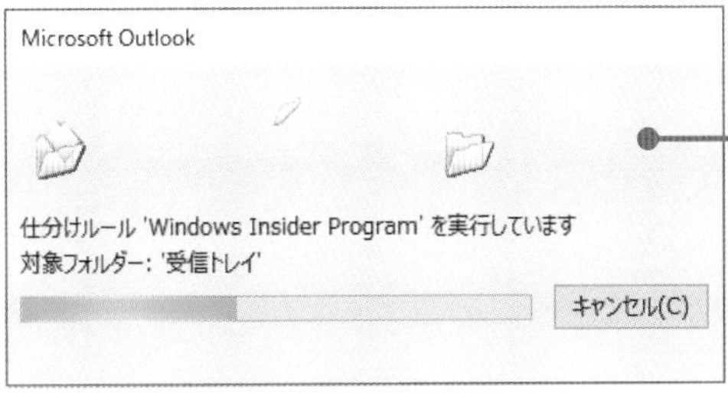

6 仕分けルールが適用されてメールの移動処理が行われます。

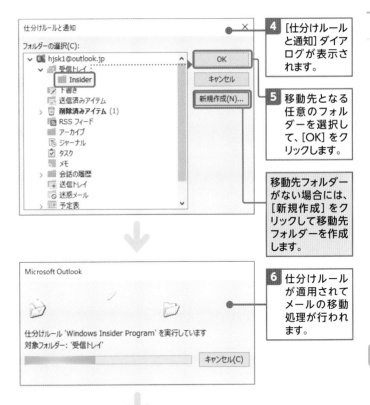

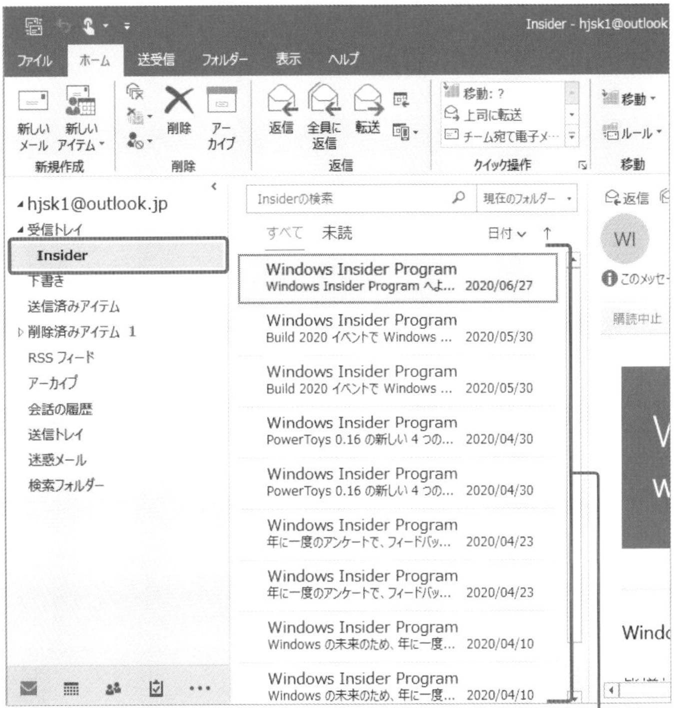

7 指定した差出人のすべてのメールが、指定のフォルダーに移動します。

ショートカットキー

● 仕分けルール
Alt → H → R → R

2 設定した仕分けルールを確認する

Memo 仕分けルールは複数設定可能

仕分けルールは「複数設定可能」です。条件Aはフォルダー A、条件Bはフォルダー B に振り分ける設定もできれば、条件Cと条件Dの両方をフォルダー Zに振り分けるなど任意の設定が可能です。

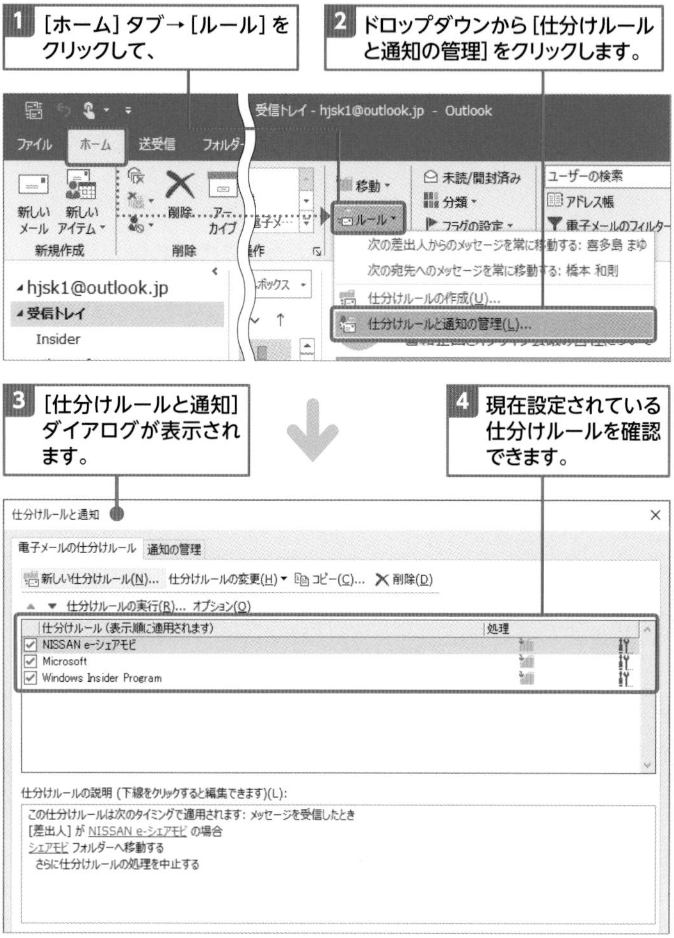

Hint 仕分けルールの順序を変更する

仕分けルールの順序は、条件を処理する順序になるため、各ルールの設定内容によっては重要になります（表示順に設定した処理が適用されます）。
仕分けルールの順序を変更したい場合は、[ホーム] タブ→ [ルール] をクリックして、ドロップダウンから [仕分けルールと通知の管理] をクリックします。[仕分けルールと通知] ダイアログ内の任意の仕分けルールを選択して、[▲] [▼] でルールの順序を変更します。

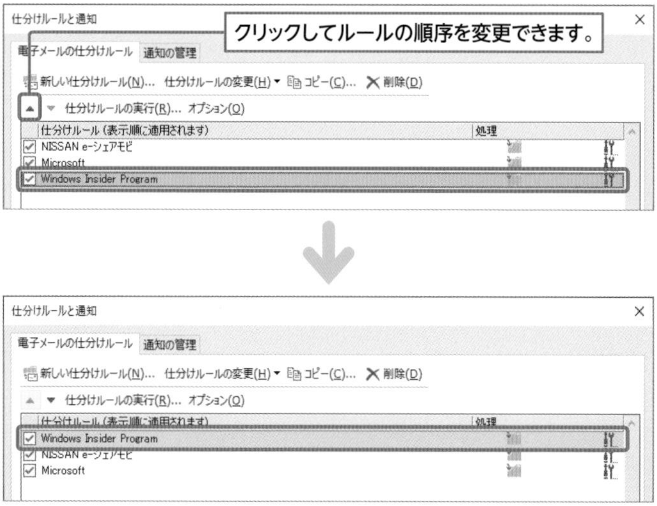

3 設定した仕分けルールを削除する

Memo ルールを削除しても以前の仕分けは有効

仕分けルールを削除しても、仕分けルールによってフォルダーに移動したメールは、フォルダーに移動されたまま保持されます。以前の状態には戻りません。

1 [ホーム] タブ→ [ルール] をクリックして、

2 ドロップダウンから [仕分けルールと通知の管理] をクリックします。

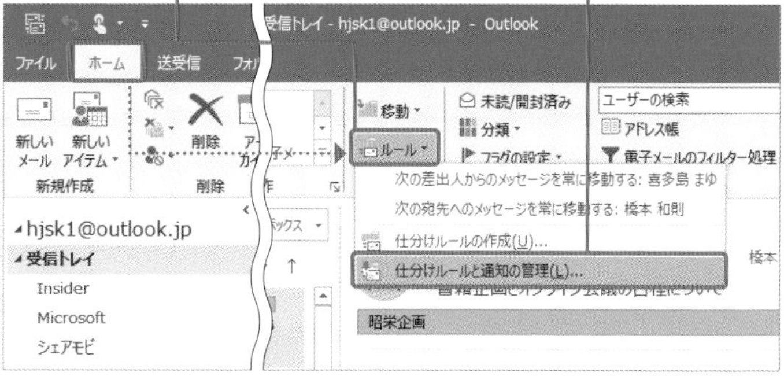

3 [仕分けルールと通知] ダイアログが表示されます。

4 任意の仕分けルールをクリックして、選択します。

5 [削除] をクリックします。

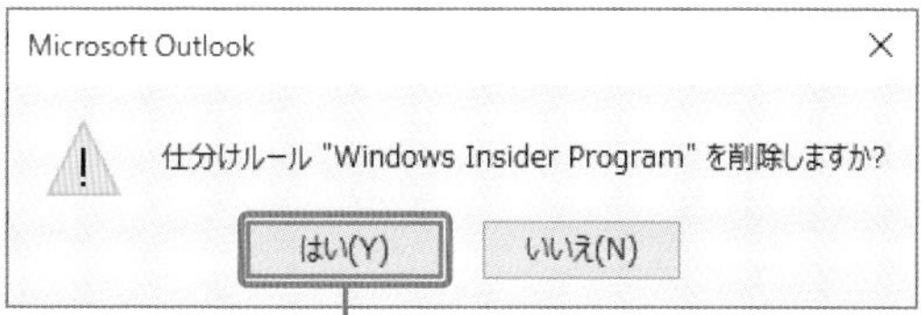

6 メッセージ内容を確認して [はい] をクリックします。

7 仕分けルールを削除できます。

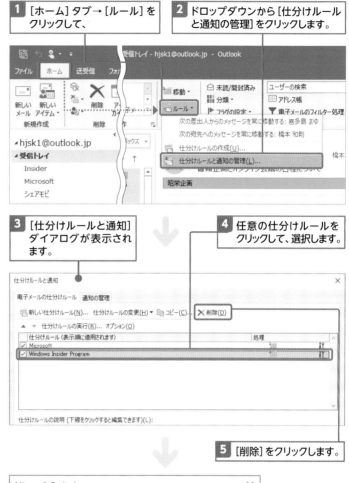

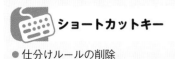

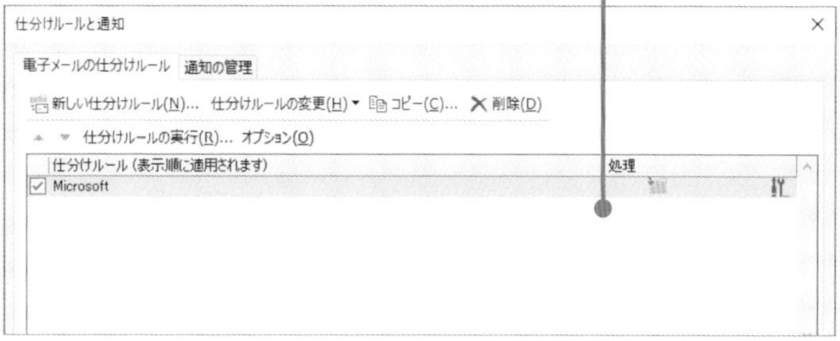

ショートカットキー

- 仕分けルールの削除
  Delete

Section 40

既読と未読を管理する

ここで学ぶのは

- 既読にする
- 未読にする
- 未読だけ表示する

メールを確認するうえで、「既読(すでに内容を確認したメール)」と「未読(まだ読んでいないメール)」の管理は重要です。ここでは、メールに対する「既読」と「未読」の設定と管理について解説します。

1 メールを既読にする

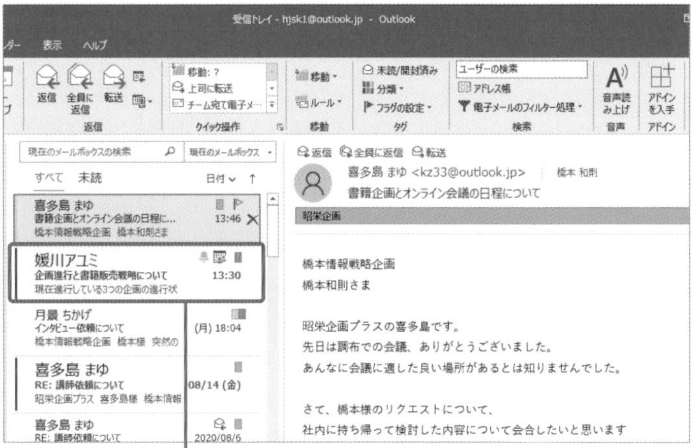

1 ビューから閲覧したい未読メールをクリックして選択します。

2 メールが閲覧ウィンドウで表示されます。

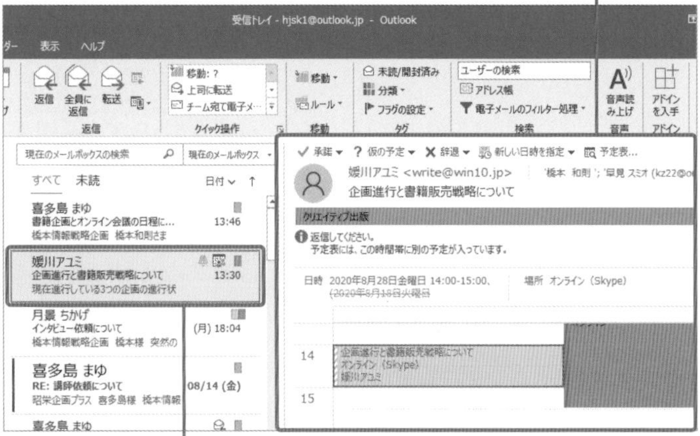

3 メールが「既読」になり、横に表示されていたバー(青の縦線)がなくなります。

解説 Outlook 2019の「既読」処理

Outlook 2019では、ビューでメールを選択して、閲覧ウィンドウに表示するだけで「既読」になってしまいます。そのため、最後まで読んでいないメールも既読になってしまう可能性があります。「きちんとメッセージウィンドウで開いたメールのみ既読にしたい」という場合には、p.215を参照してください。

ショートカットキー

- メールを「未読」にする
  Ctrl + U
- メールを「既読」にする
  Ctrl + Q

Hint 既読メールを未読にする

既読メールを未読にしたい場合は、未読にしたい既読メールをクリックして選択してから、[ホーム]タブ→[未読／開封済み]をクリックします。

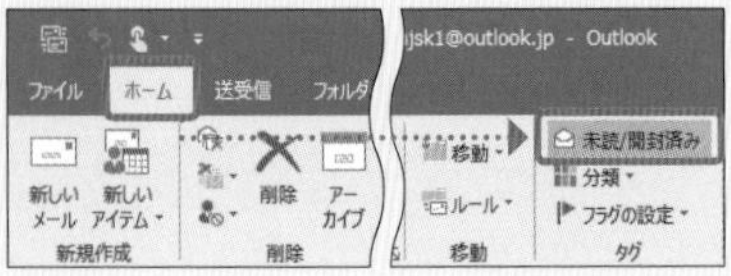

3 メールの整理と検索

2 未読メールのみを表示する

Hint 優先受信トレイ表示の有無と未読表示

アカウントの種類によっては（Microsoft Exchangeアカウント／Microsoft 365のアカウント／Outlook.comアカウントなど）、「優先」と「その他」という形でメールが分けられます。
この優先受信トレイ表示の無効設定についてはp.73で解説していますが、優先受信トレイ表示が無効の場合（あるいは優先受信トレイ表示がそもそもないIMAPアカウントの場合）には、ビューの上部にある［未読］をクリックするだけで、未読メールを一覧で確認することができます。

● 優先受信トレイ表示が有効の場合

● 優先受信トレイ表示が無効の場合（［すべて］の横に［未読］）

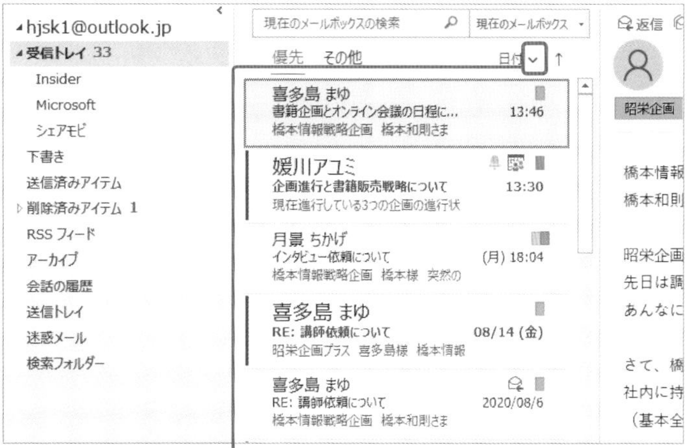

1 ビュー内の［並べ替え］横の［∨］をクリックして、

2 ［未読のメール］をクリックします。

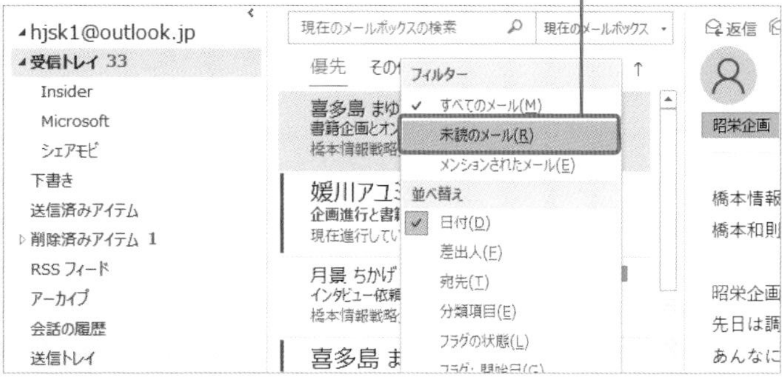

3 未読メールのみ表示することができます。

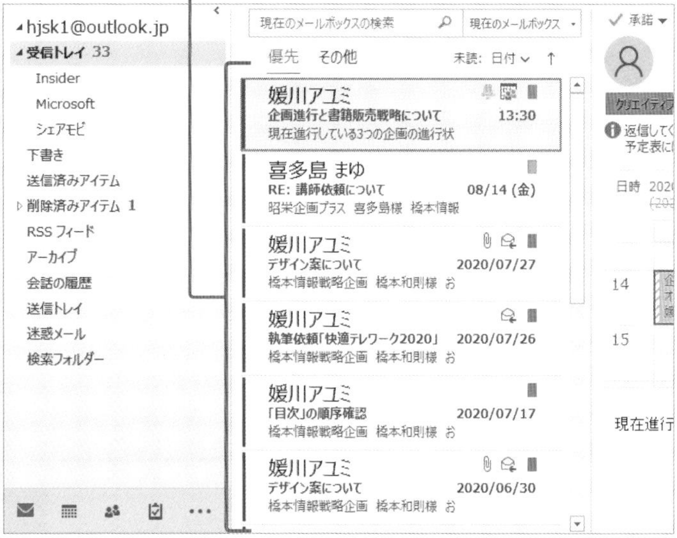

Section 41

不要なメールを削除する／アーカイブする

ここで学ぶのは

- メールを削除する
- 完全に削除する
- アーカイブ機能

メールの整理においては、なるべく「受信トレイ」にメールを置かないことが基本になりますが、完全に不要なメールは（今後も必要になることはないメールは）「削除」を行うようにします。また、受信トレイに保持する必要はないものの、残しておきたいメールは「アーカイブ」を活用します。

1 不要なメールを削除する

Memo その他の削除方法

ビューから不要なメールの上にマウスポインターを合わせる（ポイントする）と、メールの右端に［×］が表示されます。この［×］をクリックしてもメールを削除できます。

Hint 削除したメールを確認する

削除したメールを確認したい場合は、フォルダーウィンドウから［削除済みアイテム］をクリックします。

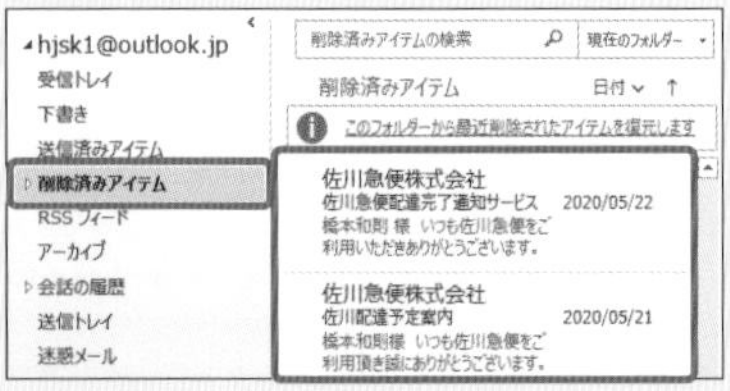

ショートカットキー

- メールの削除
  Delete
  Ctrl＋D

1 ビューから不要なメールをクリックして選択します。

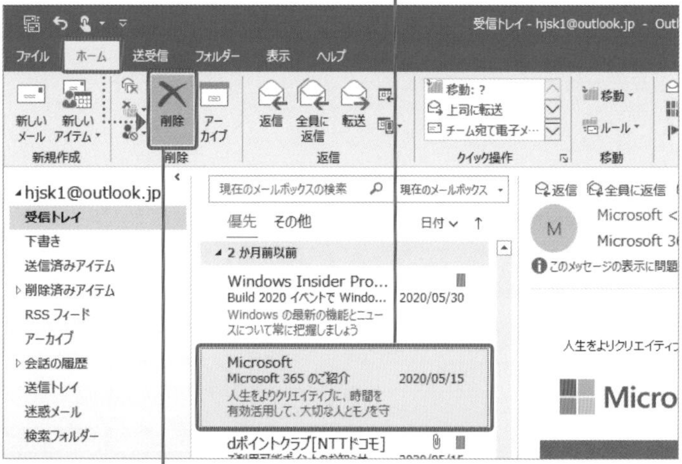

2 ［ホーム］タブ→［削除］をクリックします。

3 不要なメールを削除することができます。

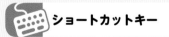

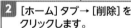

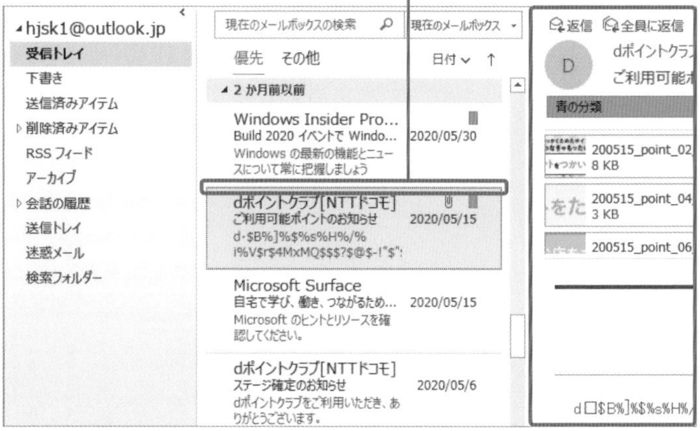

2 削除したメールを受信トレイに戻す

解説 削除したメールを戻す

削除したメールはOutlook 2019内から完全になくなったわけではなく、「削除済みアイテム」フォルダーに移動しただけです。必要であればすぐに受信トレイに戻すことができます。

時短のコツ 一度に複数選択する

ビュー内のメールは Ctrl キーを押しながらクリックすることで複数選択が可能です。また始点をクリックしたうえで、終点を Shift キーを押しながらクリックすれば範囲選択を行うこともできます。

Hint 削除したメールをすばやく見つけるには

削除したメールを探したい場合は、フォルダーウィンドウから［削除済みアイテム］をクリックして、検索ボックスに差出人や件名などのキーワードを入力します。

1 「削除済みアイテム」内の受信トレイに戻したいメールを右クリックして、

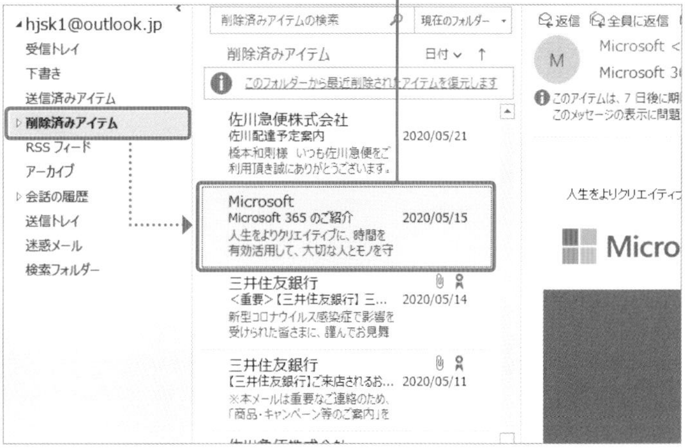

2 ショートカットメニューから［移動］→［受信トレイ］とクリックします。

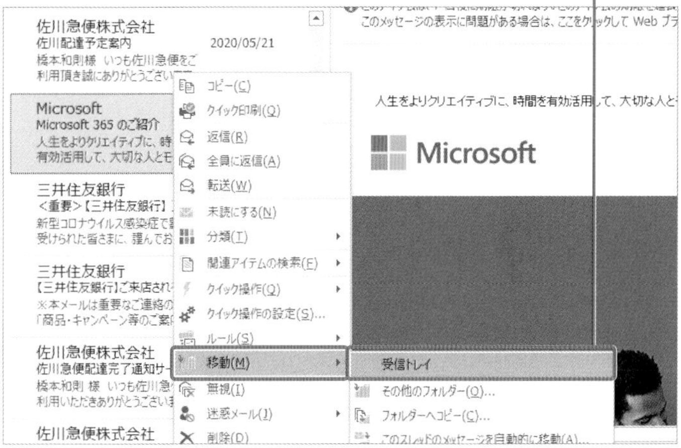

3 該当メールを「受信トレイ」に戻すことができます。

3 メールを完全に削除する

解説 完全に削除する

メールをOutlook 2019内から完全に削除するには、「削除済みアイテム」内に入っているメールをさらに削除する必要があります。

1 フォルダーウィンドウから［削除済みアイテム］をクリックします。

2 完全に削除したいメールを選択します。

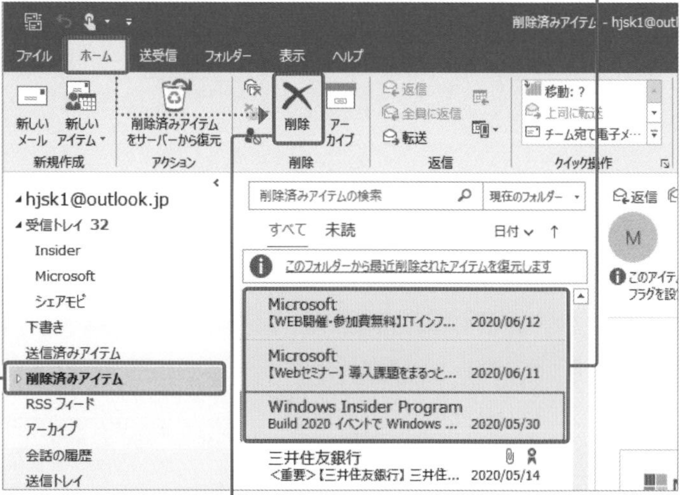

3 ［ホーム］タブ→［削除］をクリックします。

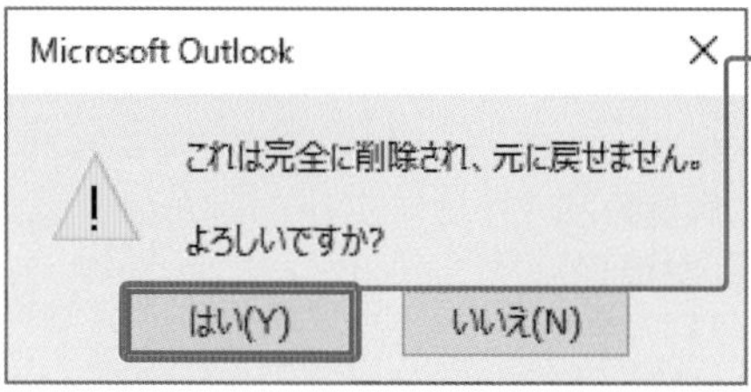
Microsoft Outlook
これは完全に削除され、元に戻せません。
よろしいですか?
はい(Y)
いいえ(N)

4 メッセージ内容を確認し、［はい］をクリックします。

5 メールが「削除済みアイテム」から消去され、完全に削除されます。

Hint 削除済みアイテムのメールをすべて削除する

削除済みアイテムのメールをすべて削除したい場合には、フォルダーウィンドウから［削除済みアイテム］をクリックして、［フォルダー］タブ→［フォルダーを空にする］をクリックします。「"削除済みアイテム"フォルダーの内容がすべて削除され、元に戻せません。」というメッセージを確認したうえで、［はい］をクリックすれば、削除済みアイテムのメールをすべて削除できます。

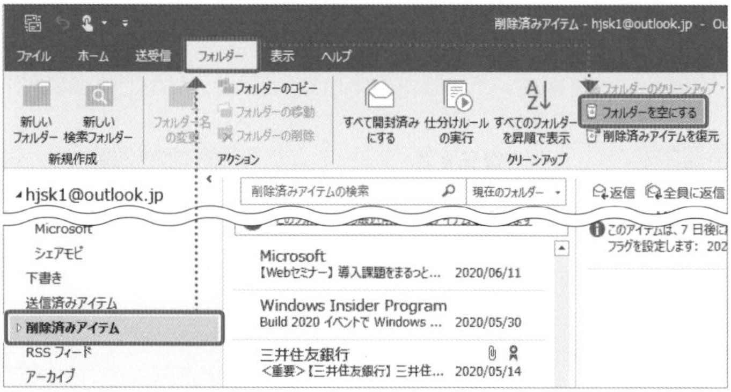

Microsoft Outlook
"削除済みアイテム" フォルダーの内容がすべて削除され、元に戻せません。
よろしいですか?
はい(Y)
いいえ(N)

4 アーカイブ機能を活用する

Key word　アーカイブ

アーカイブ（archive）とは、本来は「保存記録」という意味ですが、Outlook 2019などのメール管理においては「受信トレイから外す（削除することなく非表示にする）」という意味合いが強くなります。基本的にアーカイブは「重要なメールを保持する場所」ではなく、「受信トレイになるべくメールを残さないために、作業完了して必要がなくなったメールを移す場所」と考えるとよいでしょう。

ショートカットキー

- メールをアーカイブに移動
  Back space

Hint　「アーカイブ」フォルダー

もし「アーカイブ」フォルダーが存在しない場合は、［ホーム］タブ→［アーカイブ］をクリックした時点でフォルダー作成のダイアログが表示されるので、［アーカイブフォルダーの作成］をクリックします。

1 ビューからアーカイブに移動したいメールを選択します。

2 ［ホーム］タブ→［アーカイブ］をクリックします。

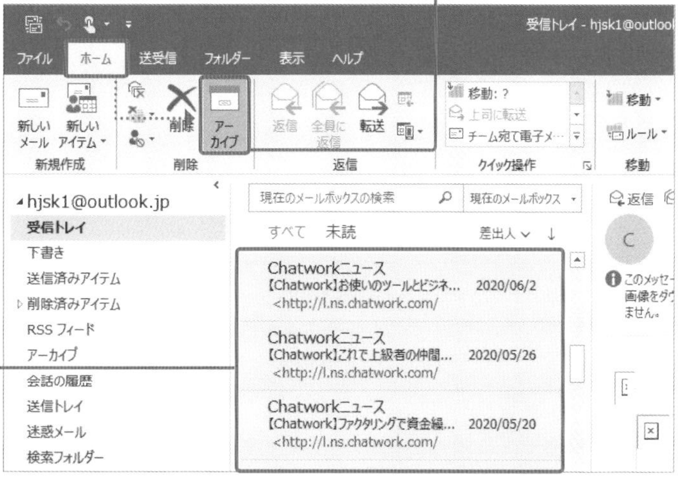

3 フォルダーウィンドウから［アーカイブ］をクリックします。

4 該当メールが「アーカイブ」フォルダーに移動していることを確認できます。

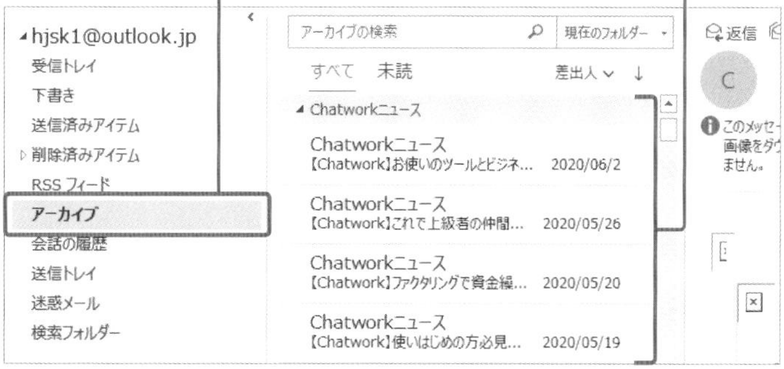

使えるプロ技！　完全に削除したメールを一覧から復元する

アカウントの種類がMicrosoft Exchangeアカウント／Microsoft 365のアカウント／Outlook.comアカウントなどのMicrosoft系アカウントであれば、完全に削除したメールを復元できる場合があります。［フォルダー］タブ→［削除済みアイテムを復元］をクリックして、一覧から復元したいメールを選択して、［OK］をクリックすることでメールを復元することが可能です。

ただし、比較的最近に削除したメールでなければ復元できないことに注意します。

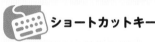

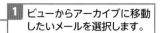

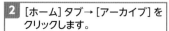

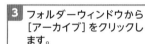

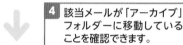

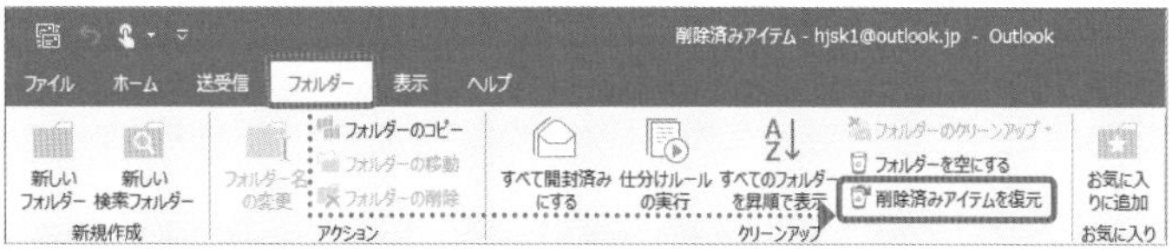

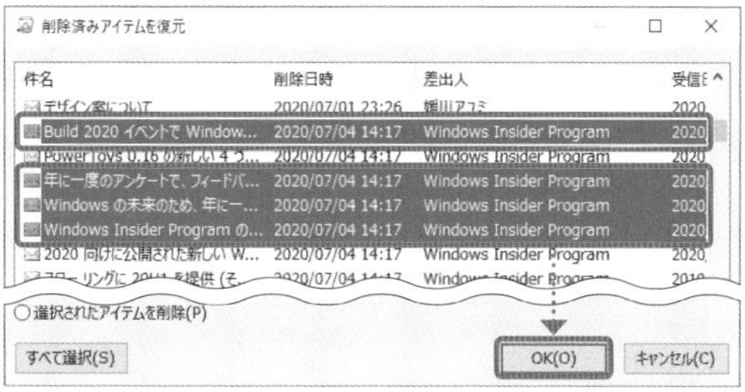

Section 42

迷惑メールに対処する

ここで学ぶのは

- 迷惑メールの指定
- 受信拒否リスト
- 信頼できる差出人の指定

メール管理において「迷惑メール」に対処することは必要不可欠です。ここでは、Outlook 2019の機能で迷惑メールに対処する方法と、迷惑メールの指定方法、また「迷惑メールではないメール」の指定方法などを解説します。

1 迷惑メールの処理レベルを指定する

解説 迷惑メールの処理レベル設定

しつこい広告メールや迷惑な内容のメールなどは「Outlook 2019の迷惑メール処理設定」で対処したいものですが、ビジネス環境の場合には迷惑メール処理により「必要なメールまで迷惑メールとして処理されかねない」という問題があります。
不特定多数の人からのメールや新しい取引先からのメールが比較的多い場合は、[自動処理なし]を選択するか、あるいは[低]を選択したうえで、日常的に「迷惑メール」フォルダーも確認するようにします。
なお、迷惑メールの判定は、「Outlook 2019の迷惑メール処理設定」だけとは限らない点に注意が必要です(p.152のHint参照)。

Memo 処理レベル

迷惑メールの処理レベルは低い順から、[自動処理なし][低][高][[セーフリスト]のみ]の設定ができます。処理レベルが低いほど、あまり積極的に迷惑メールの処理を行いません。

1 [ホーム]タブ→[迷惑メール]をクリックして、

2 ドロップダウンから[迷惑メールのオプション]をクリックします。

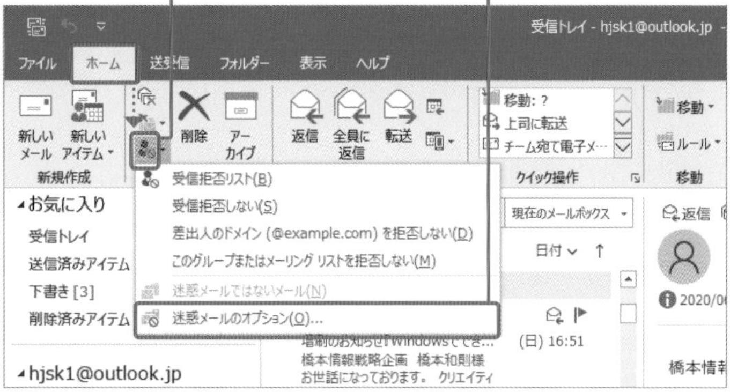

3 [迷惑メールのオプション]ダイアログが表示されます。

4 [オプション]タブで迷惑メールの処理レベルを選択して、[OK]をクリックします。

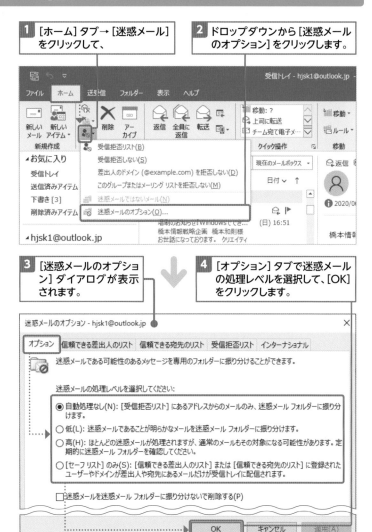

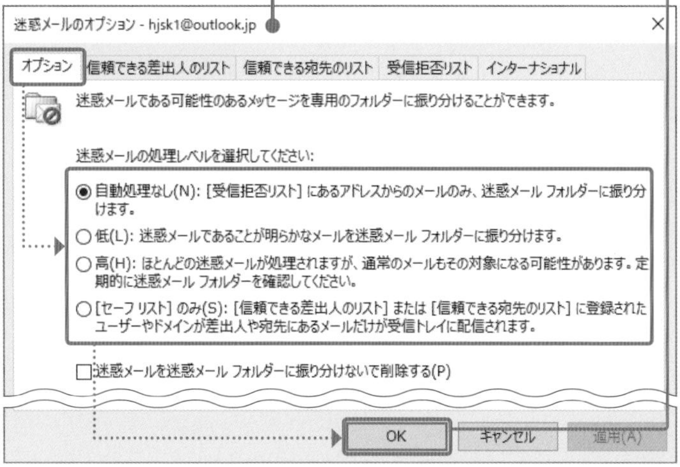

2 任意の差出人を迷惑メールに指定する

解説 迷惑メールに指定する

迷惑メールに指定したいメールは、「受信拒否リスト」に登録します。受信拒否リストに登録されたメールは、以後は受信トレイではなく「迷惑メール」フォルダーに振り分けられるようになります。

Memo リボンの［迷惑メール］コマンド

リボンの［迷惑メール］コマンドは、操作画面の横幅が狭い場合はコマンド名まで表示されないので注意が必要です。

● 縮小

● 拡大

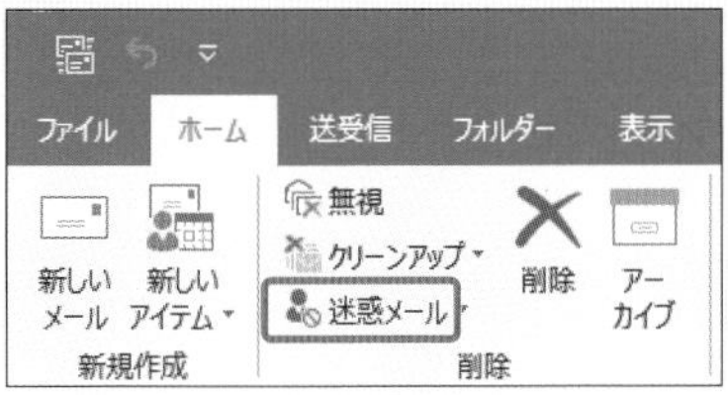

Hint もっともらしいメールに注意する

迷惑メールは、単に「内容が迷惑（自分に必要のない文言）なもの」だけとは限りません。迷惑メールの中には、「PCをウイルスに感染させるもの」「不当な請求を行うもの（あなたのXX映像を録画して保持しています、といったもの）」などがあります。このようなメールは「そもそも開かないこと」が基本になります。セキュリティ対策全般についてはp.230で解説します。

1 差出人を迷惑メールに指定したいメールをクリックして選択します。

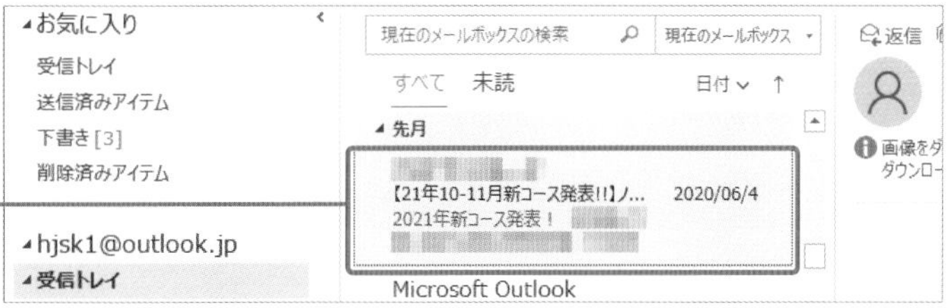

2 ［ホーム］タブ→［迷惑メール］をクリックして、

3 ドロップダウンから［受信拒否リスト］をクリックします。

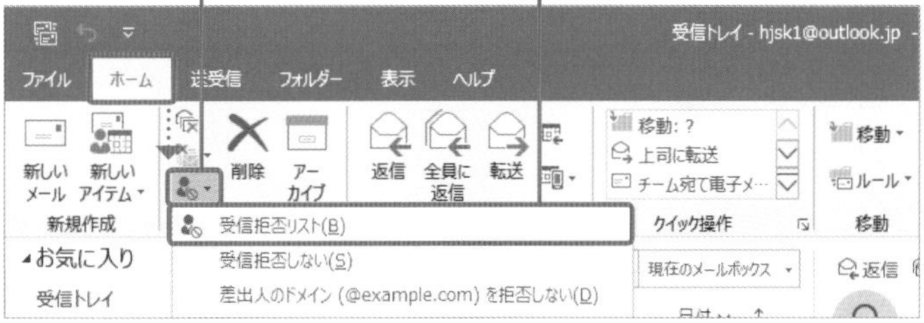

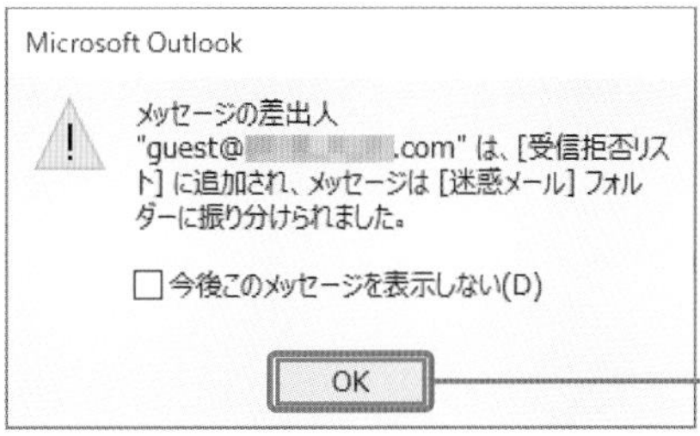

Microsoft Outlook
メッセージの差出人
"guest@ .com" は、[受信拒否リスト] に追加され、メッセージは [迷惑メール] フォルダーに振り分けられました。
今後このメッセージを表示しない(D)
OK

4 メッセージ内容を確認し、［OK］をクリックします。

5 フォルダーウィンドウから［迷惑メール］をクリックします。

6 該当メールが「迷惑メール」フォルダーに移動していることを確認できます。

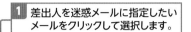

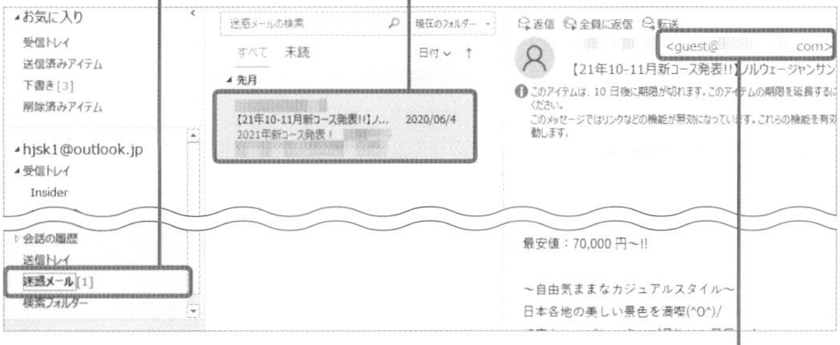

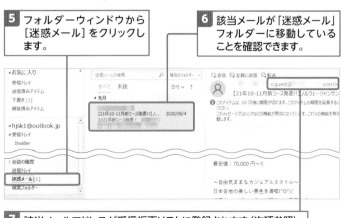

7 該当メールアドレスが受信拒否リストに登録されます（次項参照）。

3 受信拒否リストを確認する

解説 受信拒否リストの確認

受信拒否リストに登録したメールは、[迷惑メールのオプション]→[受信拒否リスト]タブから確認できます。受信拒否リストに登録されたメールは、常に迷惑メールとして処理されることになります。

1 [ホーム]タブ→[迷惑メール]をクリックして、

2 ドロップダウンから[迷惑メールのオプション]をクリックします。

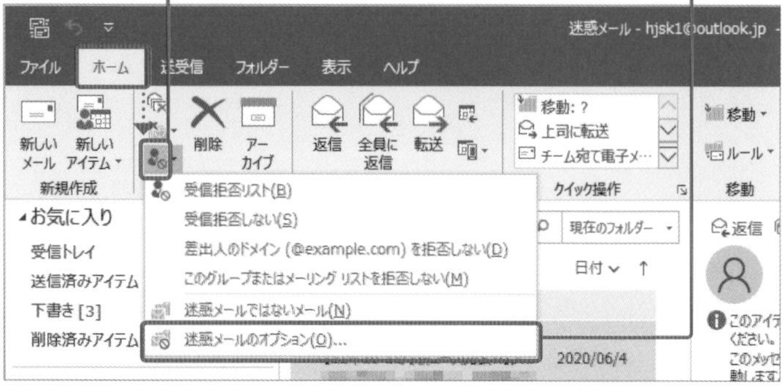

3 [迷惑メールのオプション]ダイアログが表示されます。

4 [受信拒否リスト]タブをクリックします。

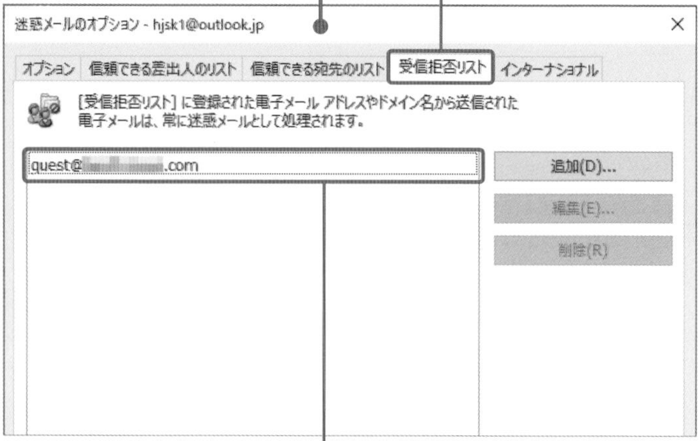

5 ここに登録されているメールアドレスは、常に迷惑メールとして処理されます。

Memo 迷惑メールのオプション

[迷惑メールのオプション]内のタブには、[オプション][信頼できる差出人のリスト][信頼できる宛先のリスト][受信拒否リスト][インターナショナル]があり、それぞれ迷惑メールに関する詳細な設定を行うことができます。

Hint 迷惑メール判定はプロバイダーでも行われている

迷惑メールの判定処理は、メーラー(メールアプリ)の判定処理だけとは限りません。

例えば、Outlook 2019では「信頼できる差出人リスト」「受信拒否リスト」などを任意に設定して迷惑メールとして判定させることができますが、メールは構造上まず「メールサーバー」に届くため、メールサーバー側で迷惑メールの判定が行われた場合、Outlook 2019での設定が反映されるよりも前に「迷惑メール」として扱われてしまいます。

多くのプロバイダーメール(インターネットサービスプロバイダー・レンタルサーバーなどが供給するメールアカウント)は、独自の迷惑メール判定やウイルスチェックを行い、迷惑メールを「迷惑メールのフォルダー(プロバイダーによって名称や場所は異なります)」への移動や削除を行っているのが現状です。

よって、迷惑メール判定がおかしい(届くはずのメールが届かない)場合には、Outlook 2019の設定だけを見直すのではなく、該当メールのアカウントの設定も別途確認するようにします。

4 ドメインごと受信拒否する

解説 ドメインを拒否する

ドメインとは、メールアドレスにおける「@」以降の文字列のことで、例えば「@xyz.zzz」を受信拒否リストに追加した場合、該当する「～@xyz.zzz」のメールをすべて受信拒否します。また、ドメインはサブドメインという形で「@[サブドメイン].「ドメイン」」という形が可能です。例えば、「～@aaa.xyz.zzz」と「～@bbb.xyz.zzz」の両方を拒否したい場合は、「xyz.zzz」を受信拒否リストに登録します。

［迷惑メールのオプション］ダイアログを表示しておきます。

1 ［受信拒否リスト］タブで［追加］をクリックします。

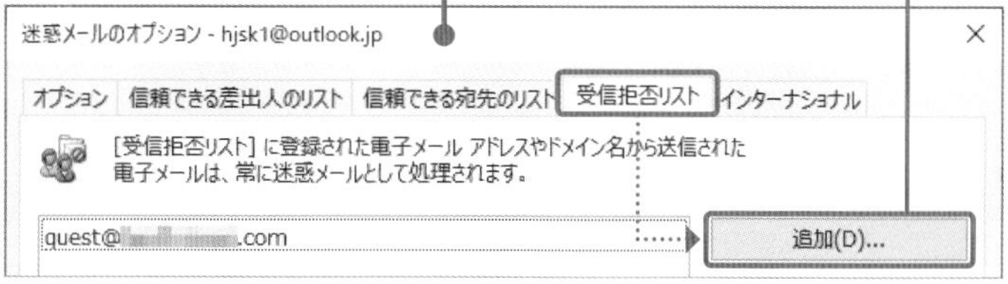

2 ［アドレスまたはドメインの追加］ダイアログが表示されます。

3 「@xxxxx.xxx」または「xxxx.xxx」という形でドメインを入力します。

4 ［OK］をクリックします。

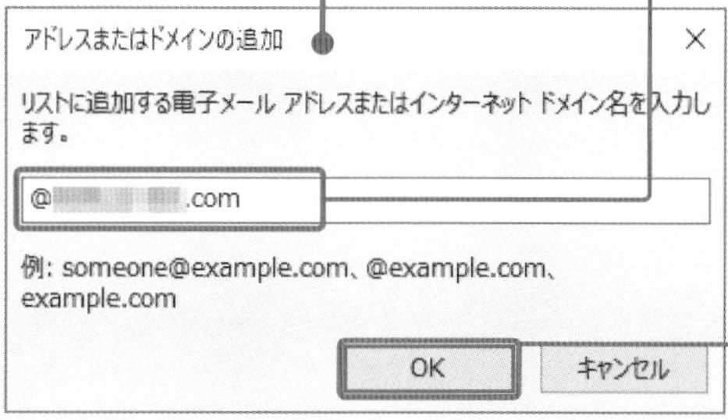

5 受信拒否リストから削除する

Hint ドメインとサブドメイン

任意のドメインを取得したものは、任意に「サブドメイン」を設定することができます。「ドメイン」に組織が示されている場合は、その組織のメールである可能性が高いですが、「サブドメイン」は自由に命名できるため組織を確認できないことに注意が必要です。メールアドレスの例であれば「～@[任意文字列].microsoft.com」はマイクロソフトを示しますが、「～@microsoft.[任意文字列].com」はマイクロソフトを示さないので注意が必要です。

～@〔サブドメイン〕.〔ドメイン〕

↑ ドメインを取得したものなら誰でも任意に設定可能

↑ 組織を示す

［迷惑メールのオプション］ダイアログを表示しておきます。

1 ［受信拒否リスト］タブから、該当のメールアドレスやドメインをクリックして選択します。

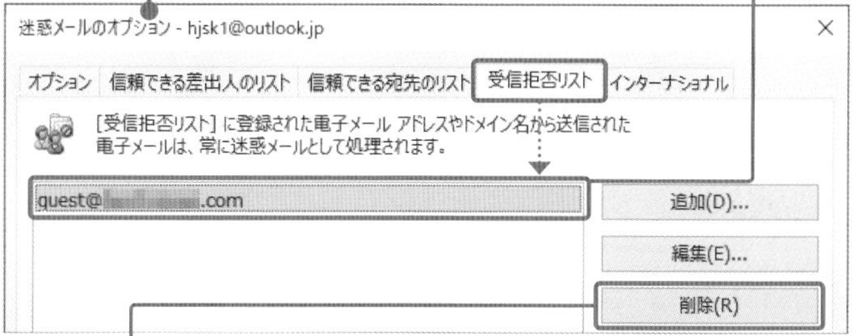

2 ［削除］をクリックします。

3 受信拒否リストから該当のメールアドレスやドメインが削除され、受信拒否リストから除外されます。

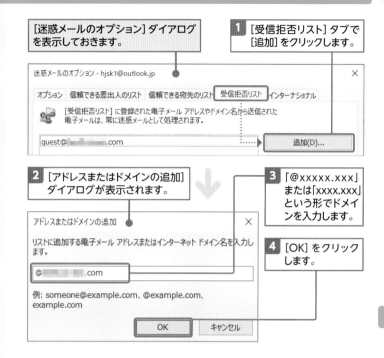

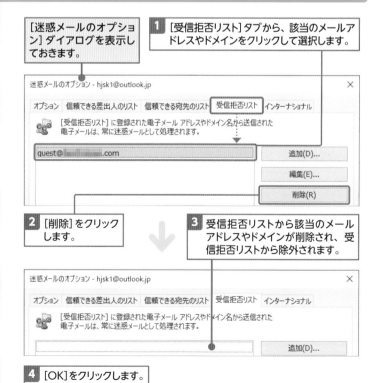

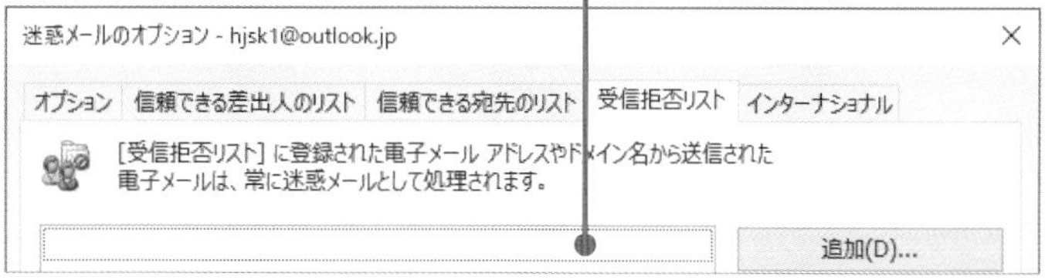

4 ［OK］をクリックします。

6 受信拒否しない差出人を登録する

Hint 特定のドメインを迷惑メールに設定しない

迷惑メールオプションの「信頼できる差出人リスト」において、任意のドメインを信頼したい場合には、[追加] をクリックしてドメインを登録します。例えば、「～@win10.jp」のメールを迷惑メール判定させたくない場合は、「@win10.jp」という形で、信頼できる差出人リストに登録します。

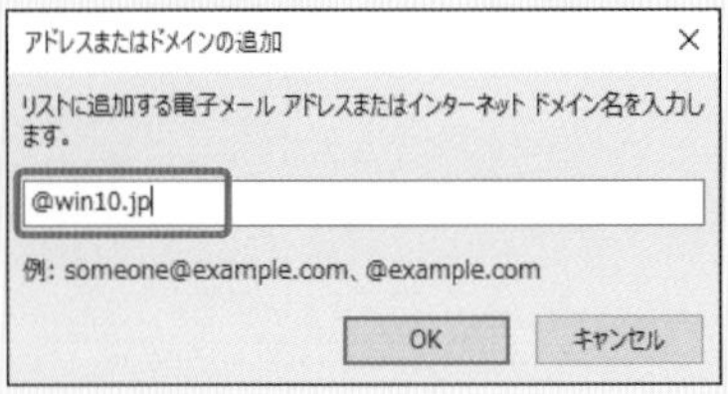

Hint 連絡先や送信先を信頼する

いつも取引している相手（メールアドレス）は自動的に信頼したいという場合は、[迷惑メールのオプション] ダイアログの [信頼できる差出人のリスト] タブで [連絡先からの～] と [電子メールの送信先を自動的に～] をチェックします。連絡先に登録されているメールアドレスや、送信したメールアドレスを「信頼」することができます。

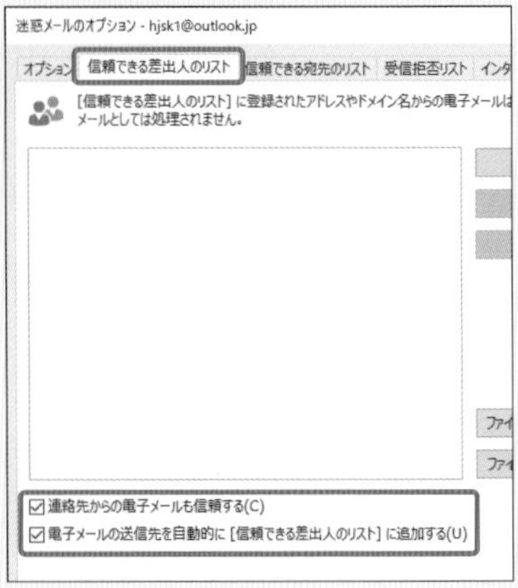

1 信頼できる差出人（迷惑メールにしない）メールをクリックして選択します。

2 [ホーム] タブ→ [迷惑メール] をクリックして、

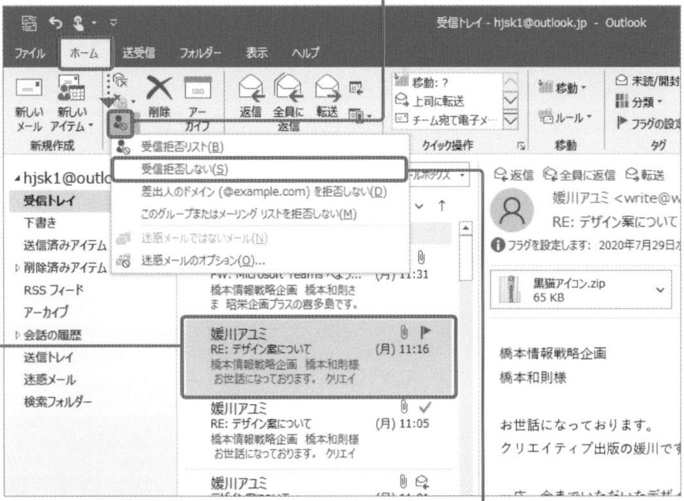

3 ドロップダウンから [受信拒否しない] をクリックします。

4 メッセージ内容を確認し、[OK] をクリックします。

5 [迷惑メールのオプション] ダイアログの [信頼できる差出人リスト] タブに該当の差出人が登録されます。

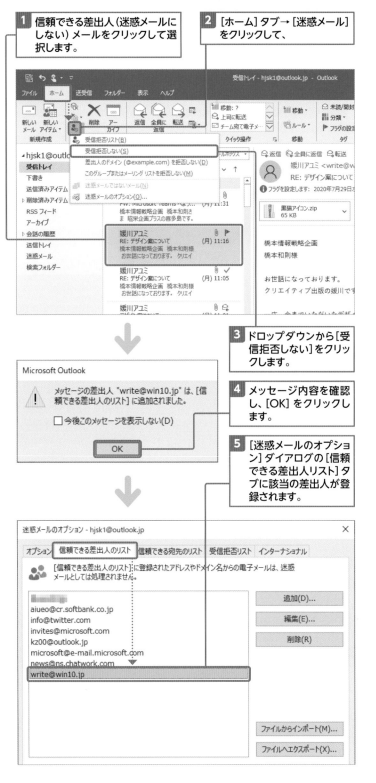

第 4 章

ワンランク上の重要テクニック＆時短ワザ

メールの送受信や検索などの基本操作をマスターしたら、ワンランク上のテクニックを習得しましょう。ここで解説する各種操作は作業効率を高めることができるだけではなく、間違いのないメール作成や送信などにも役立ちます。

Section 43 メールの作業効率を上げるには

ここで学ぶのは

- 効率的な操作
- 間違いのない操作
- 使いやすい環境

メールの作業効率を改善するためには、自身の環境に合わせて**クイックパーツ**や**署名**を上手に利用するほか、重要なメールを目立たせたり、**ショートカットキー**を駆使したりするなどの工夫を行うようにします。

1 ショートカットキーですばやく操作する

Outlook 2019を操作するために、マウスであちこちクリックするのは面倒です。また、マウス操作だとクリックミスなどが起こる可能性もありますが、キーボードで各種操作を実現できるショートカットキーであれば、すばやく間違いのない操作を実現できます。

ちなみにOutlook 2019には多数のショートカットキーがありますが、すべてを覚える必要はありません。ショートカットキーは「自分がよく使うもの」だけを覚えるのが肝要です。

クイックアクセスツールバーに登録すれば任意のコマンドを Alt +[数字] キーですばやく実行できます。

リボンコマンドにはショートカットキーが割り当てられているので、すべてのコマンドをキーボードで実行できます。

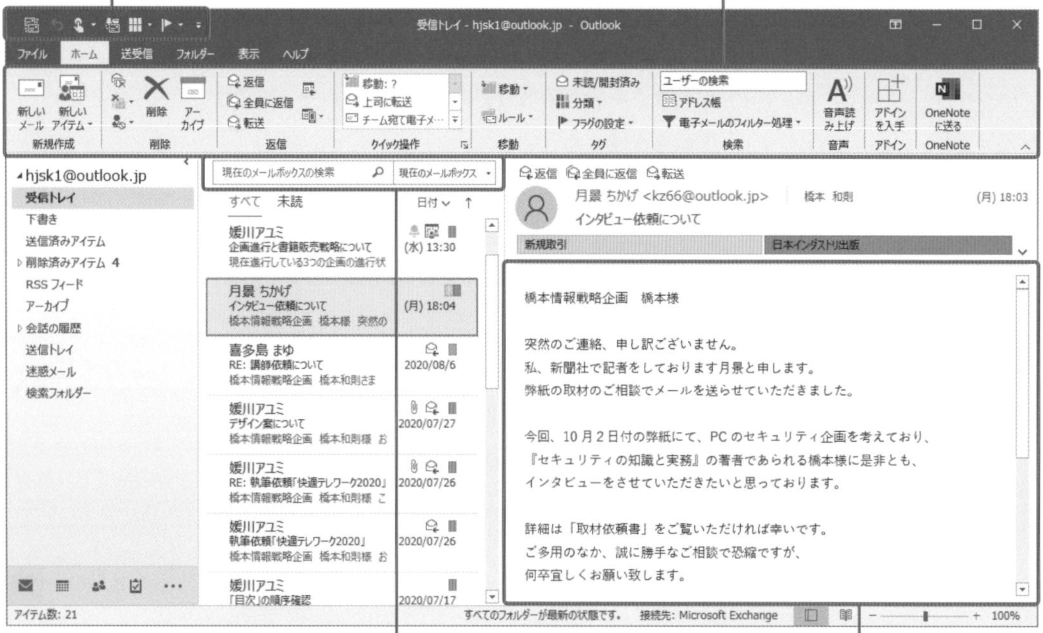

検索ボックスへのアクセスもショートカットキーですばやく実行できます。

メール内容のスクロールもショートカットキーで行えます。

2 署名で連絡先などの情報を自動付加する

メールの末尾には、会社名や住所などの情報を付加しておくのが基本です。いちいち入力するのは手間ですが、「署名」を利用すれば、任意の署名を選択付加できるほか、自動付加することもできます。

複数の署名を登録しておくことができる

「署名」は複数作成して場面に応じて選択できます。

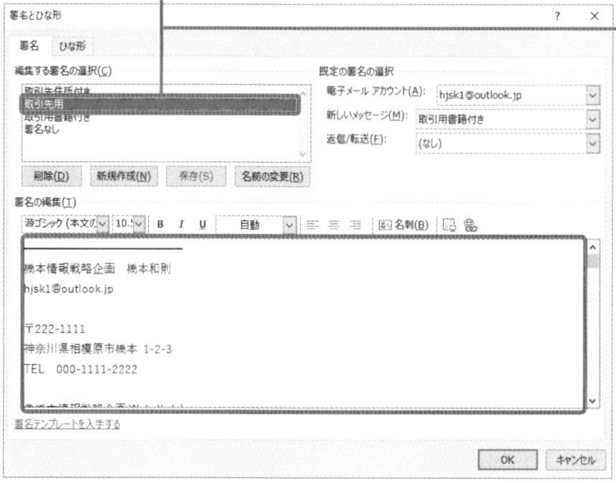

新しいメール作成時に署名を自動付加できる

「署名」を活用すれば、メールにフッターとなる連絡先などの情報を、あらかじめ記述しておくことができます。

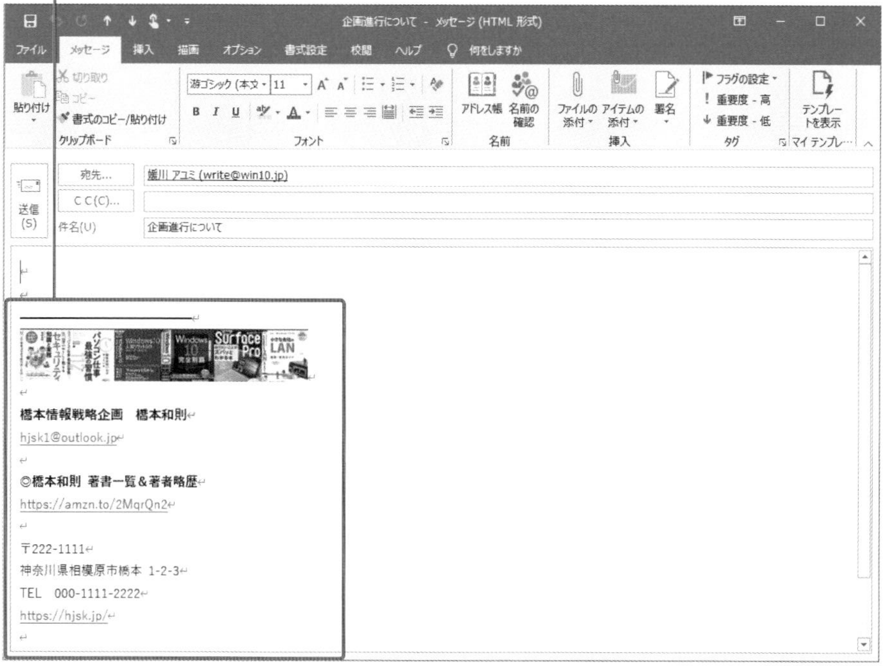

3 定型文を一発で入力する

ビジネスメールというものは、ある程度フォーマットが決まっている部分があります。例えばメール序盤のあいさつ文などは、「クイックパーツ」を活用することにより、決まった定型文を毎回入力することなく一発で入力できます。

「クイックパーツ」を利用すれば、登録パーツを選択するだけで定型文が簡単に入力できます。

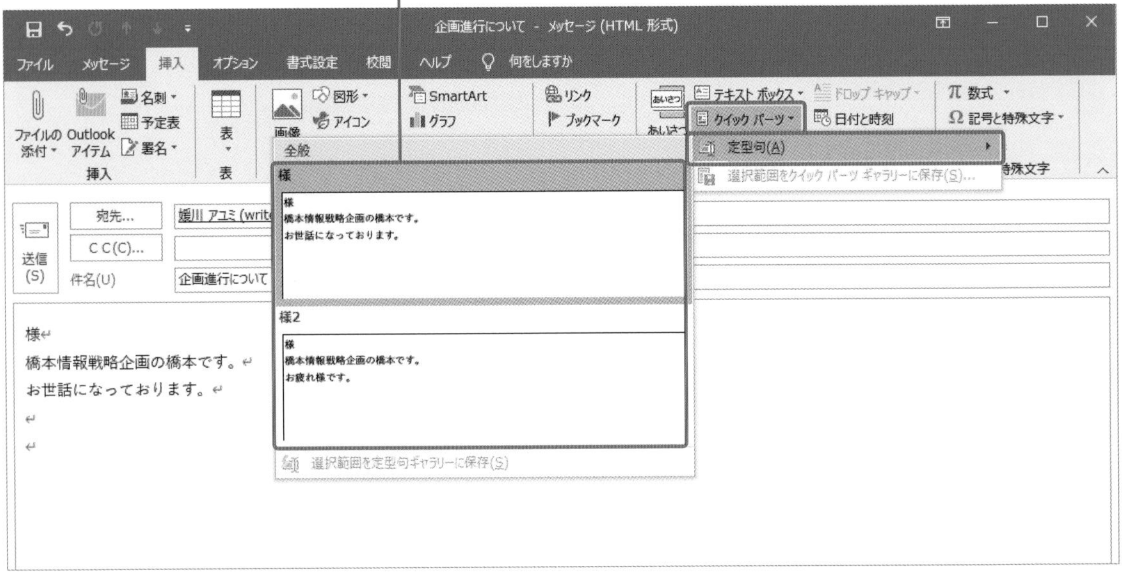

4 重要なメールを目立たせて見逃さない

メールのやり取りが増えると「大切な取引先（差出人）からのメール」が見つけづらくなり、見逃してしまいがちです。このようなミスを防ぎたい場合には、「特定の差出人からのメールをビュー内で目立たせる」などの「条件付き書式」を設定するようにします。

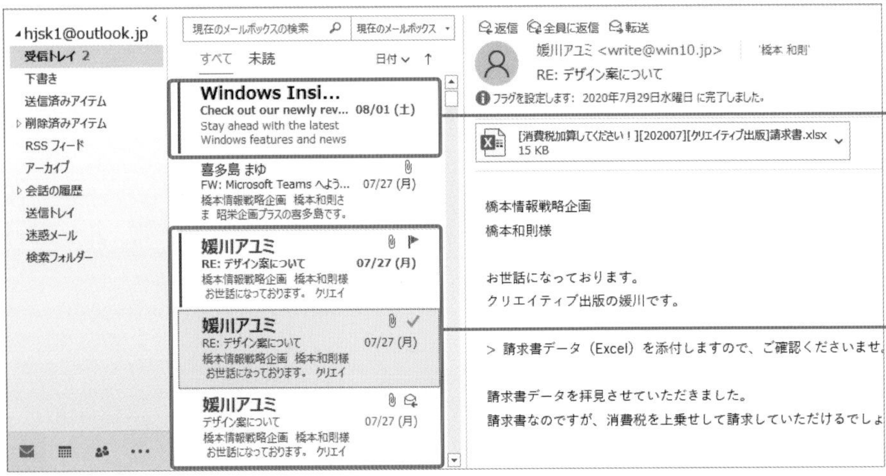

未読メールをビュー内で目立たせて、メールの見逃しを防ぎます。

特定の差出人からのメールを強調して、重要なメールを見つけやすくします。

5 デスクトップ上でOutlook 2019を使いやすくする

Outlook 2019は「メール」や「予定表」などを扱えるアプリですが、ビジネスシーンでは「Word」や「Excel」などと組み合わせて利用することが多くなります。
そのような利用場面を考えても、必要に応じてOutlook 2019を操作しやすくデスクトップ上で表示することや、同時に閲覧・編集したいアプリと並べて利用する方法を知っておくと作業効率をアップできます。

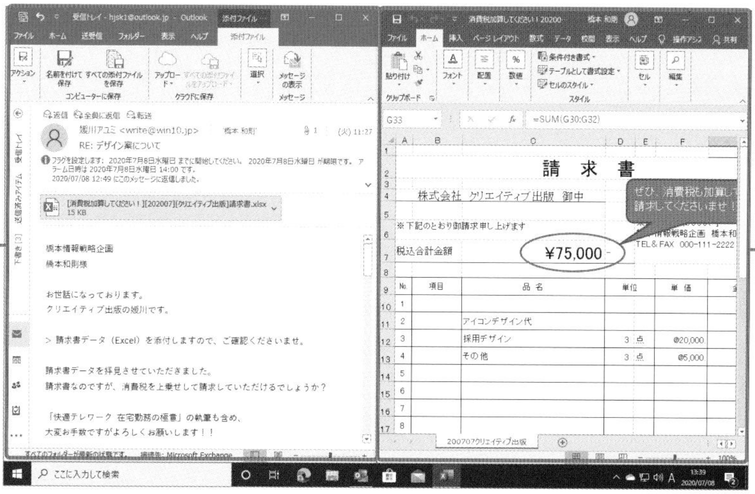

添付ファイルのデータを参照しながら、Outlook 2019でメール本文を確認できます。

添付されてきたデータをアプリで開いてOutlook 2019と並べることができます。

6 自動応答メールや指定日時のメール送信を使いこなす

メールの高度な送信機能を活用すれば、ビジネスにおけるフットワークを軽くできます。
「指定した日付にメールを送信」すれば相手に配慮した時間帯に連絡することができますし、また、「自動応答」機能を利用すれば自身の休暇中などにメールが届いても、休暇中であることを記述したメールを自動返信することができます。

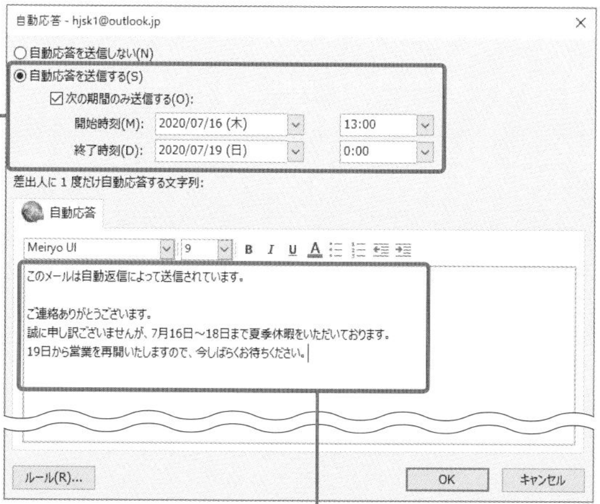

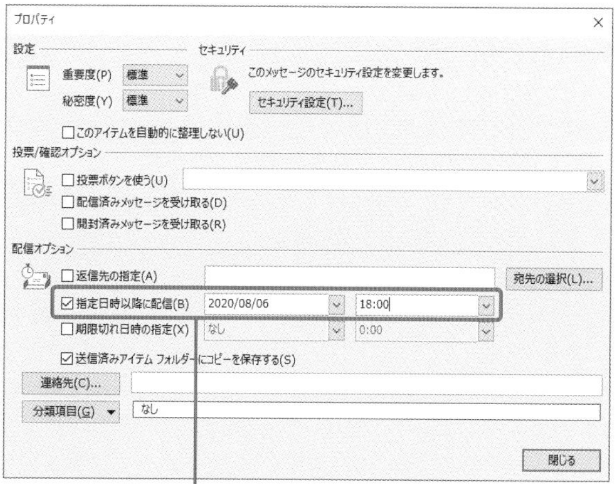

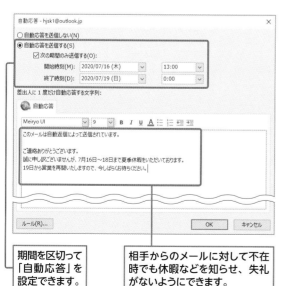

期間を区切って「自動応答」を設定できます。

相手からのメールに対して不在時でも休暇などを知らせ、失礼がないようにできます。

作成したメールを「指定時間以降」に配信設定して、相手の稼働日などのタイミングを見計らってメールを送ることができます。

Section 44

ショートカットキーを使いこなす

ここで学ぶのは

- ショートカットキーの種類
- ショートカットキーの活用
- リボンコマンド

Outlook 2019をすばやく操作するためには「ショートカットキー」が欠かせません。ちなみにショートカットキーにはすばやく操作できるだけではなく「マウスよりも確実に操作できる」というメリットもあります。ここでは、Outlook 2019で使えるショートカットキーを厳選して紹介します。

1 「メールを読む」ショートカットキー

閲覧ウィンドウやメッセージウィンドウでメールを読む際、短文ではない限りスクロールが必要になりますが、ショートカットキーを活用すればすばやく表示位置を変更できます。閲覧ウィンドウでは Space キーでメールをスクロールさせて読むことができます。また、メールを読み終わってから Space キーを押せば、自動的に次のメールを表示できます。なお、Space キーによるスクロール操作はメッセージウィンドウでは利用できません。

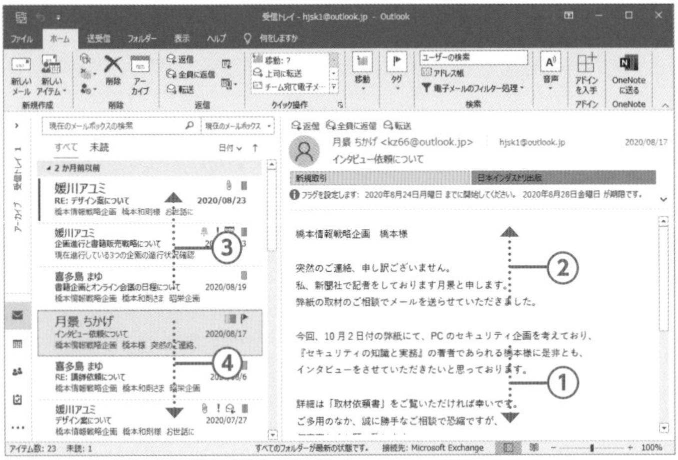

番号	機能	ショートカットキー
①	メール下方を見る	Space キー／PageDown キー
②	メール上方を見る	Shift ＋ Space キー／PageUp キー
③	前のメールを見る	Ctrl ＋ , キー
④	次のメールを見る	Ctrl ＋ . キー

Hint ショートカットキーは操作中の部位が対象

Outlook 2019のショートカットキーは、現在操作している部位（フォーカス）により利用できるものが変わります。本項は「閲覧ウィンドウやメッセージウィンドウを操作している状態」でのショートカットキー操作になります。

Hint ショートカットキーを使いこなすコツ

Outlook 2019のショートカットキーは多数存在しますが、すべてのショートカットキーを覚える必要はありません。自分がよく利用する操作を「手になじませる」ことが重要です。
また、ショートカットキーは「英単語」で考えるとわかりやすくなります。返信は「Reply」の「R」（Ctrl ＋ R キー）、転送は「Forward」の「F」（Ctrl ＋ F キー）という形で、多くのショートカットキーは英単語の頭文字が割り当てられています。

2 「メールの返信と転送」のショートカットキー

メールに対して「返信」「転送」を行いたい場合は、確実に操作を実行できるショートカットキーが役に立ちます。宛先のメールアドレスを手入力すると、タイプミスしてしまい相手にメールが送れない（届かない）場合があります。このような問題が起こる可能性を考えても、すでに知っている相手にメールを送る場合には「返信」が確実です。「連絡先」にメールアドレスを登録していない場合や、久しぶりにメールする場合でも、相手からのメールを表示したうえでショートカットキー Ctrl ＋ R キーからメール作成を行うのがおすすめです。

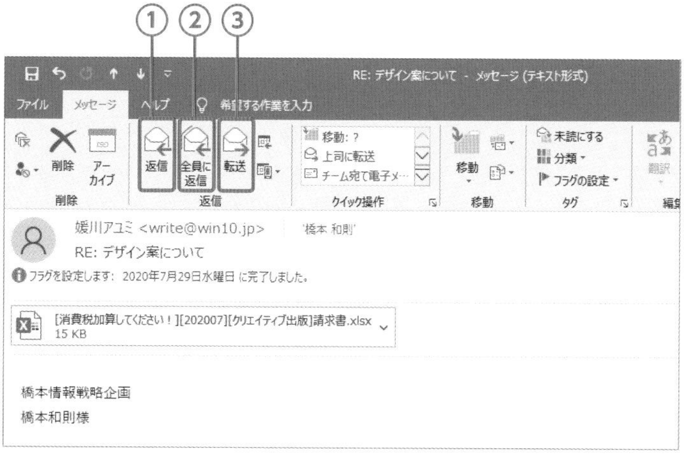

番号	機能	ショートカットキー
①	メールの返信	Ctrl ＋ R キー
②	メールを全員に返信	Ctrl ＋ Shift ＋ R キー
③	メールの転送	Ctrl ＋ F キー

3 「メールの作成と送信」のショートカットキー

メールの「作成」や「送信」もショートカットキーですばやく実行することができます。
「メール」画面からの新しいメールの作成は、ショートカットキー Ctrl ＋ N キーで実現できます。ちなみにOutlook 2019では「連絡先」「予定表」なども管理できますが、これらの「メール」以外の画面から新しいメールを作成したい場合は、Ctrl ＋ N キーではなく、ショートカットキー Ctrl ＋ Shift ＋ M キーを入力します。

番号	機能	ショートカットキー
①	新しいメールの作成	Ctrl ＋ N キー Ctrl ＋ Shift ＋ M キー
②	アドレス帳（宛先の指定）	Ctrl ＋ Shift ＋ B キー
③	メールを送信する	Alt ＋ S キー Ctrl ＋ Enter キー

4 「既読／未読」のショートカットキー

メールの「既読」「未読」もショートカットキーで変更できます。
任意のメールを未読にするには、ショートカットキー Ctrl ＋ U キーを入力します。また、逆に任意のメールを既読にしたい場合は、ショートカットキー Ctrl ＋ Q キーを入力します。ちなみにこのショートカットキーはあらかじめ複数選択してから実行すれば、一括で適用することも可能です。

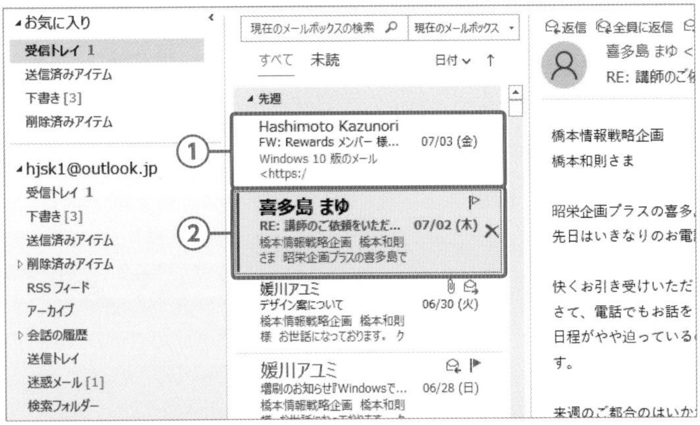

番号	機能	ショートカットキー
①	未読にする	Ctrl ＋ U キー
②	既読にする	Ctrl ＋ Q キー

5 「メールの検索」のショートカットキー

メールを「検索」したい場合にもショートカットキーが便利です。ショートカットキーで検索ボックスに移動すれば、キーワードを入力して検索できるほか、検索系のリボンコマンドにすばやくアクセスできるのもポイントです。

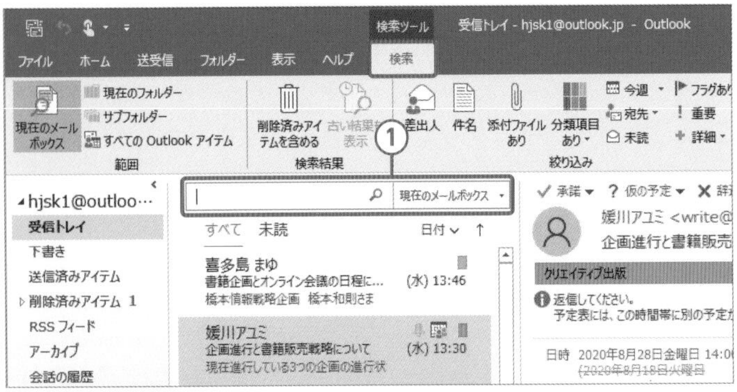

番号	機能	ショートカットキー
①	メールの検索（検索ボックスに移動する）	Ctrl ＋ E キー F3 キー

使えるプロ技！ メールを読み上げて効率化する

PC環境が音声読み上げをサポートしていれば、メールをPCに「読み上げさせる」ことも可能です。この方法であれば文字を目で追わずにメール内容を確認できるので、場面によっては便利です。
メッセージウィンドウから［メッセージ］タブ→［音声読み上げ］をクリックして実行できるほか、ショートカットキーであれば Alt → H → R → 1 キーで実現できます。

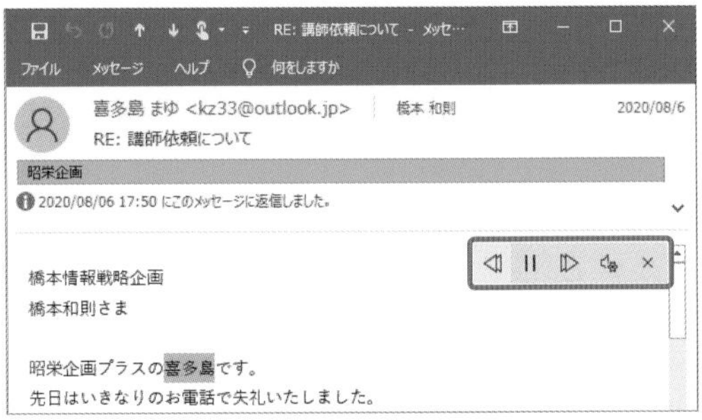

6 リボンコマンドのショートカットキー

Outlook 2019のリボンコマンドには「ショートカットキー」が割り当てられています。リボンコマンドのショートカットキーを覚えてしまえば、マウスで小さなボタンをクリックすることなく、任意のコマンドを実行できるので便利です。

リボンコマンドにアクセスするには、Alt キーを押して、「タブ」に割り当てられたショートカットキー→「リボンコマンド」に割り当てられたショートカットキー、と入力します。

なお、リボンコマンドのショートカットキーの中には、2つの英数字を続けて押すものがあります。例えば、[ホーム] タブ→[ルール] には「RR」が割り当てられていますが、このリボンコマンドをショートカットキーで呼び出したい場合は、Alt→H(ホーム)→R→R キーと入力します。

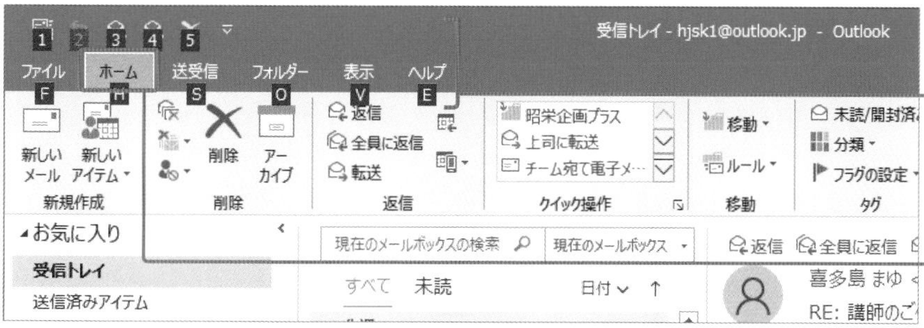

1 Alt キーを押します。

2 タブに割り当てられているショートカットキーが表示されます。

3 目的のタブのショートカットキーを入力します(ここでは[ホーム] タブのH)。

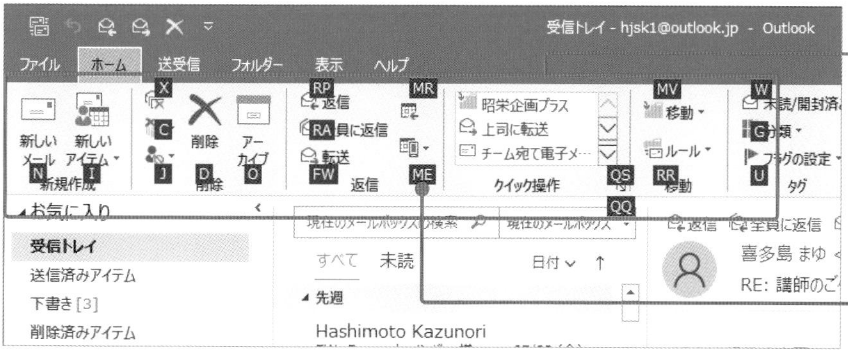

4 リボンコマンドに割り当てられているショートカットキーが表示されます。

5 目的のリボンコマンドのショートカットキーを入力します。

アルファベット2文字で表示されているショートカットキーはそのまま2文字入力します。

時短のコツ よく使う操作はクイックアクセスツールバーに登録する

リボンコマンドの中でよく使う操作は、「クイックアクセスツールバー」に登録するようにします(p.36参照)。クイックアクセスツールバーに登録してしまえば、クリックするだけで指定のコマンドを実行できるほか、クイックアクセスツールバーの左側からコマンドに対して Alt+[数字]キーが割り当てられているので、すばやく目的のコマンドを実行できます。

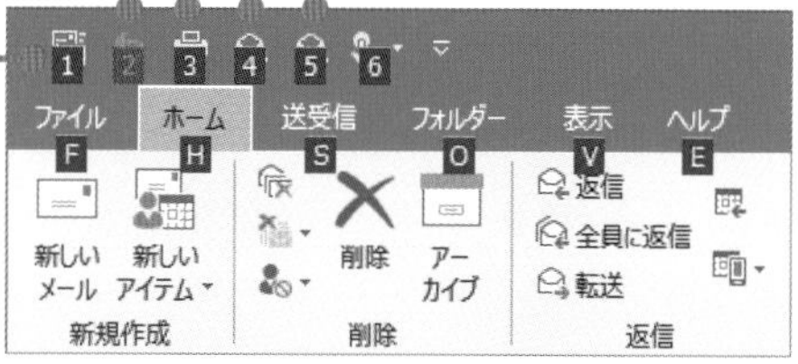

Alt+1キー

Alt+2キー

Alt+3キー

Alt+4キー

Alt+5キー

Section 45

クイックパーツで定型文を簡単に挿入する

ここで学ぶのは

- 定型文の登録
- 定型文の挿入
- クイックパーツ

メール作成においては、いつも必要になる同じ文章はなるべく入力せずにさっと挿入して、本文作成に集中したいものです。ここでは「同じ文章（定型文）」をメールに挿入する手段として、「クイックパーツ」を活用する方法を解説します。

1 クイックパーツに定型文を登録する

Memo ここで入力している定型文

ここで入力している定型文は、以下になります。

様
[会社名]の[自分の名前]です。
お世話になっております。

Hint キーボード操作での文字列の選択

文字列はマウスでドラッグすることでも選択できますが、確実な選択方法に Shift ＋カーソルキーがあります。選択したい文字列の始点にカーソルを置いた後、Shift ＋カーソルキーで簡単に文字列を選択することができます。

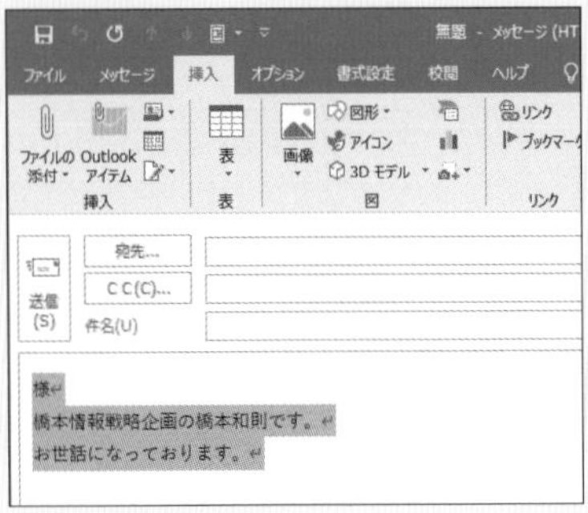

メールの作成画面（メッセージウィンドウ）にしておきます。

あらかじめ「定型文」にしたい文章をメールに入力しておきます。

1 定型文となる文章をドラッグして選択します。

2 ［挿入］タブ→［クイックパーツ］をクリックして、

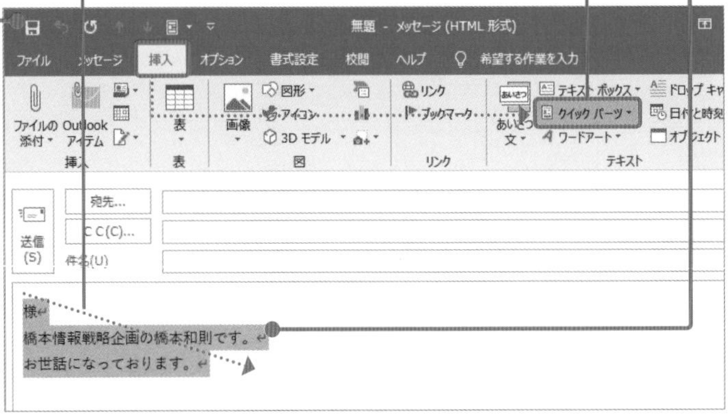

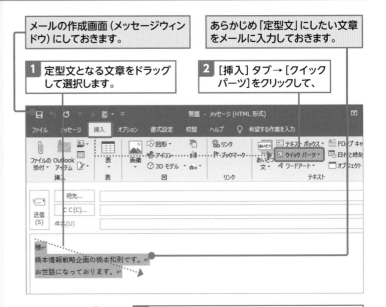

3 ［選択範囲をクイックパーツギャラリーに保存］をクリックします。

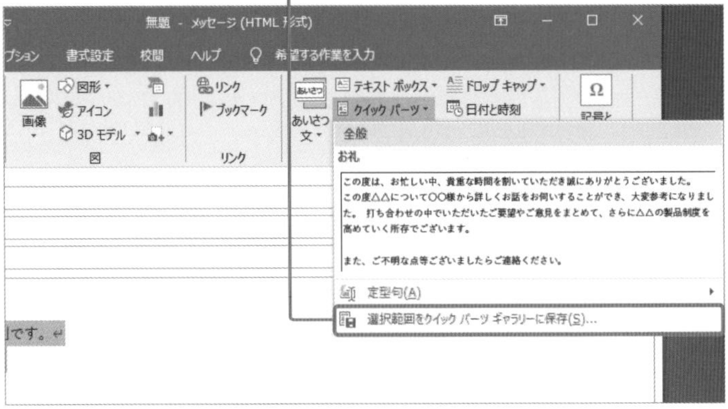

Memo クイックパーツの「名前」

クイックパーツの「名前」は短くてわかりやすい、自分が覚えていられる名前にしておくと、後でメールの文章に挿入しやすくなります。

ショートカットキー

- 新しい文書パーツの作成（メール文の選択時）
  Alt ＋ F3

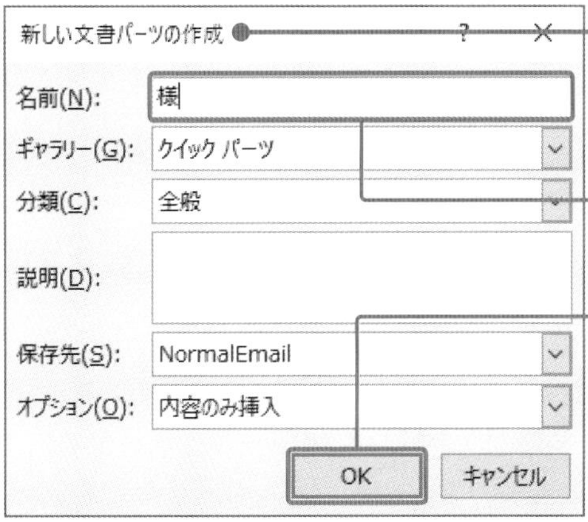

4 ［新しい文書パーツの作成］ダイアログが表示されます。

5 任意の名前を入力して、

6 ［OK］をクリックします。

7 クイックパーツとして定型文が登録されます。

2 クイックパーツをメールに挿入する

ショートカットキー

- 新しいメールの作成
  Ctrl ＋ N

Hint クイックパーツは画像も登録できる

クイックパーツは文章だけではなく画像も登録可能です。メールの画像を選択した状態で Alt ＋ F3 キーを押して、［新しい文書パーツの作成］ダイアログで任意の名前を入力して［OK］をクリックします。挿入方法も同様で、［挿入］タブ→［クイックパーツ］をクリックすることで挿入できます（HTML形式のみ）。

メールの作成画面（メッセージウィンドウ）にして、本文にカーソルを置いておきます。

1 ［挿入］タブ→［クイックパーツ］をクリックして、

2 挿入したいクイックパーツを選択します。

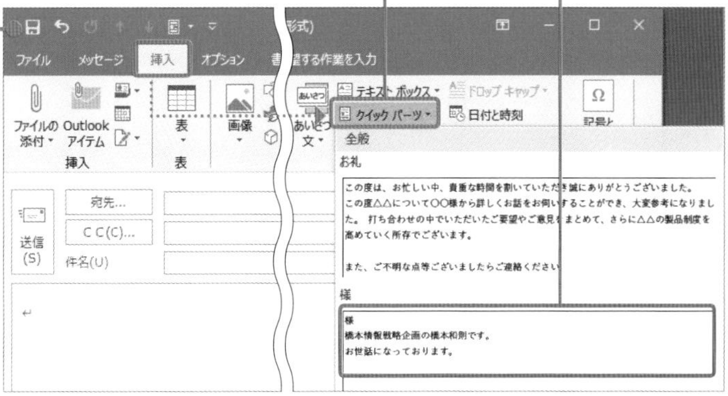

3 クイックパーツをメールの本文に挿入することができます。

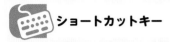

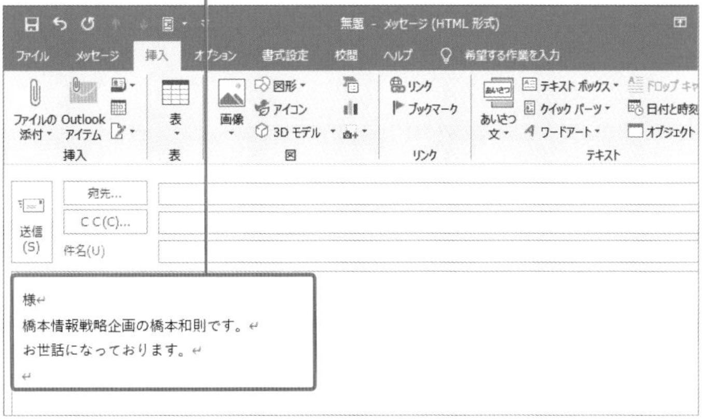

3 クイックパーツを簡単に挿入する

解説 クイックパーツを簡単に挿入する

クイックパーツをメール本文に簡単に挿入したい場合は、登録したクイックパーツの「名前」を利用します。

使えるプロ技！ クイックアクセスツールバーに登録する

クイックパーツをよく利用する場合は、［クイックパーツ］のリボンコマンドを右クリックして、ショートカットメニューから［クイックアクセスツールバーに追加］をクリックします。以降、タイトルバー左上端にあるクイックアクセスツールバーでコマンドとして利用でき、すばやく目的のコマンドを実行できます。

また、クイックアクセスツールバーの左側のコマンドから Alt ＋［数字］キーが割り当てられているので、シンプルなショートカットキーですばやくコマンド実行できるのもポイントです。

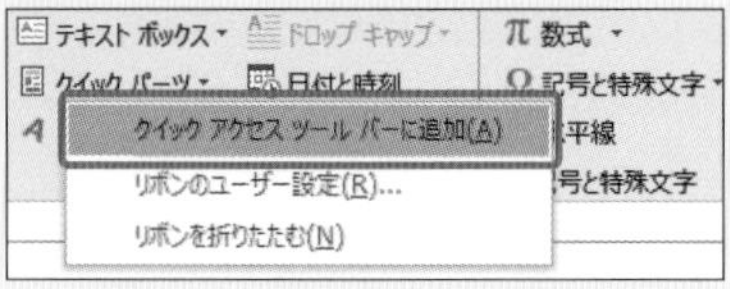

1 メールの本文にクイックパーツで登録した「名前」を入力します。

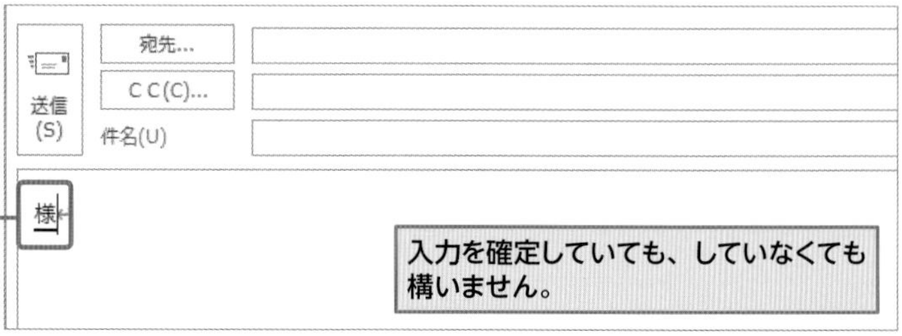

入力を確定していても、していなくても構いません。

2 F3 キーを押します。

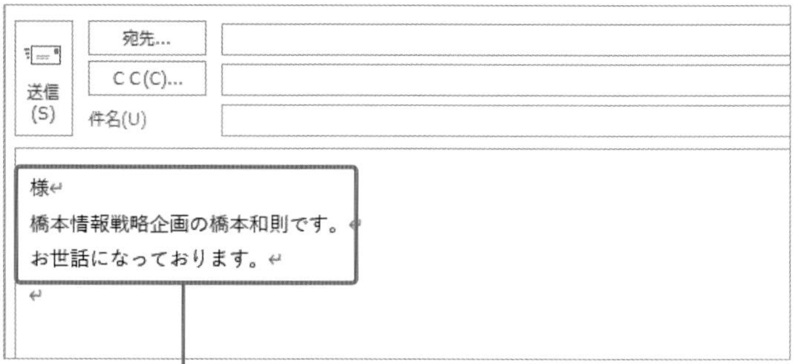

3 クイックパーツをメールの本文に挿入することができます。

4 登録したクイックパーツを削除する

解説 クイックパーツの整理と削除

登録したクイックパーツを編集したり削除したりしたい場合は、［文書パーツオーガナイザー］ダイアログを表示します。

1 ［挿入］タブ→［クイックパーツ］をクリックします。

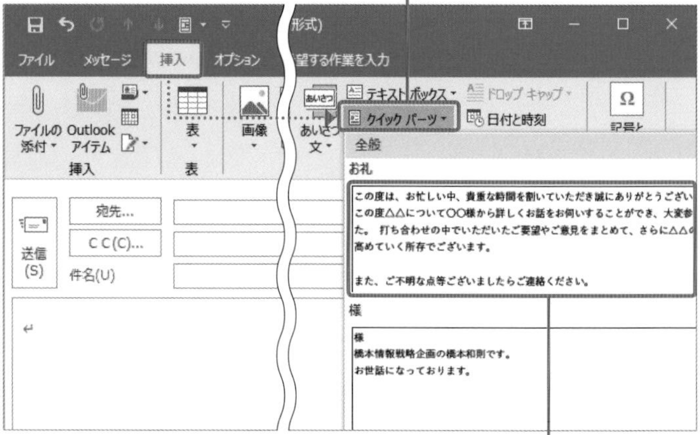

2 作成したクイックパーツの上で右クリックして、

注意 一部の機能はHTML形式のみ対応

クイックパーツの一部の機能は「HTML形式」のみに対応します。「テキスト形式」では［整理と削除］などをメッセージウィンドウから操作することはできません。クイックパーツを活用したい場合は、［書式設定］タブ→［HTML］をクリックしてから操作を行うようにします。

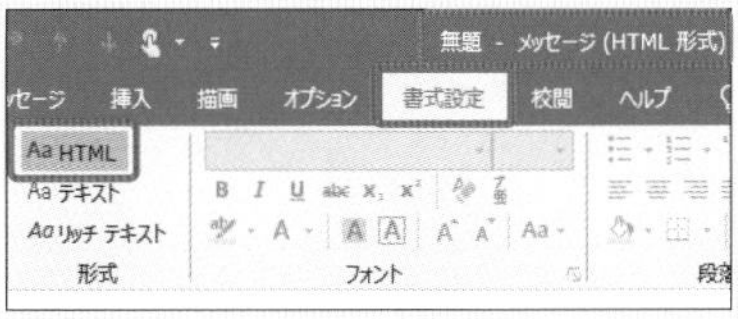

3 ショートカットメニューから［整理と削除］をクリックします。

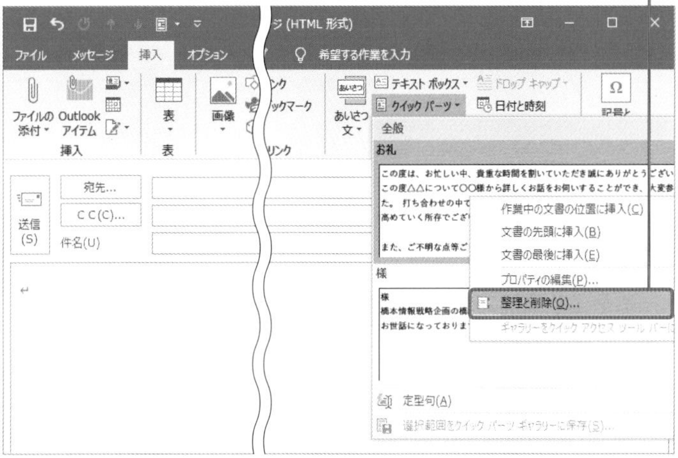

4 ［文書パーツオーガナイザー］ダイアログが表示されます。

5 任意のクイックパーツを選択して、［削除］をクリックします。

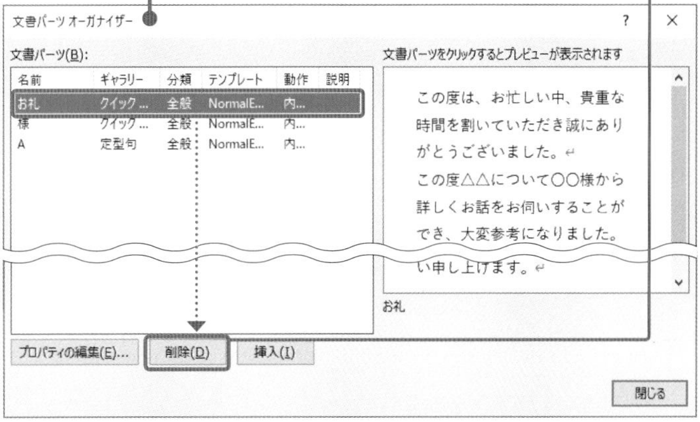

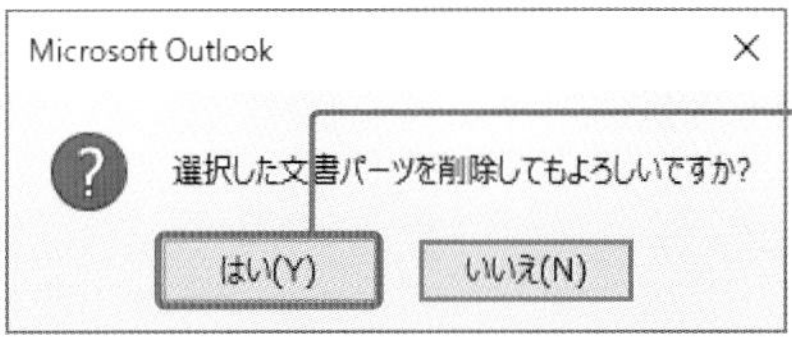

6 メッセージ内容を確認し、［はい］をクリックします。

7 指定のクイックパーツを削除することができます。

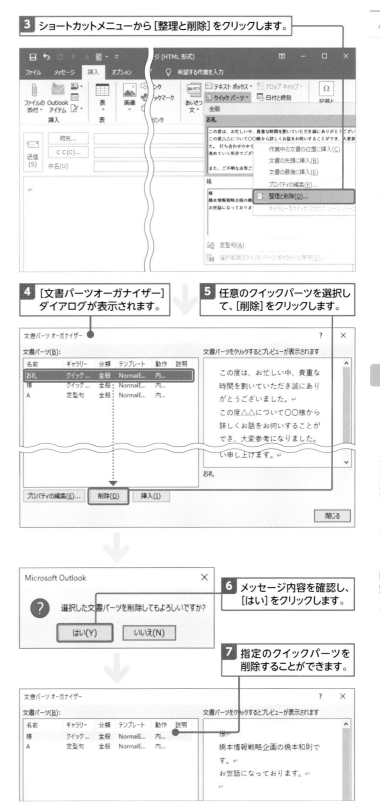

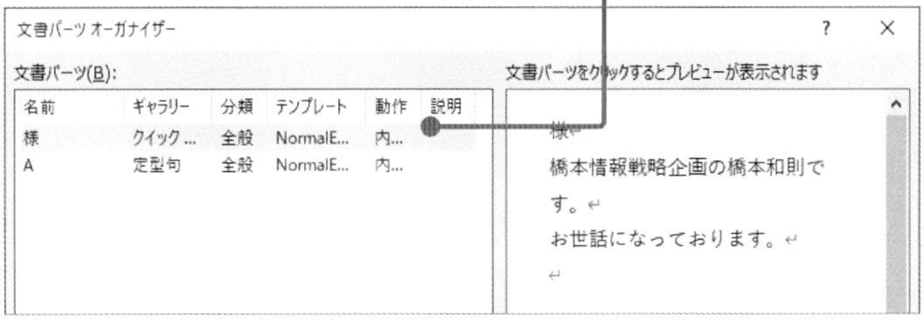

Section 46

自動校正機能を活用して文章入力をスムーズに行う

ここで学ぶのは

- 単語の自動変換
- ハイパーリンク
- 罫線を引く

Outlook 2019のメールの本文作成（HTML形式）では、自動校正機能である「**オートコレクト機能**」や「**オートフォーマット機能**」が有効になっており、文章を自動的に修正して文字入力の補助を行います。ここでは、メール本文の作成における代表的な自動変換機能を紹介します。

1 文頭英字スペルの1文字目を大文字に自動変換する

Keyword オートコレクト／オートフォーマット

入力した文字のスペルなどを自動的に修正する機能を「オートコレクト」、書式を設定する機能を「オートフォーマット」と呼びます。

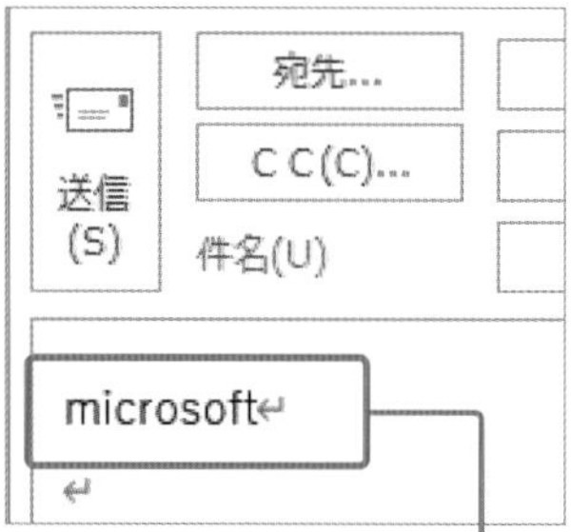

1 文頭から英語のスペルを入力します。

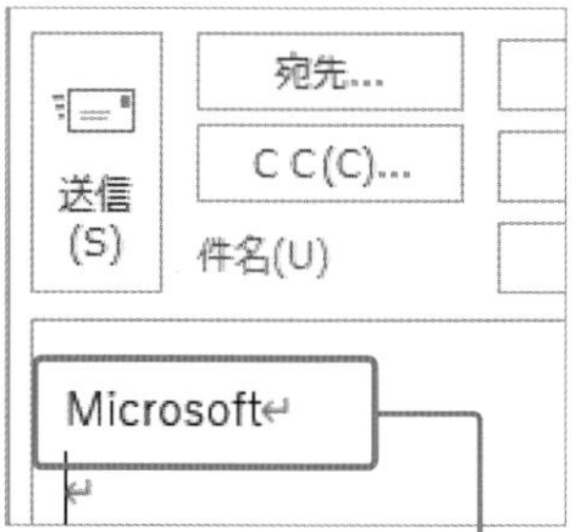

2 1文字目が大文字に自動変換されます。

Hint 1文字目を大文字にしたくない場合

文頭英字スペルの1文字目を大文字にしたくない場合には、オートコレクト機能を停止します。詳しくはp.216を参照してください。

Memo 2文字目を小文字に自動的に変換

一般的なスペルであれば、文章入力においてOutlook 2019のオートコレクト機能は2文字目を小文字にします。例えば「YEs」と入力すれば「Yes」に、「KEy」と入力すれば「Key」に自動変換します。

2 登録商標・商品商標・著作権マークを入力する

Memo マークに変換される文字列

「©」のほかにも、「(r)」で「®」、「(tm)」で「™」、「(e)」で「€」に自動変換します。また、オートコレクト機能では、「<--」と入力すると「←」に、「こんにちわ」と入力すると「こんにちは」に自動変換します。

1 「(c)」と入力します。

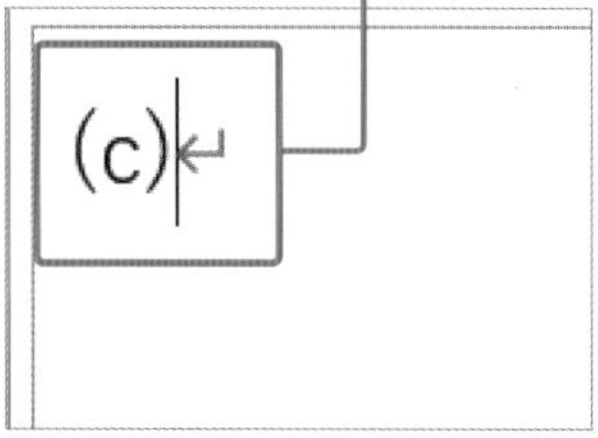

2 「©」に自動変換されます。

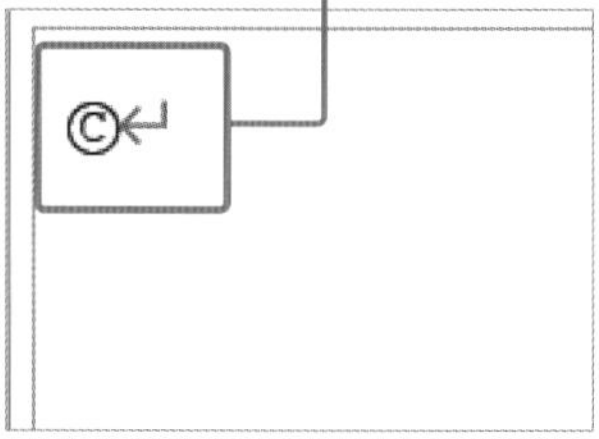

3 入力した URL をハイパーリンクにする

**メール上の
ハイパーリンクを開く**

メール上のハイパーリンクは Ctrl キーを押し
ながらクリックすることで、Webブラウザーで
Webページを表示できます。

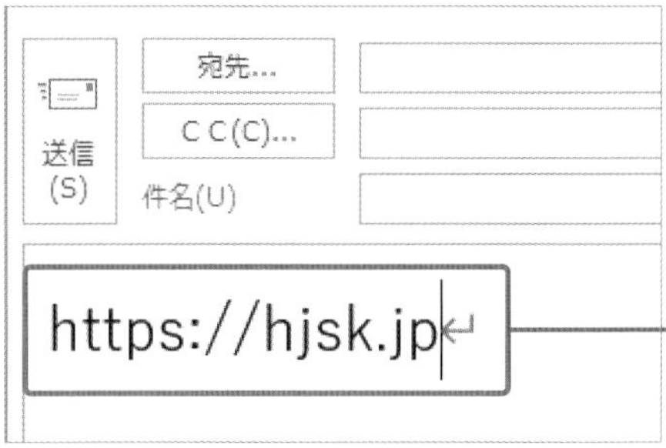

1 URL（Webページの
アドレス）を入力し
て、 Enter キーを押
します。

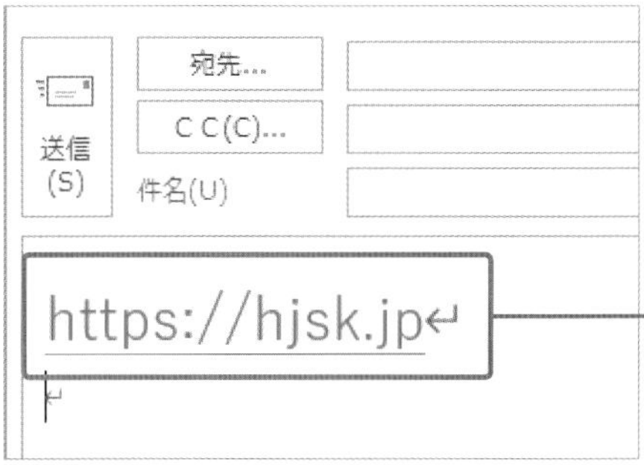

2 URLがハイパーリン
クに自動変換されま
す。

**HTML 形式での
オートフォーマット機能**

オートフォーマット機能の一部は「HTML 形
式」での動作になります。「テキスト形式」で
は装飾ができないという関係上、一部のオー
トフォーマット機能は動作しません。

4 本文に罫線を引く

**二重線／三重線／破線
／波線を引く**

「＝（イコール）」、「＃（シャープ）」、「＊（アス
タリスク）」、「˜（チルダ）」などを3つ以上入
力して Enter キーを押すと、それぞれ二重
線／三重線／破線／波線を引くことができ
ます。

1 文頭から「---」とマイナスを3つ以上入力して、 Enter キーを押します。

2 罫線を入力することができます。

**「前略」で「草々」など
と自動入力する**

「前略」と入力して Enter キーを押せば、
「草々」が右寄せで自動入力されます。この
ほか、「記」と入力して Enter キーを押せば、
「以上」が右寄せで自動入力されます。

```
前略↵
├
                                        草々←
```

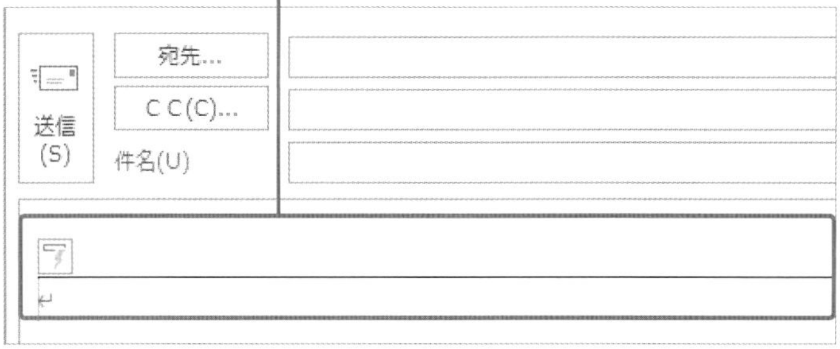

Section

47 署名を作成する

ここで学ぶのは

- 署名の設定
- 署名の作成
- 画像付きの署名

ビジネスメールではメールの最後に自身の連絡先を記述しておくのが基本ですが、いちいちメールごとに連絡先を入力するのは手間です。そこで活用したいのが「署名」です。ここでは署名の作成方法や記述すべき情報について解説します。

1 署名を設定する

Key word 署名

署名とは、メールの末尾に記す送信者の情報のことです。一般的には、氏名やメールアドレスなどの連絡先を数行にまとめて記述します。

Memo Backstage ビューの表示

Outlook 2019の操作画面から[ファイル]タブをクリックすると、Backstageビューが表示されます。

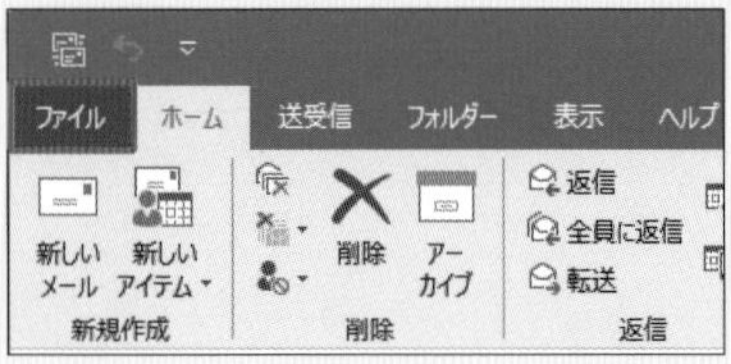

ショートカットキー

- [Outlookのオプション]ダイアログの表示
  Alt → F → T

1 Backstageビューから[オプション]をクリックします。

2 [Outlookのオプション]ダイアログが表示されます。

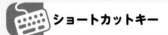

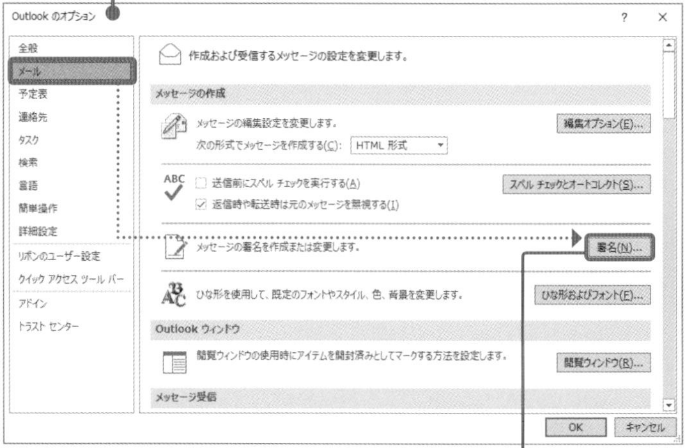

3 [メール]の[メッセージの作成]欄内の[署名]をクリックします。

Hint [署名とひな形] ダイアログの表示

メール作成画面で[メッセージ]タブ→[署名]をクリックして、ドロップダウンから[署名]をクリックしても、[署名とひな形]ダイアログにアクセスして署名の設定を行うことができます。

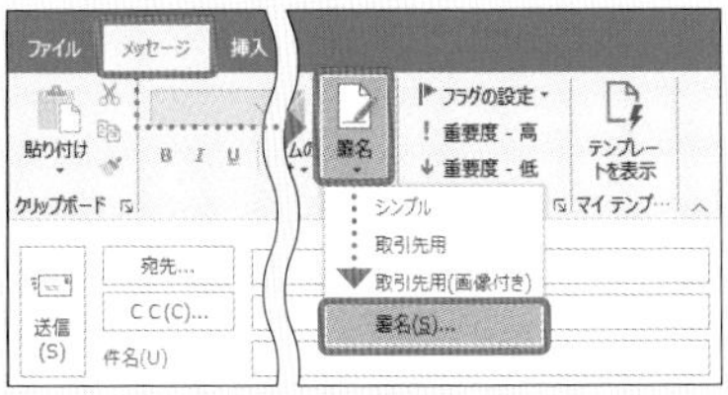

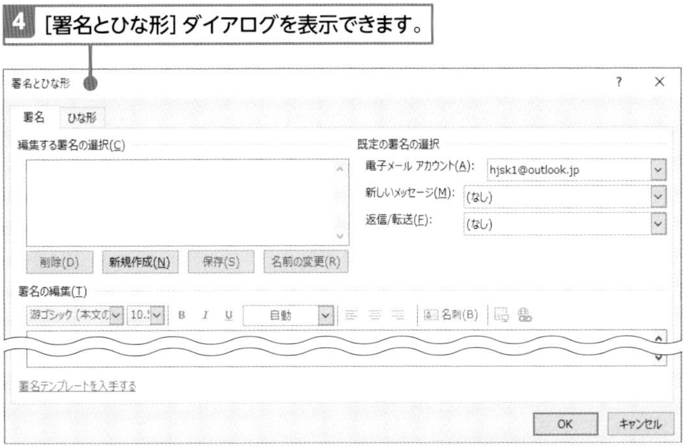

2 署名を作成する

Hint 署名は複数作成できる

署名は[新規作成]で複数作成することも可能です。連絡する相手によって「住所を記述しない」など使い分けることが可能なので、必要に応じて複数の署名を作成しておくと便利です。

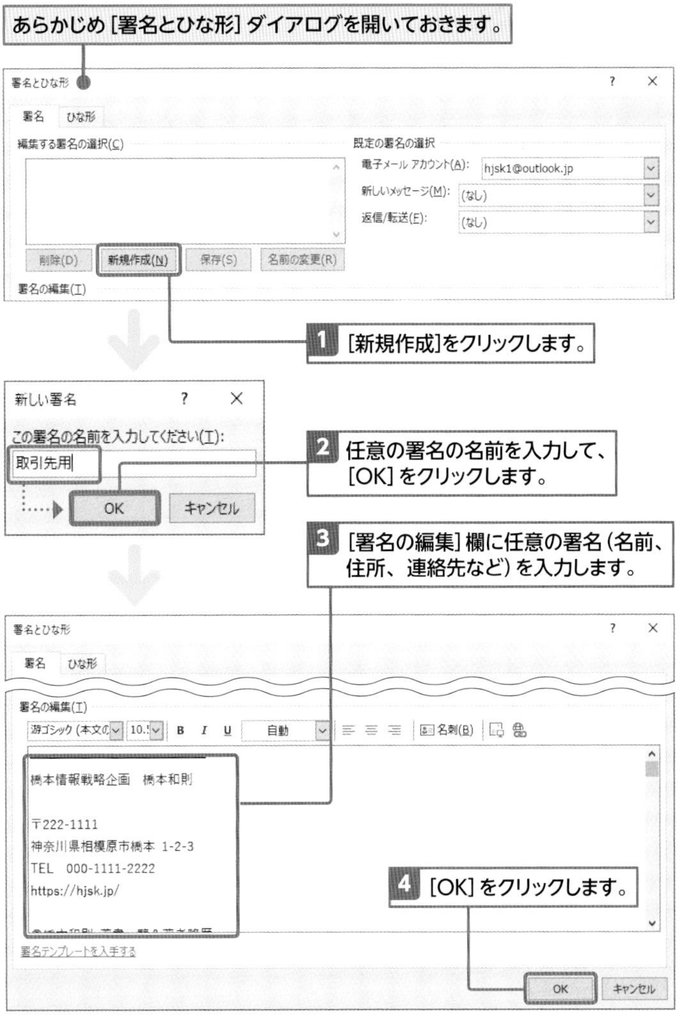

3 署名に画像を挿入する

解説 画像付きの署名

署名には画像を挿入することができます(HTML形式のみ)。受信者にアピールしたいものがあればその画像を挿入してみるのもよいでしょう。
なお、相手がテキスト形式のメールしか参照しない場合、署名の画像は表示されないため、画像内のみに重要な情報(会社名・名前・住所・連絡先など)を含めることはおすすめしません。

注意 メールの形式を意識する

主に利用するメール形式として「テキスト形式」と「HTML形式」がありますが、場面や相手によってこのメール形式を使い分ける必要があります。メール形式の違いや使い分けについてはp.78を参照してください。総じて「HTML形式」はデザイン性と機能性に優れ、「テキスト形式」は互換性に優れます。
署名に画像を挿入するということは、メールにおいて「HTML形式」を利用することが前提になります。テキスト形式の場合、画像付きの署名を選択しても画像は表示できません。

あらかじめ[署名とひな形]ダイアログで任意の署名を選択しておきます。

1 画像を挿入したい場所にカーソルを置き、[図の挿入]をクリックします。

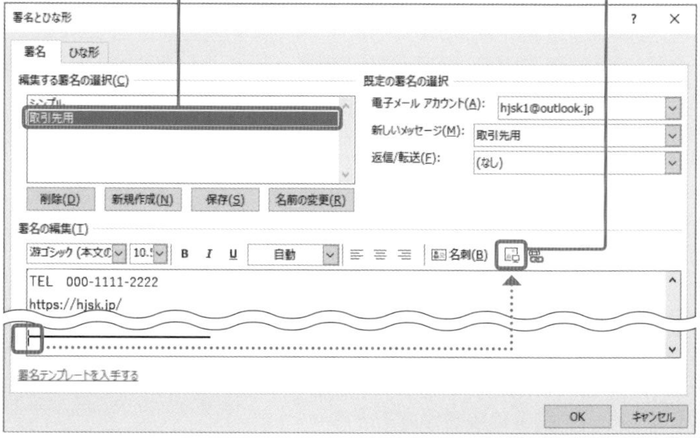

2 [図の挿入]ダイアログが表示されます。

3 任意の画像をクリックします。

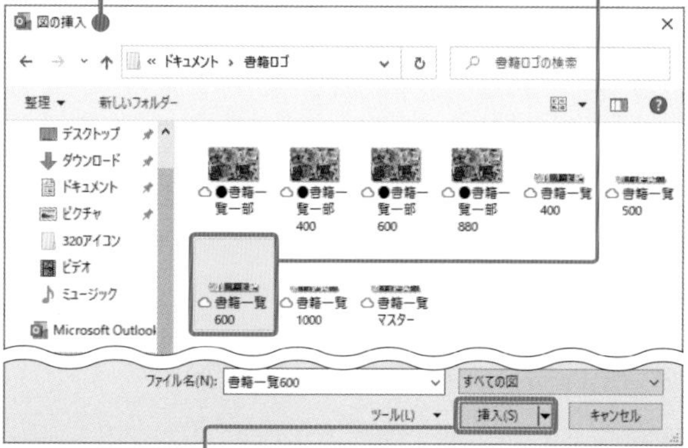

4 [挿入]をクリックします。

5 署名に画像が挿入されます。

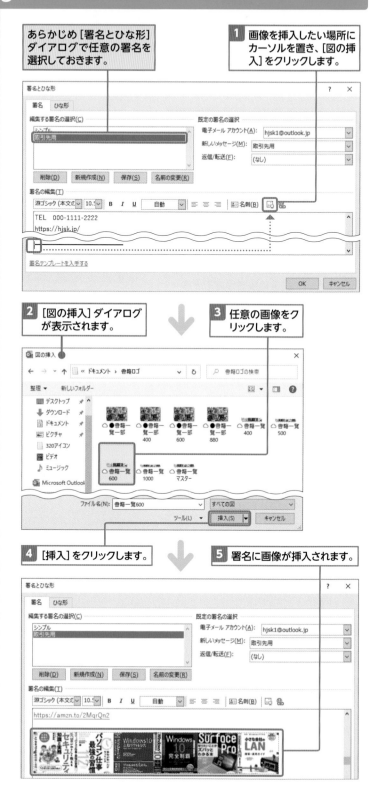

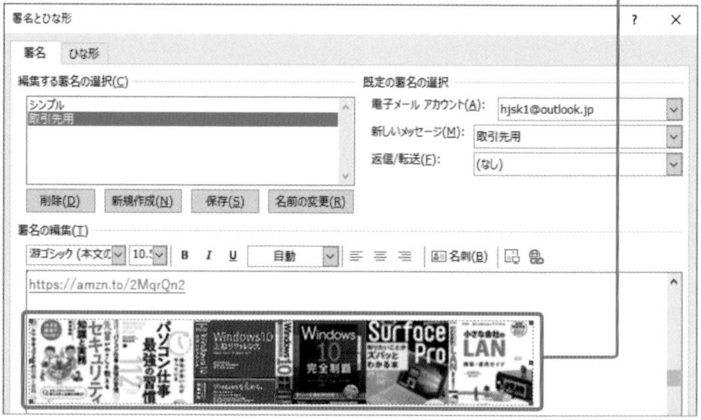

Memo 署名に挿入した画像のサイズを変更する

署名に挿入した画像のサイズを変更するには、画像を右クリックして、ショートカットメニューから［図］をクリックします。［図の書式設定］ダイアログが表示されるので、［サイズ］タブをクリックし、［倍率］欄内の［高さ］に任意のパーセンテージを入力して、［OK］をクリックします。挿入した画像の大きさを変更することができます。

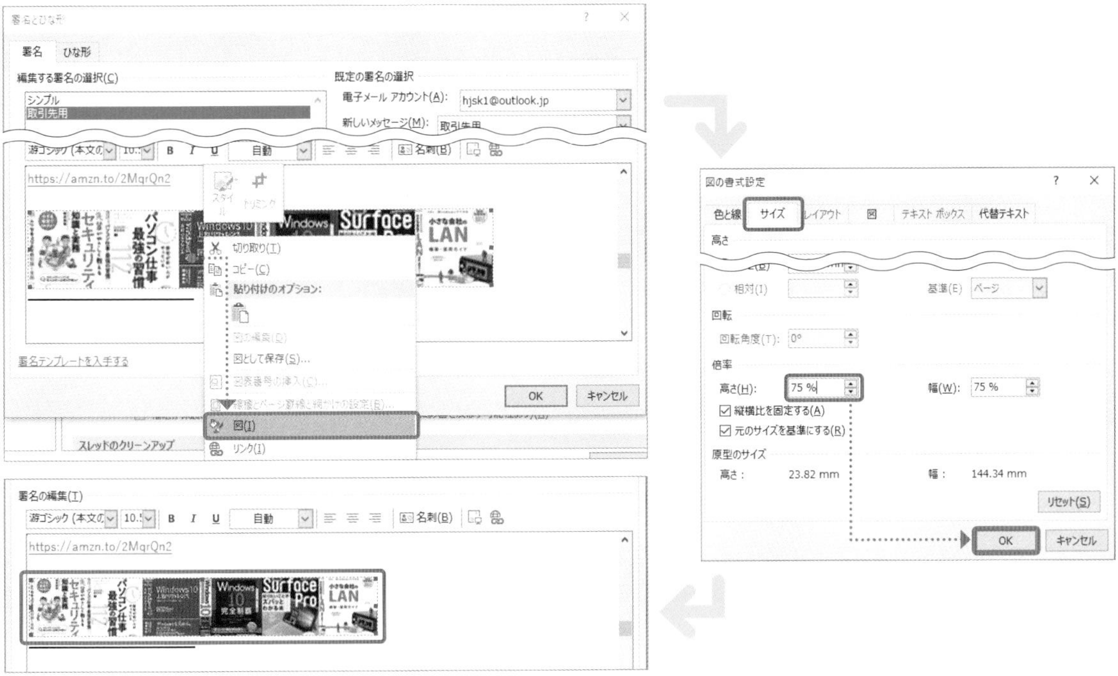

Hint 署名のひな形（取引先用）

署名には「社名」「名前」「住所」「メールアドレス」「電話番号」などの、相手が必要な情報を記述しておきます。なお、本文との差別化のため、署名の上部には区切り線を入れておくのが基本です。ここでは一般的な署名のひな形を紹介します。

● 署名の構成

番号	構成要素	記述内容
①	区切り線	「—」や「-」「=」など
②	会社名	自社名
③	自社Webサイト	自社Webサイト（存在する場合）
④	職位	役職など（任意）
⑤	自分の名前	基本的にフルネーム。読みにくい場合にはフリガナも
⑥	メールアドレス	メールアドレス
⑦	住所	住所を郵便番号から記述
⑧	電話番号	自分と連絡がとれる電話番号（必要に応じて内線番号なども）

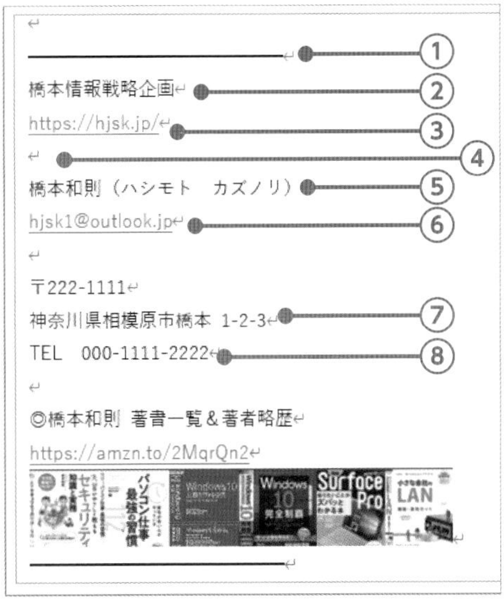

Section
48 署名を挿入する

ここで学ぶのは
- 署名の選択挿入
- 最初から署名を挿入する
- 署名の削除

p.170で作成した**署名の挿入**方法について解説します。メール本文作成中に任意の署名を選択して挿入することができるほか、あらかじめ指定した任意の署名をメールに挿入しておくことなども可能です。

1 署名を挿入する

解説 署名の挿入

署名を挿入する方法には、メールを作成するたびに[メッセージ]タブ→[署名]をクリックして挿入する方法と、あらかじめメール本文内に記しておく方法があります。

ショートカットキー

- 署名の挿入
  Alt → H → A → S
- [署名とひな形]ダイアログの表示
  Alt → H → A → S → S

Hint 挿入した署名を削除する

挿入した署名を削除したい場合は、不要な署名をドラッグして選択し、Delete キーを押します。

メールの作成画面にしておきます。

1 [メッセージ]タブ→[署名]をクリックして、

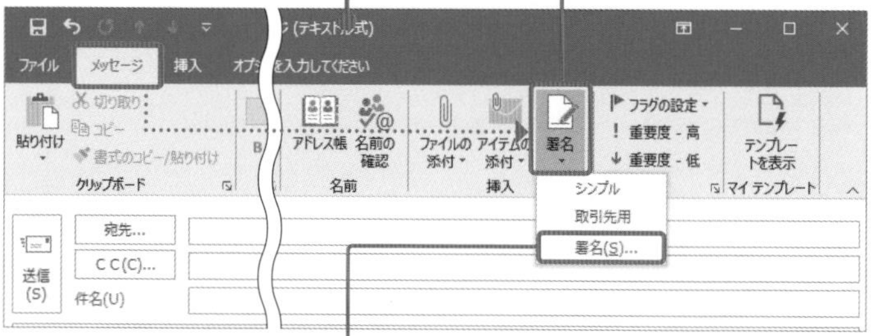

2 ドロップダウンからメールに挿入したい任意の署名をクリックします。

3 任意の署名がメールに挿入されます。

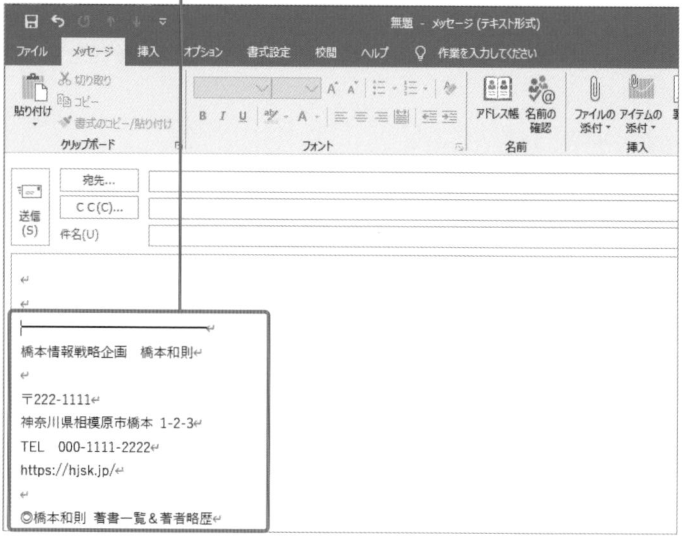

2 最初から署名が挿入された状態にする

Memo 返信／転送時にも署名を挿入する

返信／転送時にも署名を挿入したい場合は、手順1で［返信／転送］の横の［∨］をクリックして設定します。

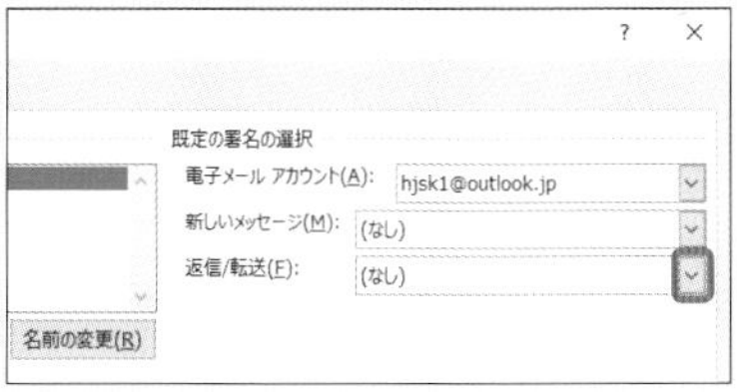

p.170の方法で［署名とひな形］ダイアログを表示します。

1 ［署名］タブにある［新しいメッセージ］の横の［∨］をクリックして、

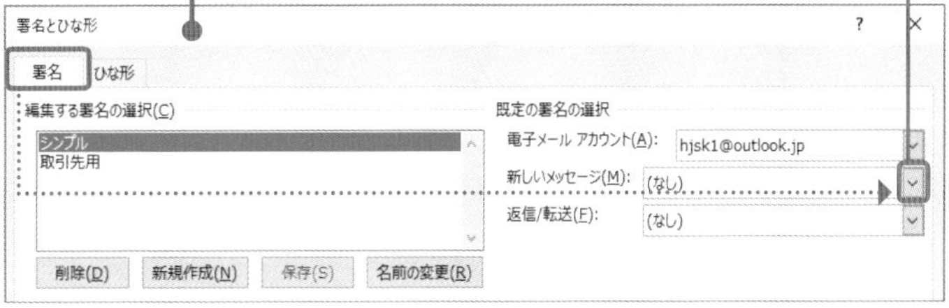

2 ドロップダウンから任意の署名をクリックします。

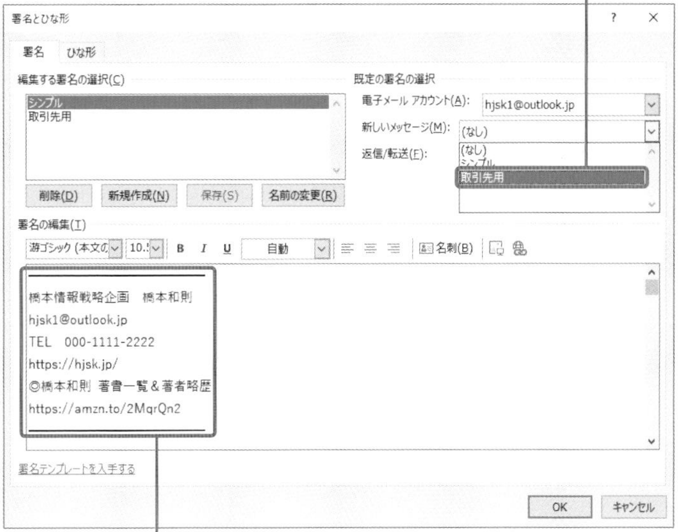

3 ここで設定した署名が、「新しいメール（新規作成メール）」に自動的に挿入されます。

Hint 「署名なし」を既定にする

署名を設定したものの、実際にはメールに挿入される署名をいちいち削除することが多い場合には、［署名とひな形］ダイアログの［署名］タブにある［新しいメッセージ］のドロップダウンから［（なし）］を選択するのもひとつの手です。

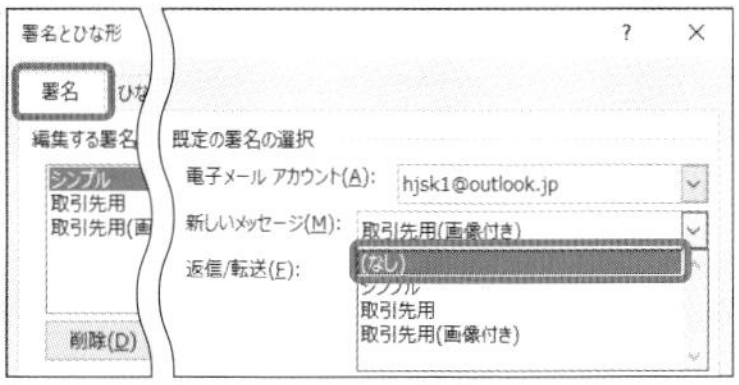

使えるプロ技！ 署名は利用するが場面によって「署名なし」にしたい

メールには基本的に任意の署名を利用するものの、場面によって署名をなくしたいという場合は、署名を選択して削除します。しかし、効率化を求めるのであれば、記述内容がない署名を「署名なし」などという名前であらかじめ作成しておくのもよいでしょう。

この方法であれば、普段は署名を利用しながら、署名を利用したくない場面では［メッセージ］タブ→［署名］から［署名なし］をクリックすれば、署名がないメールを作成できます。

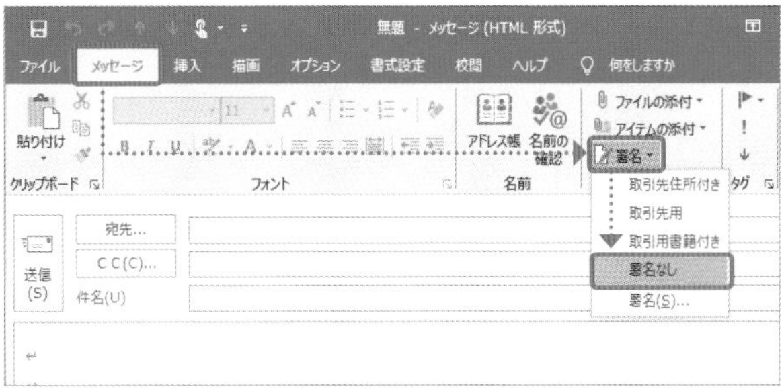

Section 49

ウィンドウを複数開いて効率的に操作する

ここで学ぶのは

- Outlook の複数起動
- メールの一括表示
- ウィンドウの切り替え

Outlook 2019は**複数起動**することが可能です。「予定表」などを参照しながら「メール」を書きたい場合に活用できるほか、**メッセージウィンドウも複数表示できる**ため、メールの内容をまとめて参照したい場合などに便利です。

1 Outlook 2019 を複数起動して活用する

Memo タスクバーアイコンで起動状態がわかる

タスクバーアイコンではOutlook 2019の起動状態を把握できます。「起動状態」では下線が表示され、また「アクティブ(操作中)」の場合はアイコン表示が白濁になります。

Outlook 2019をあらかじめ起動しておきます。

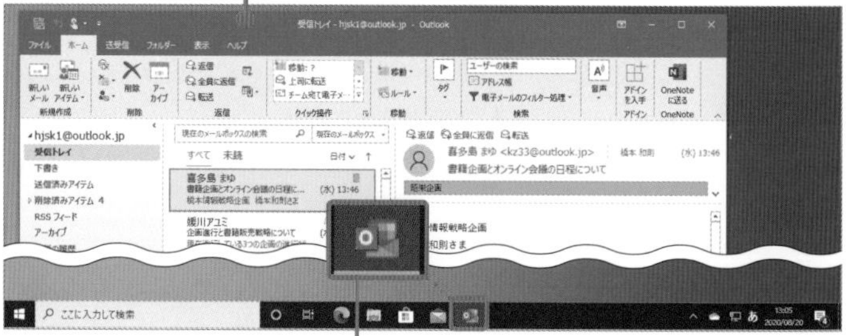

1 タスクバーの[Outlook] アイコンを Shift キーを押しながらクリックします。

2 新しいOutlook 2019を起動することができます。

Hint Outlook 2019 で複数の情報を確認したい場合に便利

Outlook 2019は「メール」以外にも、「連絡先」「予定表」「タスク」などを管理することができます。操作・編集内容によっては、このような画面をいちいち切り替えて確認するより「Outlook 2019を複数起動」して、並べて操作したほうがはるかに効率的です。

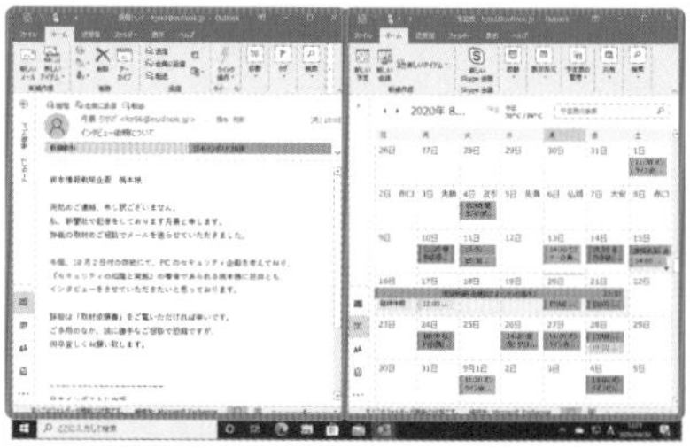

2 Outlook 2019 のメールを一度に表示する

時短のコツ
一度に複数選択する

ビュー内のメールは Ctrl キーを押しながらクリックすることで複数選択が可能です。また始点をクリックしたうえで、終点を Shift キーを押しながらクリックすれば範囲選択を行うこともできます。

解説
並べて参照すると効率がよい

Windows 10は「ウィンドウズ」という名称からもわかるように、デスクトップに複数のウィンドウがある状態での作業に向いているOSです。作業時にいちいちウィンドウを開いたり閉じたりするのは非効率であり、後に必要になるウィンドウは閉じる必要はありません。作業に必要なウィンドウを複数展開して、デスクトップにうまくレイアウトしながら、あるいは切り替えながら作業すると、効率的にメールを確認したり、書いたりすることができます。

1 ビューからメールを Ctrl キーを押しながらクリックして、複数選択します。

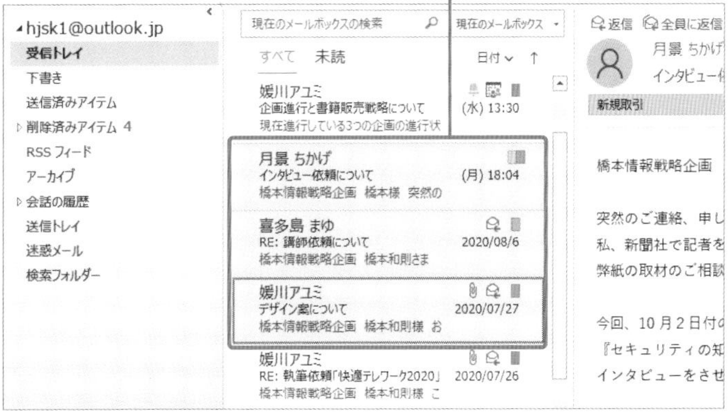

2 右クリックして、ショートカットメニューから［開く］をクリックします。

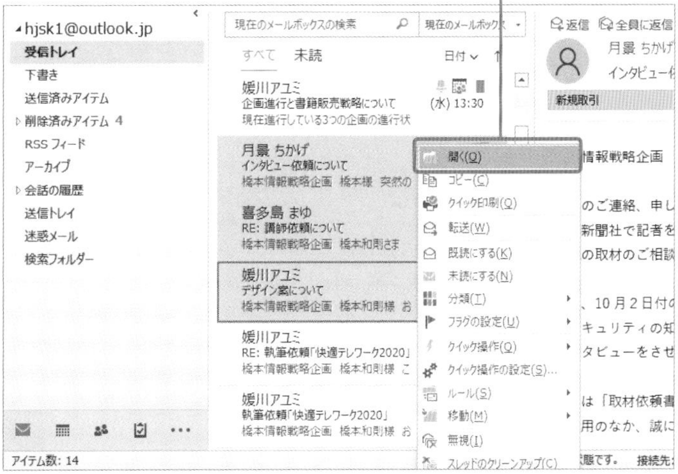

3 複数のメールをデスクトップに展開することができます。

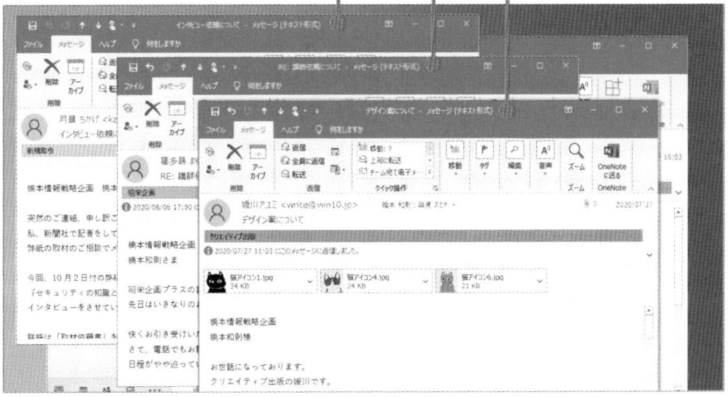

3 目的の Outlook 2019 ウィンドウを見つける

解説 操作したいウィンドウを見つける

Outlook 2019上で複数のウィンドウを開いた状態にすると、ウィンドウ同士が重なって目的のウィンドウを一目で探しにくくなってしまいます。そんなときはタスクバーのアプリアイコンにマウスポインターを合わせてみましょう。開いているウィンドウの一覧が表示されるので、そこから目的のウィンドウを探し出せます。

Outlook 2019で複数のウィンドウを開いた状態にしておきます。

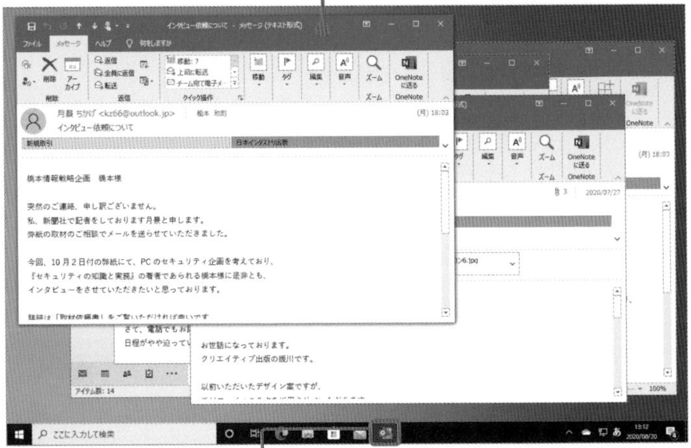

1 タスクバーの［Outlook］アイコンにマウスポインターを合わせます。

2 今開いているOutlook 2019のウィンドウの一覧が表示されます。

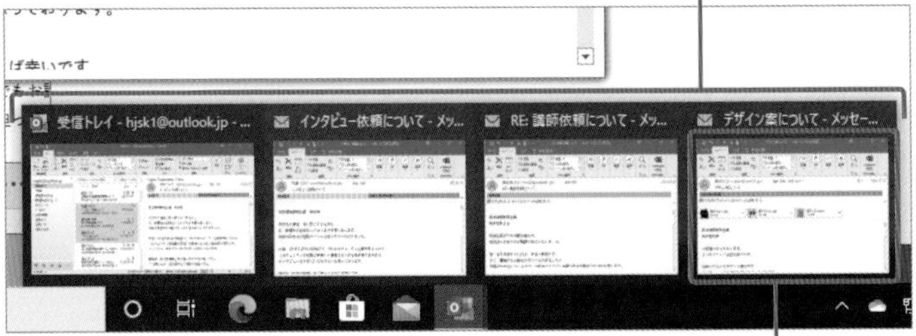

3 閲覧・編集したい目的のウィンドウをクリックします。

4 目的のウィンドウをアクティブにすることができます。

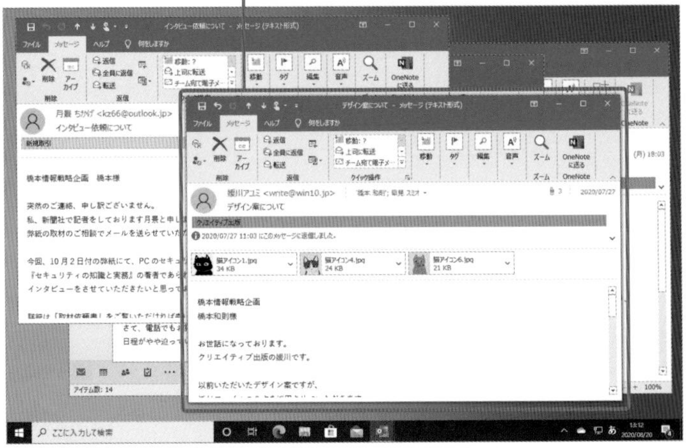

Key word ポイント

マウスポインターを対象のアイテムの上に置くことをポイント（あるいはホバー）といいます。クリックする必要はありません。

Key word アクティブ

最前面に表示される操作対象のウィンドウのことを「アクティブ」といいます。アクティブなウィンドウは任意に操作することができます。

4 ウィンドウを切り替えて操作する

ショートカットキー

- タスクビュー
  [⊞]+[Tab]
- Windowsフリップ
  [Alt]+[Tab]

1 タスクバーの[タスクビュー]をクリックします。

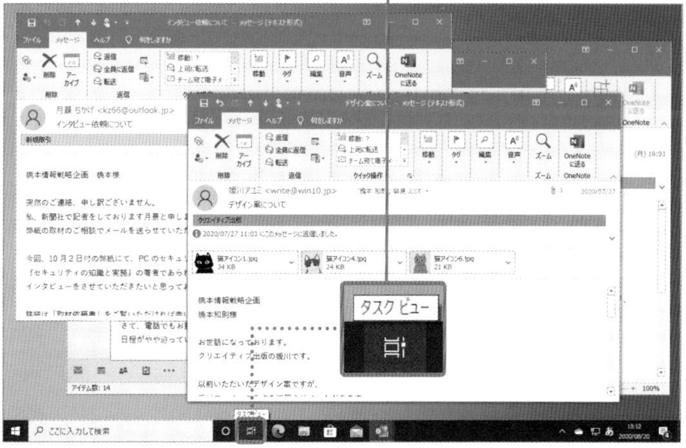

2 デスクトップで展開しているアプリやウィンドウの一覧が表示されます。

3 目的のウィンドウをクリックします。

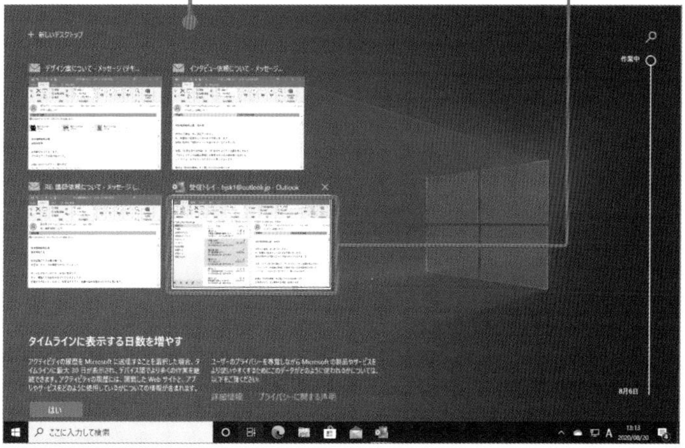

4 目的のウィンドウをアクティブにして、操作することができます。

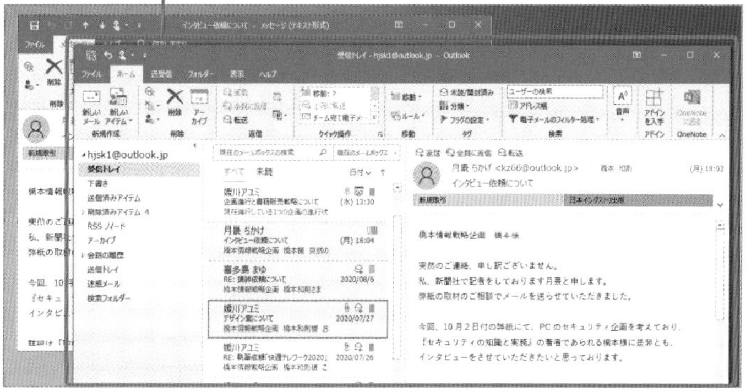

Memo Windows フリップの活用

ウィンドウを次々と切り替えて表示したい場合には、[Alt]キーを押しながら[Tab]キーを押すと、ウィンドウ選択を行うことができます。表示したいウィンドウで[Alt]キーから手を離します。この操作を「Windowsフリップ」といいます。「タスクビュー」と比較して、デスクトップを表示したまま操作できるのがポイントです。

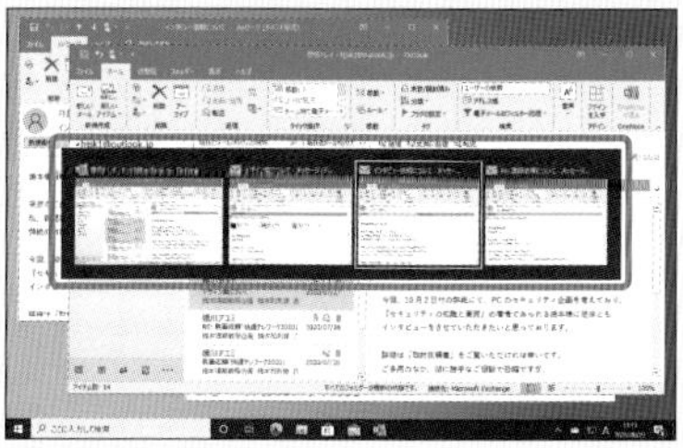

Section 50

デスクトップ上でOutlook 2019を使いやすくする

ここで学ぶのは

- 他のアプリと並べて操作
- ウィンドウスナップ
- 最大サイズ表示

Outlook 2019はデスクトップ上のウィンドウで操作するのが基本ですが、このウィンドウ操作におけるテクニックをいくつか覚えておくと、Outlook 2019と他のアプリを**きれいに並べて操作する**ことや、Outlook 2019の操作画面を**最大サイズ**にして使いやすくするなど効率的な作業が可能になります。

1 Outlook 2019と他のアプリを並べて表示する

ショートカットキー

- デスクトップの右側にスナップ
  [⊞]+[→]
- デスクトップの左側にスナップ
  [⊞]+[←]

Memo アプリの縦方向最大化

Outlook 2019の使い方によっては、アプリを縦方向にのみ最大化するテクニックも活用できます。例えば縦に長いメール文などは、ショートカットキー[⊞]+[Shift]+[↑]キーでウィンドウを縦方向に最大表示するとメールの内容を見渡しやすくなります。

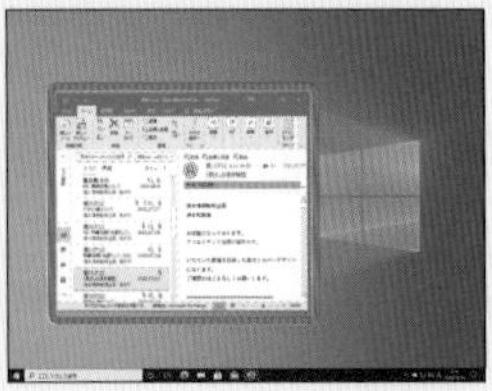

1 Outlook 2019のタイトルバーをマウスでドラッグして、

2 デスクトップ画面の左側外に移動し、マウスボタンから指を離します。

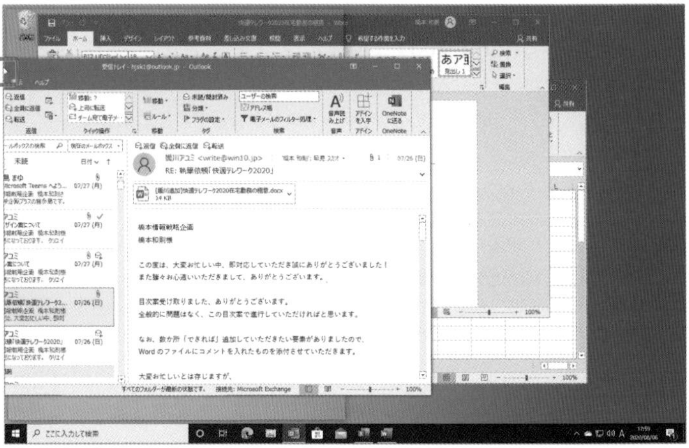

Key word ウィンドウスナップ

Windows 10でウィンドウのサイズを整える機能のことを「ウィンドウスナップ」といいます。デスクトップ画面の右側外にアプリのタイトルバーをドラッグして、「右側1/2表示」が実現できるほか、デスクトップの4隅にアプリのタイトルバーをドラッグすれば、1/4表示を行うことも可能です。

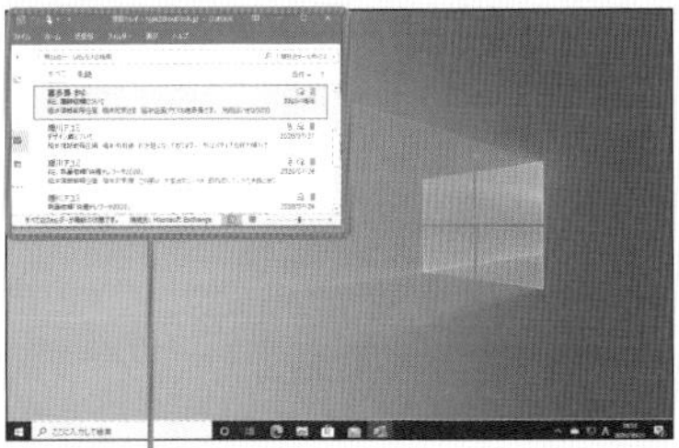

1/4表示も可能です。

3 Outlook 2019が画面の左半分に表示されます。

4 隣に並べるウィンドウ候補が表示されます。

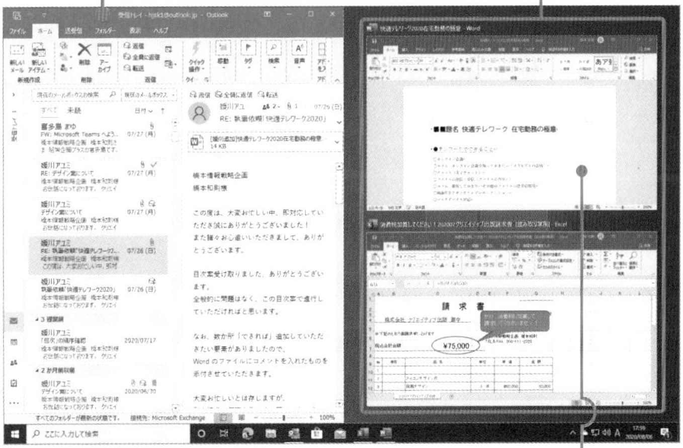

5 隣に並べたいアプリのウィンドウをクリックします。

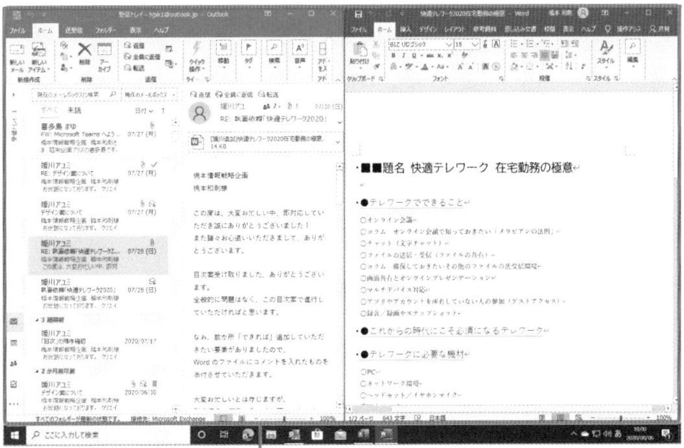

6 Outlook 2019と他のアプリを並べて表示できます。

Hint Outlook 2019以外のウィンドウを一気に最小化する

Outlook 2019のタイトルバーをマウスで左右に3回振るようにドラッグすると、他のウィンドウがすべて最小化されてデスクトップ上にOutlook 2019のウィンドウだけを表示することができ、作業に集中できます。再度Outlook 2019のタイトルバーをマウスで左右に3回振るようにドラッグすることにより、元の表示に戻すことができます。
このテクニックはOutlook以外のウィンドウでも同様に使えます。

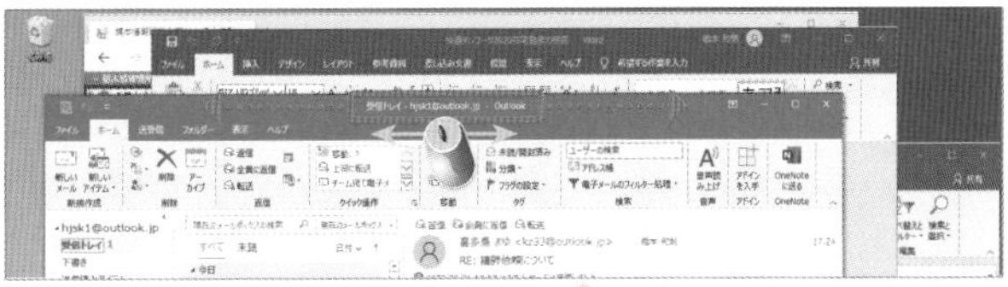

他のウィンドウが最小化します。

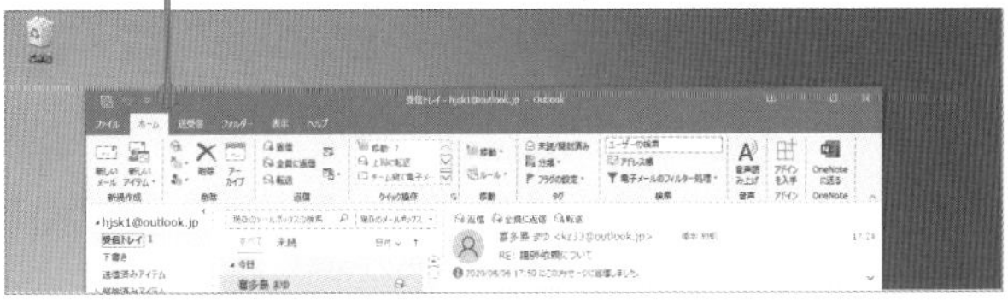

2 Outlook 2019をデスクトップで最大化する

ショートカットキー

- ウィンドウの最大化表示
  [Windows]+[↑]
- ウィンドウの最小化表示
  [Windows]+[↓]

1 Outlook 2019のタイトルバーをダブルクリックします。

2 Outlook 2019の表示をデスクトップ上で最大化できます。

3 Outlook 2019の操作画面を最大サイズにする

1 Outlook 2019のタイトルバーにある[リボンの表示オプション]をクリックして、

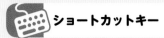

Hint ウィンドウを キーボードで移動する

ウィンドウをキーボードのカーソルキーで移動したい場合には、Alt＋Space→Mキーを入力してからカーソルキーを押します。普段はあまり利用しないショートカットキーですが、「Outlook 2019がデスクトップ外に表示されてしまってマウスで操作できない」ときデスクトップに引き戻す作業などに活用できます。

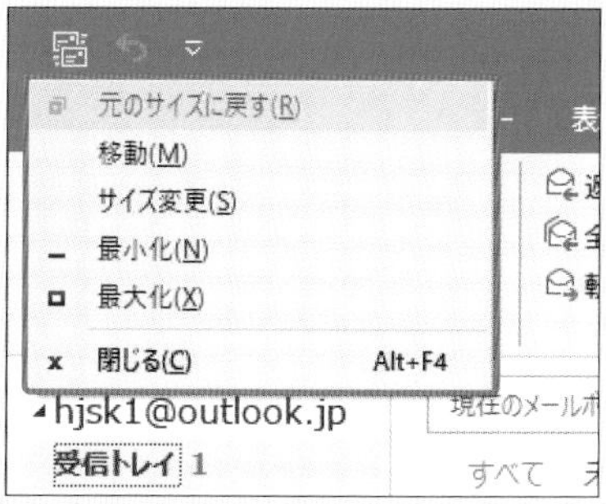

使えるプロ技！ リボンを自動的に非表示にする

［リボンを自動的に非表示にする］を適用した場合、リボンやタイトルバーが表示されなくなるため、より操作画面を広くすることができます。また、リボン操作が必要な場合は、［…］をクリックすることでリボンを表示できるほか、Outlook 2019のリボンコマンドやクイックアクセスツールバーに割り当てられたショートカットキーでもリボンを表示できるため、特にショートカットキーをよく利用する人にはおすすめの設定です。

2 ドロップダウンから［リボンを自動的に非表示にする］をクリックします。

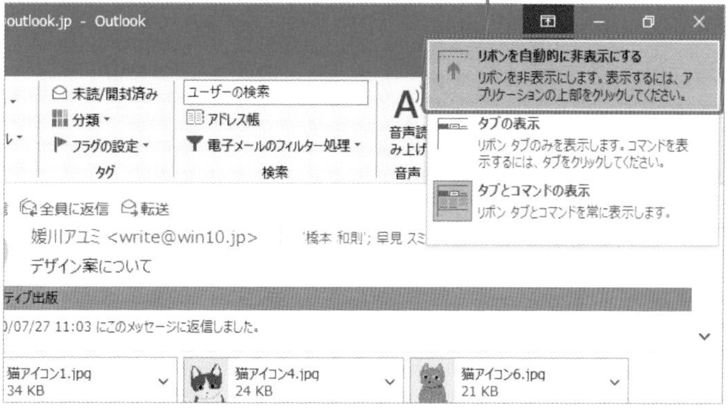

3 Outlook 2019の操作画面がタイトルバーやリボンがない最大化表示になります。

メールの本文などをより多く表示することができます。

［…］をクリックすれば、タイトルバーやリボンを表示できます。

4 通常の表示に戻したい場合には［リボンの表示オプション］をクリックして、［タブとコマンドの表示］をクリックします。

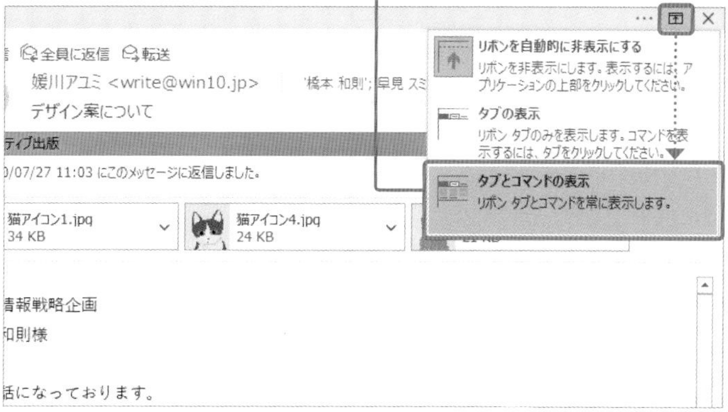

Section

51 特定のメールを目立たせる

ここで学ぶのは

- 未読メールの強調
- 特定差出人メールの強調
- 条件付き書式

受信するメールが多いと重要な案件を見逃しがちですが、Outlook 2019は条件付き書式を活用することで、特定の条件に合致したメールを強調して目立たせることが可能です。ここでは「未読メールの強調」と「特定差出人メールの強調」について解説します。

1 未読メールを目立たせる

解説 メールを目立つようにする

見逃したくないメールは、ビュー内で装飾して目立たせることも可能です。ここでは未読メッセージの件名フォントの設定を変えて目立たせる方法と、特定の差出人からのメールの件名フォントの設定を変えて目立たせる方法を解説します。

Hint 条件付き書式

「条件付き書式」には、ここで設定した「未読メッセージ」のほかに、最初からいくつかの項目が設定されています。

Hint ビューの設定は「いじりすぎない」

ビューのカスタマイズは「必要最低限」が基本です。メール管理において「あれもこれも」カスタマイズして目立たせてしまうと、結局何が重要かがわからなくなってしまうからです。

1 ［表示］タブ→［ビューの設定］をクリックします。

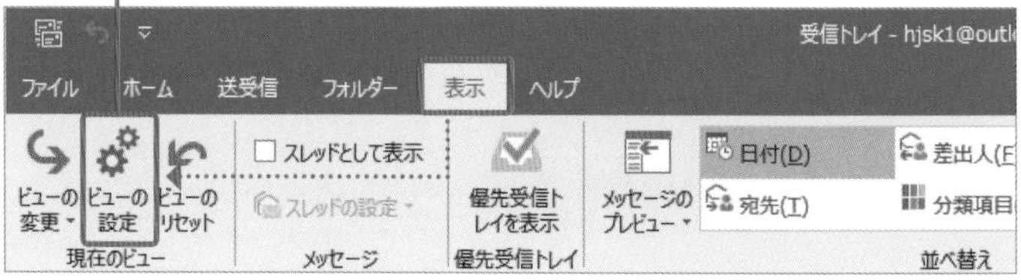

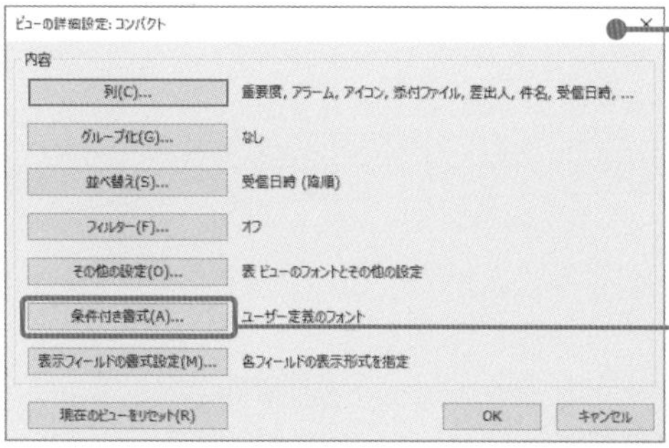

2 ［ビューの詳細設定］ダイアログが表示されます。

3 ［条件付き書式］をクリックします。

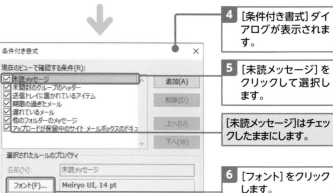

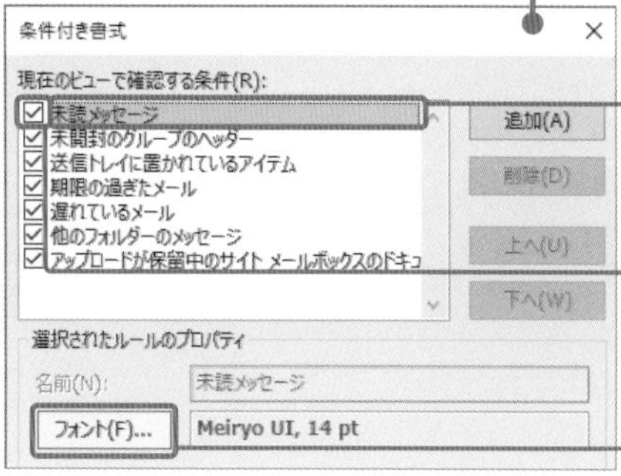

4 ［条件付き書式］ダイアログが表示されます。

5 ［未読メッセージ］をクリックして選択します。

［未読メッセージ］はチェックしたままにします。

6 ［フォント］をクリックします。

Memo 「フォント」のカスタマイズ

条件付き書式の「条件」に対する「フォント」は任意にカスタマイズすることが可能です。

● [フォント] ダイアログで設定できる内容

フォント名	任意のフォントを指定できる（日本語フォントを指定する）
スタイル	標準／斜体／太字／太字斜体から任意に選択できる
サイズ	任意のサイズを選択できる
文字飾り	取り消し線／下線／色の指定を行うことができる

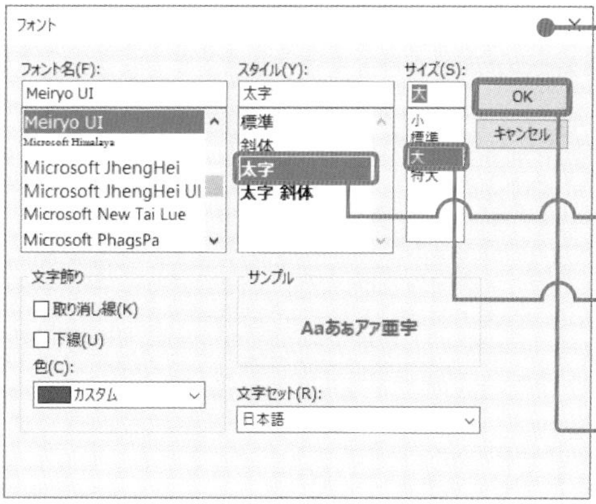

7 [フォント] ダイアログが表示されます。

8 [スタイル]から[太字]をクリックして選択します。

9 [サイズ] から [大] をクリックして選択します。

10 [OK] をクリックします。

11 未読メールが目立つ表示になります。

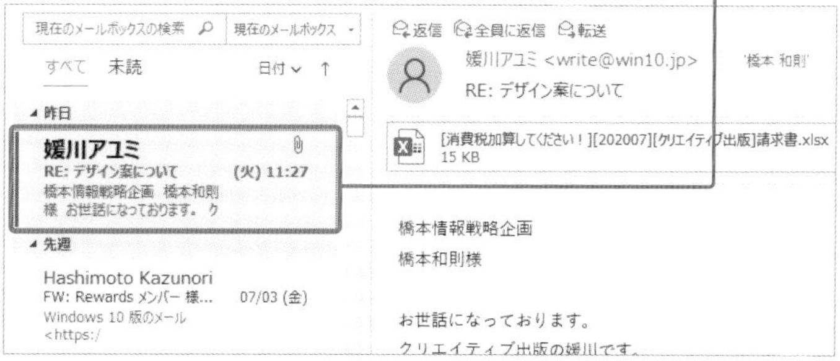

2 特定の差出人のメールを目立たせる

Memo 「条件付き書式」の活用

「条件付き書式」では、特定の条件（例えば「差出人に含まれる文字」）を指定したうえで、その条件に合致したビュー上のメールに任意の装飾を加えることができます。
つまり、見逃してはいけないメールを強調表示するなどに活用できます。

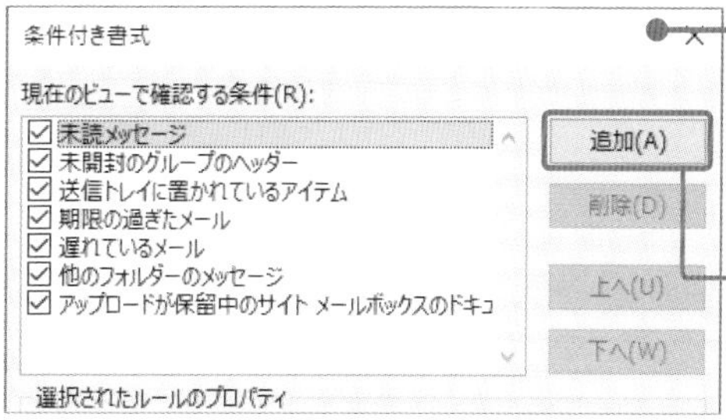

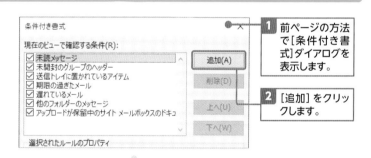

1 前ページの方法で[条件付き書式]ダイアログを表示します。

2 [追加] をクリックします。

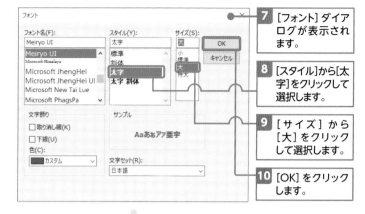

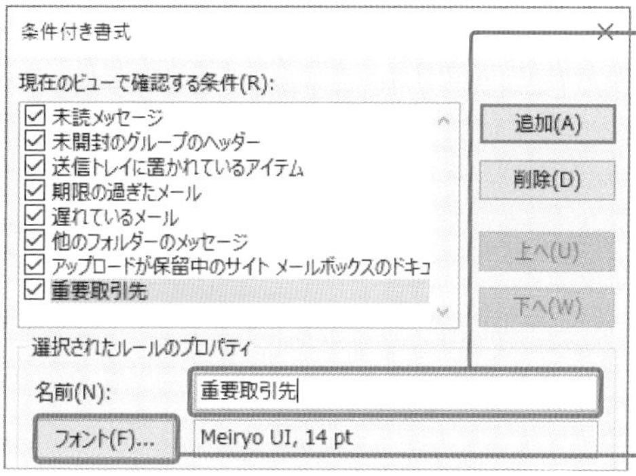

3 [名前] に任意の名前を入力します。ここでは例として「重要取引先」とします。

4 [フォント] をクリックします。

Hint 条件付き書式の項目

[条件付き書式] ダイアログには、最初から以下の項目が設定されています。

- 未読メッセージ
- 未開封のグループのヘッダー
- 送信トレイに置かれているアイテム
- 期限の過ぎたメール
- 遅れているメール
- 他のフォルダーのメッセージ
- アップロードが保留中のサイト メールボックスのドキュメント

Memo 不要な条件付き書式は削除する

設定した条件付き書式の項目を削除したい場合は、任意の名前を選択して、[削除] をクリックします。

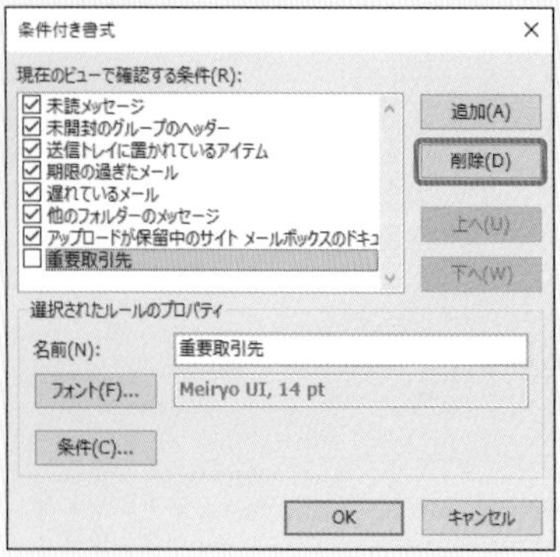

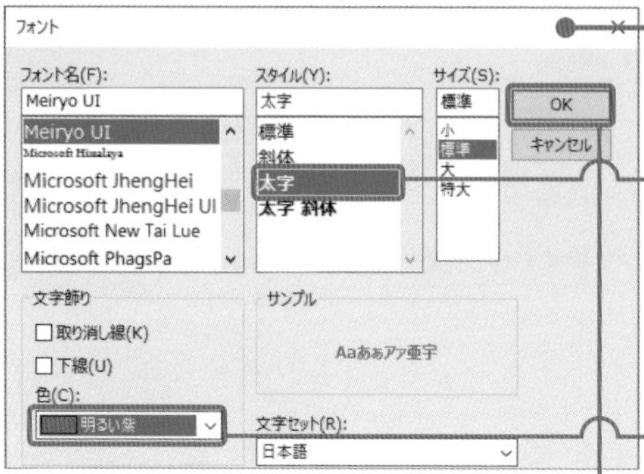

5 [フォント] ダイアログが表示されます。

6 [太字] をクリックして選択します。

7 [色] をクリックして、ドロップダウンから [明るい紫] をクリックして選択します。

8 [OK] をクリックします。

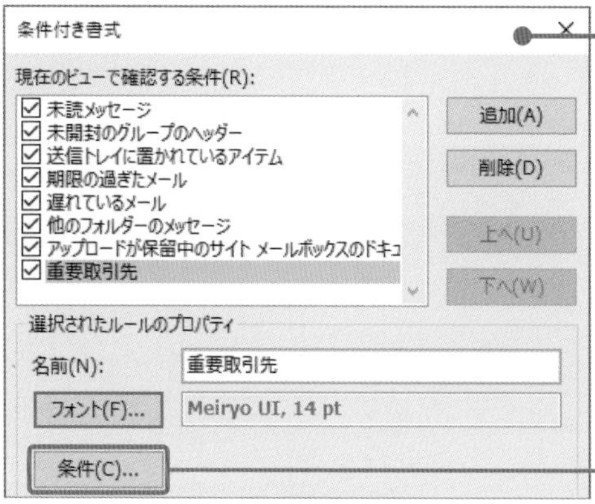

9 [条件付き書式] ダイアログが表示されます。

10 [条件] をクリックします。

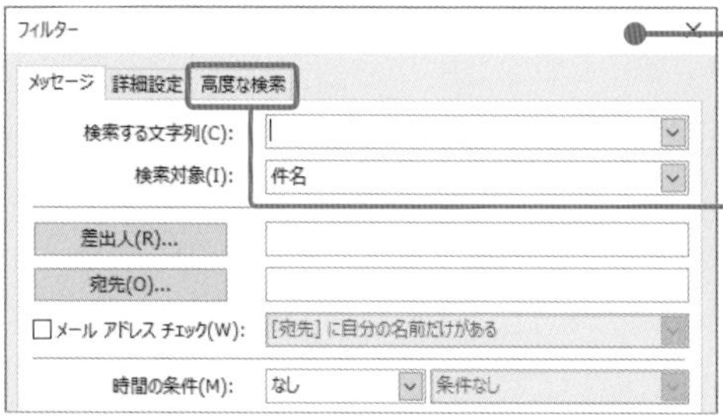

11 [フィルター] ダイアログが表示されます。

12 [高度な検索] タブをクリックします。

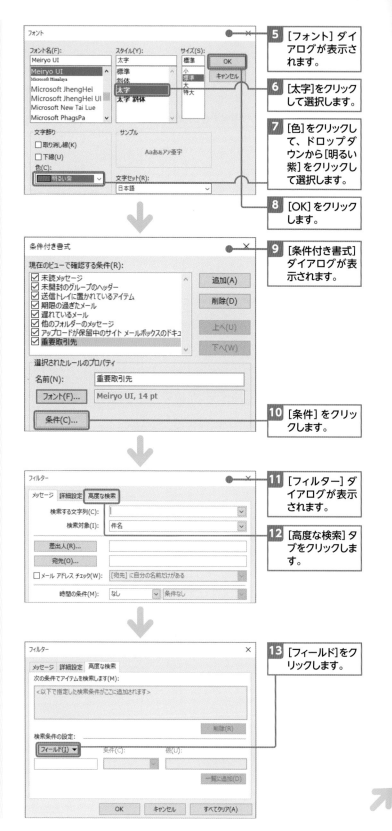

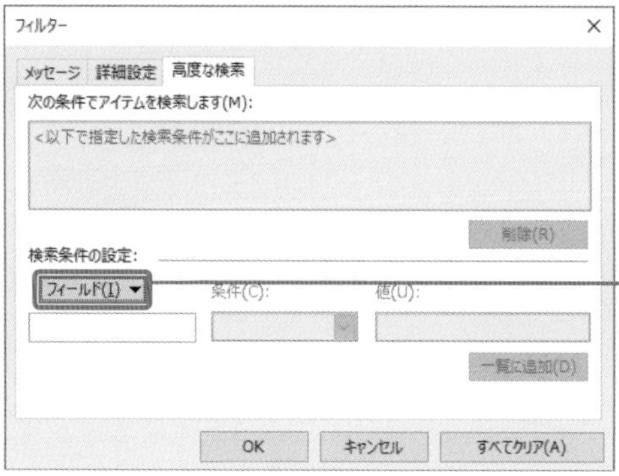

13 [フィールド] をクリックします。

使えるプロ技! 「高度な検索」をもっと活用する

右図では差出人を対象に条件付き書式を設定していますが、フィルターの設定そのものは、p.124の「高度な検索で目的のメールを探し当てる」で解説した検索方法と同様です。

つまり、「高度な検索」を用いて複合条件に合致するメールのみを強調することが可能なので、例えば［差出人］に「A」が含まれ、さらに［件名］に「B」が含まれるメールを強調表示するといった応用も可能です。

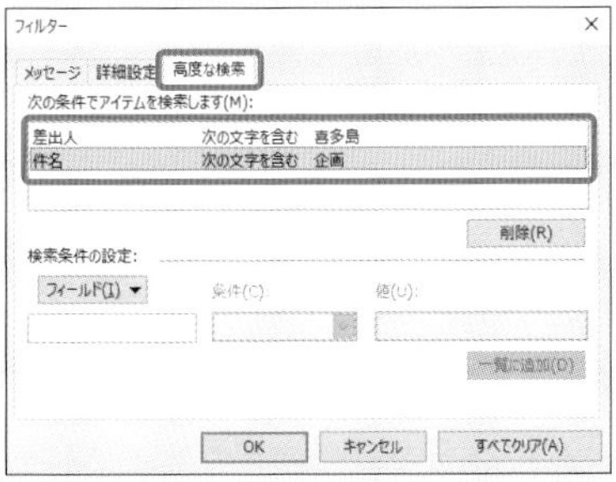

Hint ビューのリセット

［表示］タブ→［ビューのリセット］をクリックすれば、ビューの詳細設定をリセットすることができます。なお、リセットが反映されない場合は、一度Outlook 2019を終了した後に、もう一度起動して確認します。

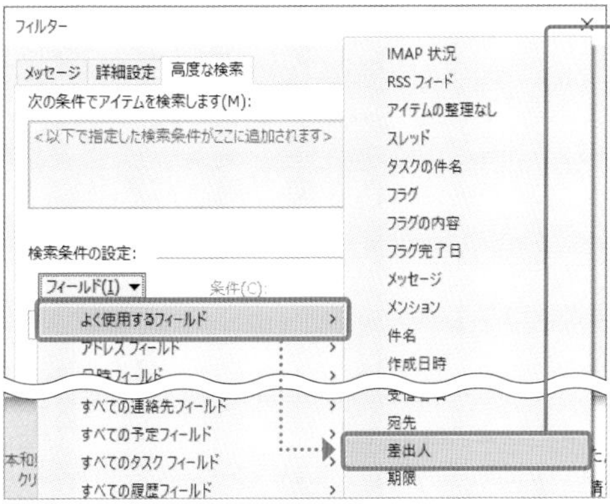

14 ［よく使用するフィールド］→［差出人］をクリックします。

ここでは例としてわかりやすい［差出人］を指定しますが、その他の条件指定も可能です。

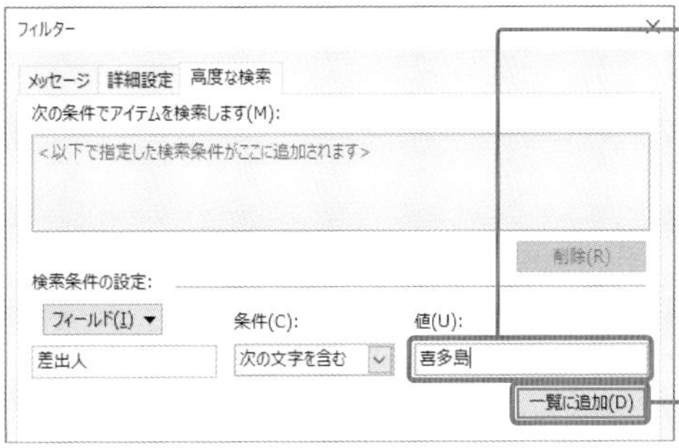

15 ［差出人］に任意の差出人の名前を入力します。

16 ［一覧に追加］をクリックします。

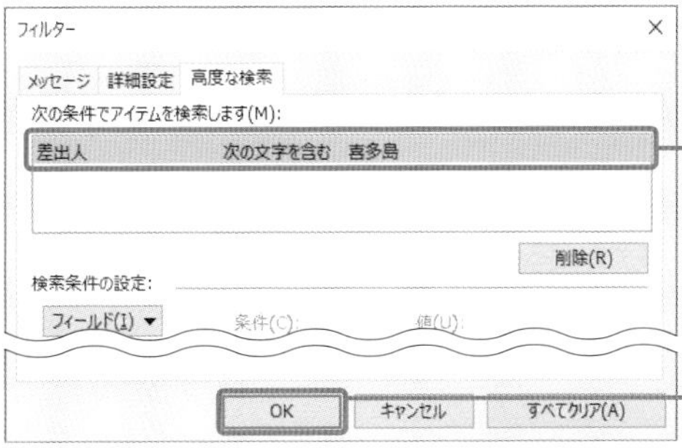

17 ［次の条件でアイテムを検索します］に先ほど設定した条件が追加されます。

さらに検索条件を追加することも可能です。

18 ［OK］をクリックします。

19 特定の差出人のメールが、指定に従って目立つようになります。

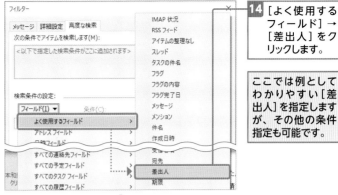

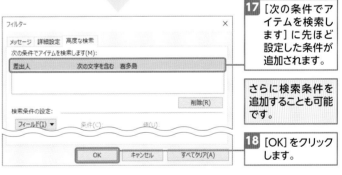

Section 52

不在時に自動的に返信メールを送信する

ここで学ぶのは

- 自動応答の設定
- 自動応答の特性
- 自動応答の無効化

営業日以外や長期休暇などにおいては、「本日は休暇中なので、営業日になったらメールを返信します」などと相手のメールに自動返信できると便利です。このように相手からメールが届いた際に自動的に決められたメッセージを送信できる機能を、「**自動応答**」といいます。

1 自動応答で不在時に自動的にメールを返信する

Key word 自動応答

「自動応答」とは、営業日以外や長期休暇など不在時に自動的に相手のメールに応答して、あらかじめ設定しておいたメッセージを送信する機能です。

Hint Backstage ビューの表示

Backstageビューは、Outlook 2019の操作画面から[ファイル]タブをクリックすることで表示できます。

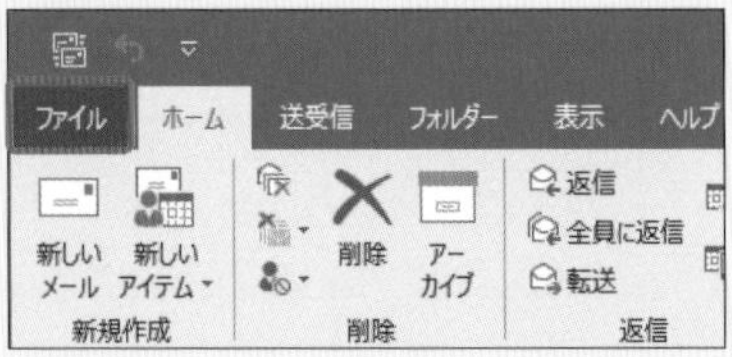

ショートカットキー

- Backstageビューの表示
  Alt → F

1 Backstageビューの[情報]から、[自動応答]をクリックします。

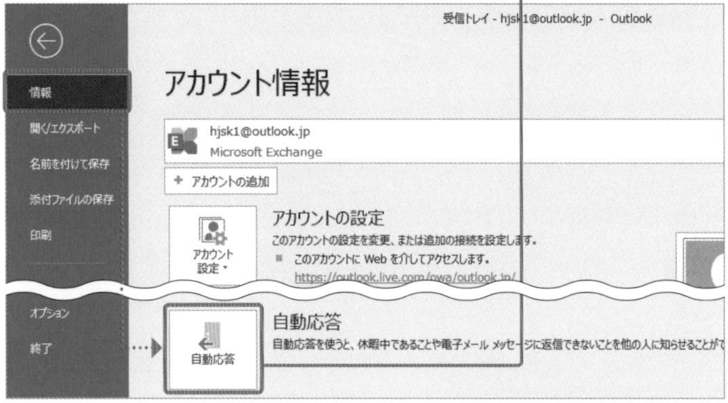

2 [自動応答]ダイアログが表示されます。

3 [自動応答を送信する]をチェックします。

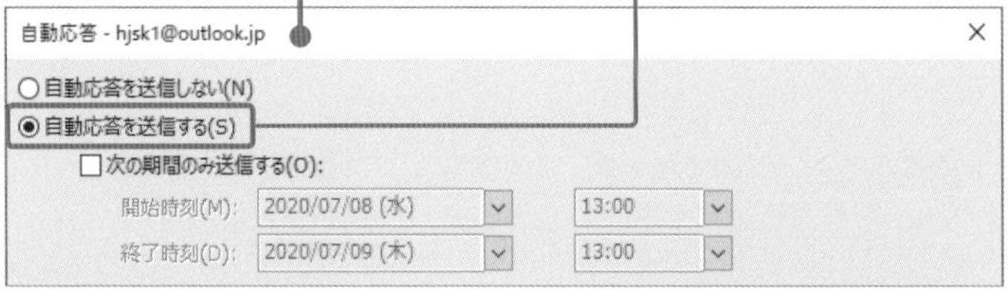

4 [次の期間のみ送信する]をチェックして、

5 [開始時刻]と[終了時刻]をそれぞれ指定します。

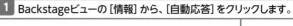

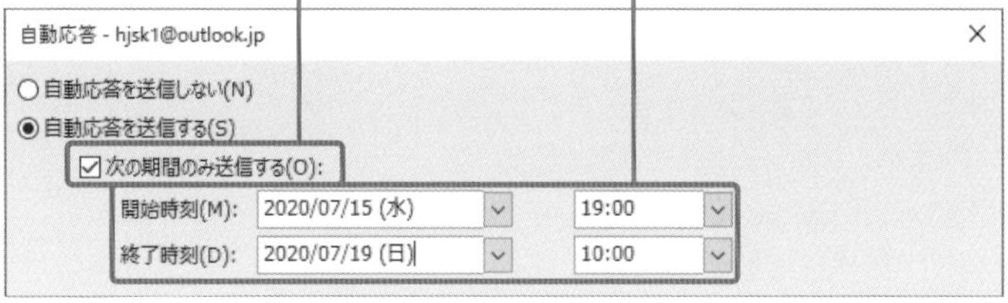

注意 Microsoft系アカウントのみ有効

ここで解説する「自動応答」は、アカウントの種類がMicrosoft Exchangeアカウント／Microsoft 365のアカウント／Outlook.comアカウントなどのMicrosoft系アカウントの場合のみ操作・設定が可能です。その他のアカウントの種類（IMAPアカウントなど）では操作・設定できません。

Hint 自動応答の文章

自動応答は、要は「メールは後日確認します」という連絡なので、相手に失礼のない範囲でシンプルな文章にするのが基本になります。

Hint Outlook 2019が未起動でも動作する

「自動応答」の設定はメールサーバーと連携して動作します。よって、設定以後にOutlook 2019やPCを終了しても自動応答の設定は有効であり、期間内に相手がメールを送信してきた場合には、自動応答の設定に従ったメッセージが返信されます。

6 メールの本文（自動応答時の返信メール）を記述して、

7 ［OK］をクリックすると、自動応答が有効になります。

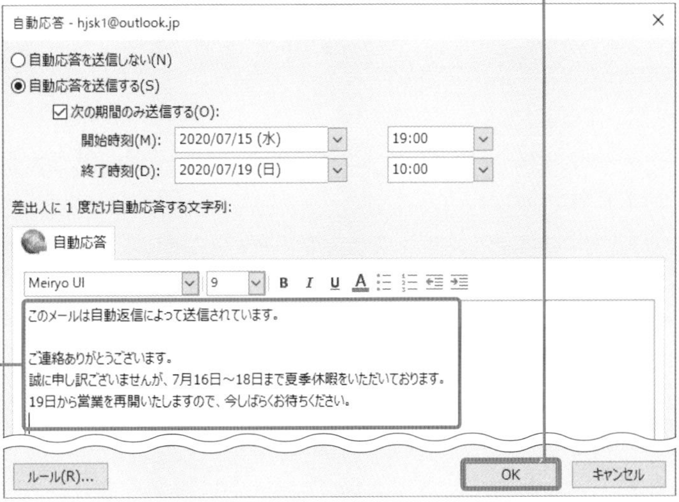

8 Outlook 2019操作画面でも、［このアカウントでは自動応答が送信されます。］と表示されます。

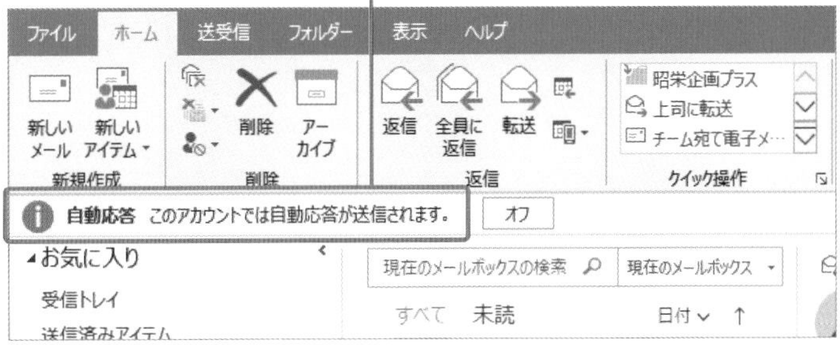

2 自動応答を無効にする

Hint 自動応答用の本文は別途保存しておく

自動応答をよく利用する場合は、自動応答のメッセージ内容を別のアプリ（OneNoteなど）に保存しておくようにします。これは、自動応答で設定した終了時刻が過ぎると、自動応答の本文も消去されてしまうからです。

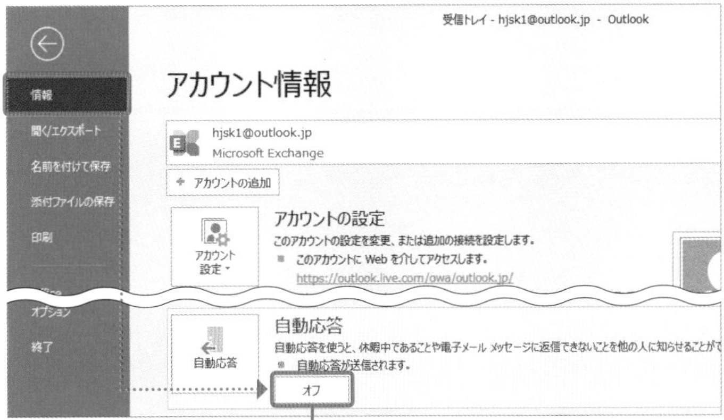

1 Backstageビューの［情報］から、［自動応答］に表示されている［オフ］をクリックすると、自動応答を停止できます。

Section 53

メールの送信を一定時間待機させて誤送信を防ぐ

ここで学ぶのは

- 送信メールの待機
- 仕分けルールの利用
- 送信トレイでの待機

メールを送信した後にメールを読み返してみて、「やはり送信したメール内容を修正したい」と思ったことはないでしょうか？　Outlook 2019では「仕分けルール」の設定を工夫することにより、送信実行後でも数分間メールを待機させて、必要に応じてメール内容をもう一度確認・修正することができます。

1 メール送信を指定した分数だけ遅延させて誤送信を防ぐ

解説 送信メールは「俯瞰」で見る

仕事に集中していると、ついついメールの本文もきつい物言いになってしまうことがありますが、送信メールは自分の感情をぶつけるものではなく、ビジネス的に俯瞰で見て「きちんと相手に伝えるべきことを記述する」ことが大事です。そのような意味でも、記述の仕分けルールを適用しておくと、一度冷静になって送信メールを眺めて修正することができるのでおすすめです。

Hint Backstage ビューの表示

Backstageビューは、Outlook 2019の操作画面から［ファイル］タブをクリックすることで表示できます。

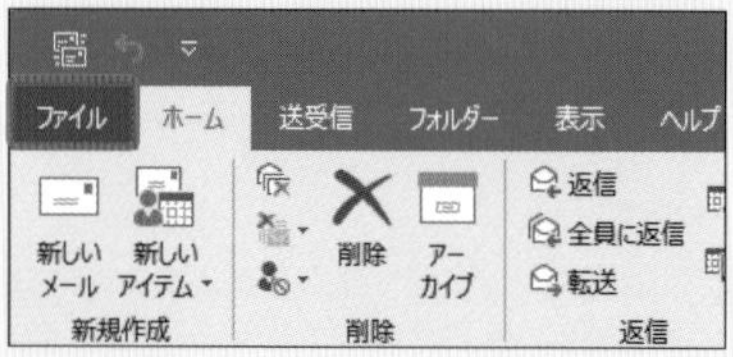

ショートカットキー

- Backstageビューの表示
  Alt→F

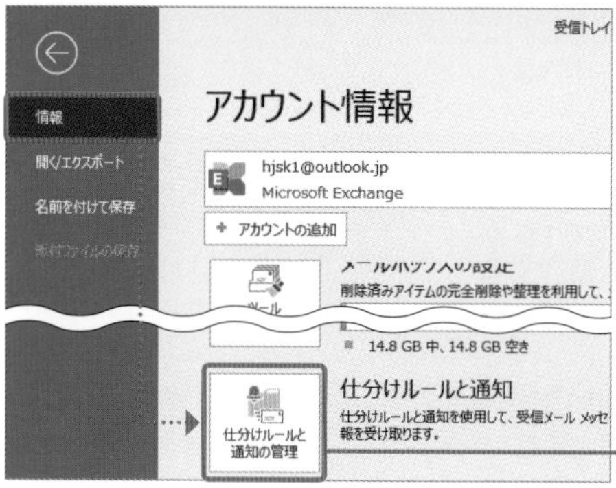

1 Backstageビューの［情報］から、［仕分けルールと通知の管理］をクリックします。

2 ［仕分けルールと通知］ダイアログが表示されます。

3 ［電子メールの仕分けルール］タブ→［新しい仕分けルール］をクリックします。

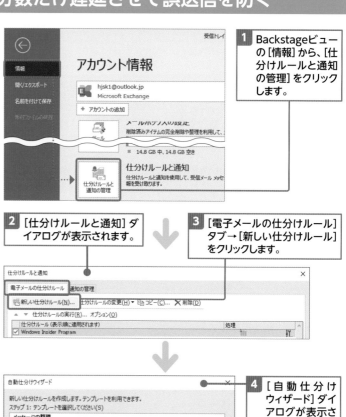

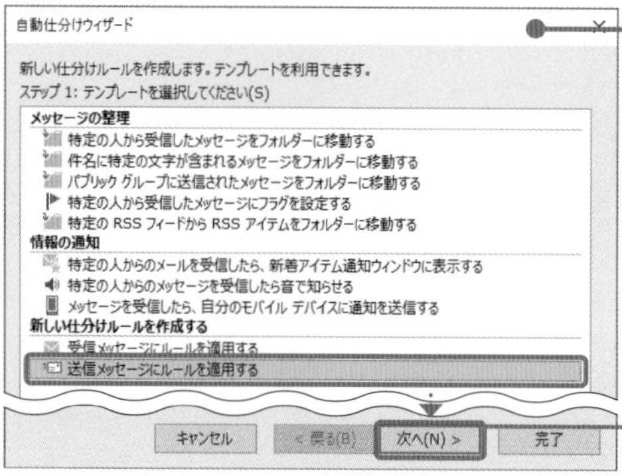

4 ［自動仕分けウィザード］ダイアログが表示されます。

5 ［送信メッセージにルールを適用する］を選択して、［次へ］をクリックします。

Memo メールを送信した後に修正できる

この仕分けルールを適用すると、メールを送信しても処理的には「送信トレイ」フォルダーに待機状態になり、「送信トレイ」フォルダーからメールを開いて修正することが可能になります。

Memo 条件指定を工夫する

右図では例として「すべての送信メッセージ」を対象に仕分けルールを適用して送信を待機させる手順を解説していますが、[自動仕分けウィザード] ダイアログにおける [条件を指定してください] で任意の条件を選択すれば、特定の条件に合致したメール送信のみを待機させることが可能です。
例えば、[条件を指定してください] の [ステップ1：条件を選択してください] で [[件名] に特定の文字が含まれる場合] を選択して、[ステップ2：仕分けルールの説明を編集してください] で [特定の文字] をクリックして任意の文字列を指定して [追加] すれば、指定した条件に合致したメールに対してのみ、後に指定する処理を施すことができます。

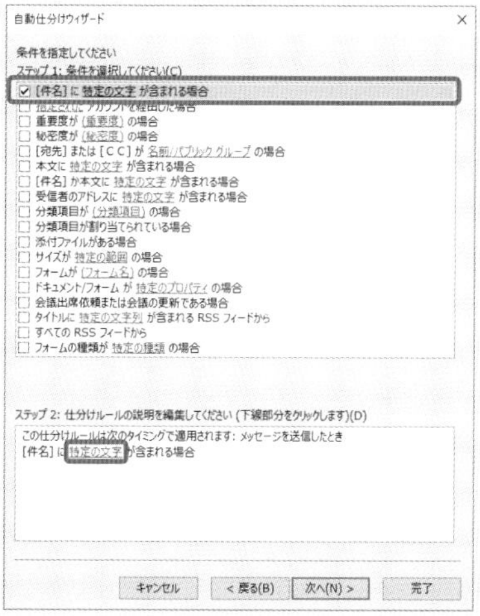

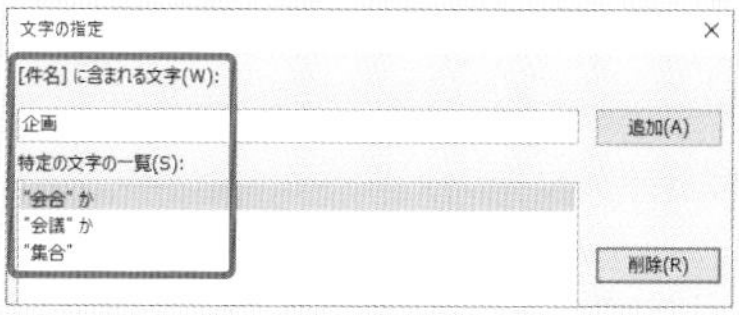

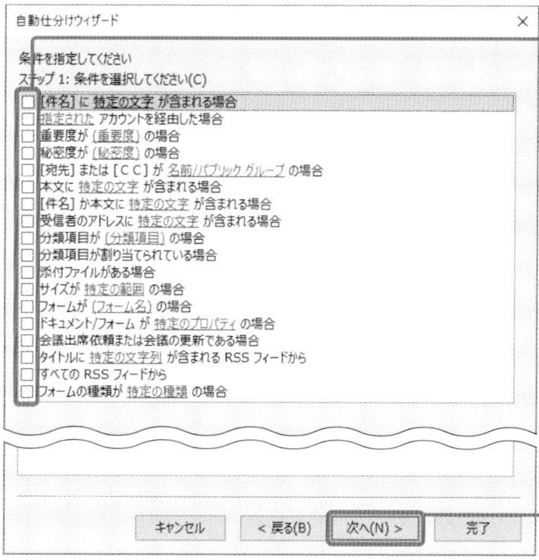

何もチェックしなくて構いません。

6 [次へ] をクリックします。

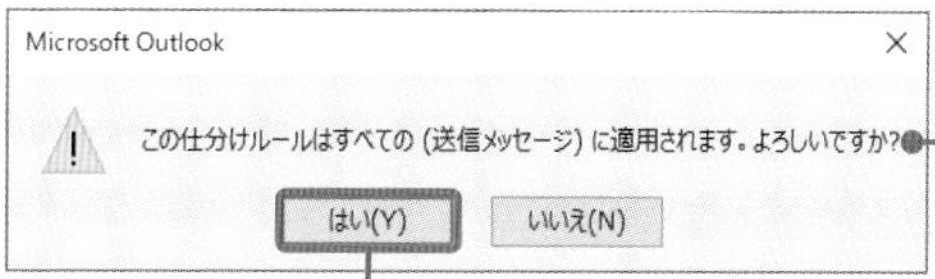

7 メッセージ内容を確認します。

8 [はい]をクリックします。

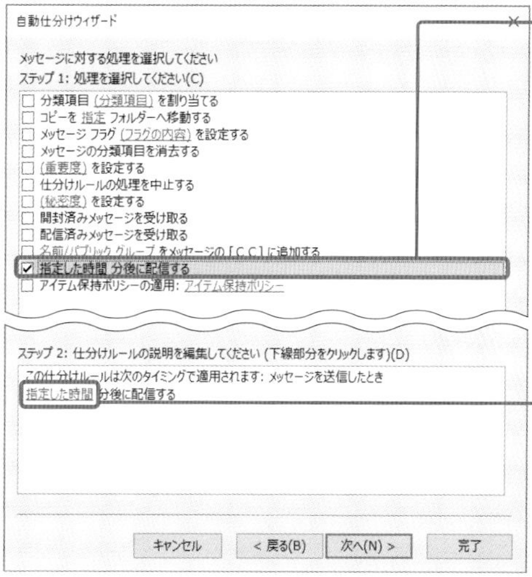

9 [ステップ1] から [指定した時間分後に配信する] にチェックを入れます。

10 [ステップ2] から [指定した時間] をクリックします。

11 [配信時間の指定] ダイアログが表示されます。

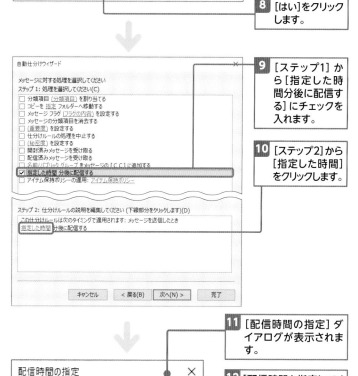

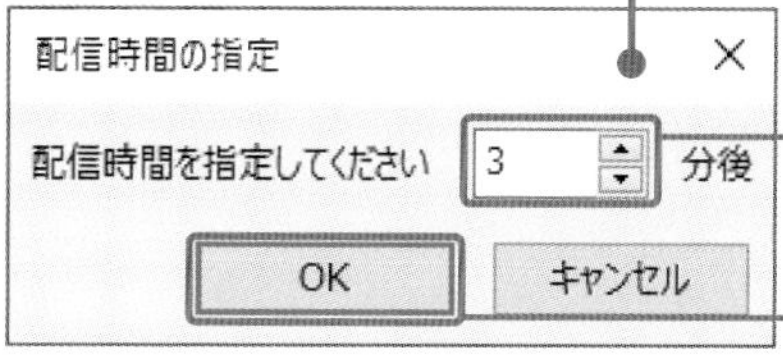

12 [配信時間を指定してください] に任意に分数（遅延分数）を入力して、

13 [OK]をクリックします。

Memo 例外条件の指定

[自動仕分けウィザード]ダイアログにおける[例外条件を選択します]で任意の例外条件を選択して設定すれば、通常のメールは指定した分数に従って送信待機を行うものの、例外条件に適合するものはこのルールを適用しない(すぐに送信する)ことが可能です。例えば、[例外条件を選択します]の[ステップ1:例外条件を選択してください]で[[件名]に特定の文字が含まれる場合を除く]を選択して、[ステップ2:仕分けルールの説明を編集してください]で[特定の文字]をクリックして「緊急」という文字を指定して[追加]すれば、件名に「緊急」が含まれる場合には送信待機は適用されず、すぐにメールは送信されます。

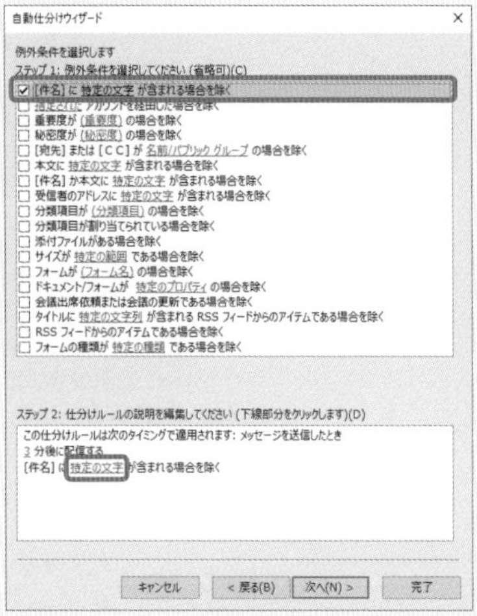

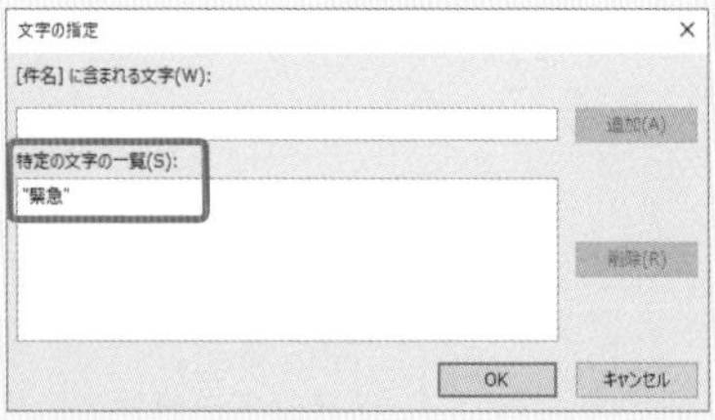

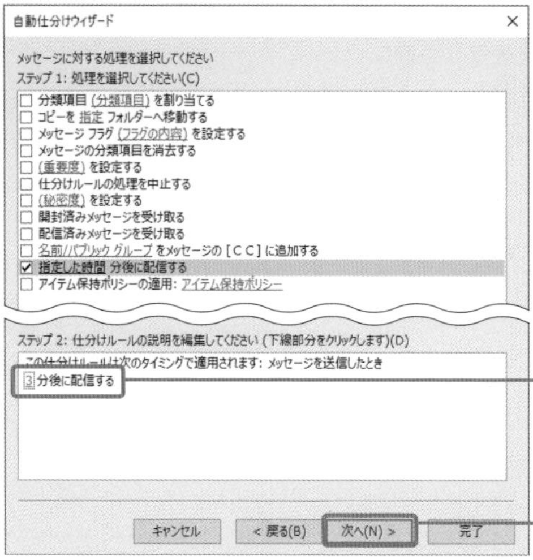

14 [自動仕分けウィザード]ダイアログに戻ると配信時間が設定されています。

15 [次へ]をクリックします。

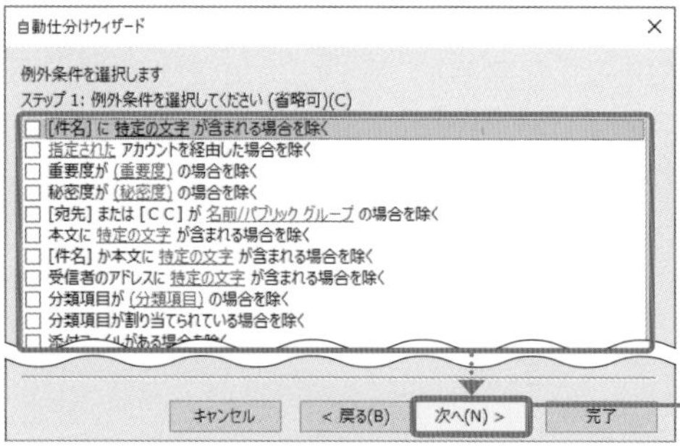

16 例外条件の設定は必要ありませんので、[次へ]をクリックします。

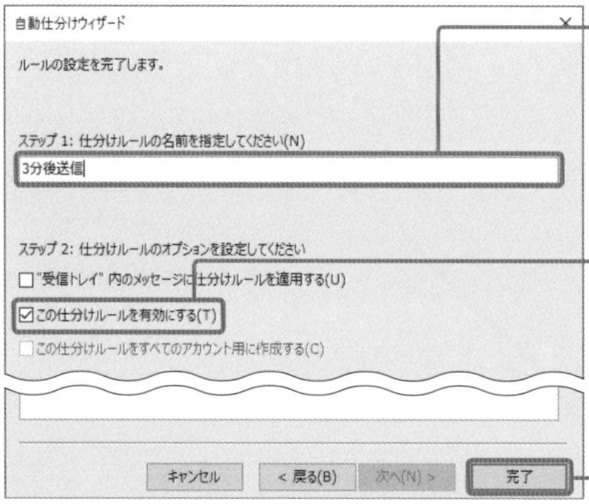

17 仕分けルールの任意の名前を入力します。

18 [この仕分けルールを有効にする]をチェックします。

19 [完了]をクリックします。

20 メッセージ内容を確認します。

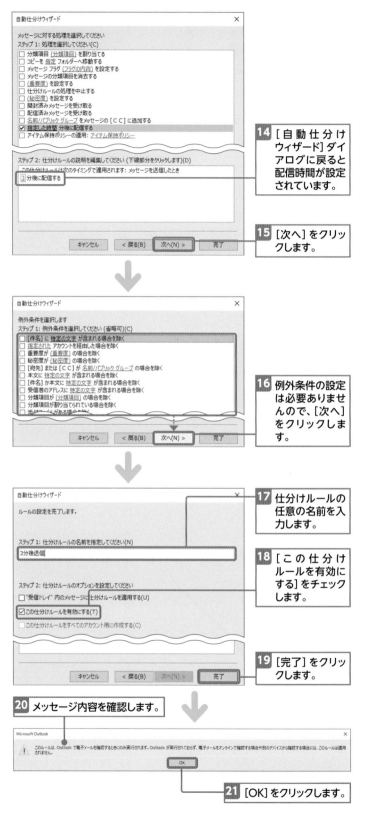

21 [OK]をクリックします。

2 メールの送信と特性

Memo 送信トレイの性質を理解する

Outlook 2019において「待機している送信メール（送信が仕掛けられて待っている状態のメール）」は[送信トレイ]、また送信が終わったメールは[送信済みアイテム]に保持されます。

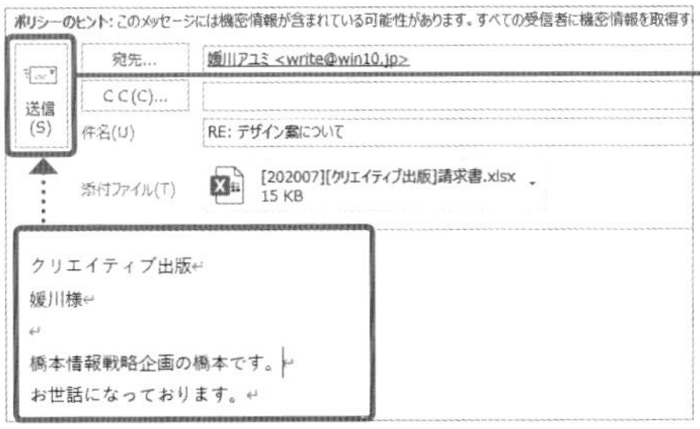

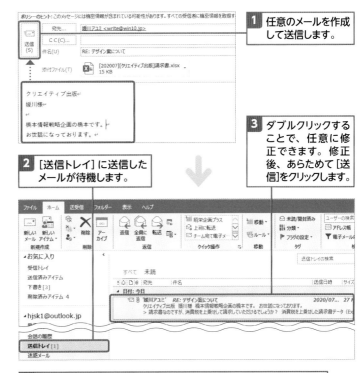

1 任意のメールを作成して送信します。

2 [送信トレイ] に送信したメールが待機します。

3 ダブルクリックすることで、任意に修正できます。修正後、あらためて[送信]をクリックします。

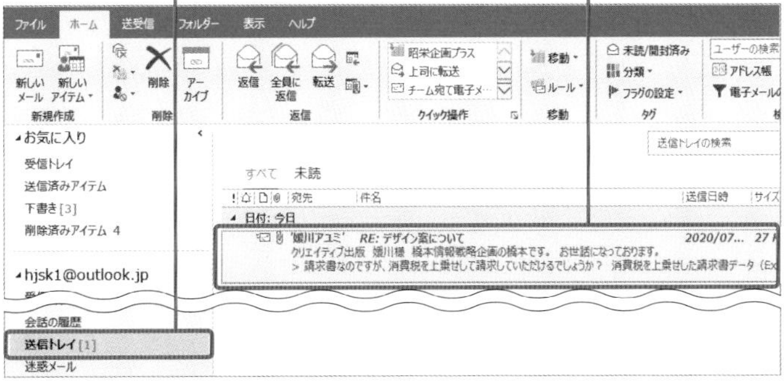

4 仕分けルールで指定した分数後にメールが自動的に送信されます。

3 仕分けルールの削除

Hint 仕分けルールのエクスポート

現在の「仕分けルール」をファイルに保存しておきたい場合は、[仕分けルールと通知]ダイアログから[オプション]をクリックして、[仕分けルールをエクスポート]をクリックします。

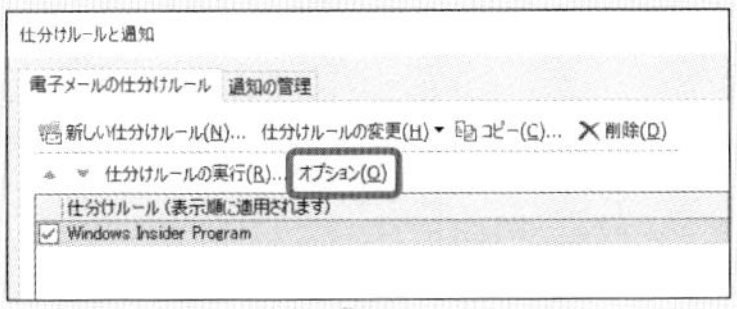

1 p.190の方法で[仕分けルールと通知]ダイアログを表示します。

2 任意の仕分けルールをクリックして選択し、[削除]をクリックします。

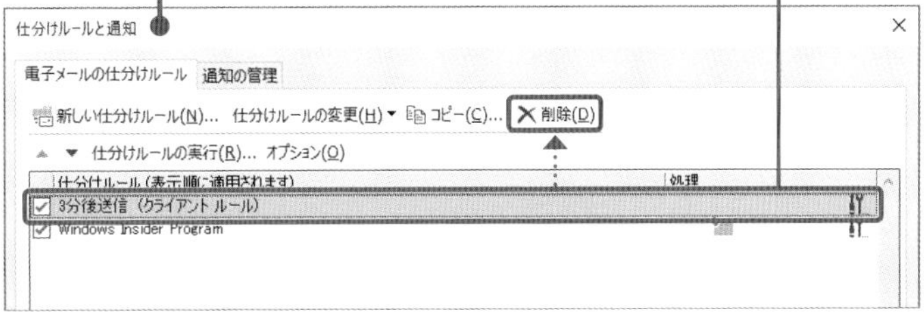

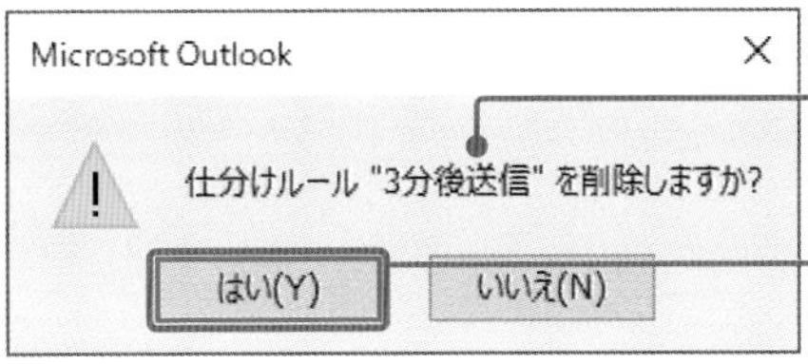

3 メッセージ内容を確認します。

4 [はい] をクリックします。

Section 54

指定した日時にメールを自動送信する

ここで学ぶのは

- メールの送信タイミング
- 指定日時送信
- 指定日時の変更

Outlook 2019では指定した日時にメールを送信することも可能です。相手の営業時間に合わせてメールを送ることや、自社の製品リリースなどの場面において指定日以降にメールを送信したい場合などに役立ちます。

1 指定した日時にメールを自動送信する

Memo メールの送信のタイミング

メールの送信のタイミングは、「指定日時以降に配信」で指定した日時以降に「送受信処理」が行われたタイミングで配信されます。つまり、「～以降」の文字が示すとおり、必ずしも指定時刻ぴったりに配信されるわけではありません。

注意 「指定日時以降に配信」の注意点

メールの送信を行うには、Outlook 2019が起動しており、またオンライン（インターネット接続状態）である必要があります。つまり、「指定日時以降に配信」は、「Outlook 2019を起動しておかなければ送信されない」という点に注意が必要です。なお、指定日時にPCを起動していない、あるいはOutlook 2019を起動していないなどの場合には、指定日時以降にOutlook 2019を起動したタイミングで配信されます。

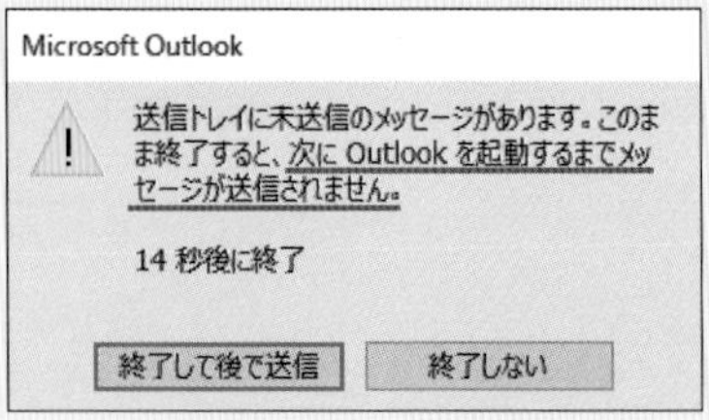

メールの作成画面をメッセージウィンドウで表示しておきます。

1 メールの宛先や文章を入力して送信できる状態にしておきます。

2 ［オプション］タブ→［配信タイミング］をクリックします。

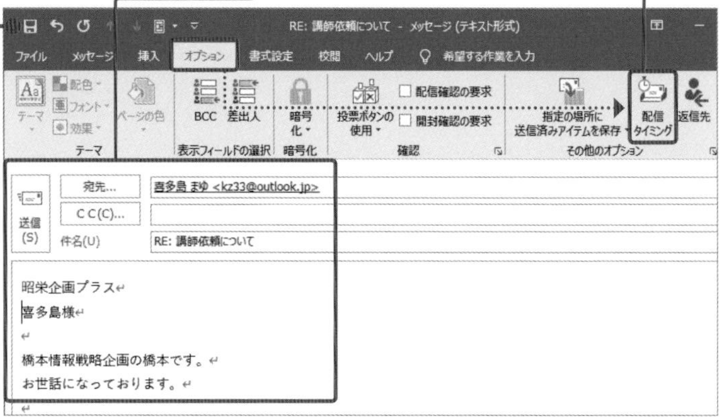

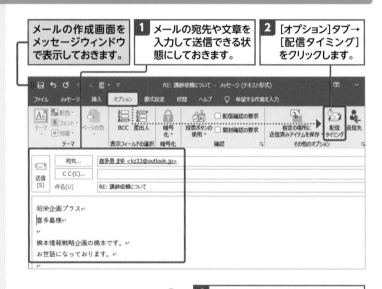

3 ［プロパティ］ダイアログが表示されます。

4 ［配信オプション］欄の［指定日時以降に配信］をチェックし、任意の日時を指定します。

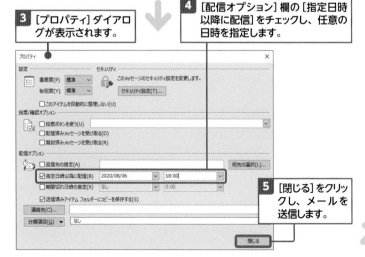

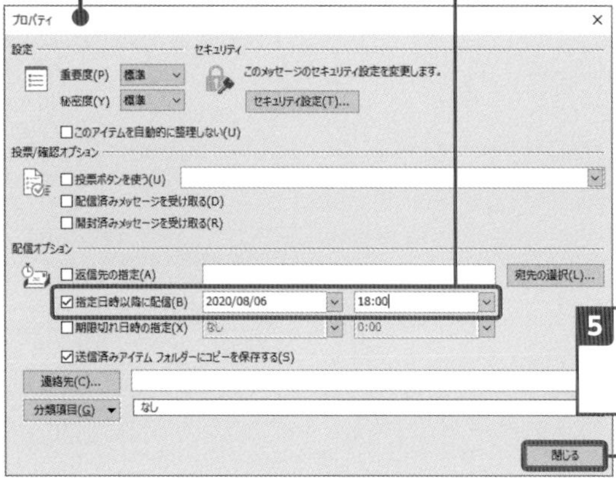

5 ［閉じる］をクリックし、メールを送信します。

6 [送信トレイ] にメールが待機します。

7 指定の日時以降になると、メールが送信されます。

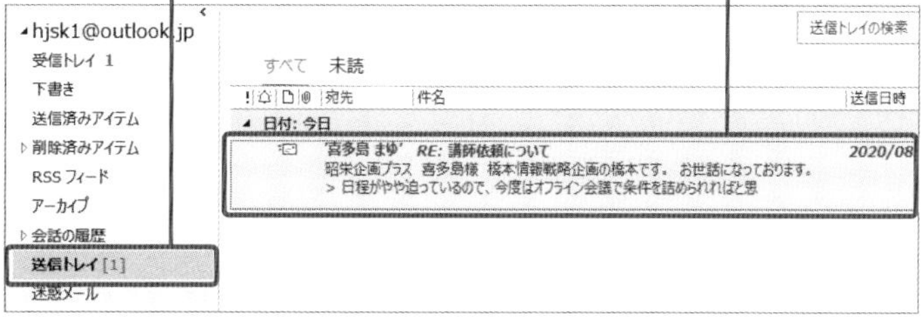

2 メールの自動送信日時を変更する

Hint Outlook 2019 を PC 起動直後に自動起動する

PCを起動したら（任意のユーザーアカウントでサインインしたら）Outlook 2019を自動起動する設定にしておくと、「指定日時以降に配信」においてトラブルを少なくすることができます。Outlook 2019の自動起動設定（Windows 10でのアプリの自動起動設定）については、p.226を参照してください。

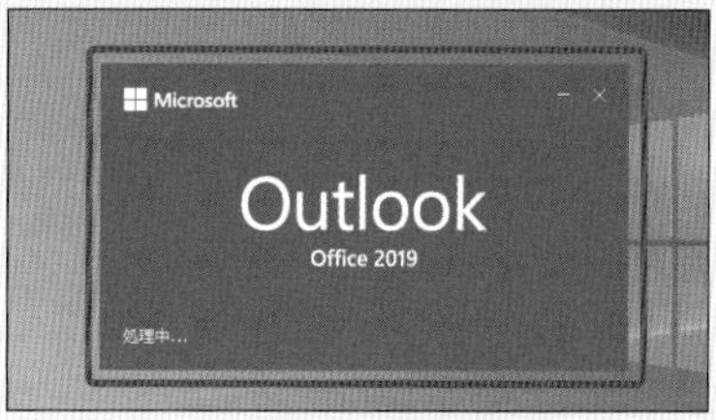

Outlook 2019を自動起動する設定にしておけば、送信ミスを防げます。

1 [送信トレイ] の該当メールをダブルクリックします。

2 指定日時配信を指定済みで現在待機中のメールを開くことができます。

3 [オプション] タブ→ [配信タイミング] をクリックします。

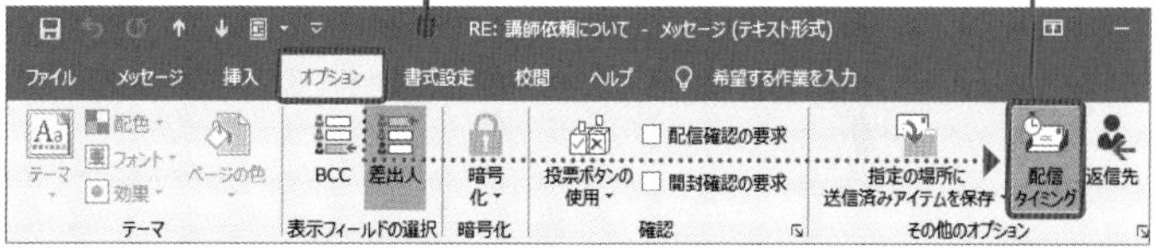

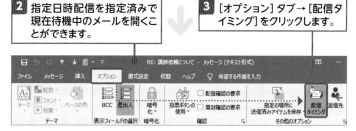

4 [指定日時以降に配信] で、配信日時を任意に変更できます。

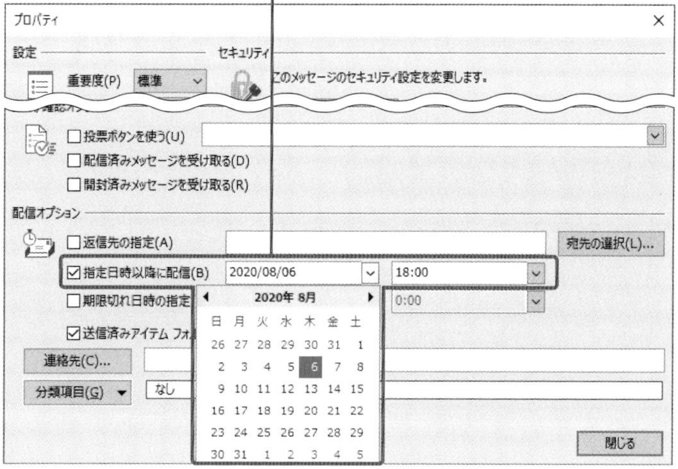

Section 55

締め切りや期限のあるメールをアラームで知らせる

ここで学ぶのは

- アラームの設定
- アラームの削除
- アラームの確認

締め切りや期限のあるメールは「アラーム」で知らせると確実に操作することができます。ここでは、任意のメールにアラームを設定する方法と、アラームの通知が表示された際の対処方法について解説します。

1 メールにアラームを設定する

Memo フラグの内容／開始日／期限

アラームのユーザー設定において、[フラグの内容][開始日][期限]などは必要に応じて設定します。なお、[フラグの内容]はドロップダウンから選択できるほか、自身で入力して内容を変更することも可能です。

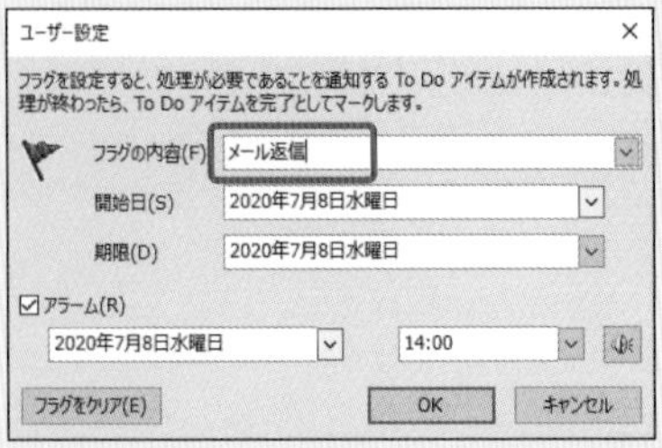

注意 Microsoft系アカウントのみ有効

ここで解説する「アラームの追加」は、アカウントの種類がMicrosoft Exchangeアカウント／Microsoft 365のアカウント／Outlook.comアカウントなどのMicrosoft系アカウントの場合のみ操作・設定が可能です。その他のアカウントの種類(IMAPアカウントなど)では操作・設定できません。

アラームを設定したいメールを選択しておきます。

1 [ホーム]タブ→[フラグの設定]をクリックして、

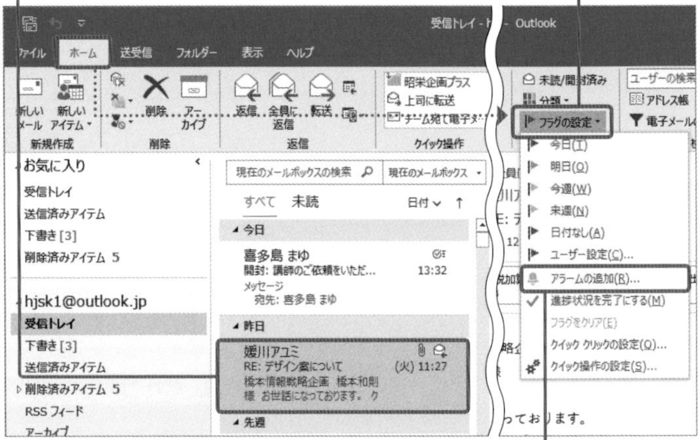

2 ドロップダウンから[アラームの追加]をクリックします。

3 [ユーザー設定]ダイアログが表示されます。

4 [アラーム]にチェックが付いていることを確認します。

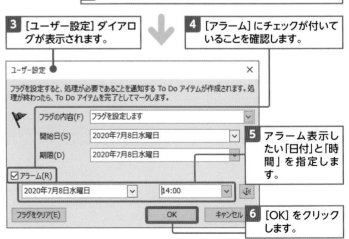

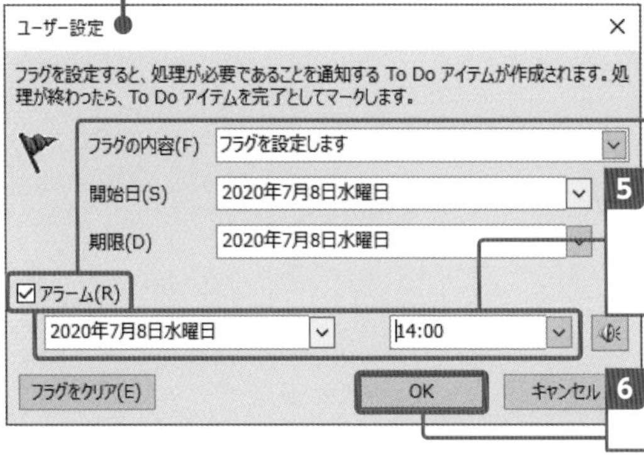

5 アラーム表示したい「日付」と「時間」を指定します。

6 [OK]をクリックします。

7 閲覧ウィンドウでアラームの設定や日時を確認できます。

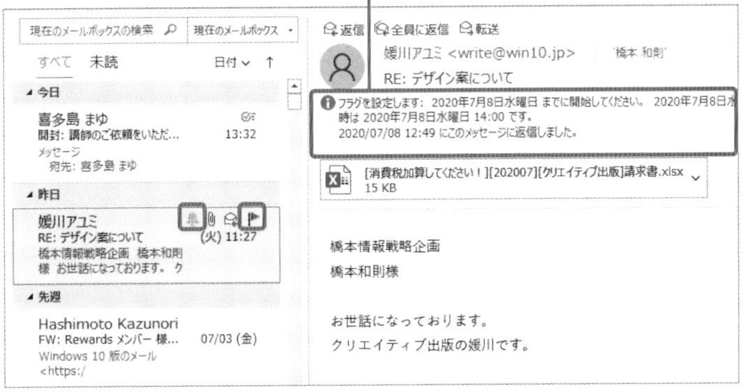

2 アラームを削除する

Memo アラームはフラグとしてタスク管理できる

メールのアラーム設定は、メールにフラグを付けることと同じ意味になります。フラグが付けられたメールは自動的に「To Doバーのタスクリスト（p.314参照）」に登録されます。

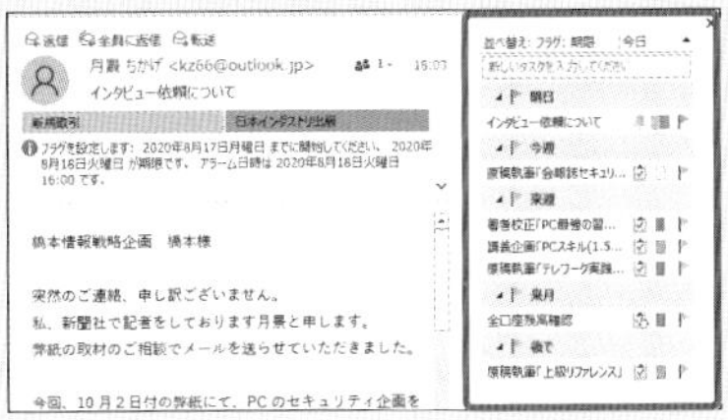

Hint アラームを確認する

アラームを設定した時刻になると、アラームが表示されます。アラームの件名をダブルクリックすると、該当メールを表示できます。アラームが不要の場合は［アラームを消す］をクリックします。アラームの再通知が必要な場合は任意のタイミングを指定して、［再通知］をクリックします。

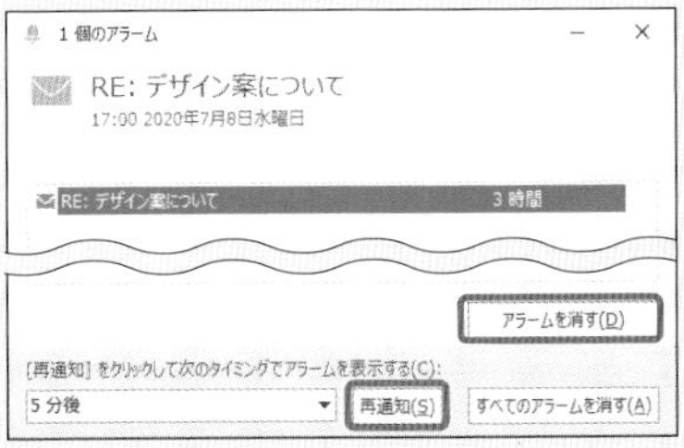

アラームを設定したメールをあらかじめ選択しておきます。

1 ［ホーム］タブ→［フラグの設定］をクリックして、

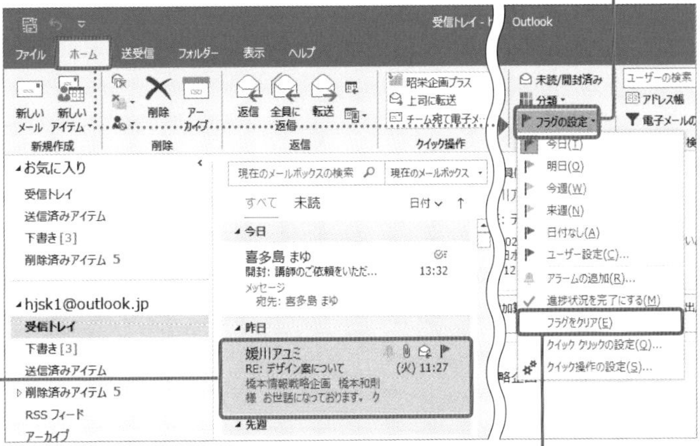

2 ドロップダウンから［フラグをクリア］をクリックします。

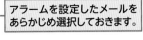

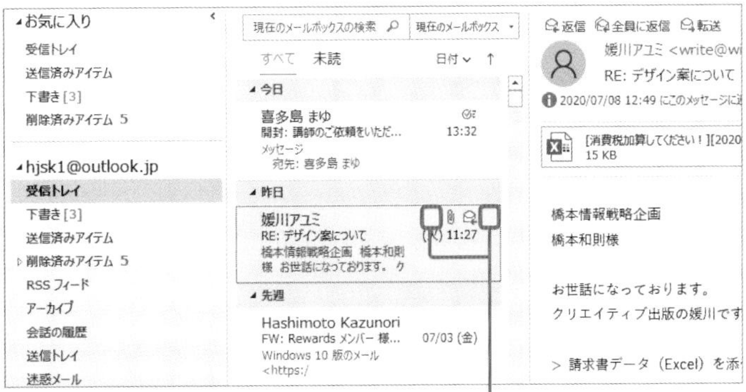

3 メールに設定したアラーム（フラグ）を削除できます。

Section 56

Outlook 2019をタッチでスムーズに操作する

ここで学ぶのは

- タッチモードへの切り替え
- タッチ操作
- タッチサポートの確認

タッチ操作に対応したPC（画面をタッチして操作できるPC）であれば、Outlook 2019をタッチで操作することもできます。ここでは、**タッチ操作に最適化する設定**を解説します。

1 Outlook 2019 をタッチ操作向けに最適化する

Key word タッチモード

「タッチモード」はコマンドの間隔を広げて、指でリボンコマンドをタッチしやすくするためのものです。今のままでもリボンコマンドを指で操作するのに不便がないという場合や、リボンコマンドはショートカットキーやマウスで操作するという場合は、タッチ操作を行う場合でも「マウスモード」で構いません。

Memo マウスが苦手な人に最適なタッチ操作

タッチ操作はマウス操作よりも直感的に操作できます。例えば、マウス操作であれば対象までマウスポインターを移動した後にクリックしなければいけませんが、タッチであれば対象をそのままタップするだけで操作が済むため、初心者向きともいえます。さらに、マウスやショートカットキーと併用することで、中上級者も効率的な操作が可能になります。

Hint 自分のPCがタッチ対応か確認する

［スタート］メニューから、［設定］⚙をクリックします。［設定］画面から［システム］をクリックして、［詳細情報］をクリックすれば、［ペンとタッチ］欄でタッチのサポートを確認できます。

1 クイックアクセスツールバーにある［タッチ／マウスモードの切り替え］をクリックします。

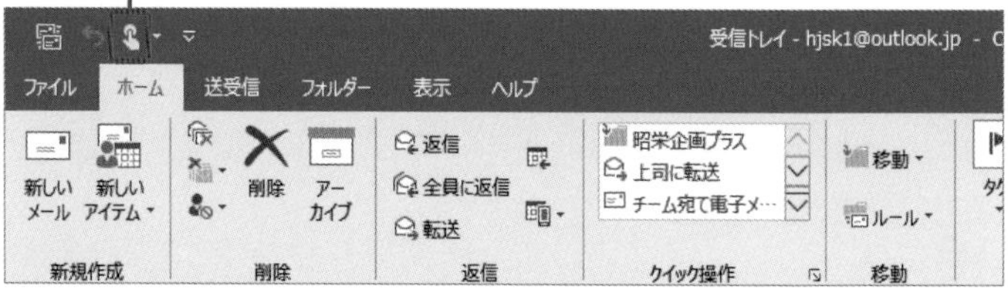

2 ドロップダウンから［タッチ］をクリックします。

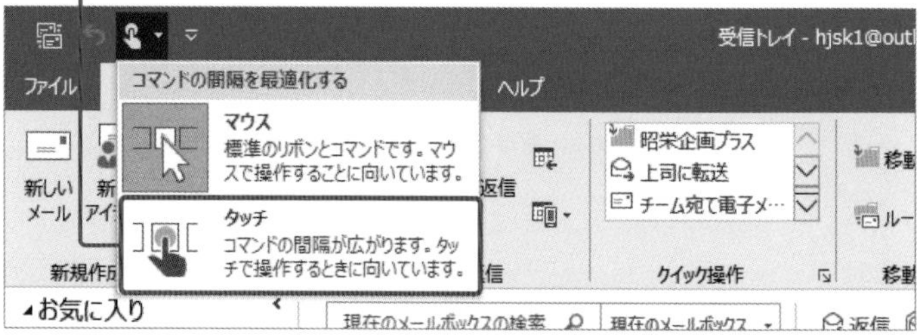

3 タッチ操作向けにコマンド同士の間隔が広がります。

タッチ操作に対応したPCの場合、あらかじめタッチモードが有効になっている場合もあります。

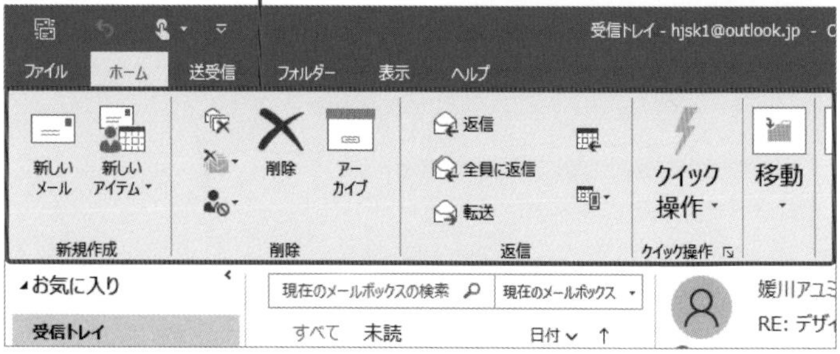

第 5 章

Outlookを最適化して さらに使いこなす

Outlook 2019は誰にでも使いやすいように各種便利機能が有効になっていますが、環境によっては無効にしたほうが使いやすい場合があります。ここでは、アカウントの追加や各種自動機能の設定のほか、メール環境の最適化や、マルウェアを防ぐ方法についても解説します。

Section 57

Outlook 2019で複数のメールアカウントを管理する

ここで学ぶのは

- アカウントの追加
- アカウントの変更
- アカウントの設定

Outlook 2019ではひとつのメールアカウントだけではなく、別のアカウントを登録して複数のアカウントを扱うことができます。ここでは、**アカウントの追加**方法のほか、**複数のアカウントでの操作**について解説します。

1 Outlook 2019に別のメールアカウントを追加する

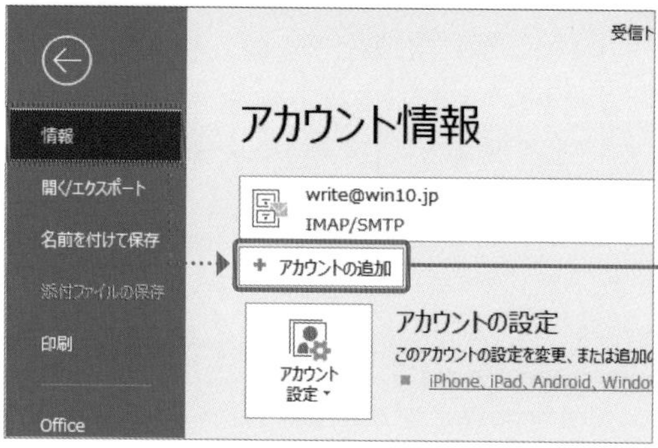

任意のメールアドレス情報（アカウントやパスワード）を用意しておきます。

1 Backstageビューの［情報］から、［アカウントの追加］をクリックします。

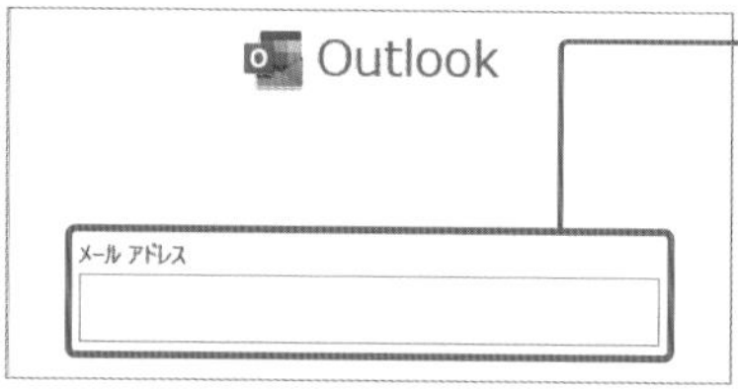

2 ウィザードが開始されるので、メールアドレスを入力します。

3 任意のアカウントの種類をクリックします。

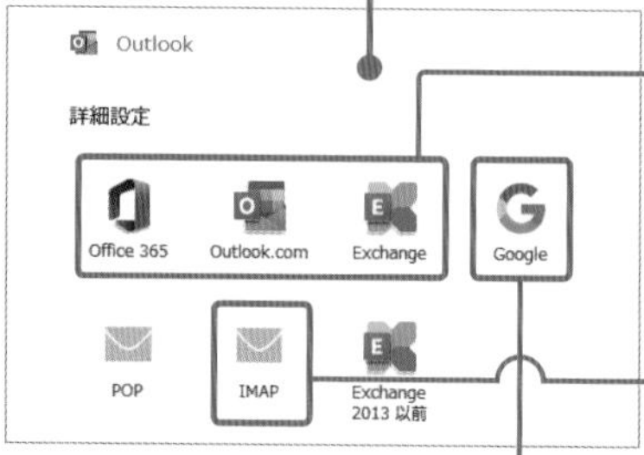

Microsoft系アカウントの場合は、アカウント種類に従った選択をします（この画面が表示されない場合もあります）。

IMAPアカウントの場合は、［IMAP］をクリックして、受信メールサーバーや送信メールサーバーの設定を行います（p.204参照）。

Gmail（Googleアカウント）の場合は、［Google］をクリックします（p.208参照）。

4 以後ウィザードに従って設定を行います。

Memo アカウントの種類

Microsoft系アカウントを登録する場面において手順**3**で［詳細設定］が表示されたら、手持ちのアカウントの種類に従って、Microsoft Exchangeアカウントの場合は［Exchange］、Microsoft 365のアカウントの場合は［Office 365］、Outlook.comアカウントの場合は［Outlook.com］をクリックして登録を進めます。

Hint Backstageビューの表示

Backstageビューは、Outlook 2019の操作画面から［ファイル］タブをクリックすることで表示できます。

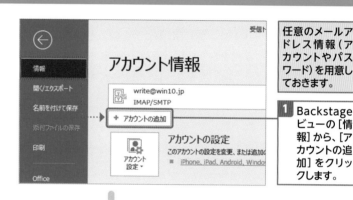

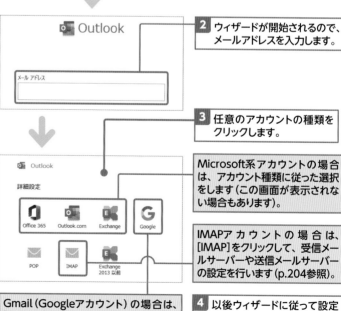

ショートカットキー

● Backstageビューの表示
Alt → F

Memo 反映されない場合は再起動する

アカウントを追加したものの、しばらく待ってもメールアカウントが画面上に反映されない場合には、一度Outlook 2019を終了してから、Outlook 2019を再度起動して確認します。メールアカウントの反映には、しばらく時間がかかることがあります。

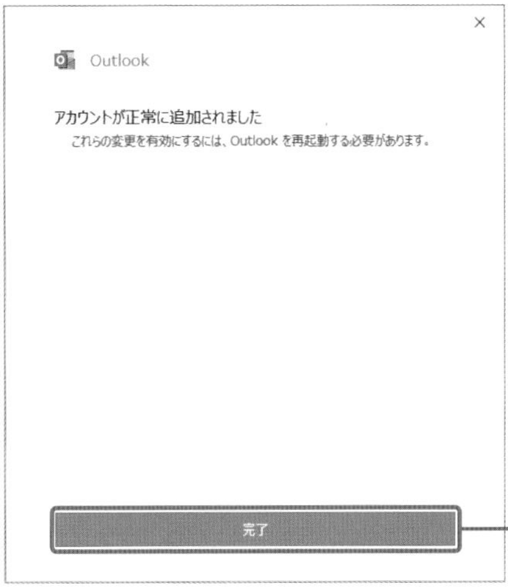

5 [完了]をクリックします。

2 Outlook 2019 で操作対象アカウントを変更する

Hint 「新しいメール」の作成での注意点

「新しいメール」を作成する際は、「現在操作中のアカウント」が「差出人」となります。複数のアカウントを管理している場合、新しいメールの作成時には「差出人」が正しいかどうかを必ず確認します。

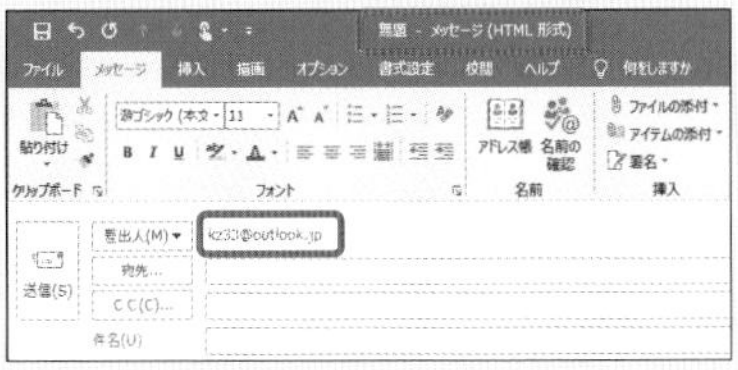

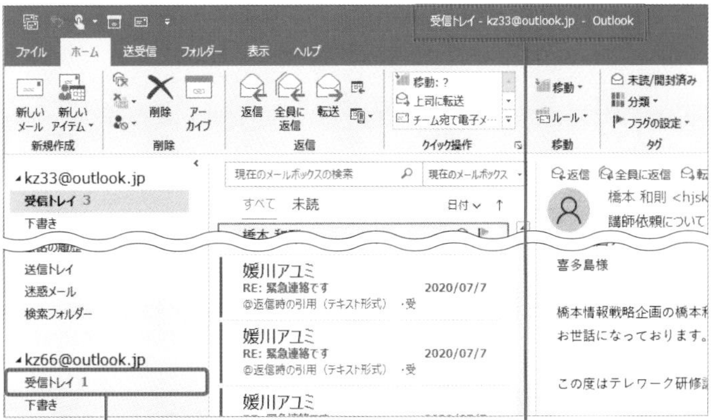

1 フォルダーウィンドウで任意のアカウントの[受信トレイ]フォルダーをクリックします。

操作対象アカウントは、タイトルバーのアカウント表記でも確認できます。

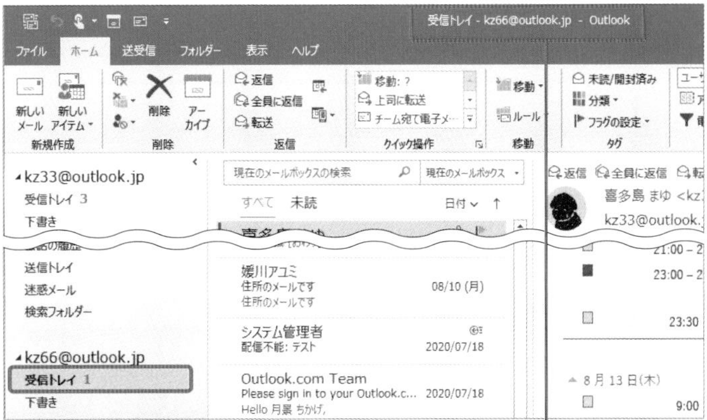

2 操作対象アカウントを切り替えることができます。

Hint メールの差出人の変更

複数のアカウントを管理している場合、新しいメールを作成するときは[差出人]をクリックすることにより、任意の差出人に切り替えることもできます。

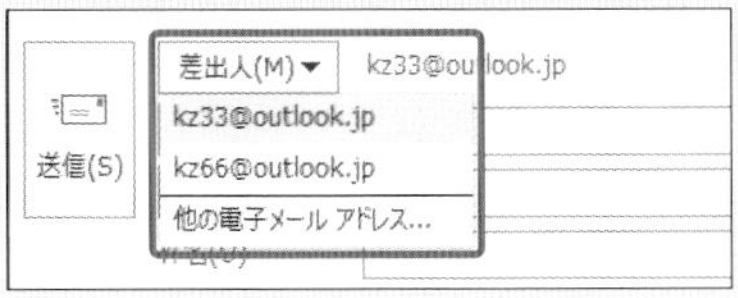

3 対象のアカウントの設定を行う

Memo Backstage ビューの[アカウント情報]

Backstageビューの[アカウント情報]では、現在登録されているアカウントの一覧を確認できるほか、各アカウントが「Microsoft系アカウントかそうではないか」をアイコンで確認することができます。
なお、Outlook 2019のすべての機能を利用するにはMicrosoft系アカウント(Microsoft Exchangeアカウント/Microsoft 365のアカウント/Outlook.comアカウントなど)である必要があります。

非Microsoft系アカウント：Outlook 2019の全機能を利用できません。

Microsoft系アカウント：Outlook 2019のほぼすべての機能を利用できます。

1 Backstageビューの[情報]から、[アカウント情報]をクリックして、

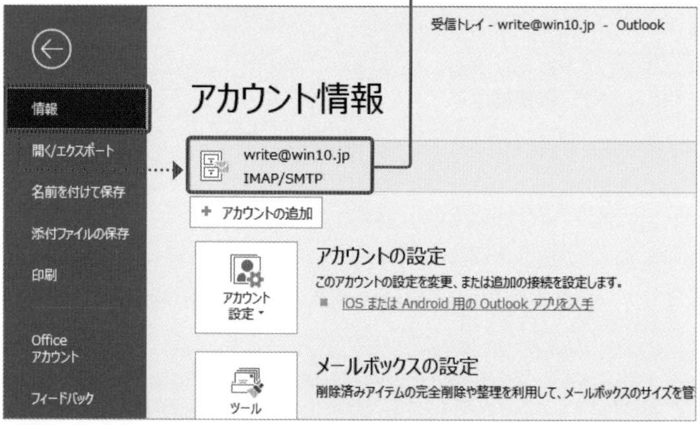

2 ドロップダウンで任意のアカウントをクリックします。

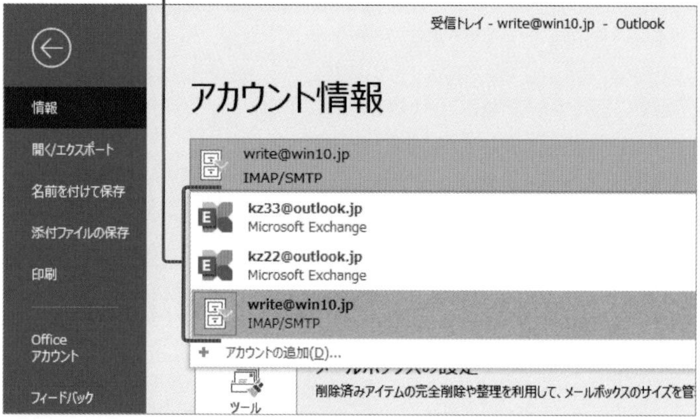

3 該当アカウントの設定を行うことができます。

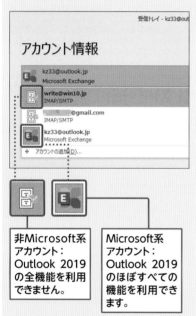

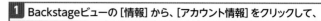

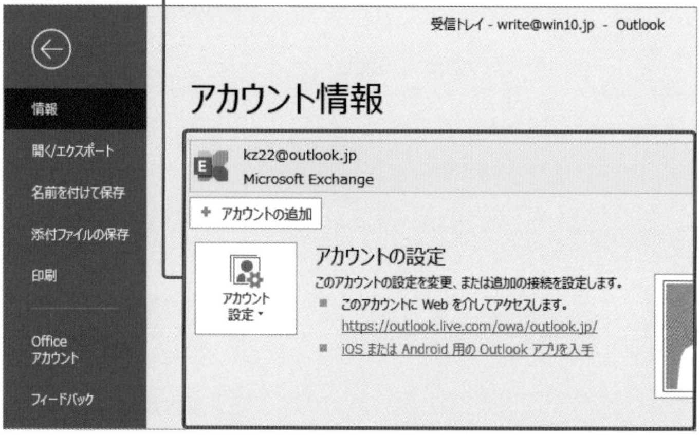

4 アカウントの表示順序を変更する

Hint 既定（通常利用する）アカウントの設定

Backstageビューの［情報］から、［アカウント設定］をクリックして、ドロップダウンから［アカウント設定］をクリックします。
既定（通常利用する）に設定したいアカウントを選択して、［既定に設定］をクリックすれば、該当アカウントを既定にすることができます。

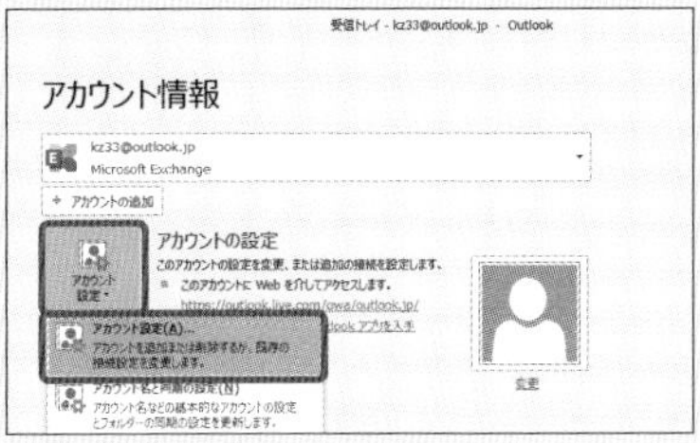

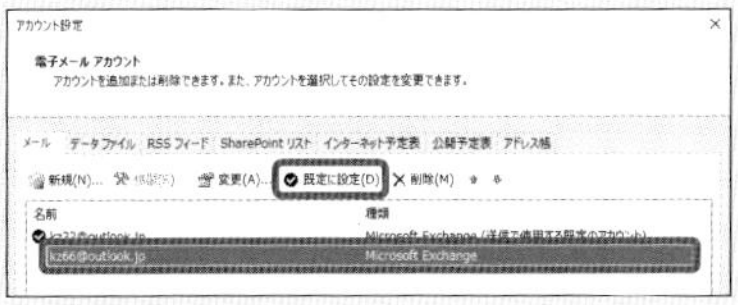

注意 Microsoft系アカウントを前提とした管理

Outlook 2019では「メール」以外にも「連絡先」「予定表」「タスク」などを管理することができますが、全般的な機能はMicrosoft Exchangeアカウント／Microsoft 365のアカウント／Outlook.comアカウントなどのMicrosoft系アカウントを利用することが前提の設計になっています。
Outlook 2019ではIMAPアカウントなどのメールを扱うこともできますが、Microsoft系アカウント以外では「連絡先」「予定表」「タスク」などをアカウントと同期して管理することができず、「PC内に保存される（クラウドで管理できない）」という制限があるほか、すべての機能が利用できません。
一方でMicrosoft系アカウントを利用すれば、「連絡先」「予定表」「タスク」などをクラウドで管理できるほか、Outlook 2019の基本機能のすべてを活用することができます。

1 フォルダーウィンドウで任意のアカウントをドラッグします。

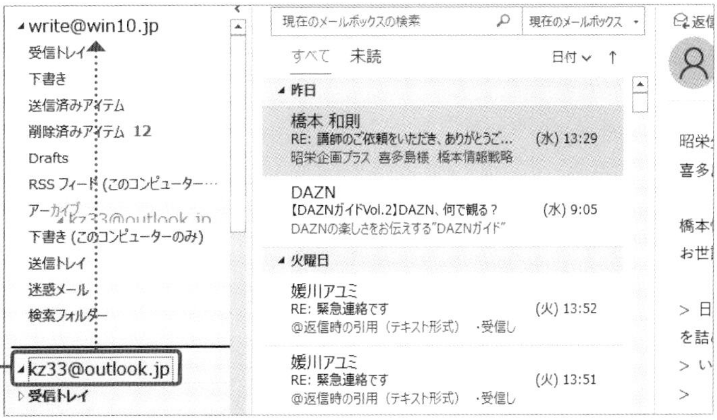

2 移動したい任意の場所でドロップします。

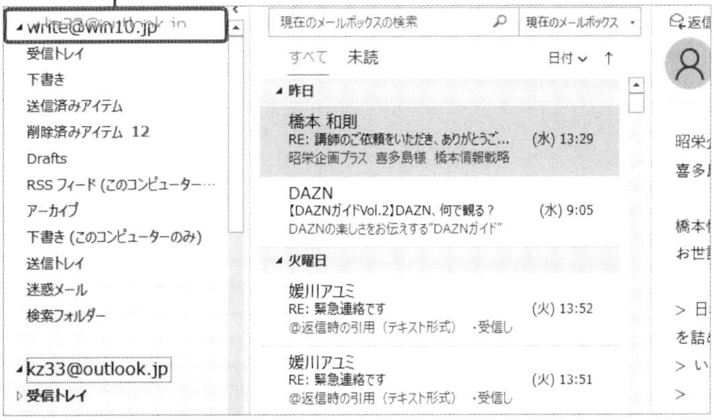

3 フォルダーウィンドウ内で、アカウントの表示順序を変更できます。

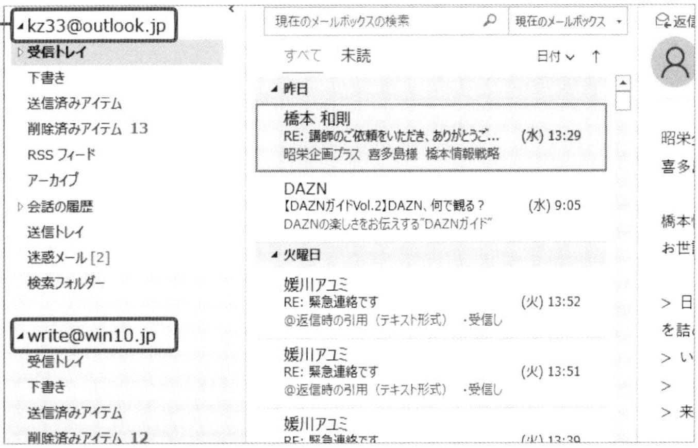

Section 58

プロバイダーメールをOutlook 2019で管理する

ここで学ぶのは

- IMAP アカウントの追加
- IMAP アカウントの設定
- POP アカウントとの違い

インターネットサービスプロバイダー（OCN、So-net、BIGLOBE、plala、Yahoo! BB、@nifty、hi-hoなど）から供給されているメールのアカウントやレンタルサーバーで管理するメールなどをOutlook 2019に登録したい場合には、IMAPの設定情報を確認したうえでアカウントを追加します。

1 IMAP アカウントを追加する

Keyword IMAP

IMAPは「Internet Message Access Protocol（インターネット・メッセージ・アクセス・プロトコル）」の略で、メール情報をサーバーが管理します。メールのフォルダーなどもメールサーバーで管理されるため、Outlook 2019でIMAPアカウントを管理する場合は、プロバイダーが標準設定しているフォルダー管理とOutlook 2019のフォルダー管理で違いが出ることがあります。

Hint POP アカウントの利用

POPアカウントの設定もIMAPアカウント同様に、プロバイダー（インターネットサービスプロバイダー／レンタルサーバーなど）の設定情報に従って入力すればOutlook 2019で管理可能です。なお、POPアカウントはメール全般の情報を該当PC内にしか保存できない点に注意が必要です。

あらかじめ該当メールアカウントを供給しているインターネットサービスプロバイダー／レンタルサーバーなどで、IMAPの設定を確認しておきます。

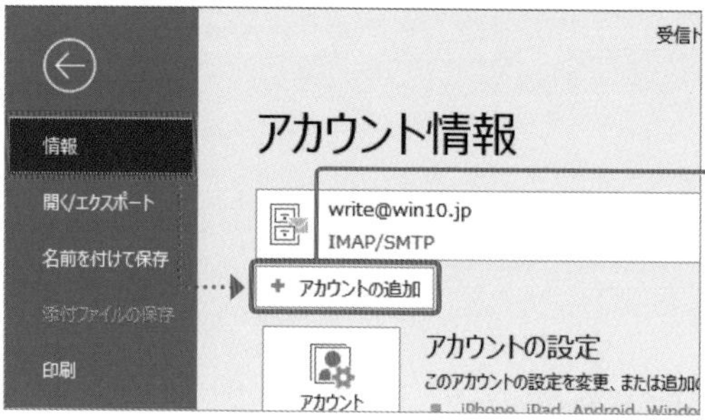

1 Backstageビューの［情報］から、［アカウントの追加］をクリックします。

初回起動の場合、この工程は必要ありません。

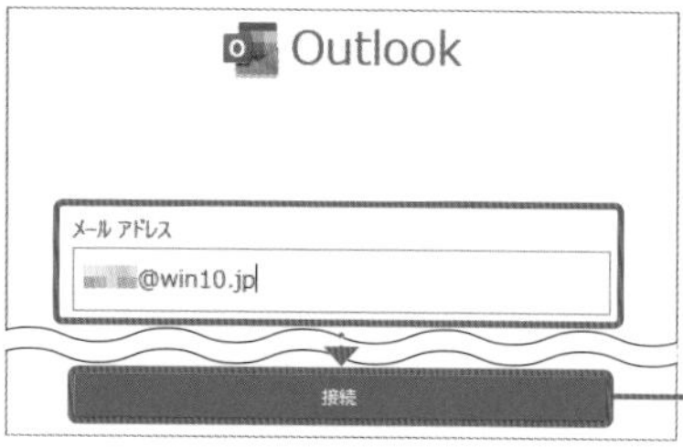

2 ウィザードが開始されますので、メールアドレスを入力して、［接続］をクリックします。

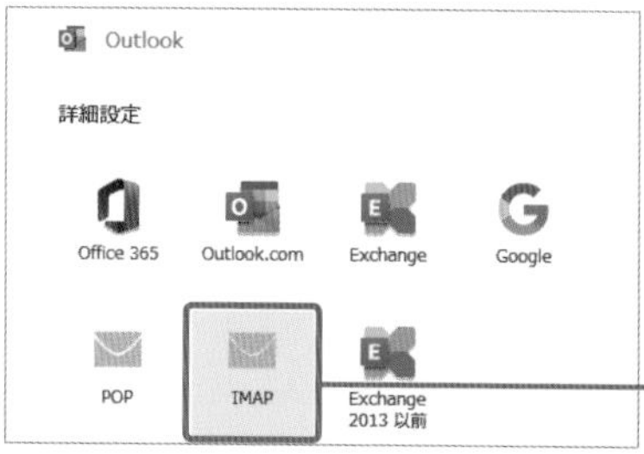

3 ［IMAP］をクリックします。

Hint Backstageビューの表示

Backstageビューは、Outlook 2019の操作画面から［ファイル］タブをクリックすることで表示できます。

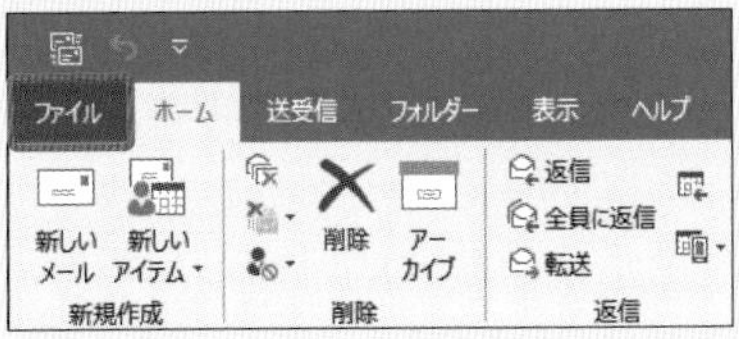

ショートカットキー

● Backstageビューの表示
Alt → F

Memo 反映されない場合は再起動する

アカウントを追加したものの、しばらく待ってもメールアカウントが画面上に反映されない場合は、一度Outlook 2019を終了してから、Outlook 2019を再度起動して確認します。

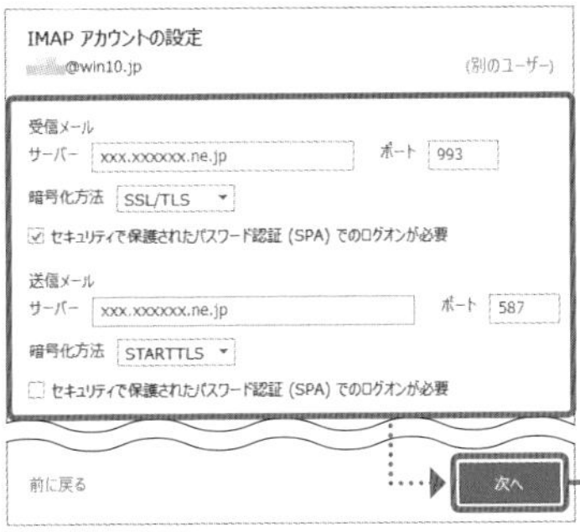

4 受信メールサーバーや送信メールサーバーの情報を、プロバイダーのIMAP設定情報に従って入力します。

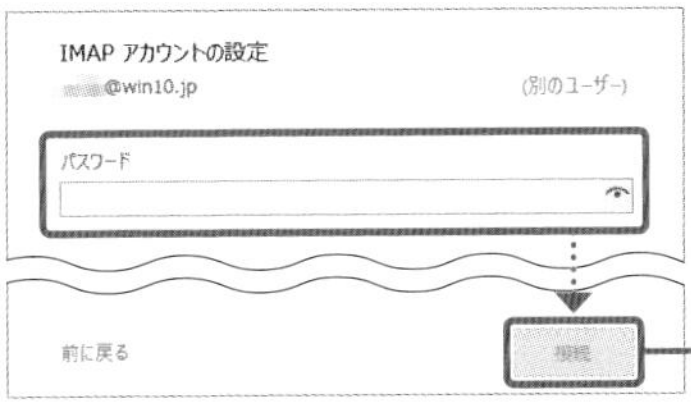

5 パスワードを入力して、［接続］をクリックします。

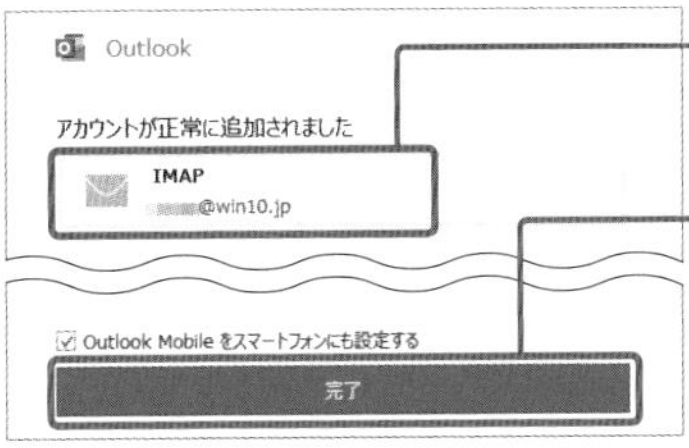

6 アカウントが正常に追加されます。

7 ［完了］をクリックします。メールアカウントの反映には、しばらく時間がかかることがあります。

2 IMAPアカウントを設定する

Memo IMAPアカウントの正常性を確認する

IMAPアカウントが正しく動作するかどうかについては、まず受信トレイに「Microsoft Outlook テストメッセージ」が届いていることを確認します。

Memo アカウントの種類を確認する

Backstageビューの［情報］から、［アカウント情報］をクリックすると、Microsoft系アカウントではアイコンに「Exchangeマーク」があり、「自動応答」や「メールボックスの設定」などがありますが、その他のアカウントではそうした機能がありません。

Backstageビューの［情報］から、［アカウント情報］をクリックして設定対象のIMAPアカウントを選択しておきます。

1 ［アカウント設定］をクリックして、ドロップダウンから［アカウント設定］をクリックします。

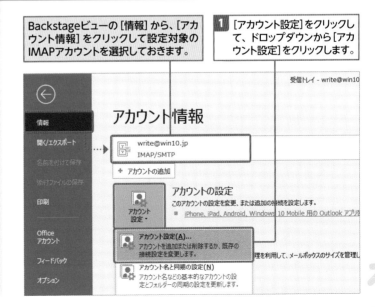

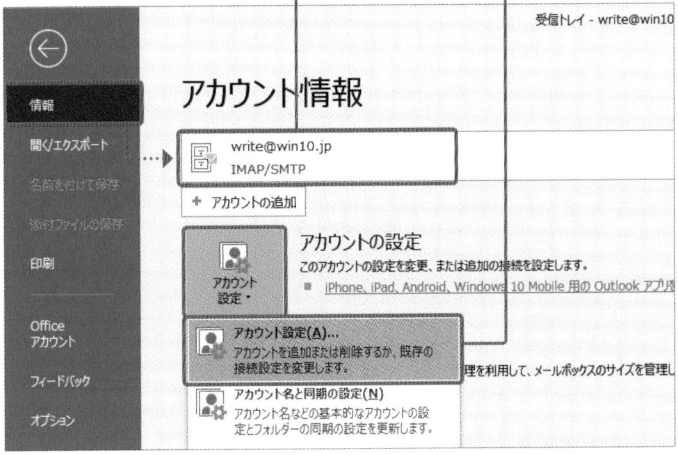

Memo 「送信メールのサーバー」の正常性を確認する

IMAPアカウントにおける「送信メールのサーバー設定」が正しく動作するかどうかを確認したい場合は、[ホーム]タブ→[新しいメール]をクリックして、宛先に「自分のメールアドレス」を入力して、件名や本文にテストであることを記述して、[送信]をクリックします。送受信して該当メールが届けば、送信メールサーバーの正常性を確認できます。

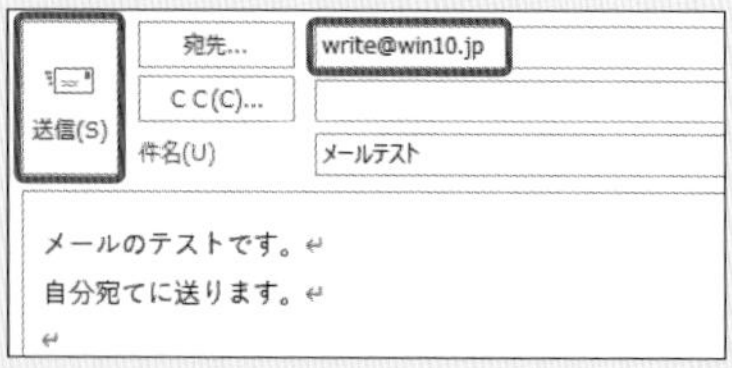

Hint Outlook.com アカウントを活用する

IMAPアカウントでは、Microsoft系アカウント(Microsoft Exchangeアカウント/Microsoft 365のアカウント/Outlook.comアカウントなど)とは異なり、「連絡先」「予定表」「タスク」をアカウントに同期して管理できないほか(PCに保存されます)、Outlook 2019の操作や設定にも制限があります。クラウドと同期して柔軟に管理したうえで、ほぼすべての機能を利用したい場合には、無料のOutlook.comで取得したアカウントと併用するとよいでしょう(p.212参照)。Outlook.com(https://www.outlook.com/)では、「~@outlook.jp」「~@outlook.com」「~@hotmail.com」などのOutlook.comアカウントを無料で取得することができます。

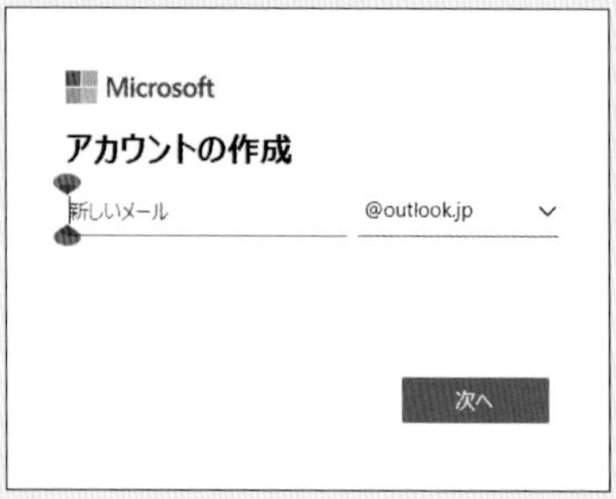

2 該当メールアドレスをダブルクリックします。

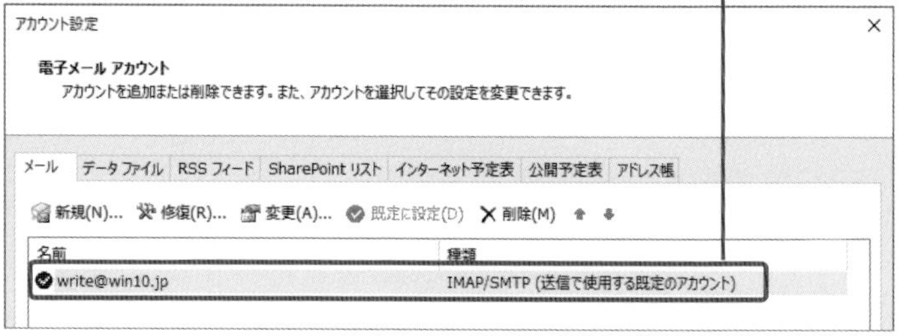

3 [自分の名前]に任意の名前を入力します。

4 [アカウント名]に任意のアカウント名を入力します。

5 [返信先アドレス]にメールアドレスを入力します。

6 [組織]に任意の組織名を入力します。

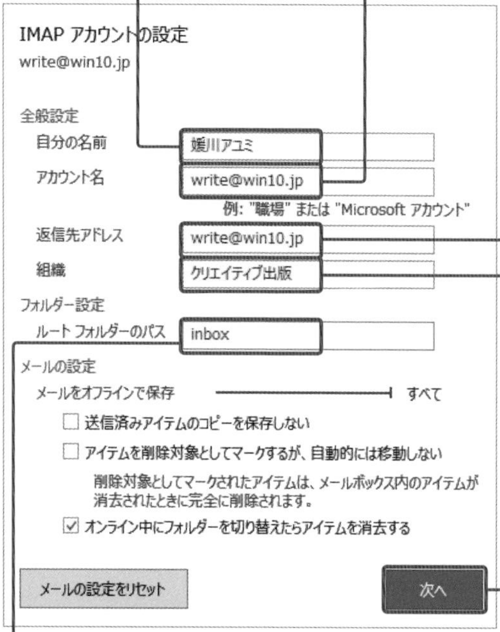

7 [ルートフォルダーのパス]にプロバイダーの設定情報に従ったパスを入力します。

8 [次へ]をクリックします。

9 [完了]をクリックします。

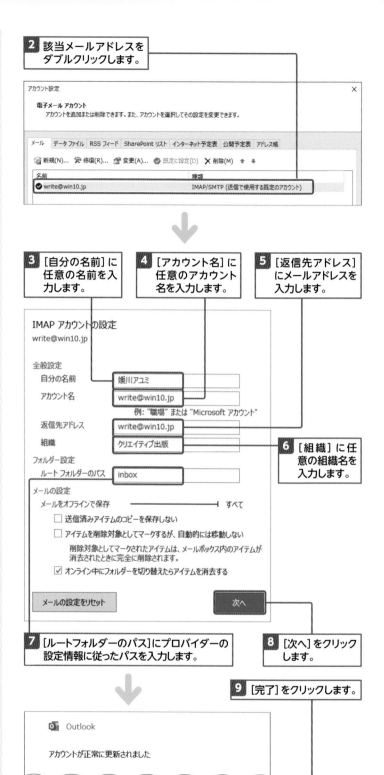

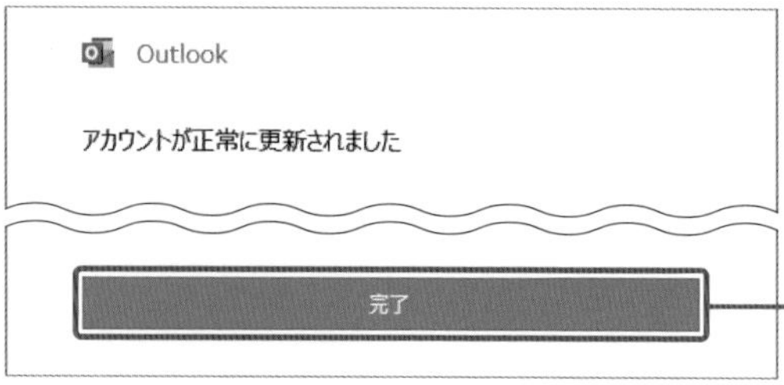

Hint IMAP と POP の違いを知る

一般的なプロバイダーメールは「IMAP（Internet Message Access Protocol）」と「POP（Post Office Protocol）」の両方に対応しますが、メール管理としては「IMAP」が優れるため、プロバイダーメールをOutlook 2019で利用する場合は、「IMAP」で設定を進めるのが基本になります。

「IMAP」は、受信したメールや送信したメールを「メールサーバー」で保持します。よって、複数のデバイス（PCやスマートフォンなど）でメールを送受信しても、問題なくメールを管理することができます。

一方、「POP」は、サーバーでメールを保持しません。受信したメールはPCにコピーされる仕様であり（一定日数サーバーに保持することができますが、いずれサーバーから削除されます）、また送信メールは送信したPC内でしか管理できない仕様です。

IMAPアカウント

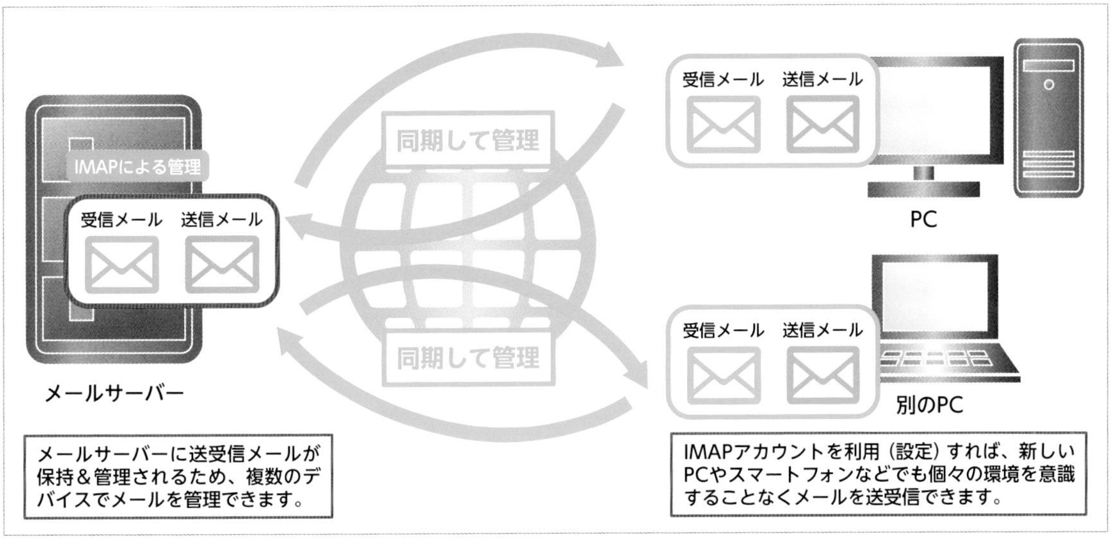
IMAPによる管理
受信メール
送信メール
メールサーバー
同期して管理
同期して管理
受信メール
送信メール
PC
受信メール
送信メール
別のPC
メールサーバーに送受信メールが保持＆管理されるため、複数のデバイスでメールを管理できます。
IMAPアカウントを利用（設定）すれば、新しいPCやスマートフォンなどでも個々の環境を意識することなくメールを送受信できます。

POPアカウント

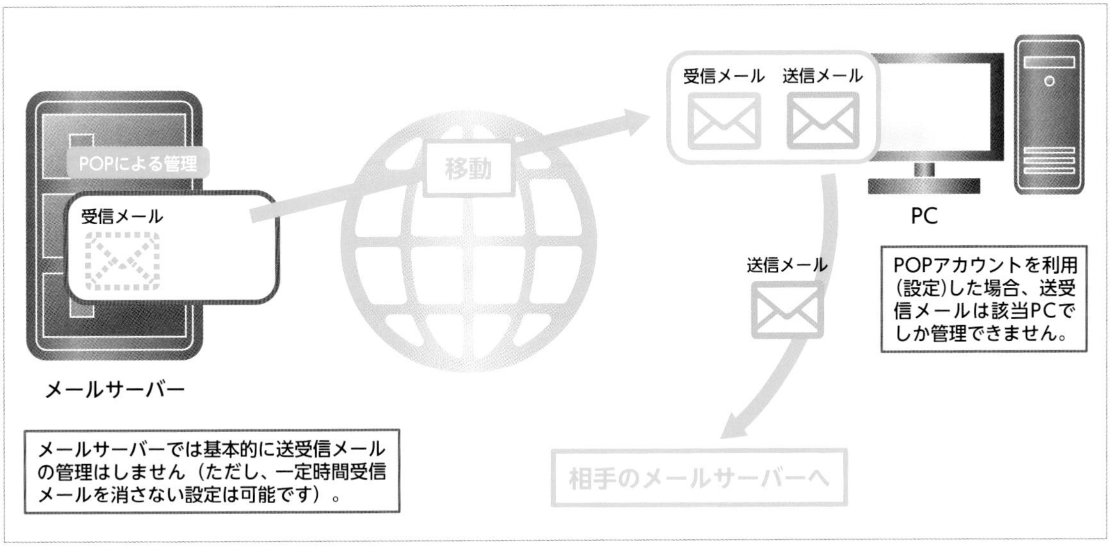
POPによる管理
受信メール
メールサーバー
移動
受信メール
送信メール
PC
送信メール
POPアカウントを利用（設定）した場合、送受信メールは該当PCでしか管理できません。
相手のメールサーバーへ
メールサーバーでは基本的に送受信メールの管理はしません（ただし、一定時間受信メールを消さない設定は可能です）。

Section 59

GmailをOutlook 2019で管理する

ここで学ぶのは

- Google アカウントの追加
- Google アカウントの設定
- Gmail

Outlook 2019はGmail（Googleアカウント）を管理することも可能です。GmailをOutlook 2019で管理したい場合には、以下の手順に従います。なお、Outlook 2019におけるGmailの管理には操作や機能に制限があります。

1 Google アカウントを追加する

Memo　Google アカウントが必要

GmailをOutlook 2019で管理したい場合には、あらかじめGoogleアカウントを取得しておく必要があります。さらに、Googleアカウント側でセキュリティ設定の変更が必要になる場合もあります。

あらかじめGmail側でOutlook 2019が利用できるように設定しておきます（次ページのMemo参照）。

1 Backstageビューの［情報］から、［アカウントの追加］をクリックします。

初回起動の場合、この工程は必要ありません。

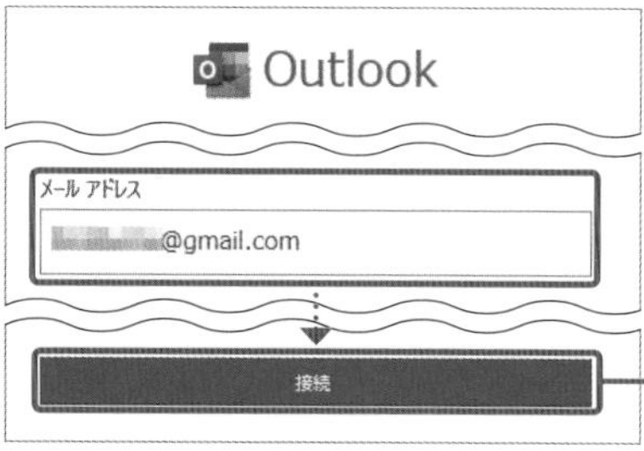

2 ウィザードが開始されますので、Googleアカウントを入力して、［接続］をクリックします。

ショートカットキー

- Backstageビューの表示
  Alt → F

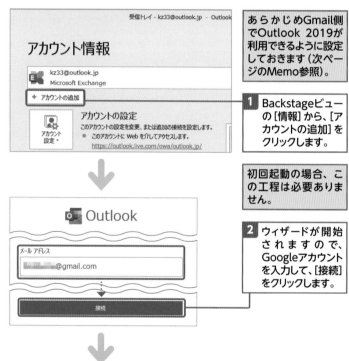

3 ［次へ］をクリックします。

Keyword　Gmail

Google社が提供している無料のメールサービスです。PC、スマートフォン、タブレットなど、デバイスやOSを問わず使用することができます。

Key word 2段階認証

2段階認証とは、パスワード以外にも、認証を求めるセキュリティ機能のひとつです。Gmailの2段階認証プロセスは複数用意されており、例えばSMS認証であれば、あらかじめ登録しておいた電話番号にSMSで確認コードが届くので、そのコードを入力します。

Hint Backstage ビューの表示

Backstageビューは、Outlook 2019の操作画面から[ファイル]タブをクリックすることで表示できます。

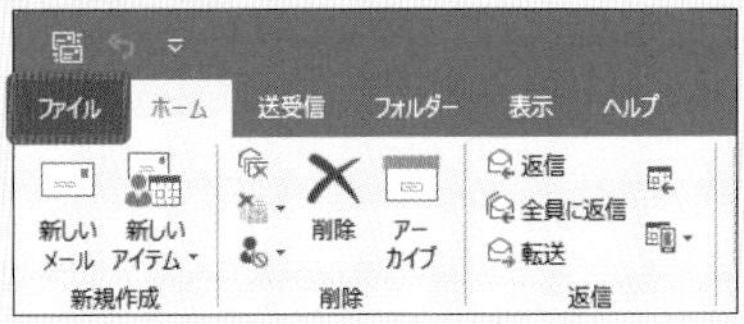

4 パスワードを入力して、[ログイン]をクリックします。

5 2段階認証を設定している場合には、そのプロセスに従います。

Memo Gmail の設定

Outlook 2019でGmailを管理する場合、Outlook 2019での設定以外にもGmailの設定が必要になる場合があります。

Gmailの設定はWebブラウザーでGmailを表示したのち(https://mail.google.com/)、[設定]をクリックして任意に変更します。一般的にWebブラウザー以外のアプリ(Outlook 2019など)でGmailにアクセスするには「IMAPを有効」にする必要があります。

また、2段階認証などのセキュリティ関連はGoogleアカウントの設定(https://myaccount.google.com/)が必要になります。

なお、Googleアカウント全般の設定やセキュリティポリシーは常に更新されるため(機能の進化や変更により、今までの方法ではアプリからアクセスできなくなることもあります)、最新の情報を確認しながら設定を進めるようにします。

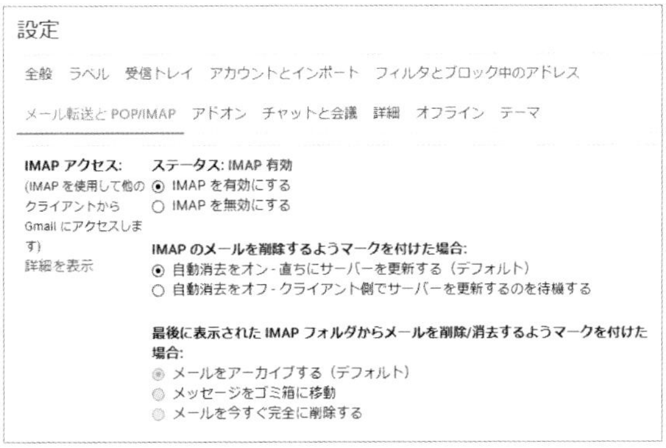

6 リクエスト内容を確認します。

7 ［許可］をクリックします。

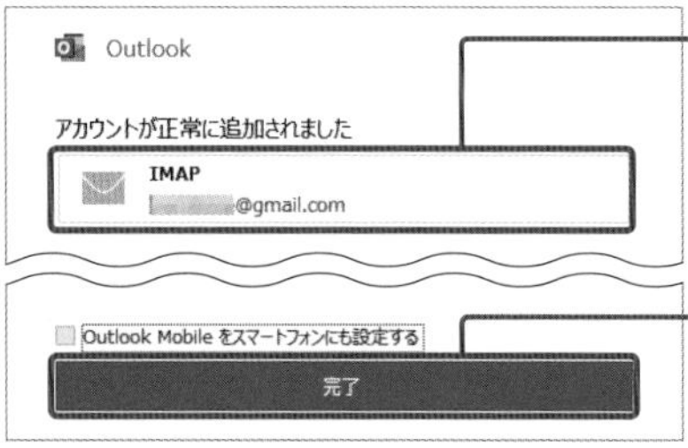

8 アカウントが正常に追加されます。

9 ［完了］をクリックします。

10 Outlook 2019でGmailを管理できるようになります。

Memo **反映されない場合は再起動する**

アカウントを追加したものの、しばらく待ってもメールアカウントが画面上に反映されない場合は、一度Outlook 2019を終了してから、Outlook 2019を再度起動して確認します。

2 Google アカウントを設定する

Hint **Gmail の正常性を確認する**

Gmailが正しく動作するかどうかについては、まず受信トレイに「Microsoft Outlook テストメッセージ」が届いていることを確認します。

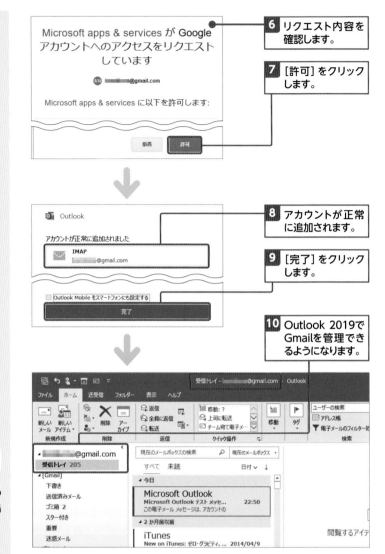

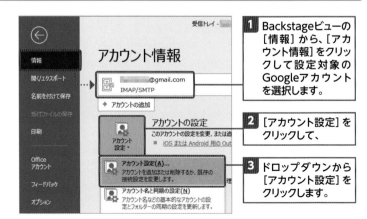

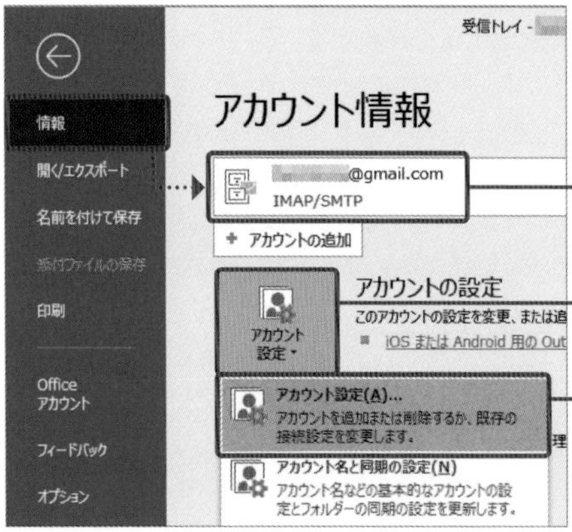

1 Backstageビューの［情報］から、［アカウント情報］をクリックして設定対象のGoogleアカウントを選択します。

2 ［アカウント設定］をクリックして、

3 ドロップダウンから［アカウント設定］をクリックします。

注意 Gmail(Googleアカウント)の制限

Gmail(Googleアカウント)では、Microsoft系アカウント(Microsoft Exchangeアカウント／Microsoft 365のアカウント／Outlook.comアカウントなど)と比較して、「連絡先」「予定表」「タスク」をOutlook 2019と完全に同期して管理できないという制限があります。
なお、Googleアカウントの機能としてはカレンダー」や「連絡先」をクラウドで管理することができますが、これらの情報はWebブラウザーや対応アプリ(Windows 10であれば標準のメールやカレンダー)で確認・操作する必要があります。

Hint アカウントの種類を確認する

現在使用しているアカウントの種類を確認したい場合は、[ファイル]タブをクリックして、Backstageビューの[情報]から、[アカウント情報]をクリックして、ドロップダウンからIMAPアカウントをクリックします。
Microsoft系アカウントではアイコンに「Exchangeマーク」があり、「自動応答」や「メールボックスの設定」などがありますがGoogleアカウントではそうした機能がありません。

● Google

● Microsoft系アカウント

4 該当メールアドレスをダブルクリックします。

5 [自分の名前]に任意の名前を入力します。

6 [アカウント名]に任意のアカウント名を入力します。

7 [返信先アドレス]にメールアドレスを入力します。

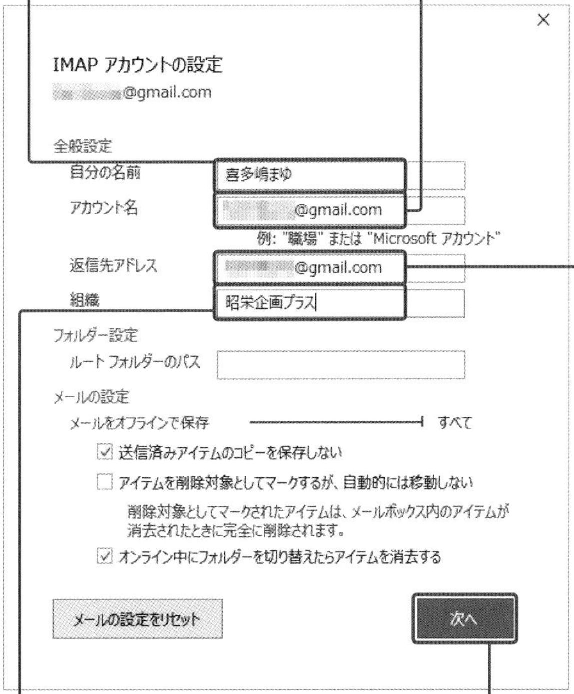

8 [組織]に任意の組織名を入力します。

9 [次へ]をクリックします。

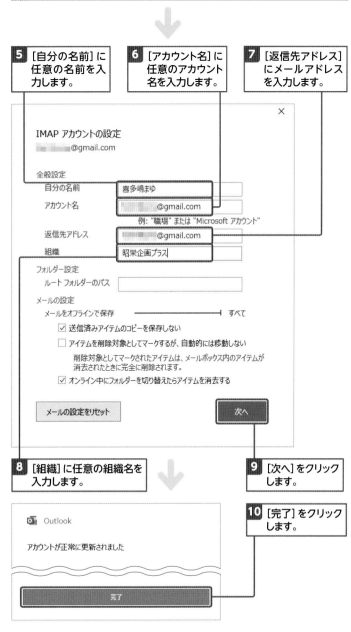

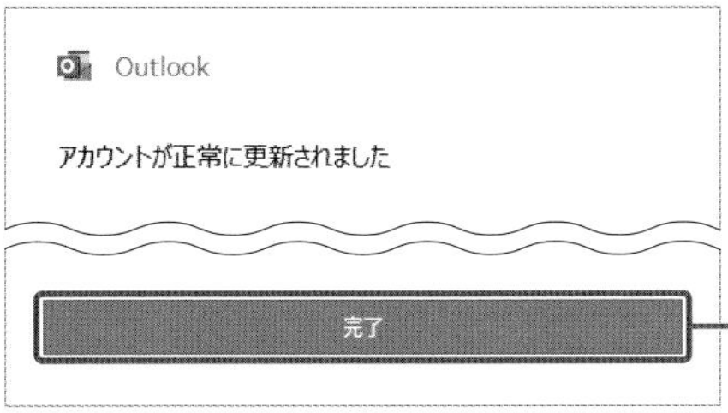

10 [完了]をクリックします。

Section 60

Outlook.comで無料アカウントを作成して活用する

ここで学ぶのは

- Outlook.com とは
- Outlook.com アカウント
- アカウントの設定

Outlook.comでは、Outlook 2019のほぼすべての機能を利用できる「～@outlook.jp」「～@outlook.com」「～@hotmail.com」などのアカウントを無料取得することができます。取得したアカウントは、Outlook 2019のほぼすべての機能を利用できることもポイントです。

1 無料で Outlook.com アカウントを取得する

Memo ドメインを選択できる

Outlook.comではメールアドレスとして「～@outlook.jp」「～@outlook.com」「～@hotmail.com」を無料で取得することができます。なお、@マークの前の文字列は既にほかのユーザーが利用しているものは取得できません。なお、Outlook.comで取得できるメールアドレスのドメインは時期によって変更されますが（以前には「～@live.jp」など別の文字列も存在していたことがあります）、選択するドメインが異なっていても、機能に違いはありません。

Memo Windows 10 内のアカウント作成も同じ

Windows 10では、[スタート] メニューの [設定] ⚙→ [アカウント] → [メールとアカウント] などから任意にメールアカウントを作成することができますが、ここで作成できるメールアカウントもOutlook.comで取得できるアカウントと同様のもので、機能に違いはありません。

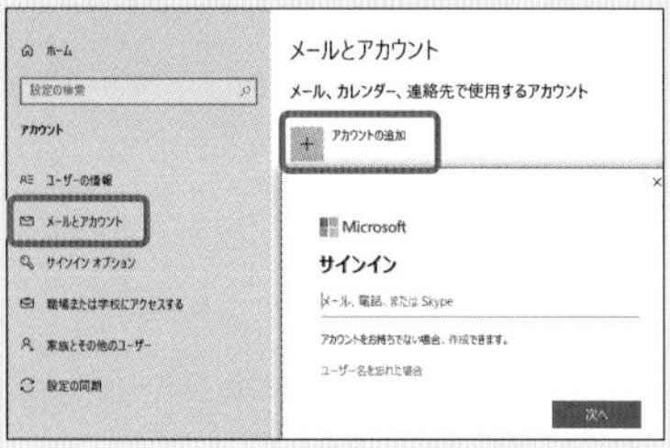

1 Webブラウザーで「https://www.outlook.com/」にアクセスします。

2 [無料アカウントを作成] をクリックします。

3 任意の文字列（英数半角）を入力して、

4 任意のドメインを選択し、[次へ] をクリックします。

5 メールアドレスがすでに使われている場合は、[次の中から選んでください] をクリックします。

Hint Outlook 2019へのアカウント登録

取得したOutlook.comアカウントをOutlook 2019に登録する方法は、p.200を参照してください。基本的には取得したメールアドレスを入力した後、詳細設定が表示されたら[Outlook.com]を選択して、パスワードを入力するだけです。

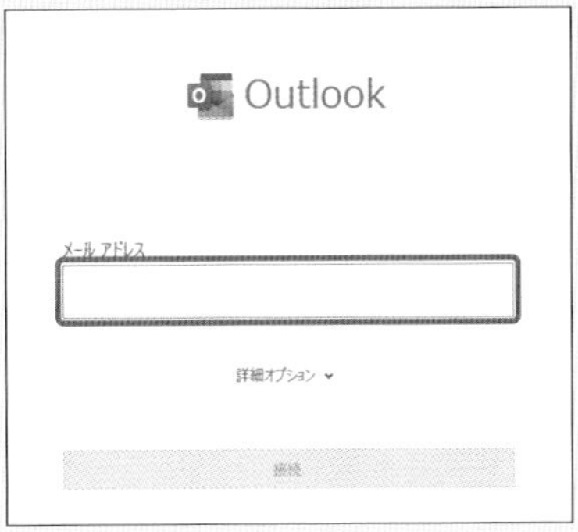

6 取得したいメールアドレスをクリックします。

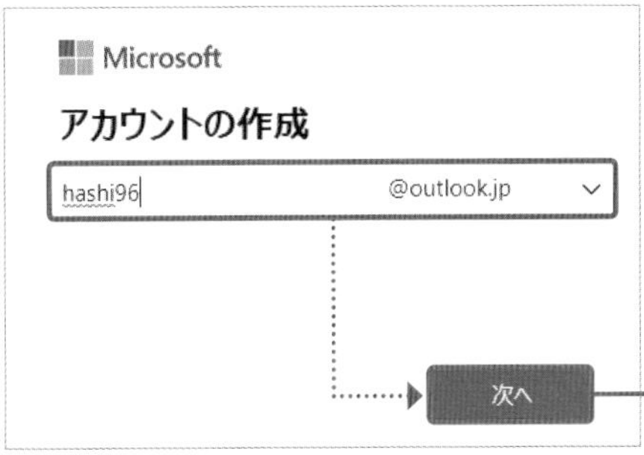

7 メールアドレスを確認して[次へ]をクリックします。

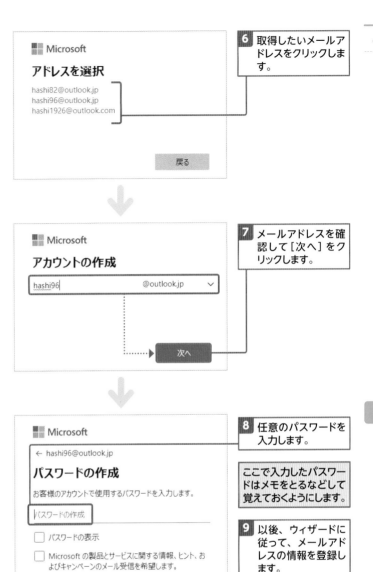

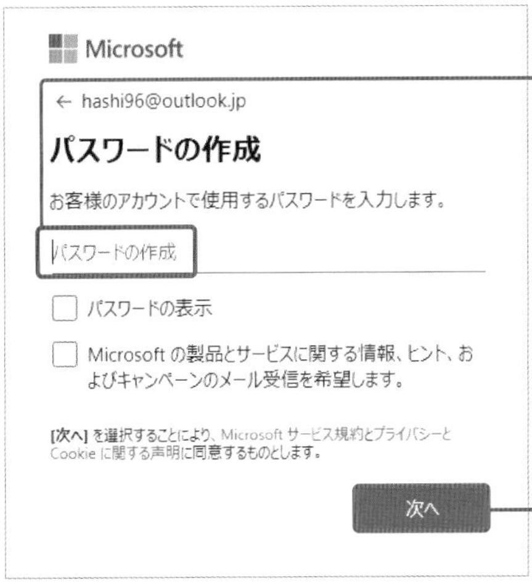

8 任意のパスワードを入力します。

ここで入力したパスワードはメモをとるなどして覚えておくようにします。

9 以後、ウィザードに従って、メールアドレスの情報を登録します。

Hint IMAPアカウント利用でも併用したいOutlook.comアカウント

IMAPアカウントなどの非Microsoft系アカウントではOutlook 2019の基本機能の一部を利用できないほか、「メール」以外の「予定表」「連絡先」などの操作や機能に制限があり、また予定や連絡先などの情報をクラウドと同期してアカウントに保存することができません。

一方、Outlook.comアカウントであれば「連絡先」「予定表」などもクラウドで管理することができ、Outlook 2019の基本機能のすべてを利用できます。

メールにおいてメインはIMAPアカウントを利用している場合でも、「連絡先」「予定表」などをOutlook 2019で管理したい場合には、Outlook.comアカウントを併用して活用するのがおすすめです。

Section 61

メッセージウィンドウでの操作を基本にする

ここで学ぶのは

- メッセージウィンドウ
- 閲覧ウィンドウ
- メールの既読設定

Outlook 2019では基本的な各種操作を「閲覧ウィンドウ」でも完結することができます。しかし、閲覧ウィンドウでメールの「開封」「返信」などの操作をすべて行うとわかりにくいこともあるため、「**メッセージウィンドウでの操作を基本とする設定**」を適用するとOutlook 2019が使いやすくなる場合があります。

1 返信／転送の際にメッセージウィンドウを開くようにする

解説 わかりにくい閲覧ウィンドウでの操作を解決

閲覧ウィンドウは「閲覧」という名前であるにもかかわらず、「返信」「転送」などのメール本文作成も行うことができます。
これを便利な機能と考える人もいれば、同じ画面での操作になるためわかりにくいと考える人もいます。後者である場合は、ここで解説している設定を適用することで、Outlook 2019での操作ミスや下書きメールが増えてしまうなどの問題を軽減できます。

ショートカットキー

- [Outlookのオプション]ダイアログの表示
  Alt→F→T

1 Backstageビューから[オプション]をクリックします。

2 [Outlookのオプション]ダイアログが表示されます。

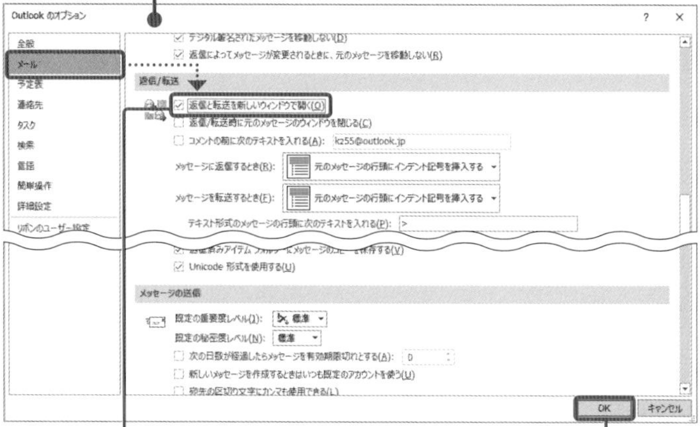

3 [メール]の[返信／転送]欄内の[返信と転送を新しいウィンドウで開く]をチェックして、

4 [OK]をクリックします。

2 メッセージウィンドウで表示した場合のみ既読にする

Memo メッセージウィンドウで確実に確認

Outlook 2019の標準設定では、閲覧ウィンドウで5秒表示するだけで「開封」になってしまいますが、この設定では「開封済みだが実は読んでいない」というトラブルが起こりがちです。
ここでの設定を適用すれば、メッセージウィンドウで表示しない限り開封にならなくなるため、「既読なのに読んでいない」というミスを防ぐことができます。

ショートカットキー

- メールを「未読」にする
  Ctrl＋U
- メールを「既読」にする
  Ctrl＋Q

Hint 既読までの表示時間を調整する

閲覧ウィンドウでの表示でも「開封」にはするものの、開封するまでの表示秒数をもう少し増やしたい場合には、[次の時間閲覧ウィンドウで表示するとアイテムを開封済みにする]をチェックして、任意の秒数を入力します。

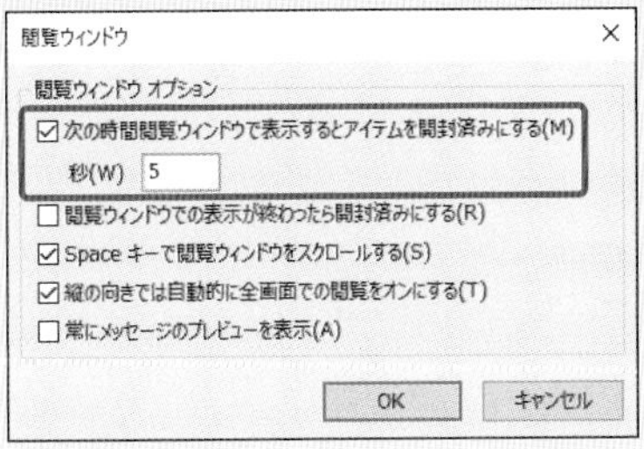

1 Backstageビューから[オプション]をクリックし、[Outlookのオプション]ダイアログを表示します。

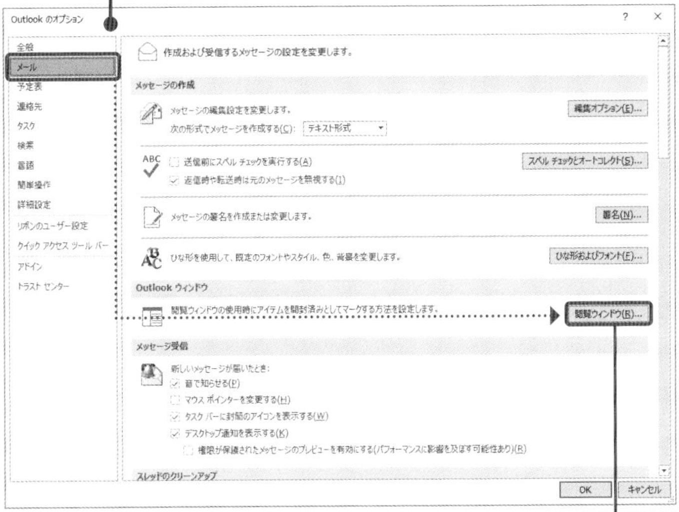

2 [メール]の[Outlookウィンドウ]欄内の[閲覧ウィンドウ]をクリックします。

3 [閲覧ウィンドウ]ダイアログが表示されます。

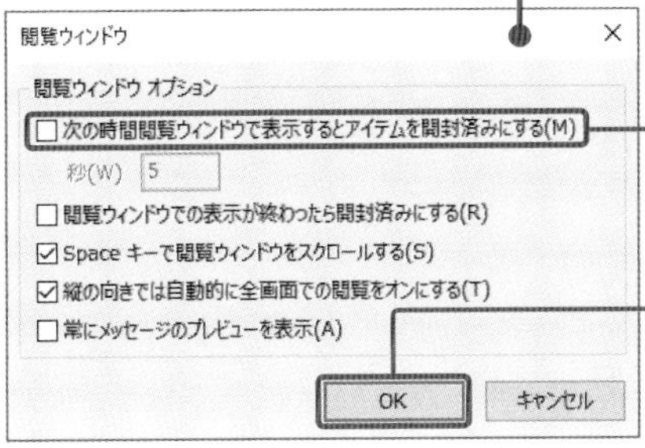

4 [次の時間閲覧ウィンドウで表示するとアイテムを開封済みにする]のチェックを外します。

5 [OK]をクリックします。

6 設定以後、閲覧ウィンドウでメールを表示しても既読にならなくなります。

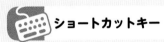

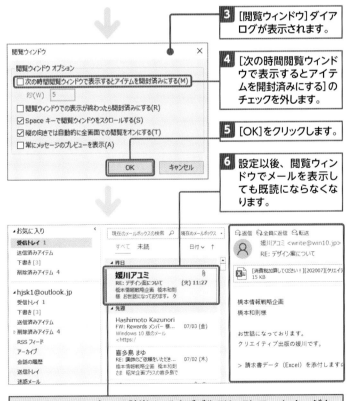

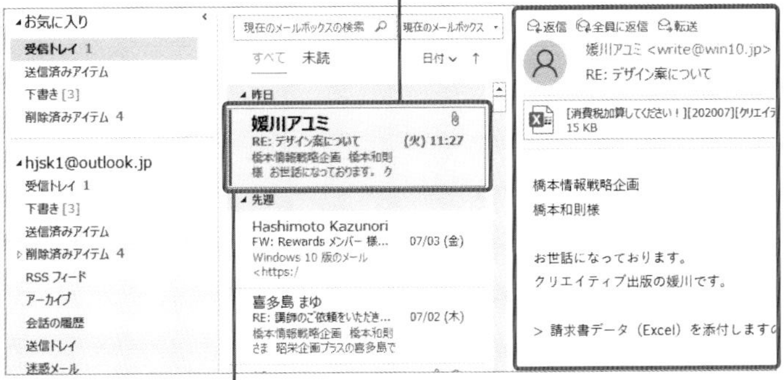

既読にするには、ビューの該当メールをダブルクリックして、メッセージウィンドウでメールを表示する必要があります。

Section 62

文章の自動修正機能を管理する

ここで学ぶのは

- オートコレクト
- オートフォーマット
- 自動変換機能の停止

Outlook 2019の**オートコレクト機能**や**オートフォーマット機能**は、文章を自動的に修正して文字列入力の補助を行いますが、この機能が邪魔になる場合は、各機能を把握したうえで必要のない機能を停止すると、入力環境を整えることができます。

1 オートコレクト／オートフォーマット機能の設定（共通）

解説 オートコレクト／オートフォーマット

入力した文字のスペルなどを自動的に修正する機能を「オートコレクト」、書式を設定する機能を「オートフォーマット」と呼びます。英文の先頭文字を大文字にする、登録商標マークに変換する、URLをハイパーリンクにする、罫線を引くなどといったことができます。詳しくはp.168参照してください。

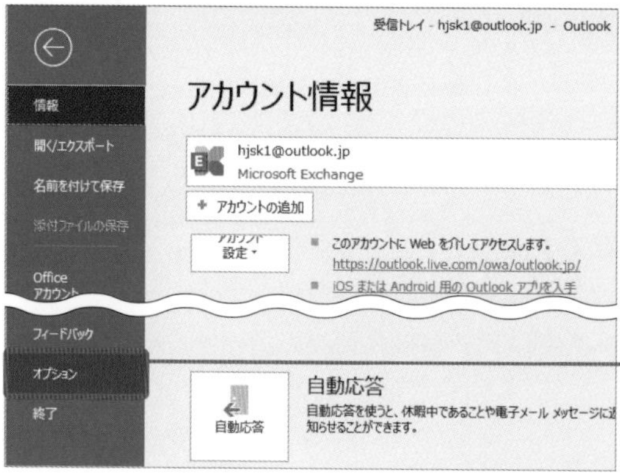

1 Backstageビューから［オプション］をクリックします。

2 ［Outlookのオプション］ダイアログが表示されます。

3 ［メール］の［メッセージの作成］欄内の［スペルチェックとオートコレクト］をクリックします。

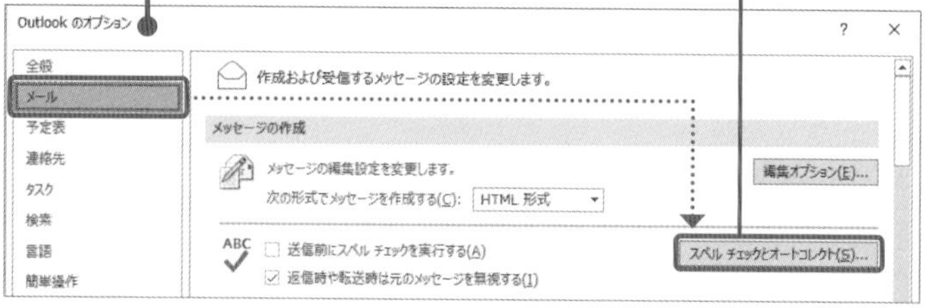

4 ［編集オプション］ダイアログが表示されます。

5 ［オートコレクトのオプション］をクリックします。

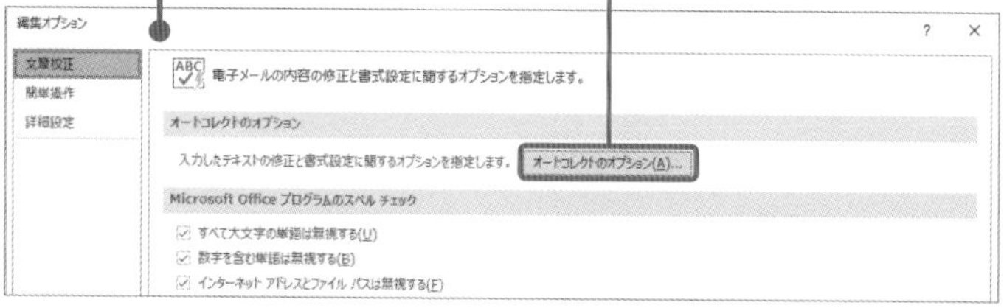

Hint Backstageビューの表示

Backstageビューは、Outlook 2019の操作画面から［ファイル］タブをクリックすることで表示できます。

ショートカットキー

- ［Outlookのオプション］ダイアログの表示
  Alt → F → T

6 [オートコレクト] ダイアログが表示されます。

7 オートコレクト機能やオートフォーマット機能を設定できます。

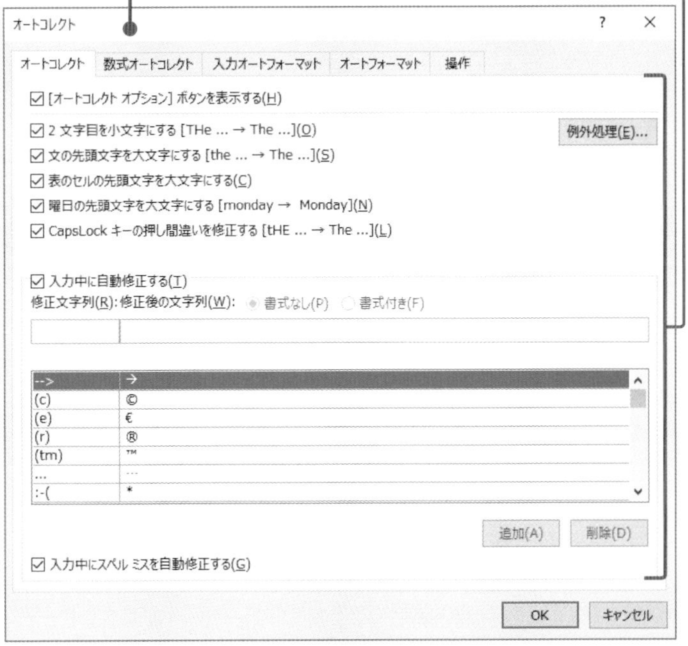

2 英字 1 文字目を大文字に自動変換させない

解説 英文をあまり利用しない人には不要な機能

英文をあまり利用しない人にとって、1 文字目を自動的に大文字に変換してくれる機能は必要ではありません。ちなみにオートコレクトで修正しなくても、1 文字目を大文字にしたい場合は、1 文字目を Shift キーを押しながら入力する方法のほか、英単語を選択して Shift + F3 キーを入力することで「全小文字」→「1 文字目大文字」→「全大文字」という形で入力後にも修正可能です。

あらかじめ [オートコレクト] ダイアログを表示しておきます。

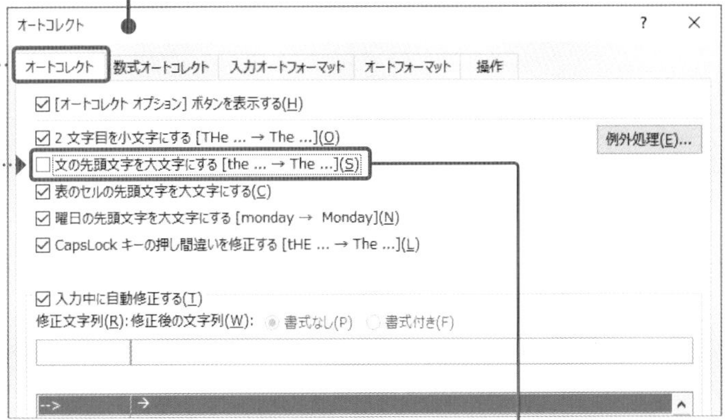

1 [オートコレクト] タブで [文の先頭文字を大文字にする] のチェックを外します。

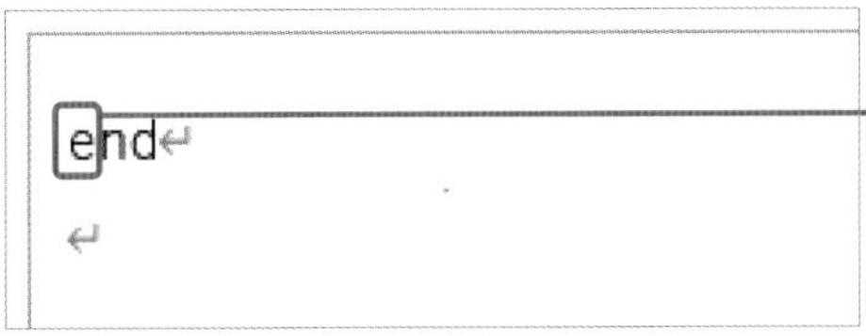

2 設定以後、文頭から英語のスペルを入力しても、1文字目が大文字に自動変換されなくなります。

3 登録商標・商品商標・著作権マークを自動変換させない

Hint スペルの自動修正も行われなくなる

「yera」を「year」「こんにちわ」を「こんにちは」などの修正も「オートコレクト」の「入力中に自動修正する」によるものなので、この機能をオフにすると入力中のスペルの自動修正も行われなくなります。

あらかじめ[オートコレクト]ダイアログを表示しておきます。

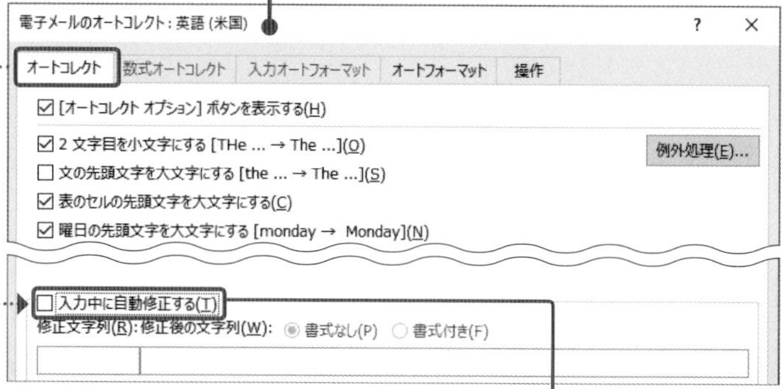

1 [オートコレクト]タブで[入力中に自動修正する]のチェックを外します。

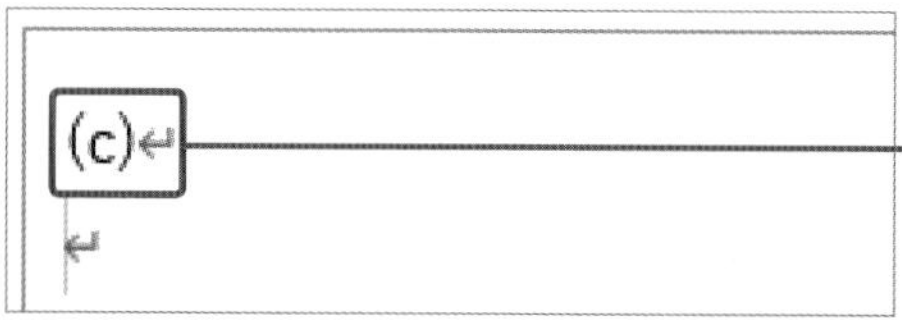

2 設定以後、「(c)」「(r)」「(tm)」などと入力しても、自動変換されなくなります。

4 「前略」で「草々」などと自動入力させない

解説 「前略」「記」の自動入力補助は不要な機能

[‘記’などに対応する’以上’を挿入する]と[頭語に対応する結語を挿入する]の設定は、「前略」と入力して Enter キーを押せば「草々」が右寄せで自動入力される、「記」と入力して Enter キーを押せば「以上」が右寄せで自動入力されるなどの機能ですが、基本的に必要ありません。メールの本文を作成する場面において、このような堅苦しい文章をあえて自動で入力してもらう場面は存在しないからです。

あらかじめ[オートコレクト]ダイアログを表示しておきます。

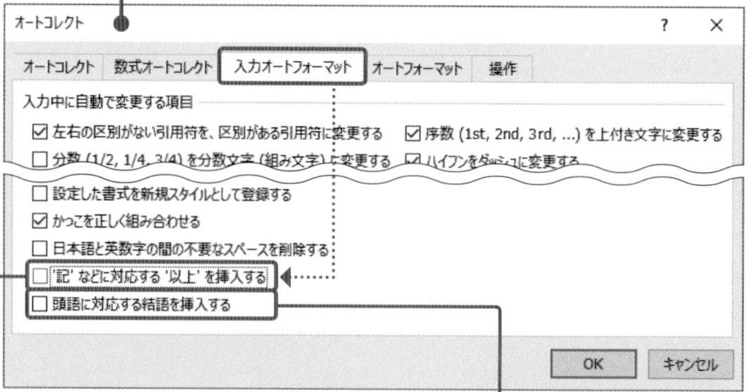

1 [入力オートフォーマット]タブで、[入力中に自動で行う処理]欄内にある[‘記’などに対応する’以上’を挿入する]のチェックを外します。

2 同様に[頭語に対応する結語を挿入する]のチェックを外します。

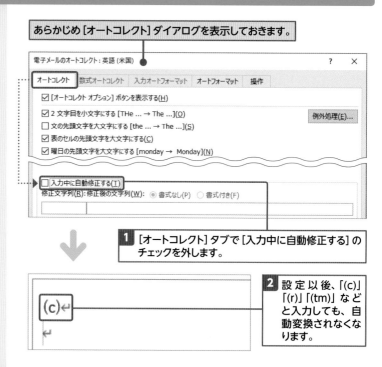

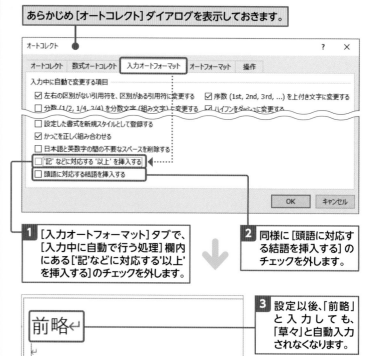

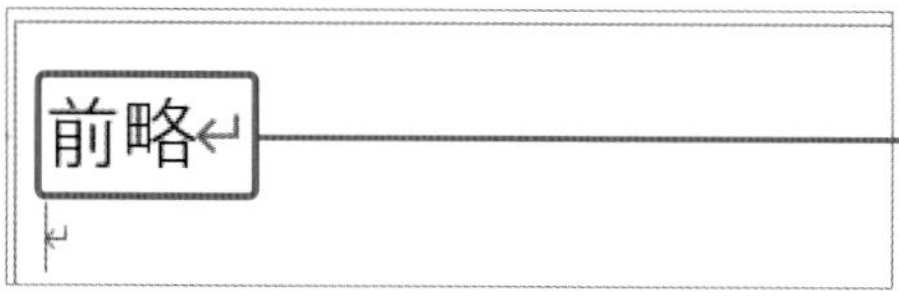

3 設定以後、「前略」と入力しても、「草々」と自動入力されなくなります。

5 入力したURLをハイパーリンクにさせない

解説 ハイパーリンクにしなくても変換される場合がある

「http://～」や「https://～」などの記述がハイパーリンクになるかどうかは、実際には「相手のメーラー（メールアプリ）」の機能にも依存します。Outlook 2019でハイパーリンクを無効にしても、メーラーによってURLなどを自動的にハイパーリンクに変換して表示するものもあります。

あらかじめ［オートコレクト］ダイアログを表示しておきます。

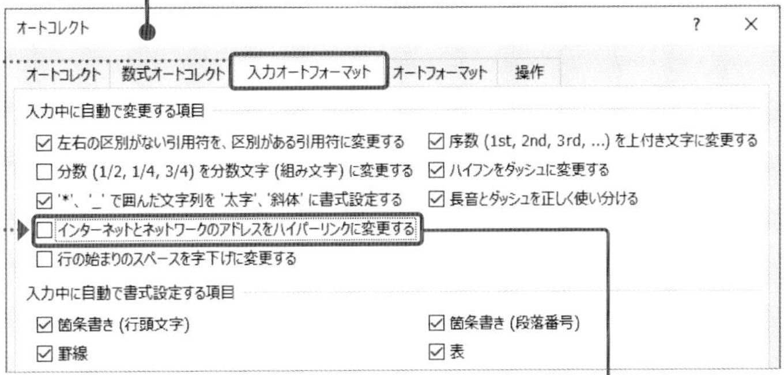

1 ［入力オートフォーマット］タブで、［入力中に自動で変更する項目］欄内にある［インターネットとネットワークのアドレスをハイパーリンクに変更する］のチェックを外します。

2 設定以後、URL（Webページのアドレス）を入力しても、ハイパーリンクに自動変換されなくなります。

6 文字を罫線に自動変換しない

解説 メール本文での罫線

入力オートフォーマットによる自動的な罫線変換も、基本的にいつも便利に活用しているという環境以外では必須とはいい難い機能です。

罫線はメール本文で特に示したいものがある場合や、署名などで利用しますが、むしろ「特定の文字を並べて罫線を表現する」ほうが最適であることが多く、いわゆるHTML形式の罫線を使う場面はあまりありません。

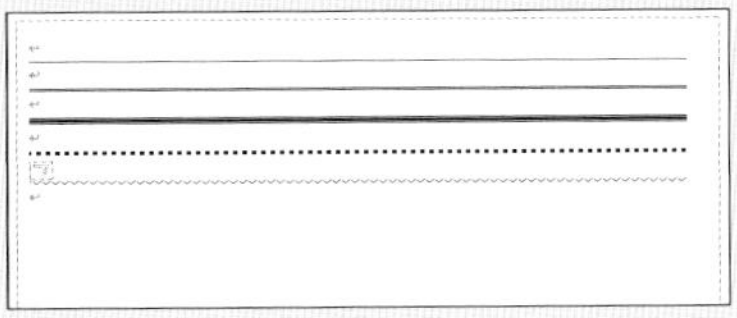

あらかじめ［オートコレクト］ダイアログを表示しておきます。

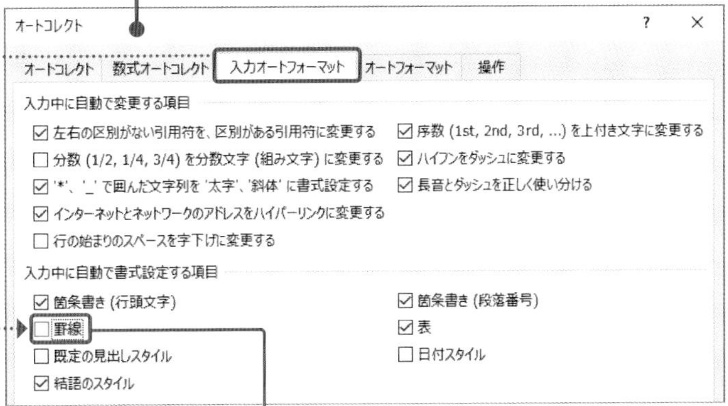

1 ［入力オートフォーマット］タブで、［入力中に自動で書式設定する項目］欄内にある［罫線］のチェックを外します。

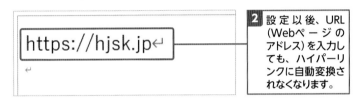

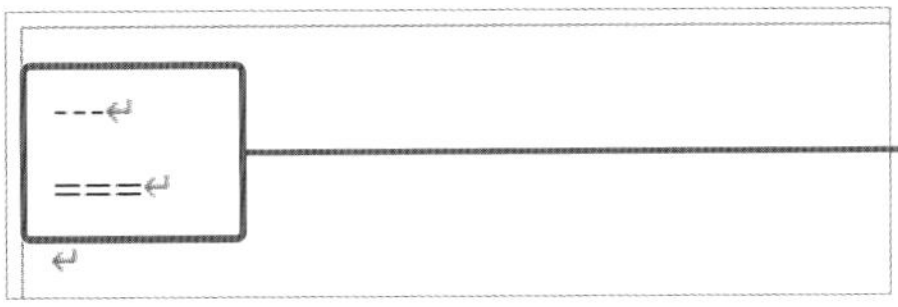

2 設定以後、「---」や「===」などと入力しても、罫線に自動変換されなくなります。

Section
63 返信の際に相手のメールを引用表示する

ここで学ぶのは

- 引用表示の設定
- テキスト形式での引用返信
- HTML 形式での引用返信

メールの返信や転送の際に、相手のメッセージを「**引用**」して記述したい場合があります。ここでは、この**引用の設定**について解説します。なお、引用の表示は受信したメールが「**HTML 形式**」か「**テキスト形式**」かで違いがあります。

1 メール返信／転送の際の引用表示を設定する

Memo [Outlook のオプション] ダイアログを表示する

[Outlookのオプション] ダイアログを表示するには、Outlook 2019の操作画面から[ファイル] タブをクリックしてBackstageビューを表示した後、[オプション] をクリックします。

ショートカットキー

- [Outlookのオプション]ダイアログの表示
  Alt → F → T

Memo 行頭引用記号は「>」が一般的

メールにおいて、相手のメールを引用する際は「>」を行頭に置くのが一般的です。メールの常識は時代によって変化しますので、その他の行頭文字ではNGということではありませんが、いろいろなビジネススタイルが存在する中で、少なくとも『メールの行頭引用記号が「>」ではおかしい』ということはありませんので、「>」で引用しておくのがメールとして違和感がなく無難です。

p.214の方法で[Outlookのオプション]ダイアログを表示しておきます。

1 [メール] の [返信／転送] 欄内の [メッセージを返信するとき] をクリックして、

2 ドロップダウンから [元のメッセージの行頭にインデント記号を挿入する] をクリックします。

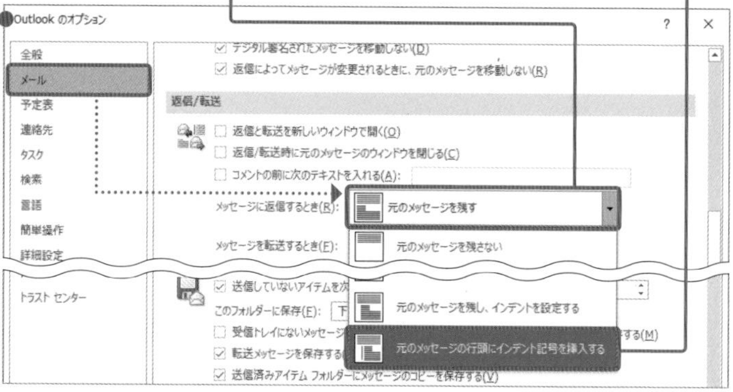

3 [メッセージを転送するとき] をクリックして、同様に [元のメッセージの行頭にインデント記号を挿入する] をクリックします。

4 [テキスト形式のメッセージの行頭に次のテキストを入れる] が「> 」であることを確認します。

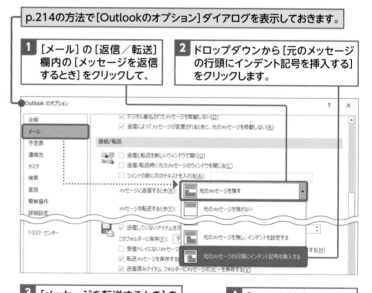

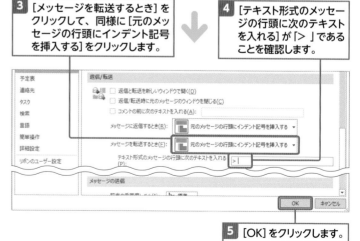

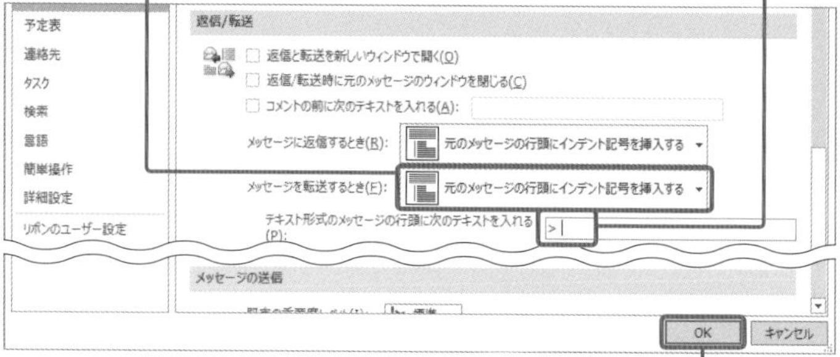

5 [OK] をクリックします。

2 返信時に元メッセージを引用する

注意 行頭引用記号を「>」にできるのはテキスト形式のみ

メールを引用した際、行頭引用記号を「>」にできるのは「相手のメールがテキスト形式」の場合のみです。「相手のメールがHTML形式」の場合はこの限りではありません。

あらかじめ[元のメッセージの行頭にインデント記号を挿入する]を適用しておきます。

受信したメールをメッセージウィンドウで開いておきます。

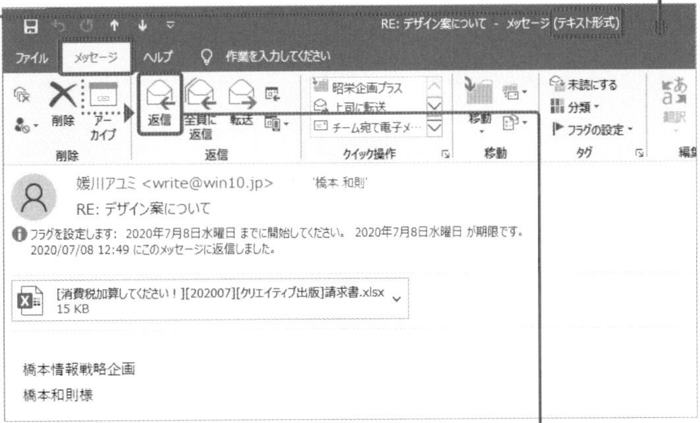

1 メールが「テキスト形式」であることを確認します。

2 [メッセージ]タブ→[返信]をクリックします。

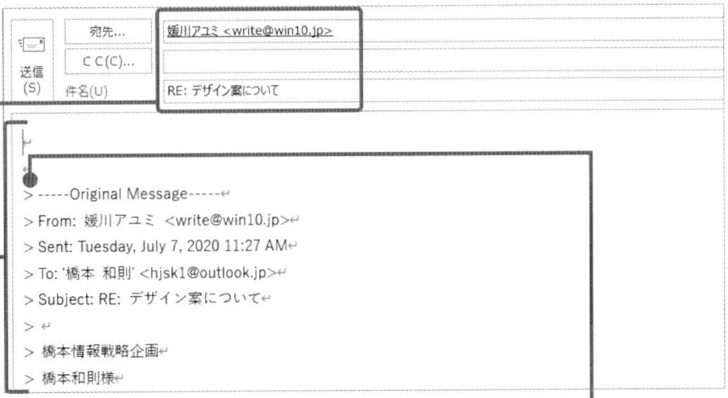

3 メール情報とともに相手のメール本文が引用されます。

4 行頭引用記号が「>」になります。

HTML形式の場合

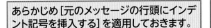

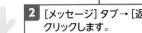

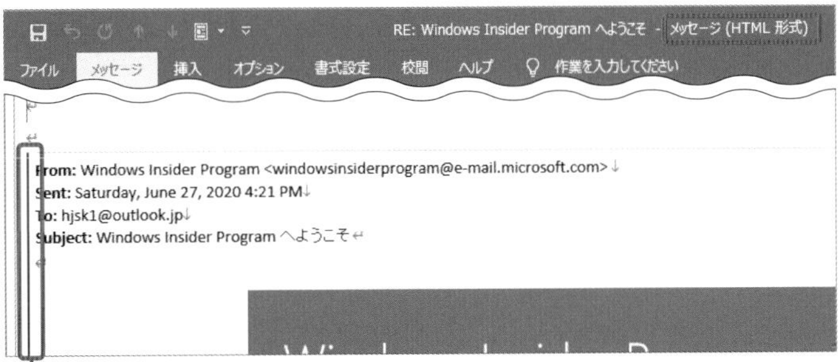

相手のメールがHTML形式の場合は、同様の方法で行頭引用記号が「青い縦線」になります。

Hint HTML形式でも行頭引用記号を「>」にしたい

相手からのメールがHTML形式の場合、[元のメッセージの行頭にインデント記号を挿入する]を適用した環境においては、行頭引用記号が「青い縦線」になります。

なお、相手からのメールがHTML形式でも、行頭引用記号を「>」にしたい場合は、「Outlook 2019の受信メールをテキスト形式に変換する(p.222参照)」設定を適用すれば、結果的に相手からのメールがテキスト形式になるため、行頭引用記号を「>」にすることができます。

Section

64 Outlook 2019の受信メールを「テキスト形式」に変換する

ここで学ぶのは

- テキスト形式のメリット
- テキスト形式への変換
- HTML 形式で表示する

ビジネスメールでは、相互の互換性やセキュリティを考えても「**メールの送受信はテキスト形式**」であることが推奨されます。全般的にテキスト形式でOutlook 2019を扱いたい場合には、以下の手順に従います。なお、テキスト形式にすると一部の機能が無効になるため、ここで解説する設定は必要に応じて適用してください。

1 受信メール表示をテキスト形式にする

解説　テキスト形式が推奨される理由

ビジネス環境では、基本的にメールは「テキスト形式」が推奨されます。これはメールの歴史においてはそもそもテキスト形式しか送受信できなかった時代があることや、「HTML形式は偽装リンクなどのウイルスにつながる仕組みを埋め込むことができるため危険」という考え方もあるからです。

また、比較的セキュリティに厳格な考え方を持つ環境では、メーラー（メールアプリ）側で「HTML形式であってもテキスト形式に変換してメールを確認している」ため、いわゆる仕事のやり取りで利用するメールにおいてはHTML形式でせっかく装飾しても意味をなさない（相手は見ていない）可能性もあります。

Memo　ここでの設定は任意で適用する

ここで解説する「受信メールをテキスト形式にする」の設定は、任意の適用になります。自身の環境と照らし合わせて必然性を感じる場合のみ、設定を行ってください。

ショートカットキー

- [Outlookのオプション]ダイアログの表示
  Alt → F → T

p.214の方法で［Outlookのオプション］ダイアログを表示しておきます。

1 ［トラストセンター］の［Microsoft Outlookトラストセンター］欄内の［トラストセンターの設定］をクリックします。

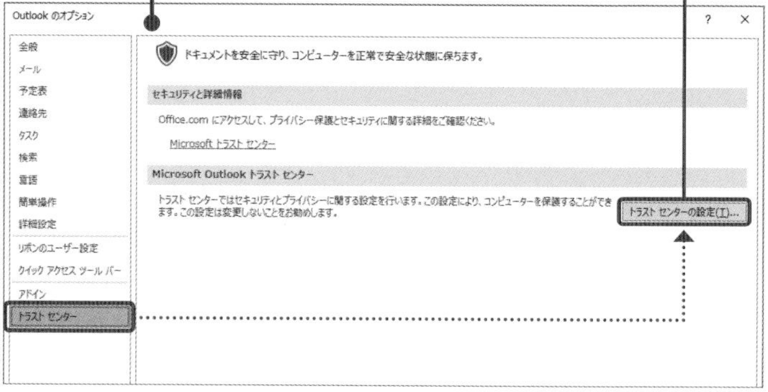

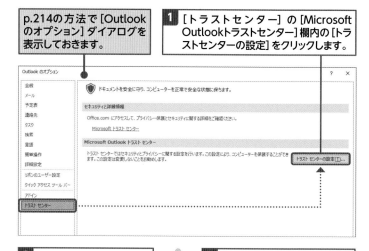

2 ［トラストセンター］ダイアログが表示されます。

3 ［電子メールのセキュリティ］をクリックします。

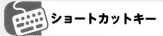

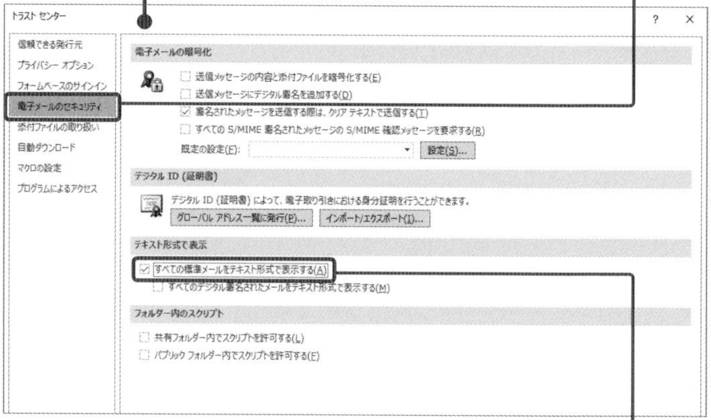

4 ［テキスト形式で表示］欄内の［すべての標準メールをテキスト形式で表示する］をチェックして、［OK］をクリックします。

Hint **返信／転送時の行頭引用記号を「>」にできる**

Outlook 2019の設定で、HTML形式で送られてきたメールも「テキスト形式」で表示すれば、返信／転送の際もテキスト形式になるため、行頭引用記号を「>」にすることができます（p.220参照）。

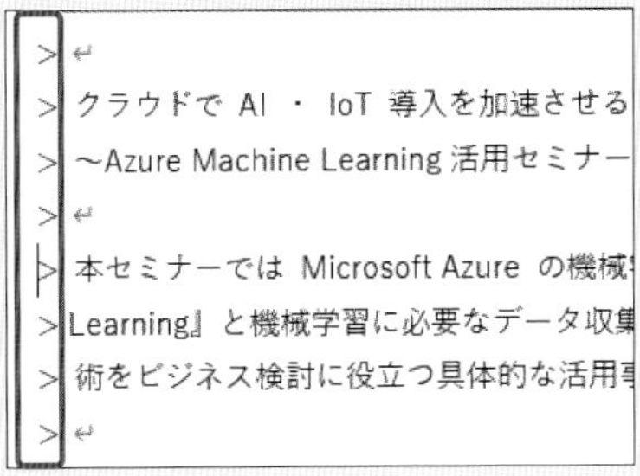

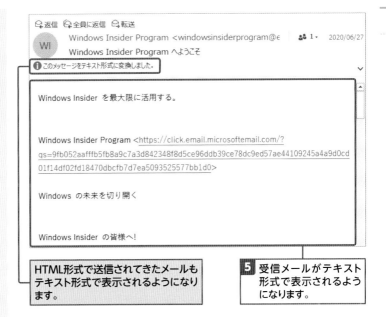

HTML形式で送信されてきたメールもテキスト形式で表示されるようになります。

5 受信メールがテキスト形式で表示されるようになります。

2 テキスト形式に変換されたメールをHTML形式で表示する

Memo **設定後もHTML形式で表示できる**

［すべての標準メールをテキスト形式で表示する］を適用していても、Outlook 2019では任意に表示形式をHTML形式に切り替えることができます。

［すべての標準メールをテキスト形式で表示する］をあらかじめ適用しておきます。

元がHTML形式のメールをメッセージウィンドウで開いておきます。

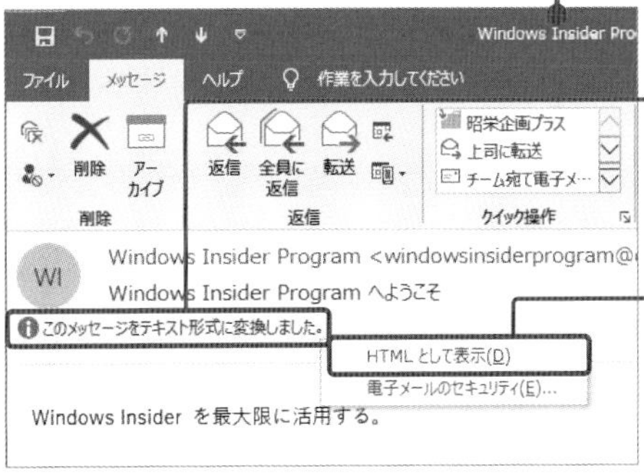

1 ［このメッセージをテキスト形式に変換しました。］をクリックして、

2 ドロップダウンから［HTMLとして表示］をクリックします。

3 テキスト形式に変換されて表示していたメールを、HTML形式で表示することができます。

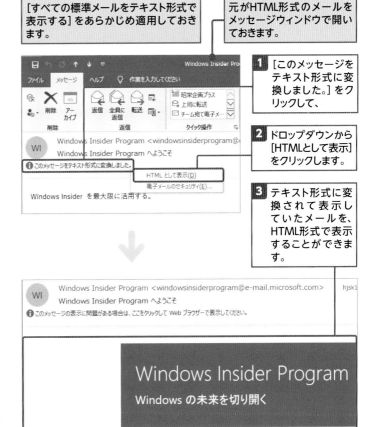

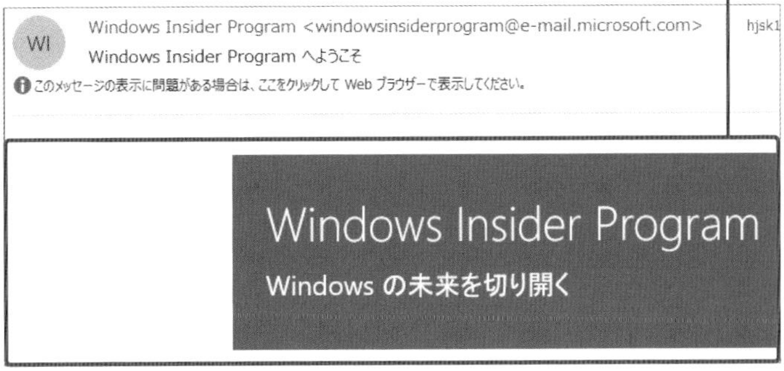

Hint **メールのやり取りをテキスト形式ベースにできる**

一般的なメーラー（メールアプリ）は、返信時に「相手から送られてきたメール形式」に従います。つまり、［すべての標準メールをテキスト形式で表示する］の設定を適用すれば、こちらからの返信メールが「テキスト形式」になり、以後相手もテキスト形式で返信を行うようになるため（メーラーにもよります）、結果的にテキスト形式の送受信を基本とすることができます。

Section 65 デスクトップのアプリ全般を見やすくするには

ここで学ぶのは
- アプリの拡大表示
- 文字表示サイズの変更
- 拡大縮小とレイアウト

Windows 10ではデスクトップオブジェクト全般のサイズ（拡大率）を調整することや、文字の大きさを任意に変更することができます。これらの設定を最適化すれば、デスクトップを広く使うことや、文字のみを大きくして見やすくできるため、Outlook 2019の操作性をアップすることができます。

1 アプリ全般を拡大表示する

解説 大きさを変更すれば作業効率を改善できる

デスクトップのオブジェクトが大きすぎると、全般的にデスクトップが狭くなってしまいます。一方、オブジェクトが小さすぎると、文字やリボンコマンドが小さすぎて操作しにくくなります。自分が操作しやすい拡大率を見つけると、作業効率を上げることができるほか、操作ミスを減らすことができます。

ショートカットキー

- [設定]画面の表示
  Windows + I

Memo サイズの変更設定

[テキスト、アプリ、その他の項目のサイズを変更する]は高解像度ディスプレイでのみ設定することができます。ディスプレイの解像度によっては変更設定を行うことができません（その場合には、該当設定で「100%」のみが表示されます）。

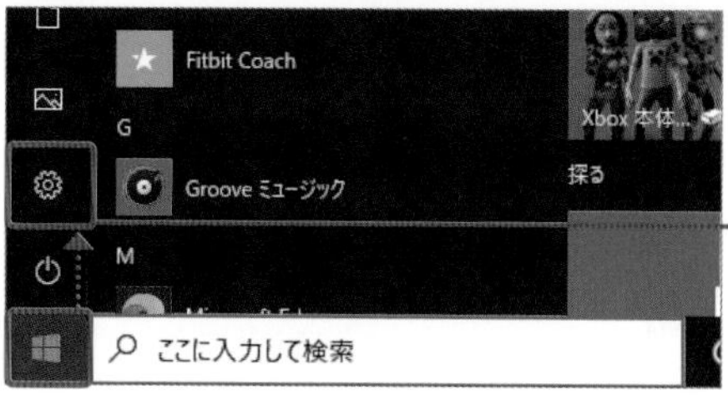

1 [スタート]メニューから[設定]をクリックします。

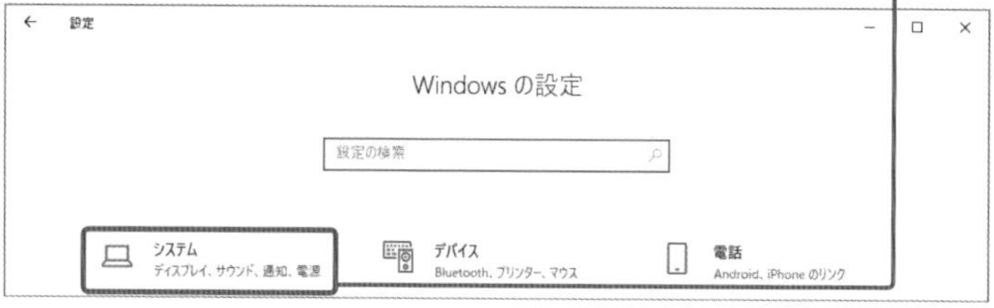

2 [設定]画面が表示されるので、[システム]をクリックします。

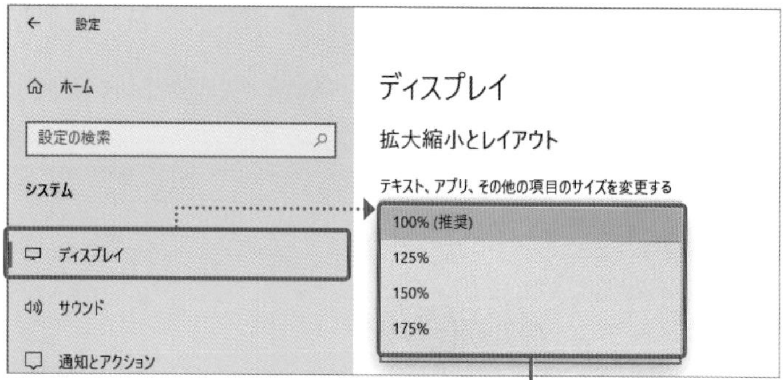

3 [ディスプレイ]→[テキスト、アプリ、その他の項目のサイズを変更する]をクリックして、ドロップダウンから任意の拡大率をクリックします。

注意 **「サイズを変更する」設定は必要に応じて**

ここで解説する「テキスト、アプリ、その他の項目のサイズを変更する」の設定は、任意の適用になります。自身の環境と照らし合わせて必然性を感じる場合のみ、設定を変更します。なお、サイズの変更はOutlook 2019の表示サイズだけではなく、他のアプリやWindows 10のオブジェクト全般に対して適用されます。

4 Outlook 2019を含めたアプリ全般の表示の大きさを変更できます。

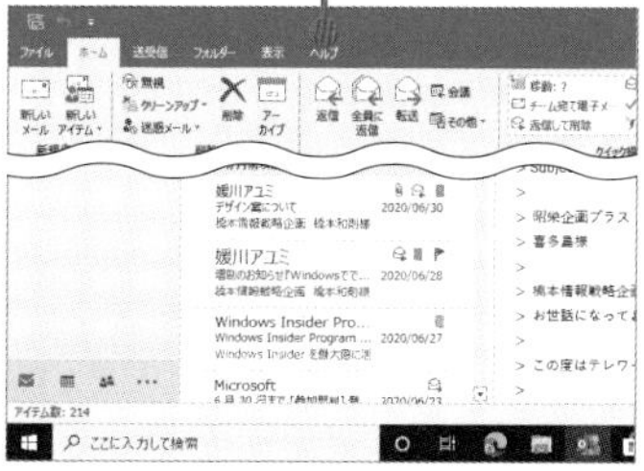

ディスプレイがフルHD（1920×1080ドット）環境での100%

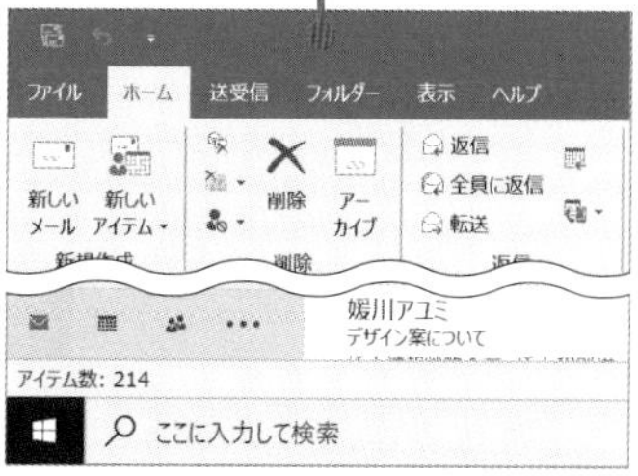

ディスプレイがフルHD（1920×1080ドット）環境での175%

2 文字表示の大きさを変更する

解説 **文字の大きさだけ変更する**

前項の［テキスト、アプリ、その他の項目のサイズを変更する］はオブジェクト全体を拡大するのに対して、［文字を大きくする］は文字を拡大したうえで、その文字の周囲の大きさのみを拡大します。使いやすいデスクトップ環境にするには、両方の設定のバランスが大切です。

［設定］画面を表示しておきます。

1 ［簡単操作］をクリックします。

2 ［ディスプレイ］→［文字を大きくする］のスライダーを任意に変更します。

3 ［適用］をクリックします。

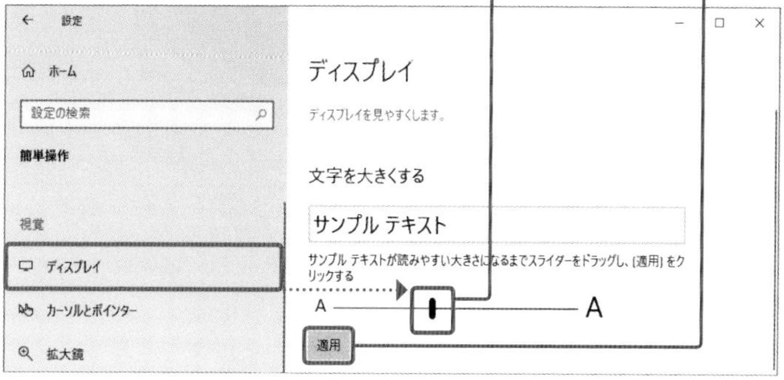

4 Outlook 2019を含めたアプリ全般の文字の大きさを変更できます。文字の大きさを拡大表示して、見やすくすることができます。

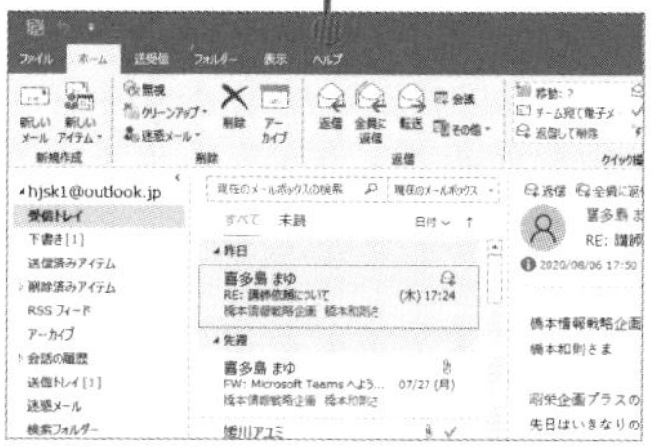

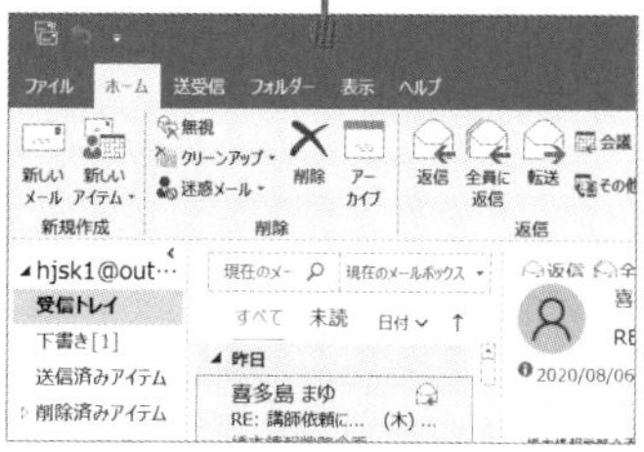

Section 66

PCを起動したら自動的にOutlook 2019を起動する

ここで学ぶのは

- 自動起動のメリット
- 自動起動の設定
- 再起動

Windows 10でサインインした際に、Outlook 2019を自動起動したい場合は、以下の設定を適用します。なお、ここで解説する設定は必要に応じて適用してください。設定そのものに難しさを感じる場合には、無理に適用する必要はありません。

1 サインイン時にOutlook 2019を自動起動する

解説 自動起動で作業効率が上がる

Outlook 2019は常に利用したいアプリのひとつです。いちいち自分で起動することなく、Windows 10を起動したらすぐにOutlook 2019を操作できれば、「メール」「予定」「タスク」などを確認することができ、またアラームも表示されるため、作業効率がアップし、作業のし忘れなども防ぐことができます。

Hint すばやくメールを確認できる

Outlook 2019は起動時、自動的に「送受信（メールサーバーとの接続）」を行います。よって、ここで解説している「サインイン時にOutlook 2019を自動起動する」設定を行っておけば、PCを起動してサインインするだけですぐに最新のメールを確認して仕事をすることができます。

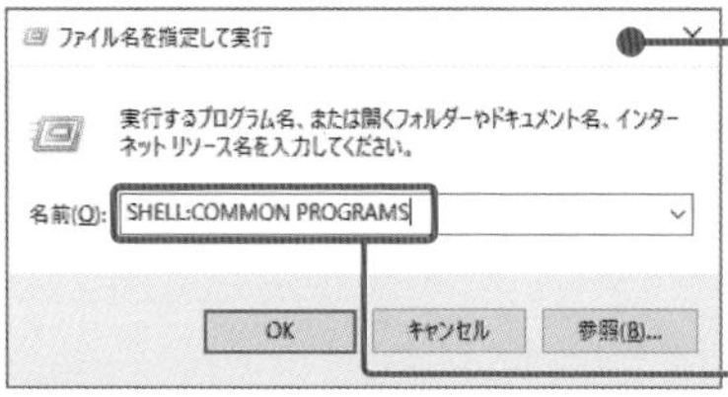

1 ショートカットキー［Windows］+［R］キーを入力して、[ファイル名を指定して実行] ダイアログを表示します。

2 「SHELL:COMMON PROGRAMS」と入力して、［Enter］キーを押します。

3 [スタート]メニューの「プログラム」の内容が表示されます。

4 「Outlook」をクリックして選択した後、[ホーム]タブ→[コピー]をクリックします。

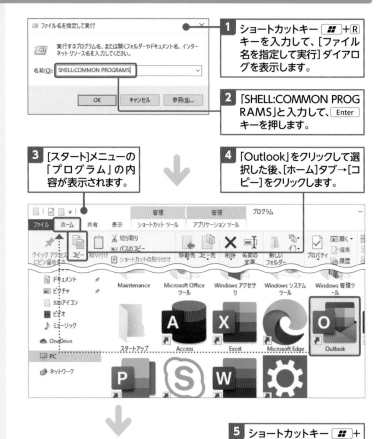

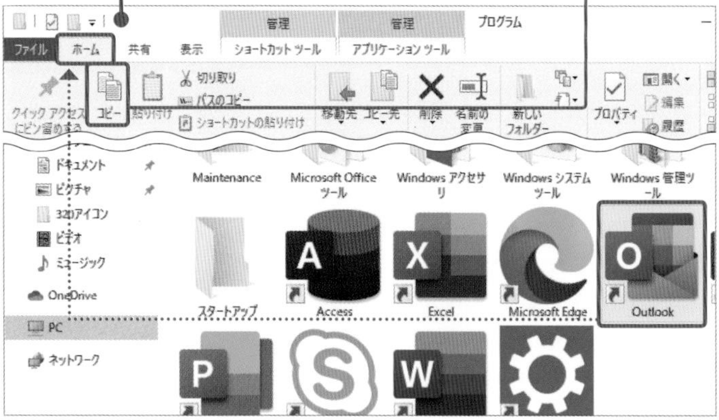

5 ショートカットキー［Windows］+［R］キーを入力して、[ファイル名を指定して実行] ダイアログを表示します。

6 「SHELL:STARTUP」と入力して、［Enter］キーを押します。

使えるプロ技！
アカウントを使い分ける

Windows 10は「マルチユーザー対応OS」です。ユーザーごとに固有のデータを保持できる仕様であるため、任意にユーザーを追加すれば、ユーザーごとにOutlook 2019を使い分けることもできます。

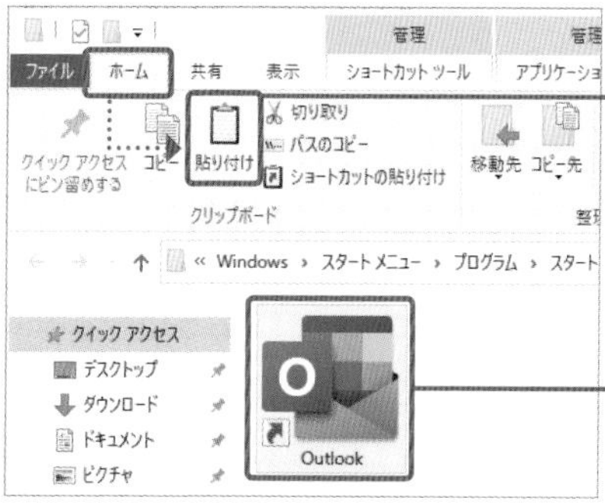

7 「スタートアップ」の内容が表示されますので、[ホーム]タブ→[貼り付け]をクリックします。

8 「スタートアップ」内に「Outlook」がコピーされます。

9 アプリをすべて閉じたうえで、Windows 10の[スタート]メニューをクリックします。

10 [電源]をクリックして、

11 [再起動]をクリックします。

12 Windows 10を起動してサインインすると、自動的にOutlook 2019が起動します。

注意
「再起動」にあたっての注意

編集中のデータがある場合には必ず保存処理を行ってから、再起動を実行するようにします。

使えるプロ技！
サインインも効率的かつ安全に

PCのデスクトップで作業するには、PCを起動したのちに「サインイン（一般的にいうログイン）」という処理が必要です。
このサインインはアカウントの「パスワード」や「PIN」の入力で行うのが一般的ですが、指紋認証や顔認証に対応しているPCであれば、指紋センサーに指をあてるか、フロントカメラに顔を映すだけでサインインができるので効率的です。
第三者にサインインを許してしまうと、結果的にデスクトップを自由に操作されてしまい、メールなどの大切な情報が盗み見られてしまうため、サインインを安全にする（パスワード以外でサインインする）ことも重要なセキュリティ対策になります。

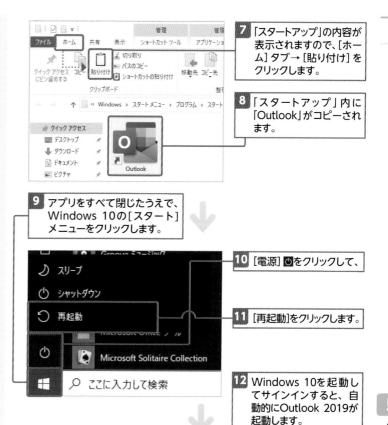

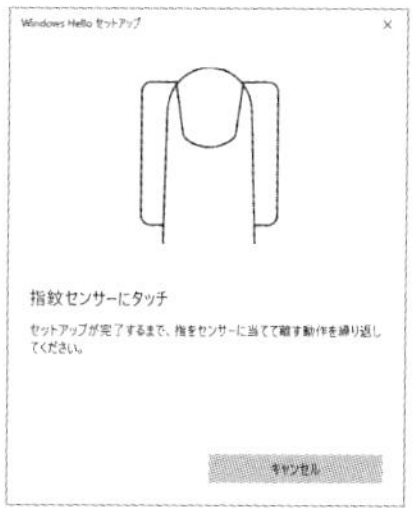

Section

67 マルウェアを防ぐには

ここで学ぶのは

- OS の更新プログラム
- Office の更新プログラム
- アップデート

マルウェア（不正かつ有害な動作をする悪意のあるプログラム）による被害を防ぐには、アプリの動作基盤になっているOSに着目してセキュリティ対策を行います。また、Officeを適宜アップデートして脆弱性対策を行うことも重要です。

1 OS の更新プログラムを適用して安全にする

解説 Outlook 2019 を安全に運用するための OS 管理

Outlook 2019を安全に利用するには、OS（Windows 10）のセキュリティ対策が要になります。Windows 10には基本的なセキュリティ機能があらかじめ組み込まれており、「ファイアウォール」や「アンチウイルス」などのマルウェアの侵入や実行を許さない機能が備えられていますが、日々進化する攻撃に備えるには脆弱性対策などを含む「更新プログラムの適用」によるセキュリティアップデートが定期的に必要になります。

Memo OS とアプリの関係

Outlook 2019はOSの上で動作しています。つまりOSはアプリから見て土台にあたるのですが、いくらアプリ自体の管理やセキュリティに気を付けていても、土台にあたるOSが脆弱な場合、PCはマルウェアに侵されてしまいます。つまり、OSのセキュリティアップデートは非常に重要な「セキュリティ対策」のひとつなのです。

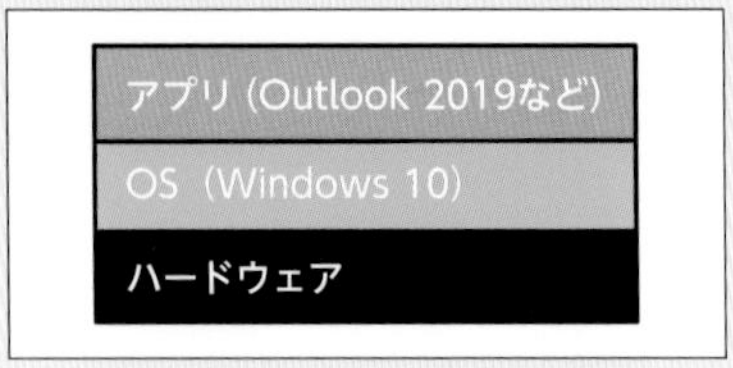

1 ［スタート］メニューから［設定］⚙をクリックします。

2 ［設定］画面が表示されます。

3 ［更新とセキュリティ］をクリックします。

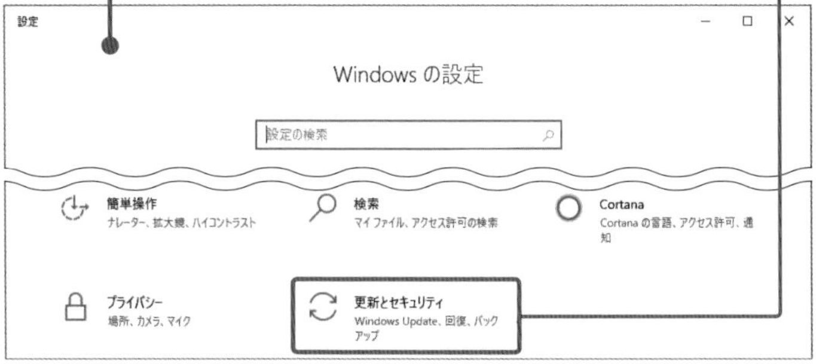

4 ［Windows Update］から、［更新プログラムのチェック］をクリックします。

5 以後、表示に従って必要なアップデートをWindows 10に適用します。

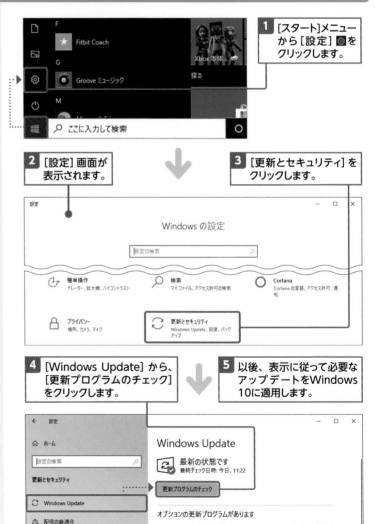

2 「Office 更新プログラム」を適用して安全にする

解説 Outlook 2019の脆弱性対策のための更新プログラム

「脆弱性」とは、プログラムの不具合や設計上のミス、あるいは想定外の利用により悪意ある行為が実行できるセキュリティ上の欠陥のことです。この脆弱性を放置すると結果的に悪意を持つものがこの欠陥を突くことで、PCがマルウェアに侵されることになります。Outlook 2019の脆弱性は「Office更新プログラム」の適用で対策することができます。

なお、Outlook 2019では受信メールなどにおいてはOS機能を使って表示することもあるため（例えば画像ファイルが添付されてきたとき、画像を表示するためにOSの機能を利用するなど）、結果的に「OSの脆弱性対策」も併せて必要になります。

Memo Backstage ビューの表示

Backstageビューは、Outlook 2019の操作画面から［ファイル］タブをクリックすることで表示できます。

ショートカットキー

● Backstageビューの表示
Alt → F

1 Backstageビューから［Officeアカウント］をクリックします。

2 ［更新オプション］をクリックして、

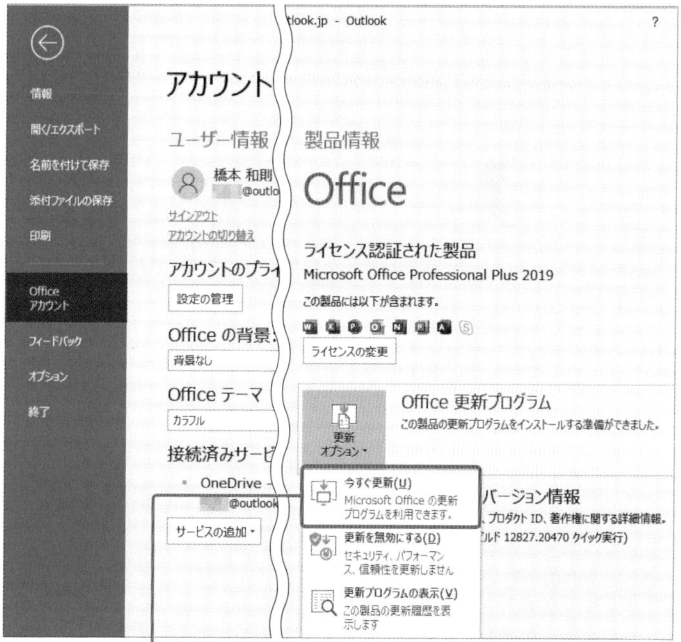

3 ［今すぐ更新］をクリックします。

4 Office（Outlook 2019を含む）の更新プログラムがある場合、自動的にダウンロードとインストールを行います。

Section 68

フィッシングや標的型メールの被害を防ぐ

ここで学ぶのは
- フィッシング対策
- セキュリティ対策
- サポート期間

OSやOutlook 2019の脆弱性対策やセキュリティアップデートだけでは、マルウェアによる被害を防ぐことはできません。ここでは**メールを閲覧する際の注意点**とともに、実際に被害にあわないための**メール内のリンク**や**添付ファイル**の扱い方について解説します。

1 フィッシングへの対策

受信メールの扱いにおいては「フィッシング」という詐欺行為への対策が必要です。
「あなたの○○アカウントのカードが切れないために取引停止しています。このリンクをクリックして…」や「△△銀行の取引を停止しました、ここをクリックしてあなたのアカウントのロックを解除してください」といったメールが届くと焦ってしまいますが、これらのメッセージはほぼすべて「フィッシングメール」というなりすましメールです。
このメールに従って「偽装サイト（ショッピングサイトや銀行のふりをしたサイト）」でアカウントとパスワードを入力してしまうと、その入力情報を悪意のある相手に渡してしまうことになるため、アカウントを悪用されて買い物されてしまったり、銀行からお金を引き出されてしまったりします。
このようなメッセージを受け取った際は、相手が本物であるかどうかにかかわらず、基本的に「メール内のリンクをクリックしない」ようにします。
例えば、「Amazon アカウントが停止している」というメールが届いた場合は、そのメール内のリンクは絶対にクリックせずに、WebブラウザーでAmazonの公式サイトからログインして本当に停止されているか確認します。
絶対的なルールとして、サービスやアカウントにかかわるものは「メール内のリンクをクリックしない」ことを徹底して、またメールに何らかの「脅し」「問題」「誘導」が含まれる場合には強く疑うことが必要です。

Hint メールを「テキスト形式」で表示すれば悪意は見抜ける

HTML形式では任意の文字列や画像に対して「ハイパーリンク」を埋め込むことができるため、このハイパーリンクのURLが悪意のあるWebサイトや悪意のあるプログラムダウンロードであった場合、PCがマルウェアに侵され、情報漏えいや乗っ取りにあう可能性があります（標的型メール攻撃など）。
一方、メールをテキスト形式で表示すれば（p.222参照）、本文に埋め込まれているリンクもすべてテキストで表示されるため、URLが確認しやすく、結果的に悪意を認識しやすくなります。例えば、次ページのメールはApple（公式サイトは https://www.apple.com/）からの連絡を名乗っていますが、「あなたの身元を確認する」にあたるリンクのドメインは全く別のものであり、フィッシングメールであることをすぐ見抜くことができます。

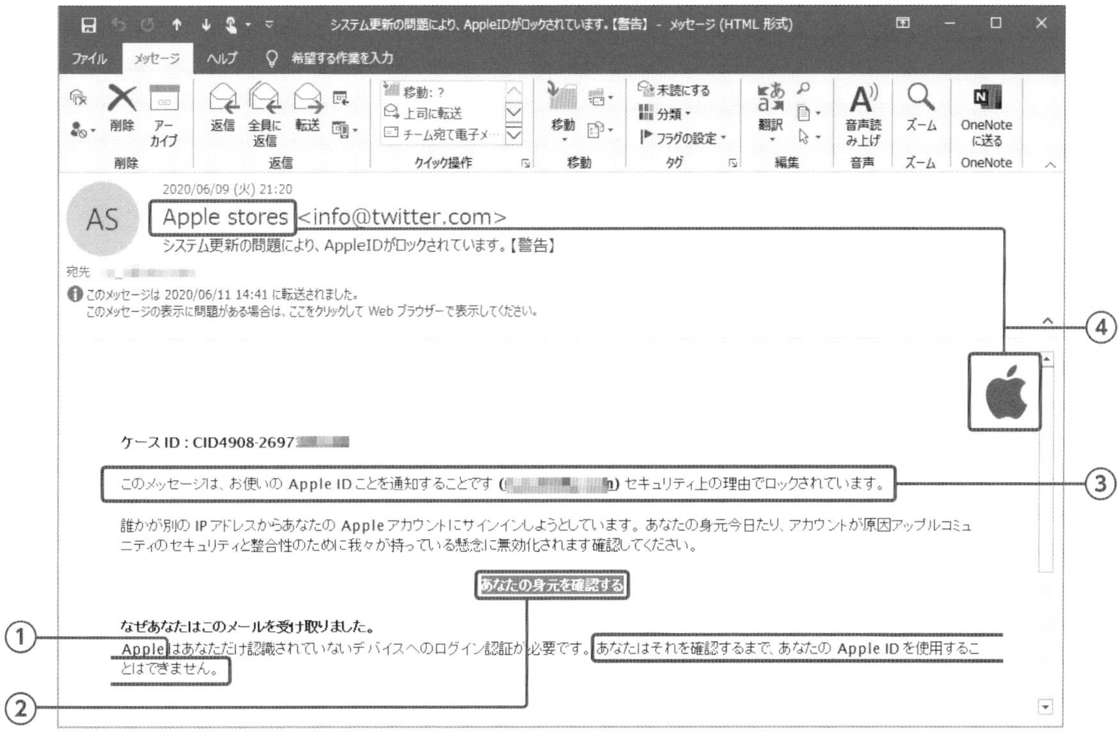
システム更新の問題により、AppleIDがロックされています。【警告】 - メッセージ (HTML 形式)
ファイル
メッセージ
ヘルプ
希望する作業を入力
削除
アーカイブ
返信
全員に返信
転送
移動: ?
上司に転送
チーム宛て電子メ…
クイック操作
移動
未読にする
分類
フラグの設定
タグ
翻訳
編集
音声読み上げ
音声
ズーム
OneNoteに送る
OneNote
2020/06/09 (火) 21:20
AS
Apple stores <info@twitter.com>
システム更新の問題により、AppleIDがロックされています。【警告】
宛先
このメッセージは 2020/06/11 14:41 に転送されました。
このメッセージの表示に問題がある場合は、ここをクリックして Web ブラウザーで表示してください。
ケース ID : CID4908-2697
このメッセージは、お使いの Apple ID ことを通知することです (n) セキュリティ上の理由でロックされています。
誰かが別の IP アドレスからあなたの Apple アカウントにサインインしようとしています。あなたの身元今日たり、アカウントが原因アップルコミュニティのセキュリティと整合性のために我々が持っている懸念に無効化されます確認してください。
あなたの身元を確認する
なぜあなたはこのメールを受け取りました。
Apple はあなただけ認識されていないデバイスへのログイン認証が必要です。あなたはそれを確認するまで、あなたの Apple ID を使用することはできません。
①
②
③
④

● フィッシングメールの例

番号	解説
①	「確認するまでApple IDを利用できない」などもっともらしいことをいっているが、このメールは「フィッシングメール」
②	「あなたの身元を確認する」をクリックすると偽装サイトに誘導され、入力したアカウント情報が悪意あるものの手に渡ってしまう。悪意あるものの手に渡ったアカウントは悪用される
③	メッセージにあるようにアカウントに問題があるかを確認したければ、このメールのリンクはクリックせず、Webブラウザーから公式サイトにアクセスして正常かどうかを自分で確認する
④	ロゴや相手が名乗っている社名はいくらでも偽装できるので信じない、騙されない

2 添付ファイルやメールからマルウェアに侵されることを防ぐ

マルウェアに侵されてしまう多くのパターンは「プログラムファイルを開く」行為にあります。

このプログラムファイル（本体はマルウェアプログラム）を、私たちにメールから開かせようとする手法にはいくつかのパターンが存在するのですが、わかりやすいのが「メールそのものにマルウェアプログラムを添付してくる」というものです。

この場合、単純なプログラムファイルである場合には「マルウェア対策プログラム（アンチウイルスソフト）」が多くの場合「悪意」を検知してくれますが、残念ながら中には通り抜けてくるものもあります。

絶対的なルールとして、脈絡もなく突然メール添付されているファイル（開く必然性が見えないファイル）などは、「添付ファイルを開かない」という対策が必要です。

また、添付ファイルがデータファイルである場合でも、「データファイルを開くアプリの脆弱性を突いて悪意を実行する」「データに埋め込まれたマクロで悪意を行う」というものもあるため、アプリ側の脆弱性対策も必要になり、セキュリティ対策としては「OSに導入されているすべてのアプリで脆弱性対策」が求められます。

Memo Outlook 2019のセキュリティ対策のまとめ

◉ サポート期間内のOSを利用する

サポート期間内のOSを利用します。なお、やや複雑な話になりますが、Windows 10には「バージョン」があり、Windows 10でもすでにサポートを終了したバージョンも存在するので、必ず「サポート期間内のWindows 10バージョン」を利用するようにします。

◉ OSとアプリのアップデートを心掛ける

OSとアプリのアップデートを心掛けます。基本的に「Windows 10」「Office」などはインターネット接続状態であれば自動的にアップデートを行いますが、しばらく利用していなかったPCなどにおいては、手動でアップデートを行い最新版にします。
また、「ファイルを開くアプリ」も、脆弱性対策のためにアップデートを心掛けるようにします。

◉ 受信メールのリンクは極力クリックしない

受信メールにおいて業務に必要がないあらゆるリンクはクリックしないようにします。特に、知らない相手からのメールに含まれるリンクは開かないようにします。

◉ 添付ファイルは極力開かない

マルウェアに侵されるPCの多くは、悪意が含まれる添付ファイルを開いたことが原因です。よって、添付ファイルにおいて不必要なもの（開く必然性がないもの）は開かないようにするほか、リンクなどに誘導されて「安全を確保するためのツールなどと称するマルウェアプログラム」を開かないようにします。

◉ 受信メールを「テキスト形式」にする（任意設定）

HTML形式は、メール本文の見た目の説明と異なるリンクを巧妙に埋め込むことなどが可能です。一方、テキスト形式はメールに対しての装飾はできないため、リンクにおけるリンク先などがそのまま表示されます。セキュリティ面を考えたときに、受信メールをテキスト形式で表示すること、また相手に対しても極力テキスト形式のメールを送ることは、結果的に相互の安全性の確保や信頼につながります。
受信メールをテキスト形式にする方法はp.222を参照してください。

Hint セキュリティに一番大切な「サポート期間内」

「OS」や「アプリ」のセキュリティ対策において重要なのは、日々進化する悪意に対して対策を行うための「セキュリティアップデート」の継続です。逆の言い方をすると、セキュリティアップデートを終了した「OS」「アプリ」「ネットワークデバイス」は、利用してはいけません。具体的には、Windows OSにおいては「Windows 7」、Officeにおいては「Office 2010」以前のものを利用してはいけません。これらのサポートを終了したOSやアプリを利用している場合、脆弱性対策などのセキュリティアップデートが行われないため、アンチウイルスソフトなどを利用しているいないにかかわらず、攻撃を受けて即マルウェアに侵される可能性があります。

● Windowsのサポート期限

OS	メインストリーム サポート終了日	延長サポート 終了日
Windows 8.1	2018年1月9日	2023年1月10日
Windows 8	※8.1へのUP必須	※8.1へのUP必須
Windows 7	2015年1月13日	2020年1月14日
Windows Vista	2012年4月10日	2017年4月11日
Windows XP	2009年4月14日	2014年4月8日

● Officeのサポート期限

Office	メインストリーム サポートの終了日	延長サポート の終了日
Office 2019	2023年10月10日	2025年10月14日
Office 2016	2020年10月13日	2025年10月14日
Office 2013	2018年4月10日	2023年4月11日
Office 2010	2015年10月13日	2020年10月13日
Office 2007	2012年10月9日	2017年10月10日

第6章

連絡先を管理する方法

「連絡先」では姓名・メールアドレス・住所・電話番号などの基本情報のほか、勤務先や役職・ホームページなどの情報を管理することができます。登録した連絡先はメールや会議通知などでも活用できます。

Section

69 連絡先の機能と画面構成

ここで学ぶのは

- 連絡先の画面構成
- 連絡先に切り替える
- 連絡先の管理

Outlook 2019の「連絡先」画面への切り替え方法と、「連絡先」の画面構成を知りましょう。
「連絡先」では姓名・メールアドレス・電話番号・勤務先・勤務先住所などを管理することができます。

1 Outlook 2019の「連絡先」の画面構成

名称	機能
① タイトルバー	現在開いている連絡先の「アカウント」が表示される
② フォルダーウィンドウ	複数のアカウントを管理している場合に、アカウントを切り替えることができる
③ ナビゲーションバー	「メール」「予定表」「連絡先」「タスク」などを切り替えることができる
④ ビュー	連絡先の一覧が表示される
⑤ 閲覧ウィンドウ	「ビュー」で選択している連絡先の内容が表示される
⑥ ステータスバー	登録している連絡先の数や、接続先情報などが表示される

2 Outlook 2019の表示を「連絡先」に切り替える

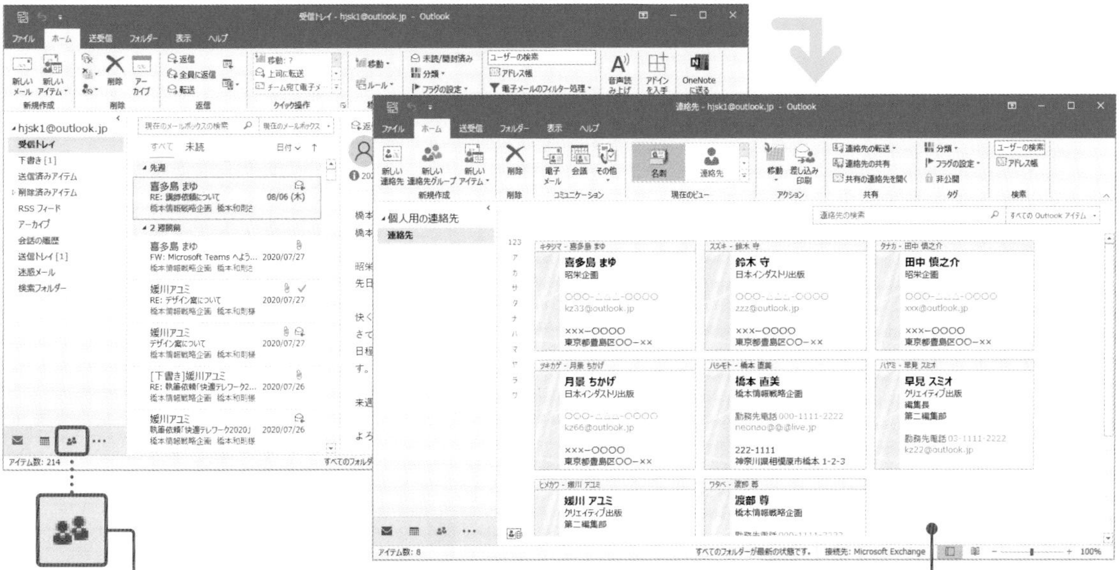

1 ナビゲーションバーから［連絡先］をクリックします。

あるいはショートカットキー Ctrl＋3 キーを入力します。

2 「連絡先」画面に切り替えることができます。

Memo 連絡先の管理と保存先

連絡先の管理と保存先は、Outlook 2019に登録したアカウントの種類によって異なります。

Microsoft Exchangeアカウント／Microsoft 365のアカウント／Outlook.comアカウントなどのMicrosoft系アカウントの場合には、Outlook 2019で編集・追加・更新した「連絡先」の情報がクラウドにも保存されます。

つまり、Microsoft系アカウントであれば別のPCで「連絡先」の情報にアクセスして閲覧・編集・追加・更新も可能であるほか、万が一今利用しているPCが壊れた場合でも、該当情報はクラウドにも保存されているため「安全性も利便性も高い管理」が可能です（本章はMicrosoft系アカウントを利用していることを前提に解説を進めます）。

一方、非Microsoft系アカウント（IMAPアカウントなど）である場合、「連絡先」の情報は「該当PC内（このコンピューターのみ）」に保存されるほか（クラウドには情報保存されません）、Outlook 2019の操作や機能の一部が制限されます。

Hint 無料のOutlook.comの活用

現在非Microsoft系アカウント（IMAPアカウントなど）を利用している環境において、Outlookで「連絡先」「予定表」「タスク」「メモ」を本書で解説している形で管理したい場合は、Outlook.com（https://www.outlook.com/）で無料のOutlook.comアカウント（「～@outlook.jp」「～@outlook.com」「～@hotmail.com」など）を作成してMicrosoft系アカウントで管理することをおすすめします。Outlook.comアカウントは、本書で解説しているOutlook 2019の操作・設定をすべて実行できます。

Hint 複数のアカウントを管理している場合は

Outlook 2019で複数のMicrosoft系アカウントを管理している場合、連絡先を各Microsoft系アカウントで個別に管理できます。しかし、基本的にはどれかひとつのMicrosoft系アカウントのみで連絡先を管理しないとわかりにくい状態になってしまうため、連絡先を管理するアカウントはあらかじめ決定しておくようにします。

Section

70 新しい連絡先を登録する

ここで学ぶのは

- 連絡先の登録
- 連絡先の確認
- 連絡先の編集

Outlook 2019の「連絡先」によく利用する**連絡先を登録**しておけば、任意の相手の連絡先をすぐに確認できるほか、連絡先を利用してメール作成や会議出席依頼などをすばやく実行できて便利です。

1 連絡先を登録する

ショートカットキー

- 「メール」画面に切り替え
  Ctrl + 1
- 「連絡先」画面に切り替え
  Ctrl + 3

時短のコツ 入力欄は Tab キーで移動できる

連絡先の入力欄は、入力したい空欄をクリックしてから入力する方法のほか、入力欄を Tab キーで移動できるので、移動したい入力欄まで Tab キーを連打して移動する方法があります。なお、ひとつ前の入力欄に戻りたい場合には Shift + Tab キーを入力します。

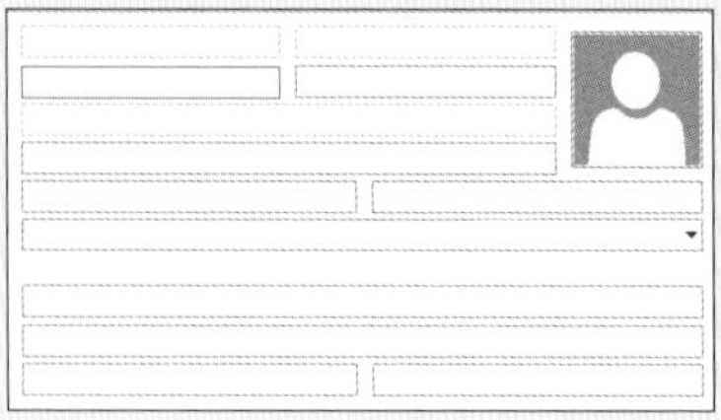

1 [ホーム] タブ→ [新しい連絡先] をクリックします。

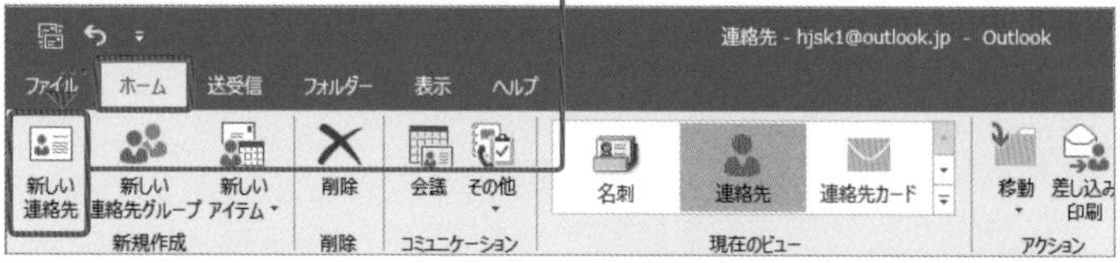

2 [連絡先] が表示されます。

3 「姓」「名」「勤務先」「メール」「勤務住所」などを入力します。

4 [連絡先] タブ→ [保存して閉じる] をクリックします。

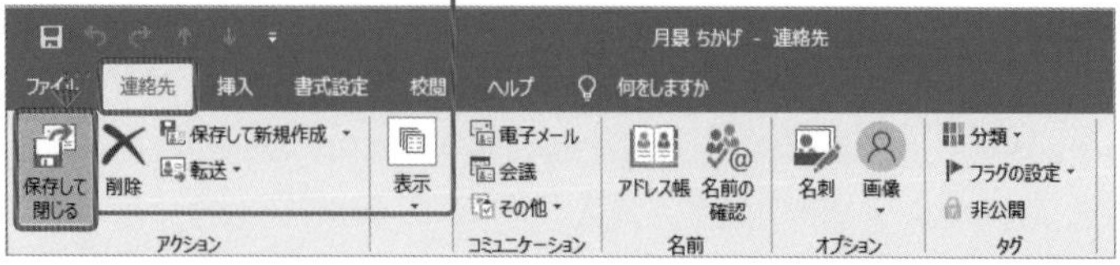

6 連絡先を管理する方法

Memo 無理に入力欄を埋めなくてよい

連絡先情報は、無理に入力欄を埋める必要はありません。例えば、メールだけの取引で済む相手であれば、「姓名」と「メール（メールアドレス）」だけ登録しておき、後で必要に応じて情報を追加します。

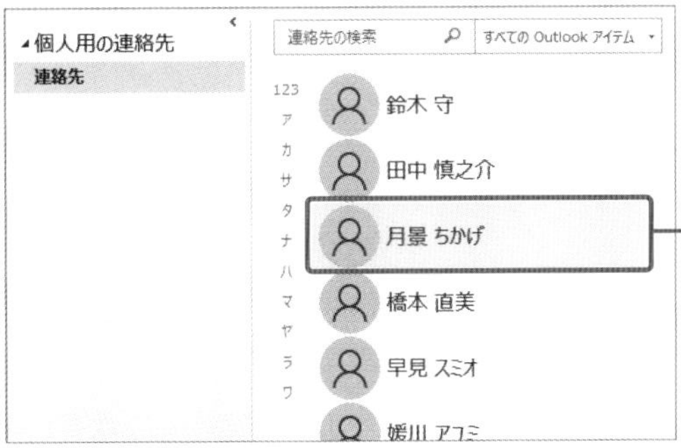

5 連絡先が登録されます。

2 連絡先を確認する

ショートカットキー

- 連絡先の選択
  ↑ ↓
- 連絡先の確認・編集
  Enter

Hint メールや住所は複数登録できる

連絡先における「メール」「電話番号」「勤務先住所」などは各欄の［▼］をクリックすれば入力欄を切り替えることができます。

1人の人がメールアドレスや電話番号を複数持つことは珍しくなく、また連絡先を登録している人との関係性によっては「自宅住所」なども登録したいものですが、Outlook 2019の連絡先はもちろんこのようなひとつの連絡先に対する複数の情報登録に対応しています。

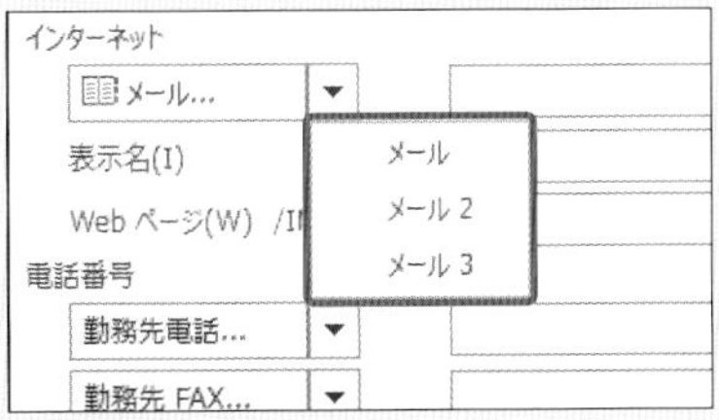

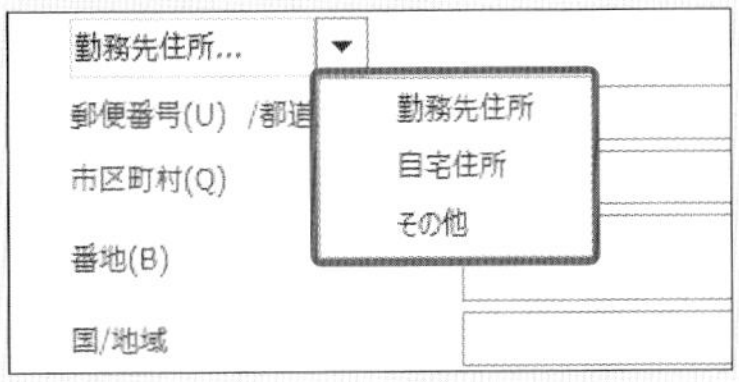

1 確認したい連絡先をダブルクリックします。

2 連絡先の内容を確認できます。

3 この画面で連絡先の情報を編集・更新することも可能です。

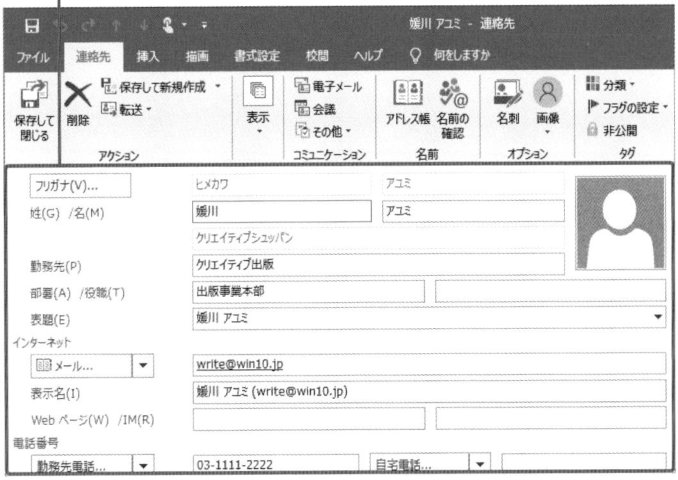

Section 71

連絡先を効率的に登録する

ここで学ぶのは

- メールから連絡先登録
- 同じ勤務先情報を用いた登録

連絡先は、いくつかのテクニックを用いることで**同じ勤務先の連絡先**をすばやく作成することや、**受信メールを利用して連絡先を登録**することなどが可能です。手入力による入力ミスを避けるためにも、なるべく参照先にある正確な情報を用いて連絡先を作成するようにします。

1 メールから差出人情報を参照して連絡先に登録する

Hint 連絡先の情報入力は手入力しない

連絡先情報はできるだけ「手入力しない」のが基本です。ビジネスメールの多くは、勤務先情報がメールの末尾に記述されているので、その情報を Shift ＋カーソルキーで選択したうえで Ctrl ＋ C キーを入力してコピーします。

この後、連絡先情報の入力欄で Ctrl ＋ V キーを入力してペーストすれば、間違いのない連絡先を作成することができます。

● **メールのフッターの勤務先をコピー**

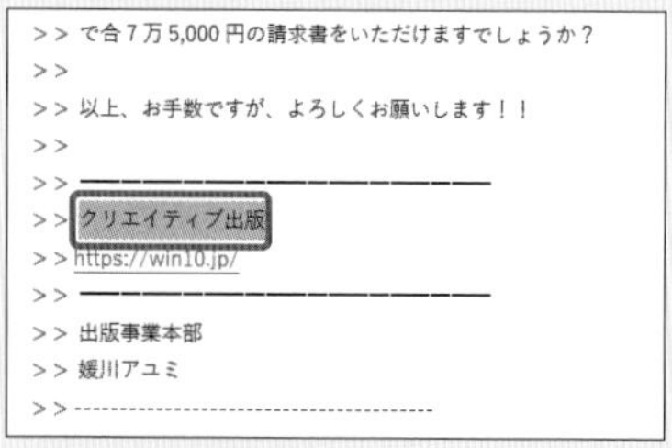

● **連絡先の[勤務先]にペースト**

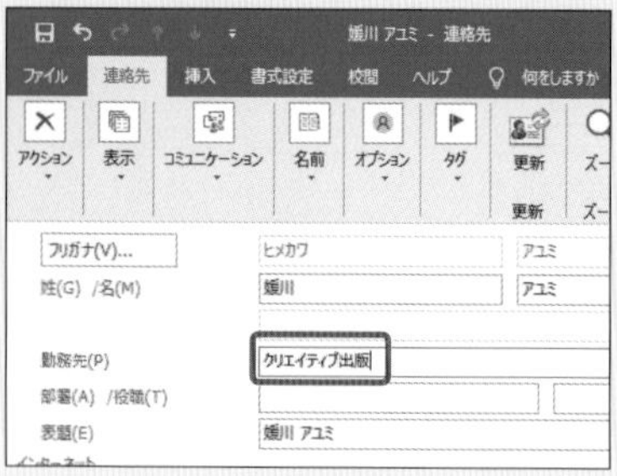

Outlook 2019を「メール」画面にします。

連絡先に登録したいメールを閲覧ウィンドウで表示します。

1 メールアドレスを右クリックして、

2 ショートカットメニューから[Outlookの連絡先に追加]をクリックします。

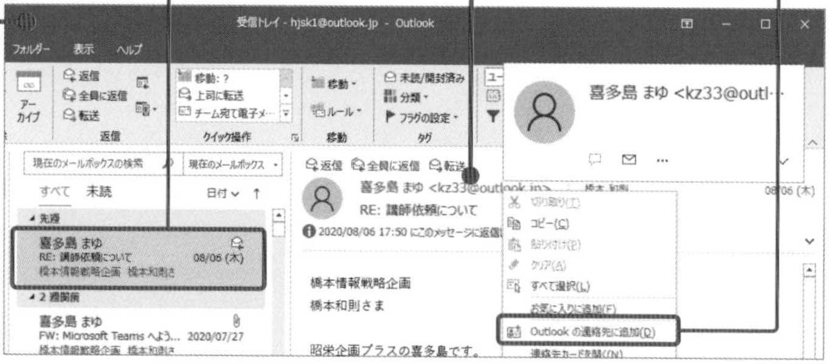

3 メールの情報が新しい連絡先に反映されます。

4 連絡先情報を任意に編集します。

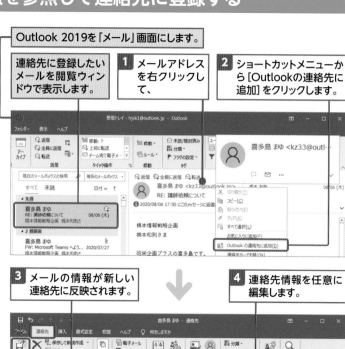

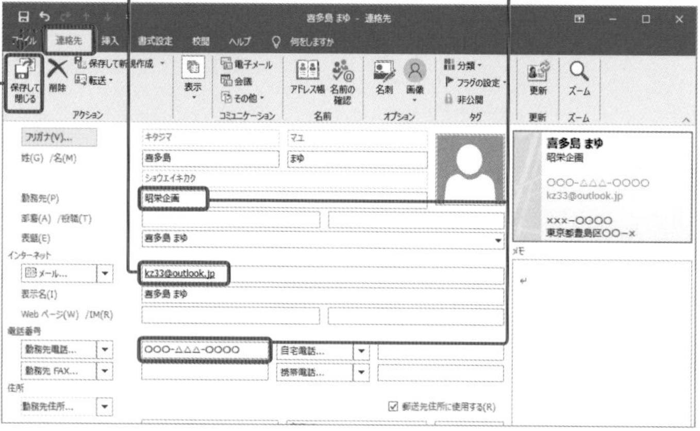

5 [連絡先] タブ→ [保存して閉じる] をクリックします。

2 同じ勤務先の人を簡単に登録する

解説 「同じ勤務先の連絡先」の作成

「同じ勤務先の連絡先」の作成では、勤務先や勤務先電話番号、勤務先住所などをコピーした状態で連絡先を新規作成できます。同じ勤務先の連絡先情報を複数作成したい場合などに非常に便利です。

1 同じ勤務先情報で登録したい既存の連絡先をダブルクリックします。

2 [連絡先] タブ→ [保存して新規作成] の [▼] をクリックして、

3 ドロップダウンから [同じ勤務先の連絡先] をクリックします。

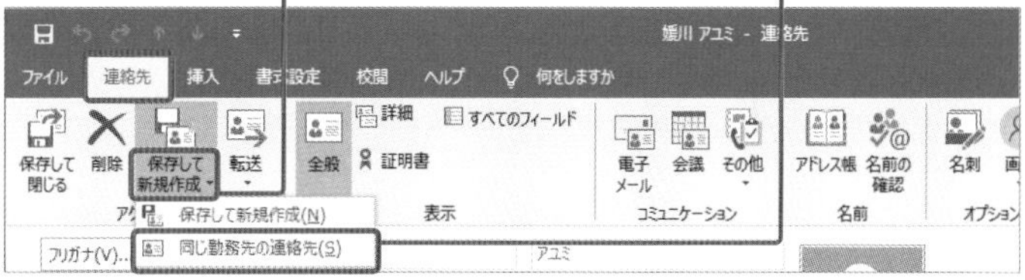

4 同じ勤務先情報が入力された状態で、新しい連絡先を編集できます。

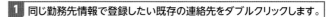

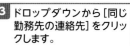

5 任意に姓名やメールアドレスなどを入力して、[連絡先] タブ→ [保存して閉じる] をクリックします。

Hint 連絡先の登録は細心の注意を払う

連絡先の情報はメールの送信などのほか、住所・電話番号・役職などはメール以外の業務でも活用する場面があります。
このような後の利用を考えても、不確かな情報は確認をとったうえで、確実な情報を入力・登録するようにします。

ショートカットキー

- 「同じ勤務先の連絡先」を作成
  (連絡先を開いた状態から)
  Alt → H → A → W → S

Section
72 連絡先を編集／削除する

ここで学ぶのは

- 連絡先の編集
- 連絡先の一覧編集
- 連絡先の削除

連絡先は自由に編集することができます。ニックネームなどの詳細情報を追加できるほか、任意の**連絡先情報を一覧で入力**する方法、また**連絡先を一覧表示**して空白となっている情報を確認して追加で編集する方法などがあります。

1 連絡先を編集する

1 編集したい任意の連絡先をダブルクリックします。

2 連絡先の情報を任意に追加・変更します。

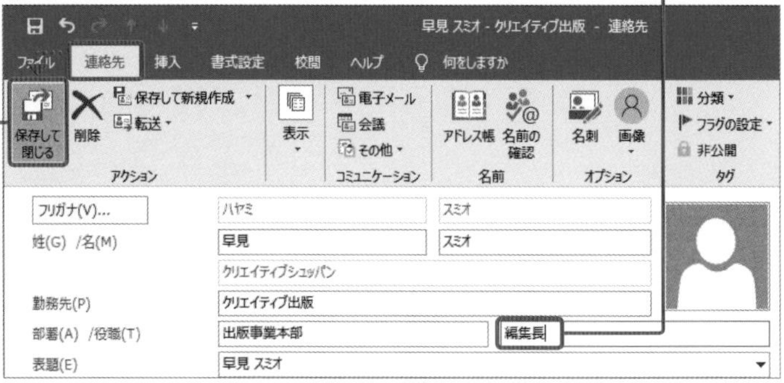

3 ［連絡先］タブ→［保存して閉じる］をクリックします。

Memo 「連絡先」画面を表示する

「連絡先」画面を表示するには、ナビゲーションバーから［連絡先］をクリックするか、ショートカットキー Ctrl ＋ 3 キーを入力します。

Hint フリガナの編集

姓名を手入力した場合、フリガナも自動的に入力される仕組みになっていますが、任意にフリガナを編集したい場合は［フリガナ］をクリックします。［フリガナの編集］ダイアログで任意に各フリガナを入力できます。

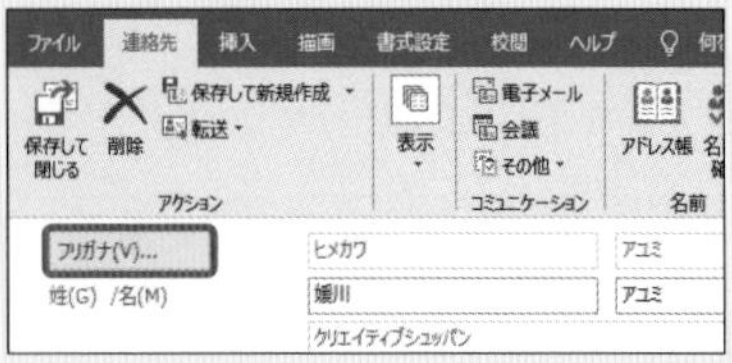

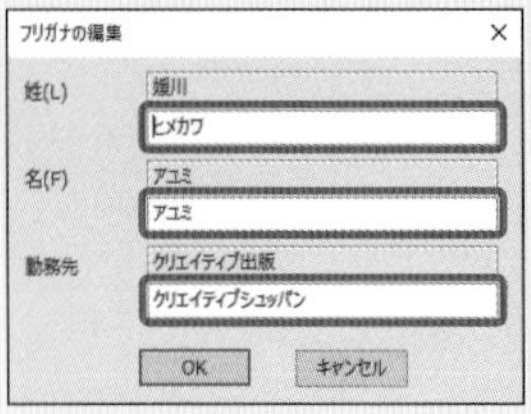

2 連絡先でニックネームや関係を登録する

解説 **詳細な情報を登録する**

[連絡先] タブの [詳細] では、部署やニックネームや誕生日などの情報を登録できます。

編集したい任意の連絡先をダブルクリックして表示しておきます。

1 [連絡先] タブ→ [詳細] をクリックします。

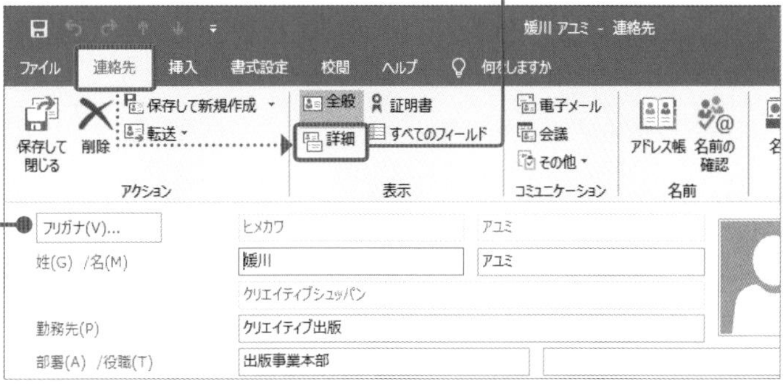

2 「部署」「上司」「ニックネーム」「敬称」「パートナー」などの詳細情報を任意に編集します。

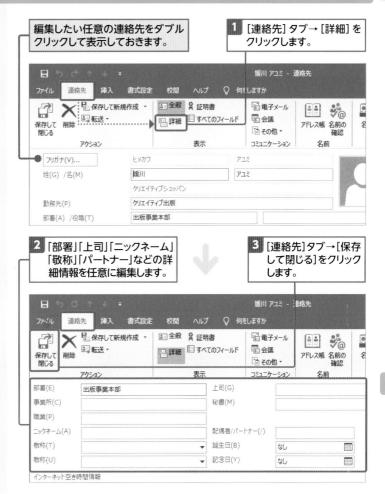

3 [連絡先] タブ→ [保存して閉じる] をクリックします。

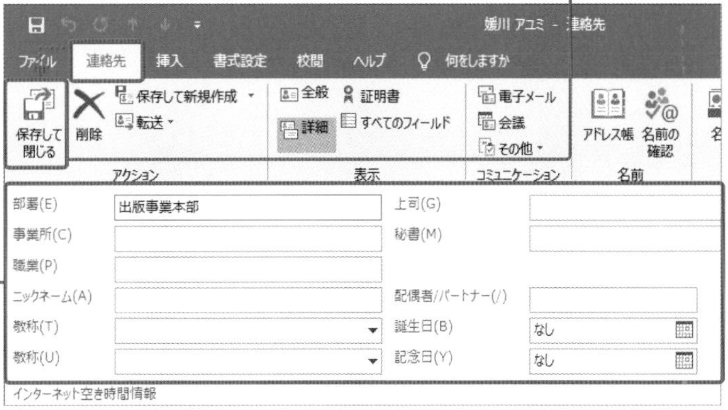

Hint **不要な情報やあいまいな情報は入力しない**

不要な情報やあいまいな情報は連絡先に登録しないのが基本です。例えば「上司」などは更新される情報でもあるため、数年後に入力情報が古くなった場面でこの情報を参照してしまうと思わぬ失礼を招くことになりかねません。全般的に入力情報は常に最新の状態を保つようにして、必然性のない項目はあえて空欄にしておくのも管理として重要です。

3 任意の連絡先を一覧表状態で確認・編集する

時短のコツ **表のセルの編集は F2 キー**

一覧表状態において、任意のフィールドへの移動はクリックで行えるほか、[名前] 列をクリックしてカーソルキーでも移動可能です。また、任意の「値 (項目に対する情報)」を変更したい場合には [値] 列をクリックして、Excel のセル編集同様に F2 キーを押して、情報を入力・更新します。

編集したい任意の連絡先をダブルクリックして表示しておきます。

1 [連絡先] タブ→ [すべてのフィールド] をクリックします。

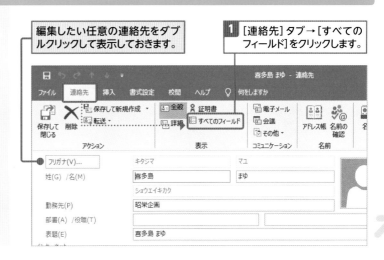

Hint Excel に情報を貼り付けられる

一覧表状態でデータとして利用したい領域を Shift ＋ ↓ キーで選択したのち、Ctrl ＋ C キーを入力すれば情報をコピーできます。後はメモ帳やExcelなどで Ctrl ＋ V キーを入力して貼り付ければ、テキストやExcelデータとして連絡先の情報を活用できます。

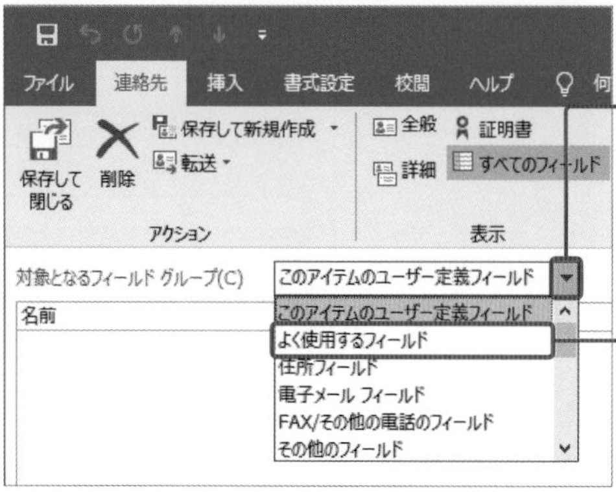

2 ［対象となるフィールドグループ］の［▼］をクリックして、

3 ドロップダウンから［よく使用するフィールド］をクリックします。

4 一覧で連絡先を確認・編集することができます。

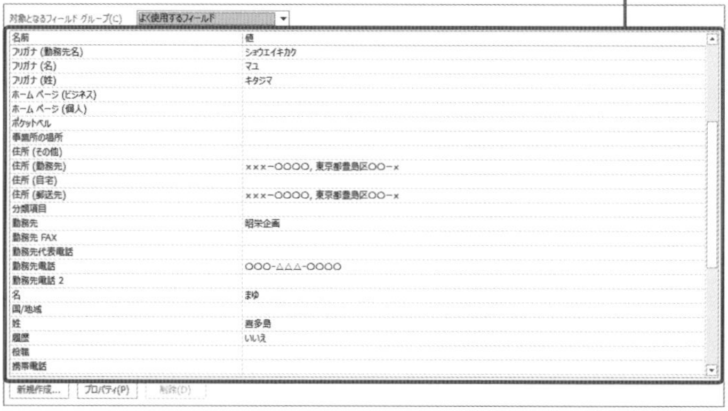

4 連絡先全体を一覧で編集する

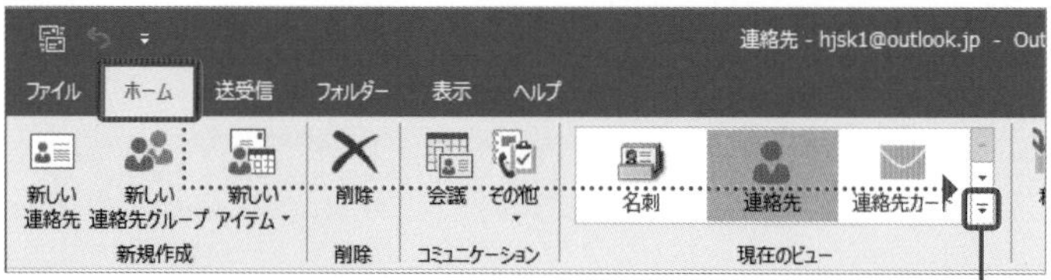

1 ［ホーム］タブ→［その他］をクリックして、

Hint 表示・編集項目を追加する

［表示］タブ→［ビューの設定］をクリックして、［列］をクリックすれば、「一覧」において任意の表示・編集項目を追加できます。

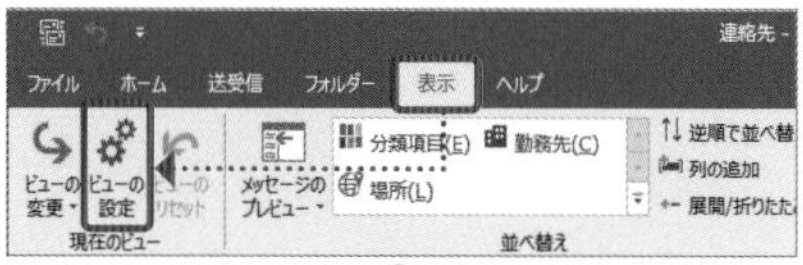

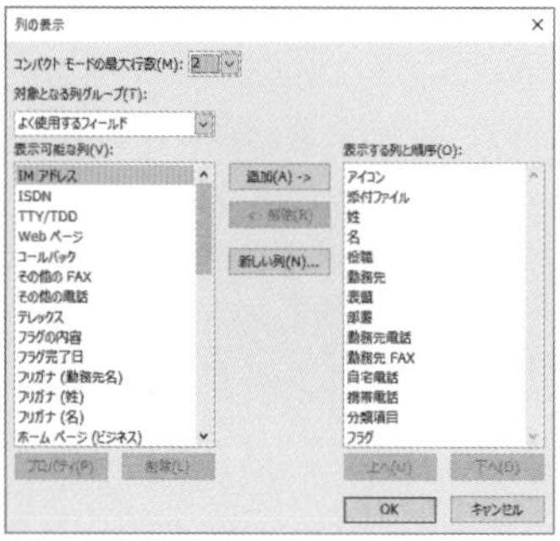

Memo　一覧表示での編集は特殊

一覧表示での編集は少し特殊です。現在フォーカスがある項目で入力するとその項目が上書きされる形での入力になります。

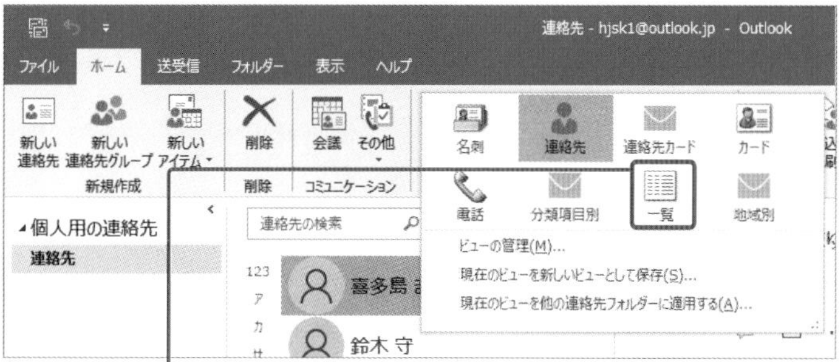

2 [一覧] をクリックします。

3 連絡先の情報が一覧で表示されます。

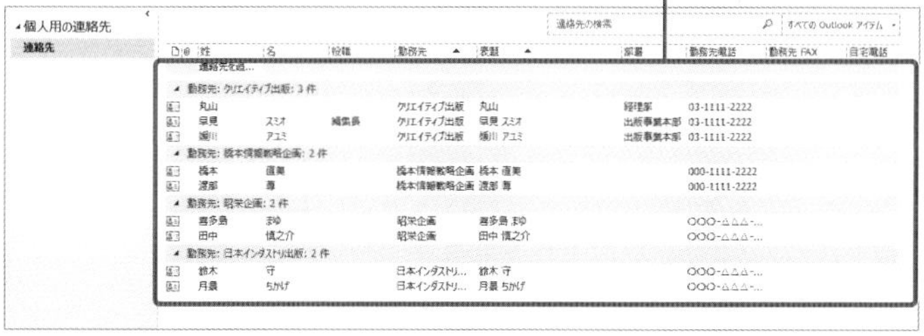

Hint　ビューを「連絡先」にする

連絡先を元の表示に戻したい場合には、[ホーム] タブ→ [連絡先] をクリックします。

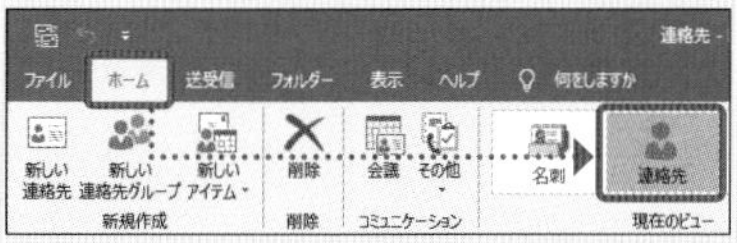

4 連絡先情報内の任意の項目をクリックして、編集します。

一覧表で各連絡先のデータを並べて編集できるので便利です。

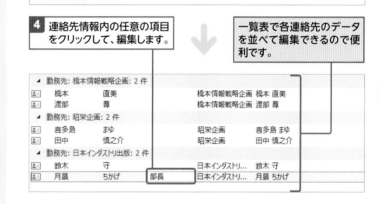

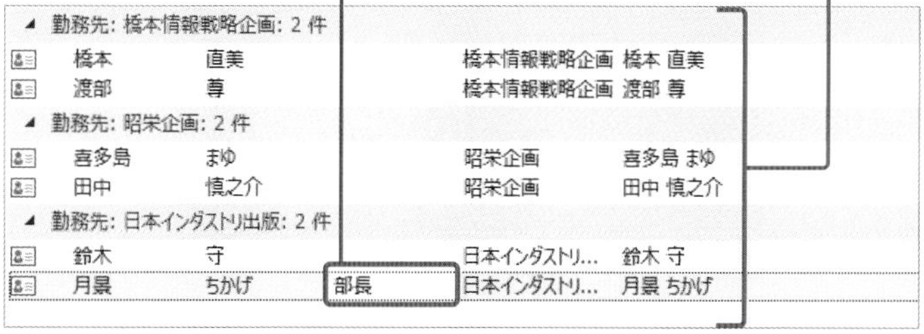

Hint　一覧表示で現在の入力を生かして編集する

一覧表示でフォーカスのある項目で入力を行うと項目の「上書き」になってしまいますが、現在の情報を生かして編集したい場合は、F2 キーを押して編集を行います。現在の情報を保持した状態での編集が可能になるため、入力内容によっては便利です。

5 連絡先を削除する

ショートカットキー

- 連絡先の削除
  Delete

1 削除したい連絡先をクリックして選択します。

2 [ホーム] タブ→ [削除] をクリックします。

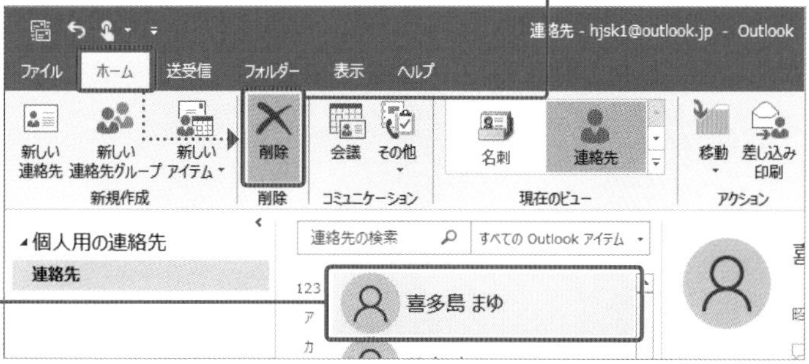

3 連絡先を削除できます。

Hint　削除直後の連絡先の復元

連絡先を削除してしまった直後であれば、ショートカットキー Ctrl + Z キーで削除した連絡先を復元できます。

Section 73

連絡先を名刺スタイルで見やすくする

ここで学ぶのは
- 名刺スタイルでの確認
- 画像を連絡先に追加
- 名刺デザイン

連絡先の表示は「ビュー」を任意に設定することで、見やすくかつわかりやすく管理できます。ここでは**連絡先の表示を「名刺」スタイル**にして、情報確認や**情報編集**する方法などを解説します。

1 登録されている連絡先を名刺スタイルで確認する

Memo ビューによってリボンコマンドは異なる

Outlook 2019の「連絡先」では、ビューの選択によってリボンコマンドの表示が異なります。下図は現在のビューが「連絡先」の場合と、現在のビューが「名刺」の場合のリボンコマンドの違いです。

● **現在のビューが「連絡先」のリボン**

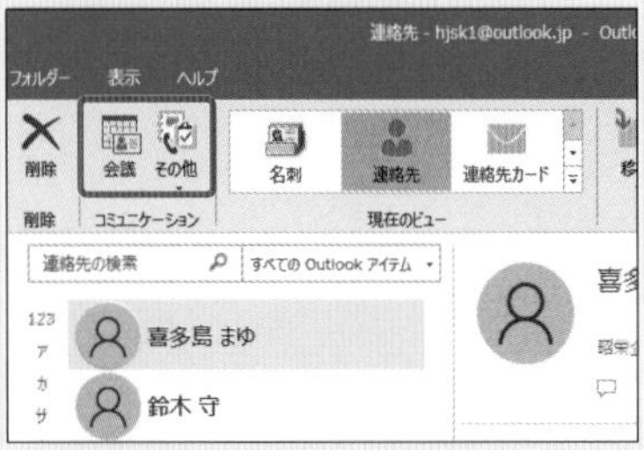

● **現在のビューが「名刺」のリボン**

1 [ホーム]タブ→[名刺]をクリックします。

2 名刺スタイルで連絡先を確認できます。

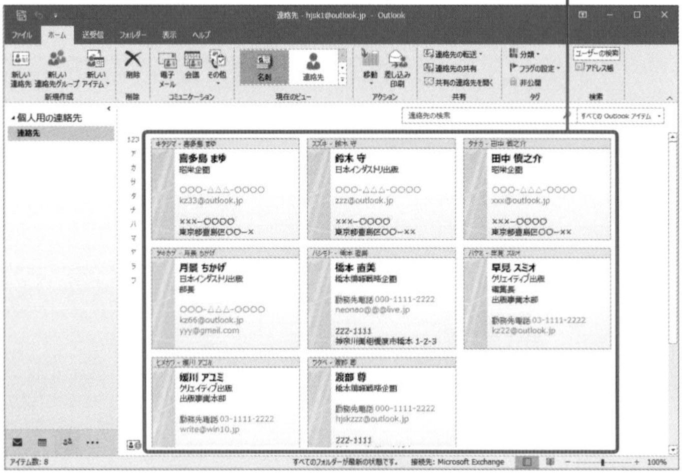

2 連絡先に画像（写真）を追加する

Memo シルエットをクリックしても追加できる

連絡先に画像を追加したい場合は、「連絡先の写真の追加（人のシルエット画像）」をクリックしても追加できます。

Memo 連絡先の画像のファイル形式

連絡先の画像ファイルとして指定できるファイル形式には、JPEG画像、GIF画像、PNG画像、TIFF画像などがあります。

Hint 連絡先の画像の削除

連絡先に画像を追加したものの、やはり削除してブランク（画像なしの状態）にしたい場合は、連絡先の「写真（画像）」を右クリックして、ショートカットメニューから［写真の削除］をクリックします。

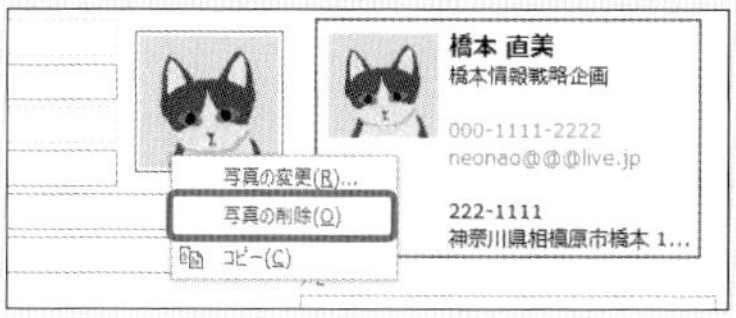

1 任意の連絡先をダブルクリックします。

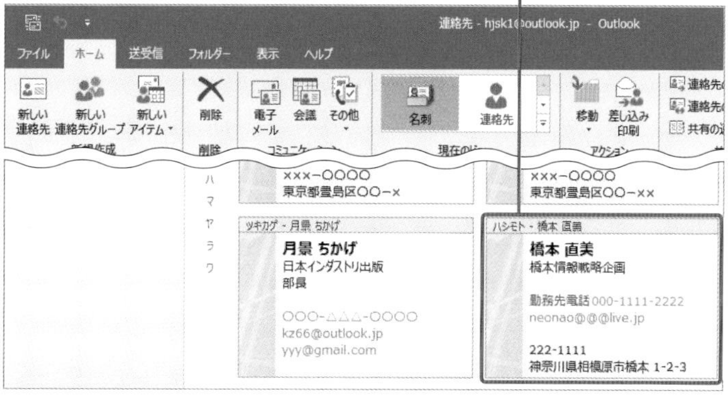

2 ［連絡先］タブ→［画像］をクリックして、

3 ドロップダウンから［写真の追加］をクリックします。

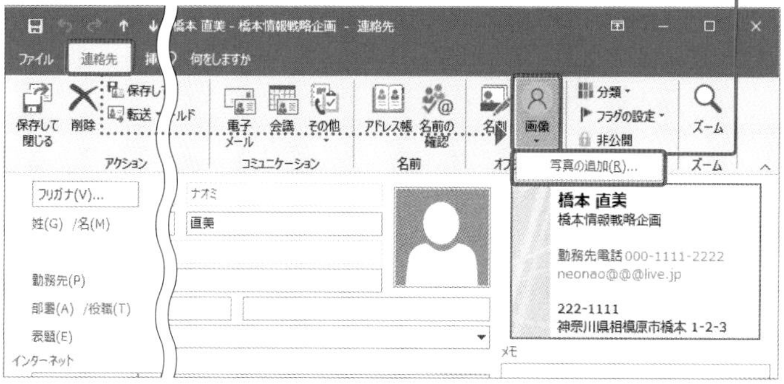

4 ［連絡先の写真の追加］ダイアログが表示されます。

5 任意の画像をクリックして、［OK］をクリックします。

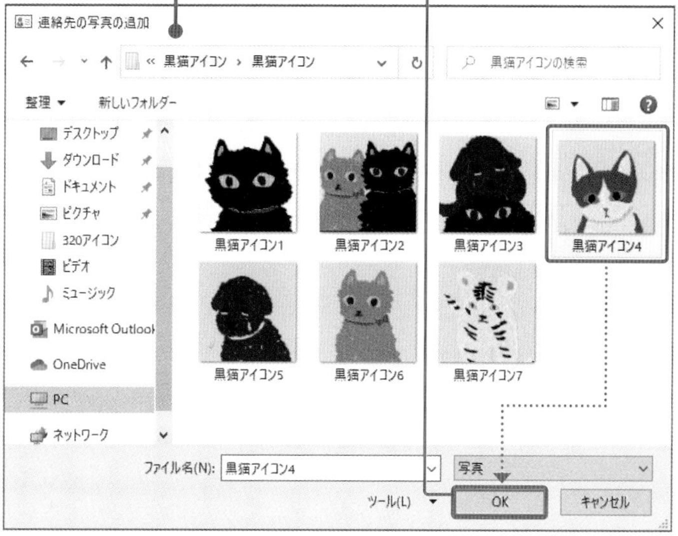

6 連絡先に画像（写真）を追加できます。

7 ［連絡先］タブ→［保存して閉じる］をクリックします。

3 名刺のデザインや表示情報を変更する

解説 **名刺のデザイン**

名刺のデザインは連絡先ごとに設定できます。また詳細に設定することも可能で、フィールドで選択している項目は、編集で配置やフォントの大きさ、色などを変更できます。

Hint **名刺のデザインのポイント：重要ではない項目の削除**

名刺デザインにおいて不要なフィールドは削除するのが基本です。例えば名刺画面で「住所（勤務先）」が重要ではないと考える場合には、［フィールド］から「住所（勤務先）」を選択して［削除］をクリックします。
なお、ここでの削除はあくまでも名刺デザイン上での削除であり、連絡先のデータが消えるわけではありません。

p.245の方法で任意の連絡先をダブルクリックします。

1 ［連絡先］タブ→［名刺］をクリックします。

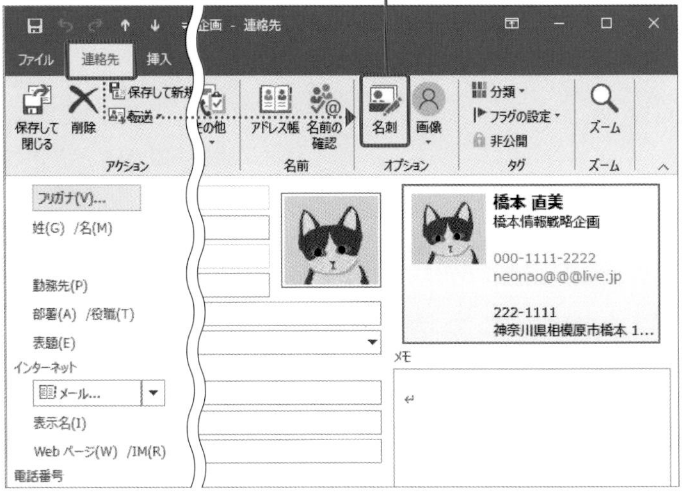

2 ［名刺の編集］ダイアログが表示されます。

3 ［レイアウト］から画像の位置を選択します。

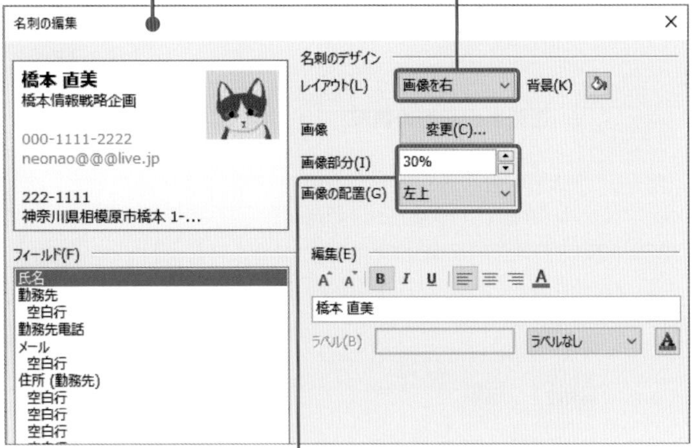

4 ［画像部分］のパーセンテージ（大きさ）や［画像の配置］を任意に選択します。

Hint 名刺のデザインのポイント：必要な項目の追加

名刺デザインにおいてはフィールドを任意に追加することができます。
例えば「ホームページ（ビジネス）」を追加したい場合には、[追加] をクリックして、[インターネットアドレス] → [ホームページ（ビジネス）] とクリックします。

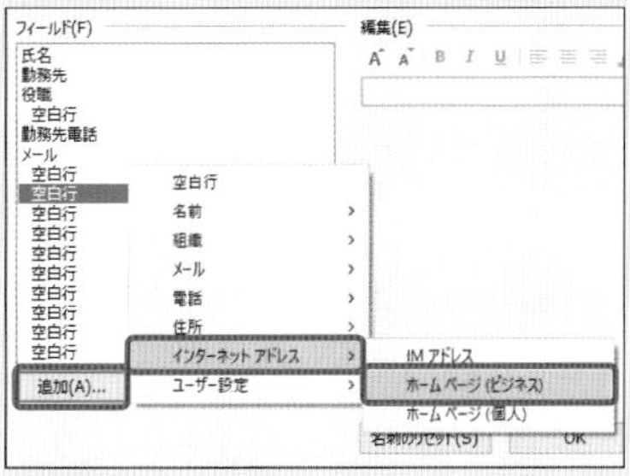

5 [追加]をクリックして任意のフィールドを追加します。

6 追加した項目が空欄の場合には任意の情報を入力します。

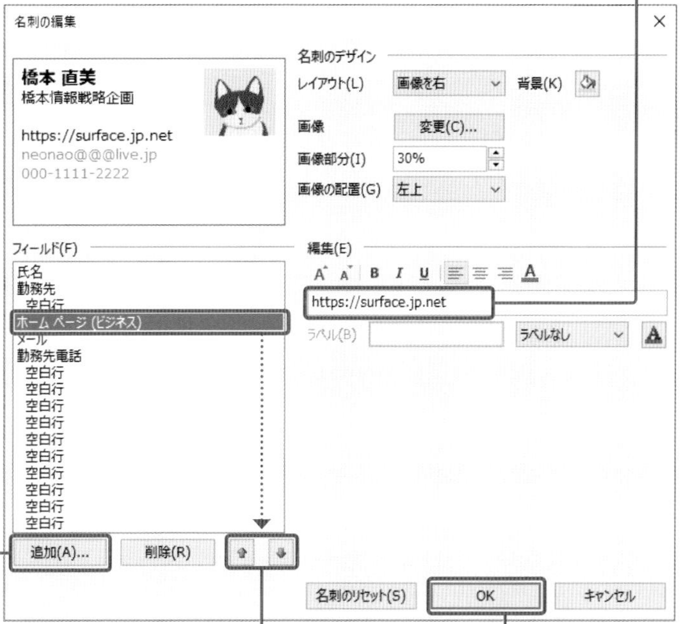

7 任意のフィールドを選択して、⇧⇩をクリックして順序を整えます。

8 [OK] をクリックします。

9 [連絡先] タブ→ [保存して閉じる] をクリックします。

10 名刺のデザインを変更できます。

Hint 名刺のデザインのリセット

名刺のデザインをいろいろ変更したものの、やはり標準のデザインに戻したいという場合は、[名刺のリセット] をクリックします。確認ダイアログで [はい] をクリックすれば、既定のデザインに戻すことができます。

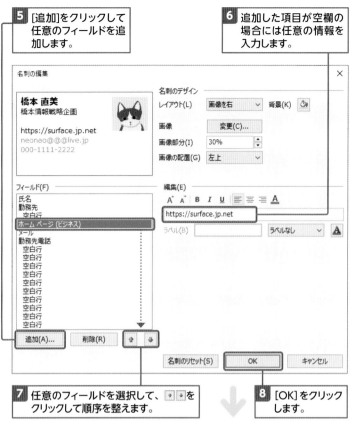

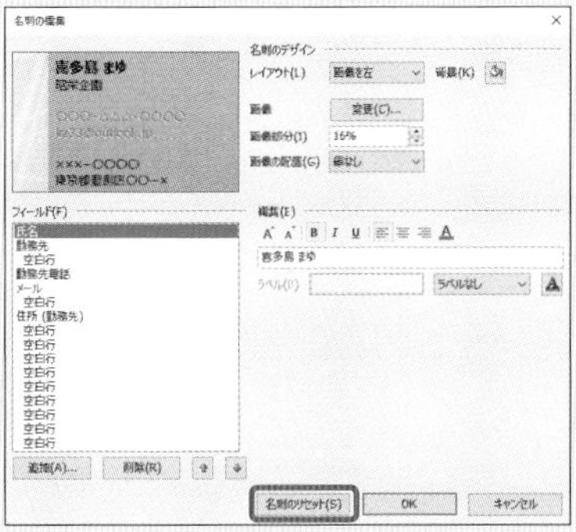

Section

74 連絡先のお気に入りを活用する

ここで学ぶのは

- To Do バーの表示
- お気に入りへの登録
- お気に入りの解除

連絡先の中でもよく利用するものは「お気に入り」に登録しておくと、各所から連絡先にすばやくアクセスできて便利です。なお、「To Do バー」の「連絡先」は、お気に入りに登録した連絡先しか表示されない仕様になっています。

1 「To Do バー」で連絡先を表示する

解説 To Do バーに表示できる

よく利用する連絡先は「お気に入り」に登録しておくと、To Do バー（Outlookの画面右側に追加されるウィンドウ）に表示されるようになるので、すばやくアクセスできて便利です。

1 [表示] タブ→ [To Doバー] をクリックして、

2 ドロップダウンから [連絡先] をクリックします。

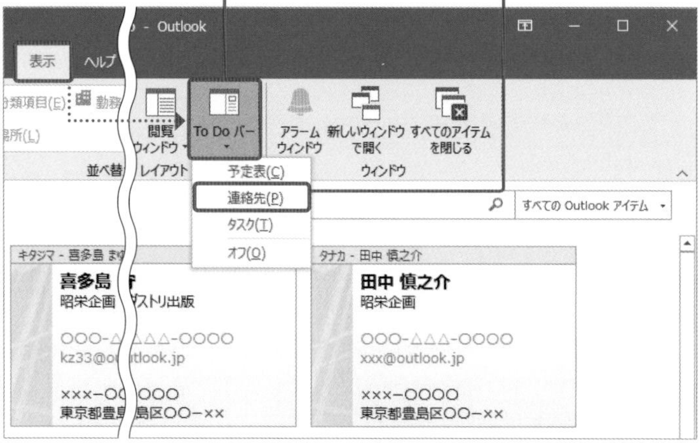

3 To Doバーに「連絡先のお気に入り」が一覧で表示されます。

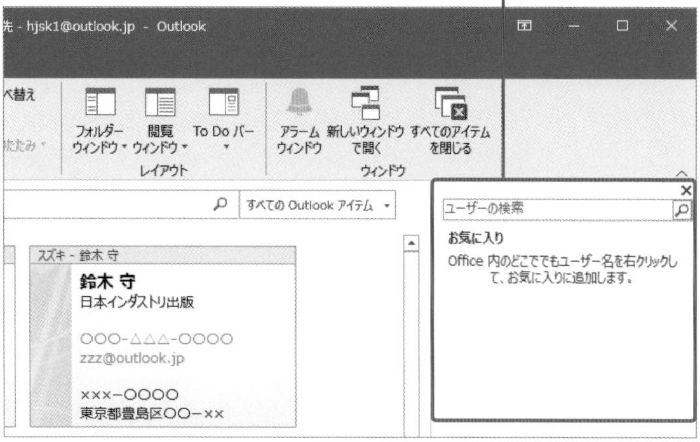

Hint お気に入り登録されていない連絡先の場合は

To Doバーの「連絡先」ではお気に入りに追加した連絡先しか表示されませんが、「ユーザーの検索」で任意の連絡先情報を入力すれば、検索結果から各種操作が可能です。

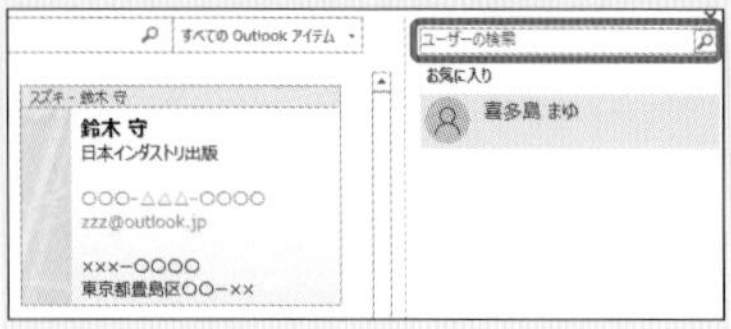

2 連絡先をお気に入りに追加する

Hint お気に入りから連絡先を編集する

お気に入りから連絡先を編集したい場合は、To Doバーの「お気に入り」欄にある任意の連絡先を右クリックし、[…]をクリックして、ドロップダウンから[Outlookの連絡先の編集]をクリックします。

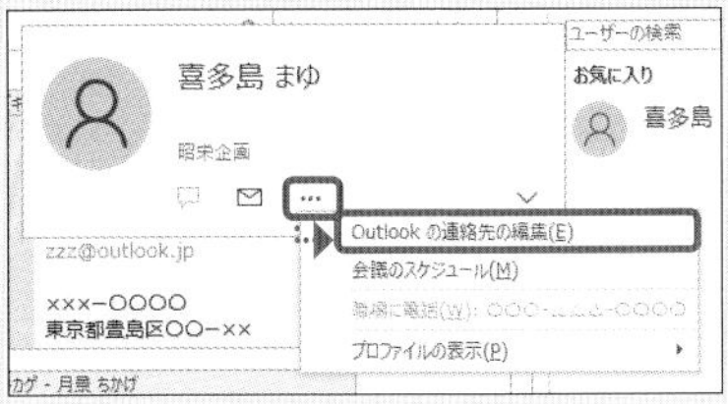

現在のビューを[連絡先]にしておきます。

1 任意の連絡先を右クリックして、

2 ショートカットメニューから[お気に入りに追加]をクリックします。

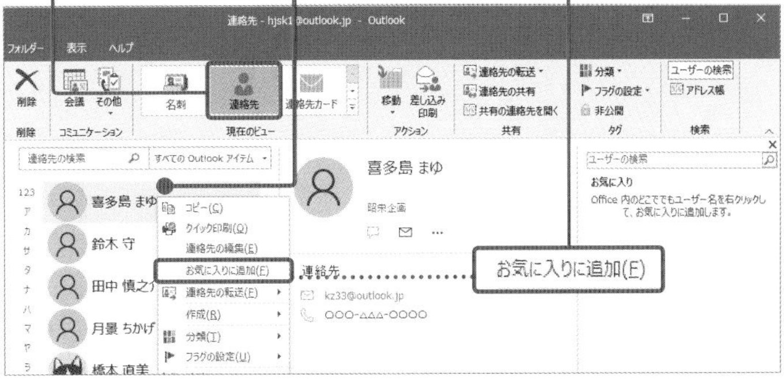

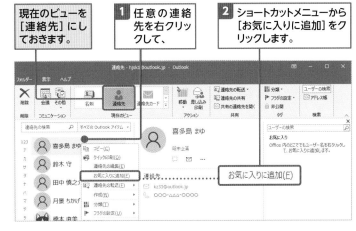

3 To Doバーにお気に入りに追加した連絡先が表示されます。

3 お気に入りから連絡先を削除する

Memo お気に入りへの追加は最小限にする

Outlook 2019の「連絡先」画面にアクセスすれば、任意の連絡先にアクセスできます。一方でTo Doバーのお気に入りはすぐにどの画面からもアクセスできることがメリットになるため、お気に入りに追加する連絡先は最小限にするのが基本です。

1 「お気に入り」欄にある削除したい連絡先を右クリックして、

2 ショートカットメニューから[お気に入りから削除]をクリックします。

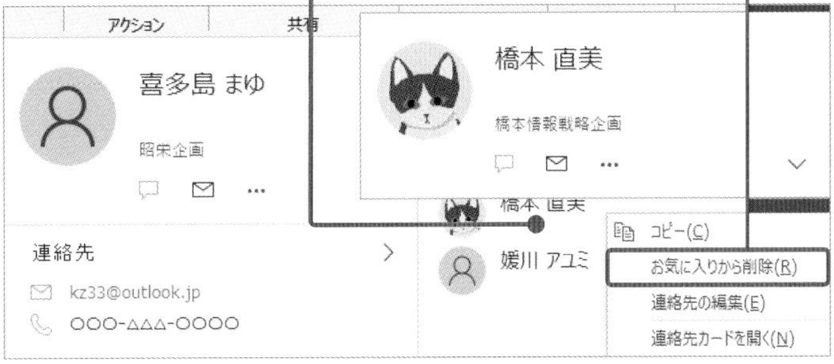

3 お気に入りから連絡先を削除できます。

お気に入りから削除されるだけで、連絡先情報が削除されるわけではありません。

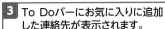

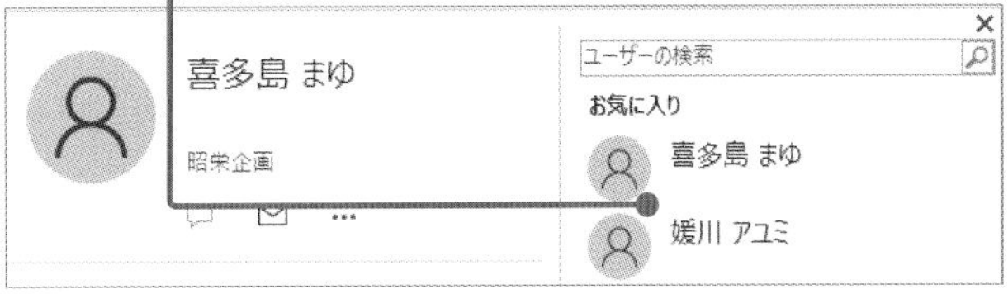

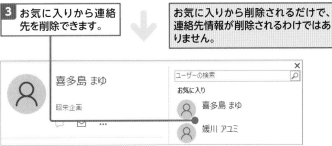

Section
75 連絡先を使用してメールを送信する

ここで学ぶのは
- 「連絡先」画面からのメール
- 複数の宛先指定
- 連絡先情報からのメール送信

連絡先の情報はメールに活用することが可能です。連絡先にあらかじめ登録しておいたメールアドレスを使用してメールを送信できるほか、複数の連絡先を指定してメール送信を行うこともできます。

1 「連絡先」画面からメールを送信する

Memo 「電子メール」コマンドの有無

Outlook 2019の「連絡先」画面では、ビューの選択によってリボンコマンドの表示が異なるという特性があります。現在のビューが「名刺」の場合は「電子メール」が表示されますが、現在のビューが「連絡先」の場合は「電子メール」は表示されません。

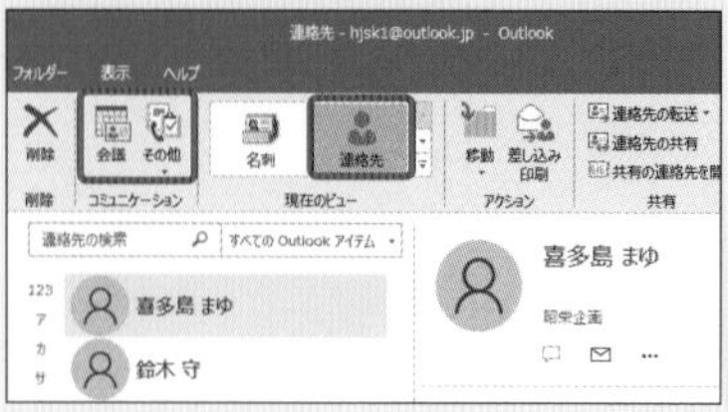

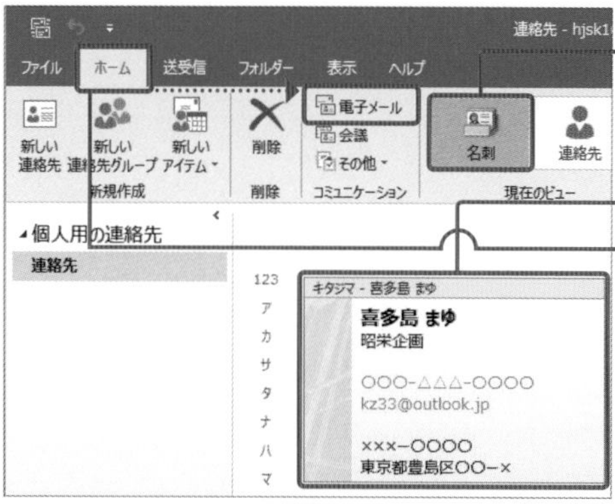

現在のビューを［名刺］にしておきます（p.244参照）。

1 メールを送りたい連絡先をクリックして選択します。

2 ［ホーム］タブ→［電子メール］をクリックします。

3 指定の連絡先を「宛先」にしたメールを作成できます。

2 「連絡先」画面から複数の宛先を指定してメールを送信する

ショートカットキー

- 「連絡先」画面から新しいメールを作成
  Ctrl + Shift + M

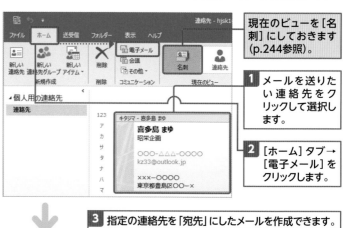

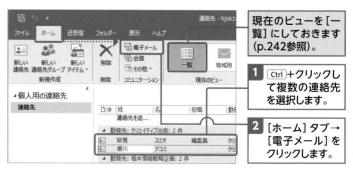

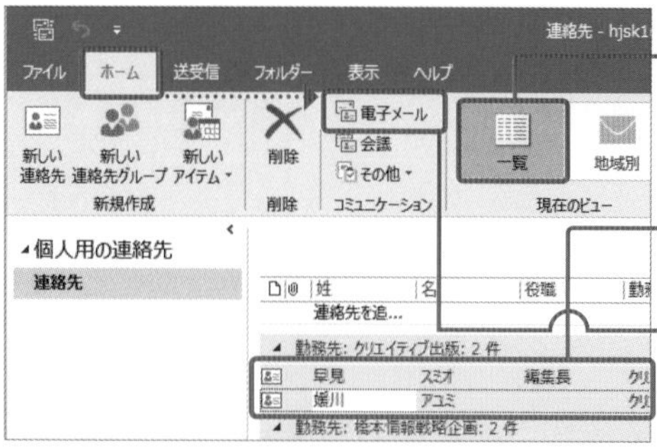

現在のビューを［一覧］にしておきます（p.242参照）。

1 Ctrl+クリックして複数の連絡先を選択します。

2 ［ホーム］タブ→［電子メール］をクリックします。

3 指定の複数の連絡先を「宛先」にしたメールを作成できます。

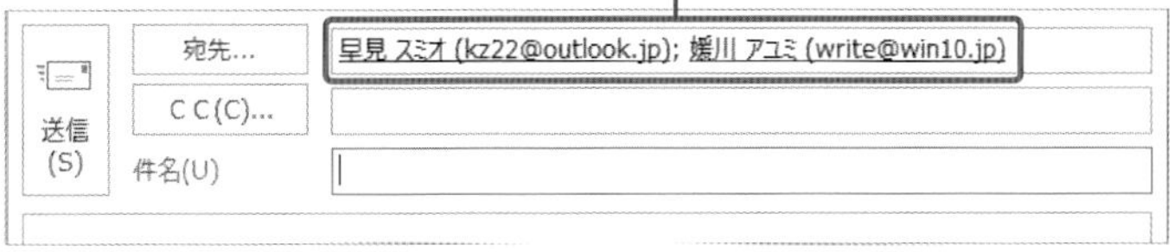

時短のコツ ビューの切り替えをすばやく行う

Outlook 2019の連絡先では、ビュー表示を場面に応じて任意に切り替える必要があります。リボンコマンドをクリックする方法のほか、ショートカットキー Alt → H → C → V キーで、「現在のビュー」にアクセスできるため、後はカーソルキーで任意の表示スタイルを選択して、Enter キーを押せばすばやくビュー表示を切り替えることができます。

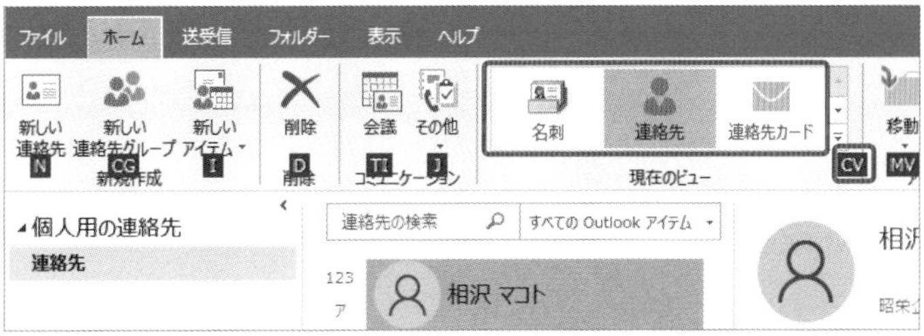

3 連絡先情報からメールを送信する

Hint 宛先が複数指定になってしまう

任意の連絡先情報を参照している状態から、[連絡先] タブ→ [電子メール] をクリックすると、新しいメールの「宛先」に複数のメールアドレスが列記される場合があります。これは連絡先において「メール2」などを登録している状態において列記されますが、任意のメールアドレスを選択して Delete キーを押せば消すことができます。

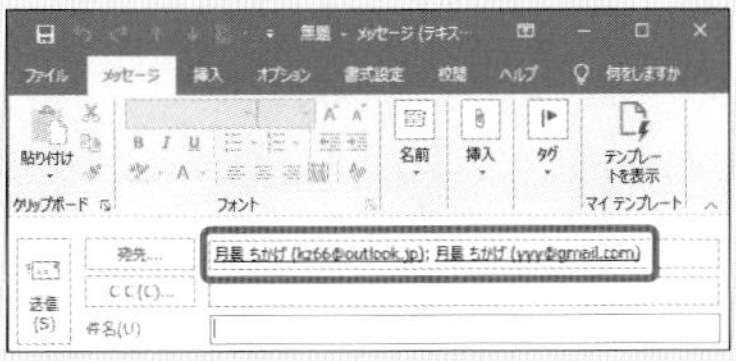

1 メールを送信したい連絡先をダブルクリックします。

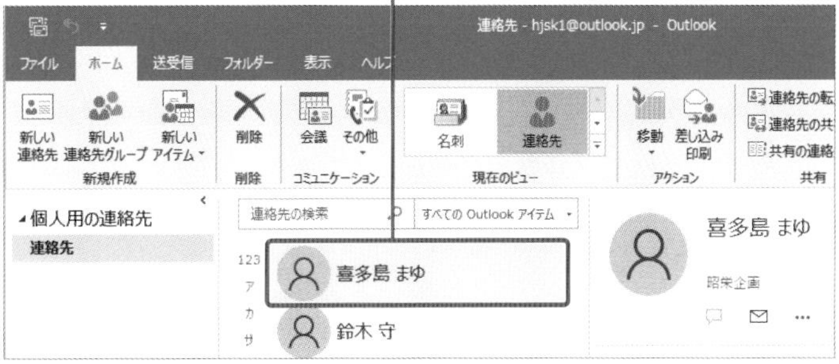

2 [連絡先] タブ→ [電子メール] をクリックします。

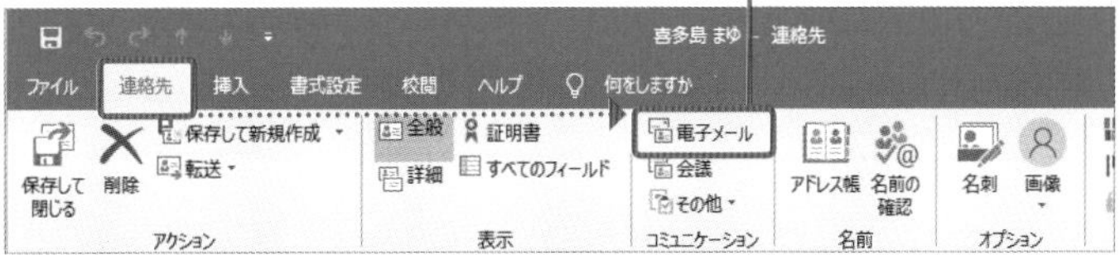

3 指定の連絡先を「宛先」にしたメールを作成できます。

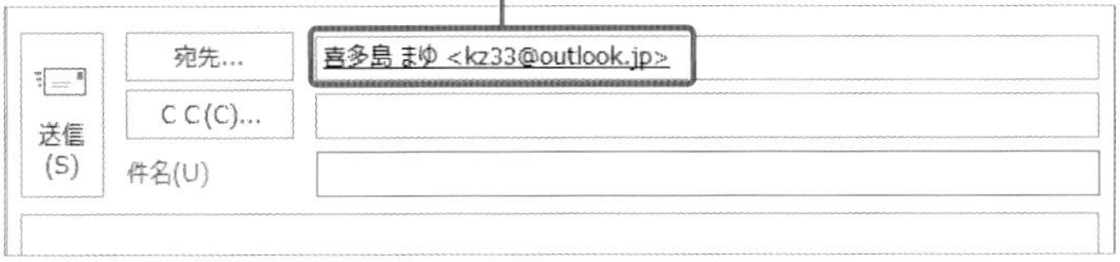

Section **76**

「メール」画面で連絡先を活用する

ここで学ぶのは

- To Do バーの活用
- 「宛先」から連絡先の活用
- CC や BCC の指定

連絡先情報はOutlook 2019の「連絡先」画面からだけではなく、「メール」画面やメール作成時に活用できます。ここでは「To Doバー」から連絡先を活用する方法や、「宛先」「CC」などで連絡先のメールアドレスを指定する方法を解説します。

1 「メール」画面にお気に入りの連絡先を常に表示する

解説 メールでこそ活きる「連絡先」の情報

Outlook 2019における「連絡先」は、メール送信時にこそ活躍します。よく利用する連絡先を「お気に入り」に登録したうえで、Outlook 2019の「メール」画面にTo Doバーで「連絡先」を表示しておくと、メール送信が行いやすくなります。

ショートカットキー

- 「メール」画面に切り替え
  Ctrl + 1
- 「連絡先」画面に切り替え
  Ctrl + 3

Outlook 2019を「メール」画面にしておきます。

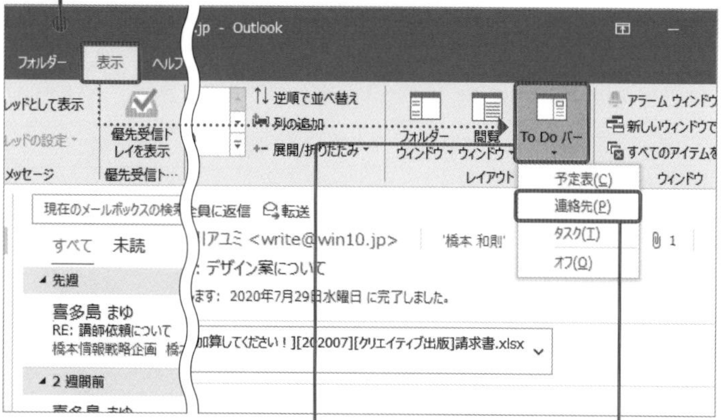

1 ［表示］タブ→［To Doバー］をクリックして、

2 ドロップダウンから［連絡先］をクリックします。

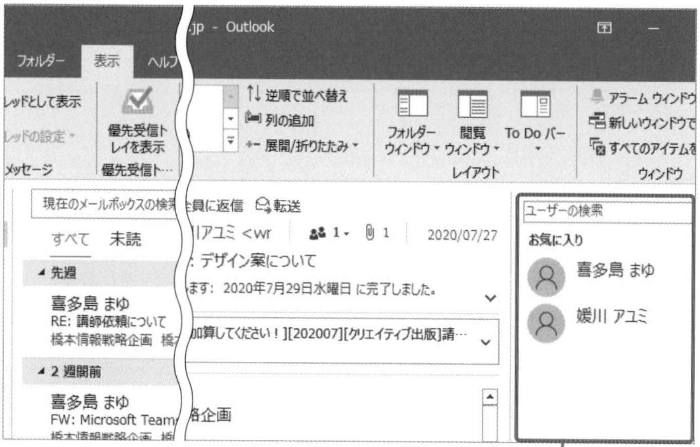

3 To Doバーに「連絡先のお気に入り」が一覧で表示されます。

2 「To Do バー」からメールを送る

Hint お気に入りにない連絡先にメールを送る

To Doバーの「連絡先」の検索ボックスに、任意の姓名（名前）やメールアドレスの先頭文字を入力すれば、お気に入りに登録されていない連絡先をTo Doバーに表示できます。該当の連絡先をクリックして、［メール］アイコンをクリックすれば、連絡先に登録されているメールアドレスを宛先としたメールを作成できます。この操作は、Outlook 2019を「連絡先」画面に切り替えないで済むことが特徴です。

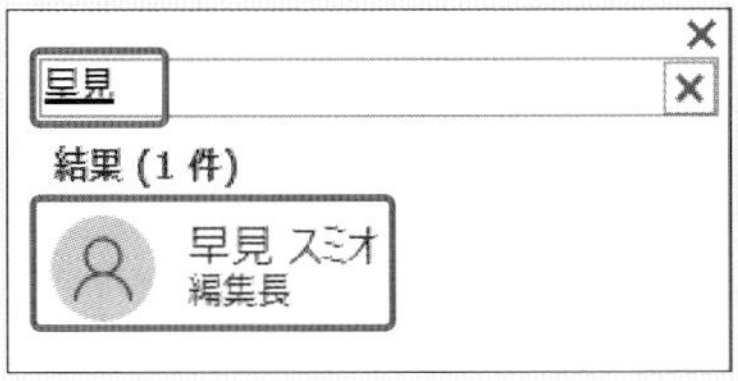

Outlook 2019を「メール」画面にし、To Doバーの「連絡先」をあらかじめ表示しておきます。

1 To Doバーの「お気に入り」欄にある、メールを送りたい連絡先をクリックします。

2 ［メール］アイコンをクリックします。

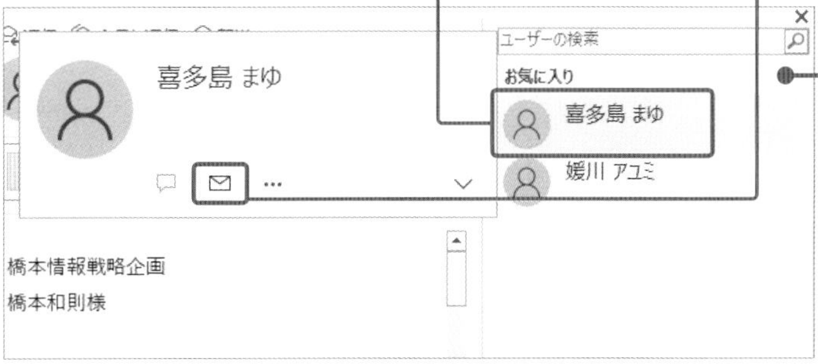

3 指定の連絡先を「宛先」にしたメールを作成できます。

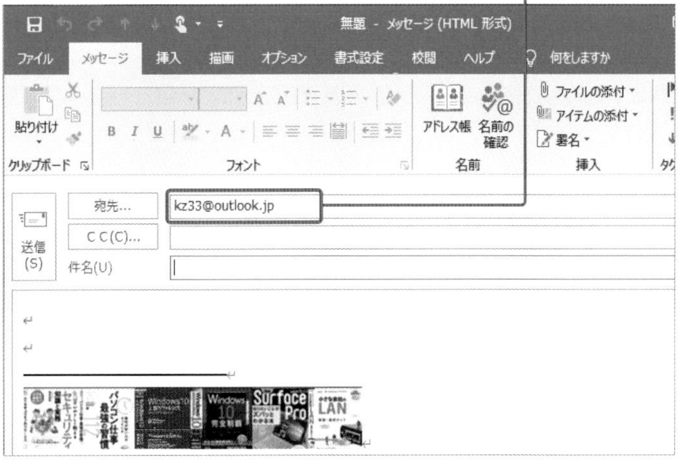

3 連絡先情報の「宛先」「CC」を指定する

Hint 「メール」画面以外からのメール作成

Outlook 2019の「メール」画面で Ctrl ＋ N キーを入力すれば、新しいメールが作成できますが、Outlook 2019の「メール」画面以外からメールを作成したい場合は、ショートカットキー Ctrl ＋ Shift ＋ M キーを入力します。「連絡先」画面や「予定表」画面から、新しいメールを作成できます。

Outlook 2019を「メール」画面にしておきます。

1 ［ホーム］タブ→［新しいメール］をクリックします。

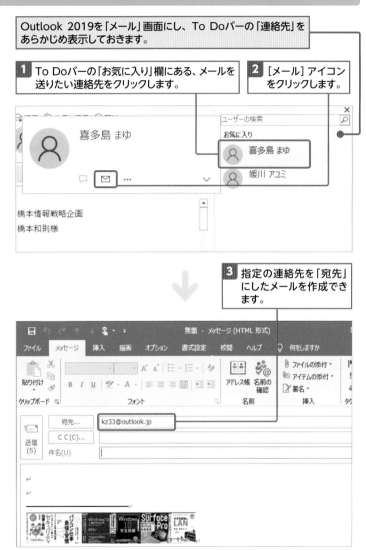

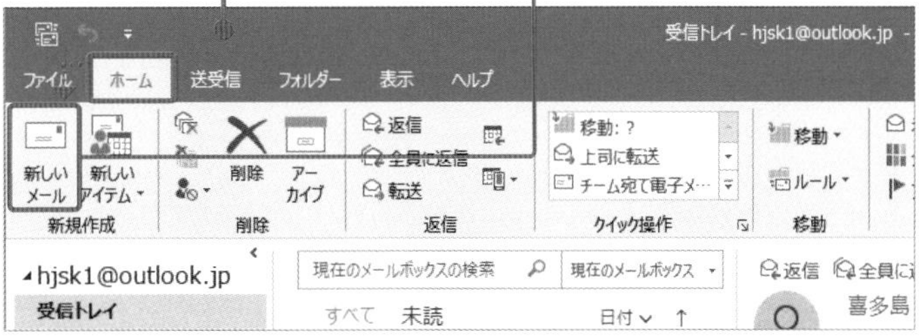

Hint 複数の宛先を指定する

[名前の選択]ダイアログから、「宛先」となる任意の連絡先を Ctrl キーを押しながらクリックして、複数選択したうえで[宛先]をクリックすれば、複数の連絡先を宛先に指定することも可能です。

Hint 宛先をオートコンプリートで入力する

「宛先」「CC」などは[名前の選択]ダイアログから任意の連絡先を選択しなくても、入力欄にメールアドレスの先頭部分を入力すれば、「オートコンプリート」機能により、連絡先に登録されたメールアドレスを候補から選択して入力することが可能です。

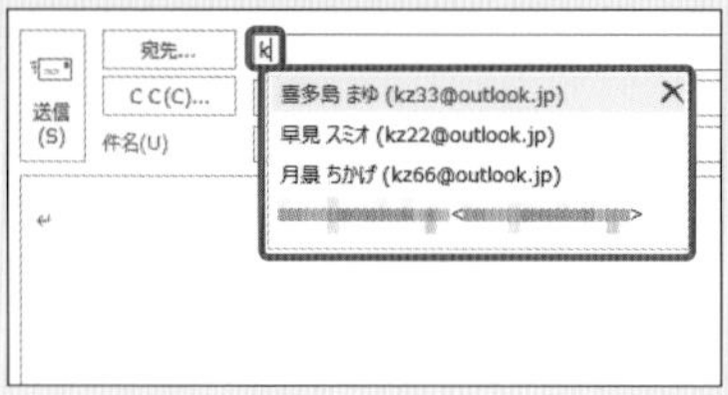

2 [宛先]をクリックします。

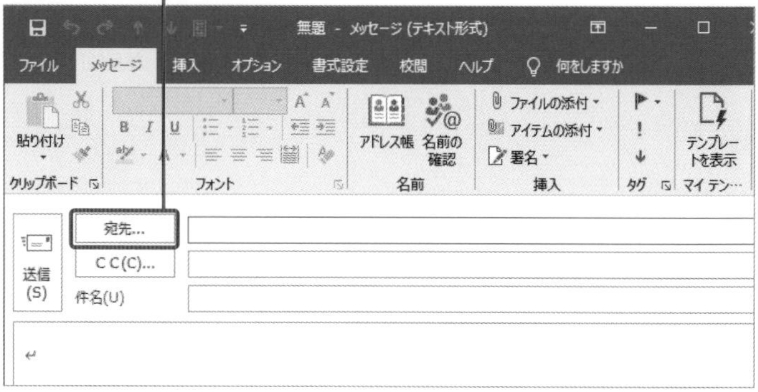

3 [名前の選択]ダイアログが表示されます。

4 「宛先」へ指定したい連絡先をクリックして選択します。

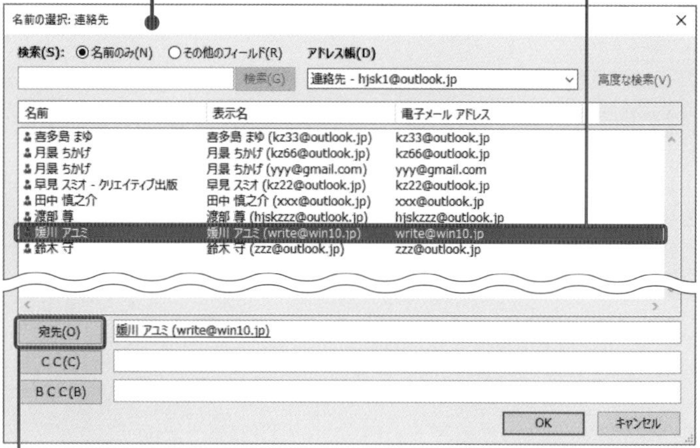

5 [宛先]をクリックすると、選択メールアドレスを「宛先」に指定できます。

6 「CC」へ指定したい連絡先をクリックして選択します。

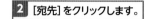

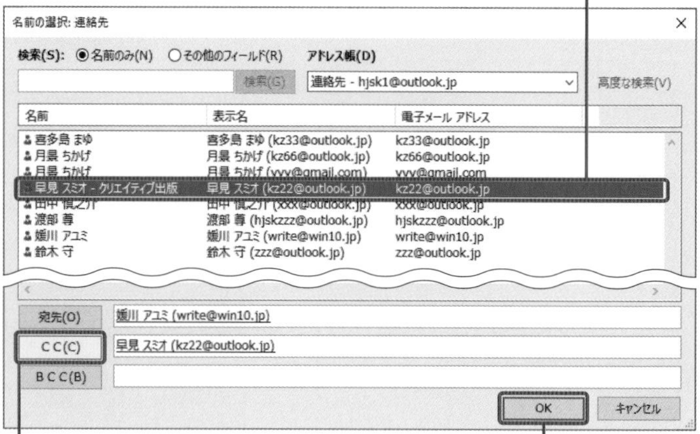

7 [CC]をクリックすると、選択メールアドレスを「CC」に指定できます。

8 [OK]をクリックします。

Hint 「BCC」を表示する

メール作成において「BCC」入力欄を表示したい場合には、メッセージウィンドウの［オプション］タブ→［BCC］をクリックしますが、［名前の選択］ダイアログでBCCを指定すれば、自動的にメッセージウィンドウに「BCC」が表示されます。

9 「宛先」「CC」などを指定したメールを作成できます。

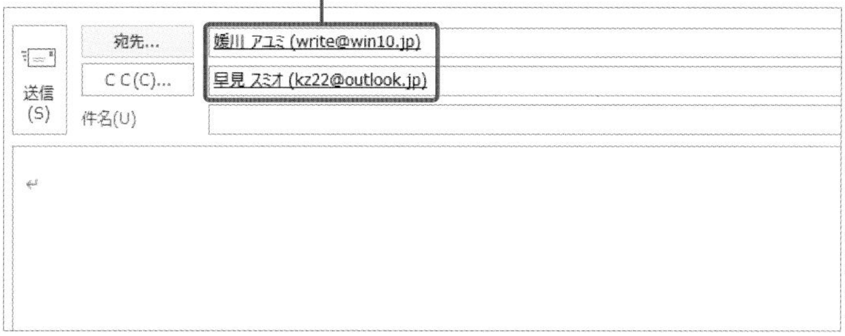

4 連絡先情報を添付してメール送信する

解説 名刺として送信する

［連絡先の転送］から［名刺として送信］を選択した場合、vCard形式で連絡先情報を送信することができ、ほとんどのメーラー（メールアプリ）で連絡先情報を取り込むことができます。なお、個人情報の取り扱いには注意して、許可なく他者と連絡先を共有することなどは控えるようにします。

Outlook 2019を「連絡先」画面にしておきます。

1 メールで情報として送りたい連絡先をクリックします。

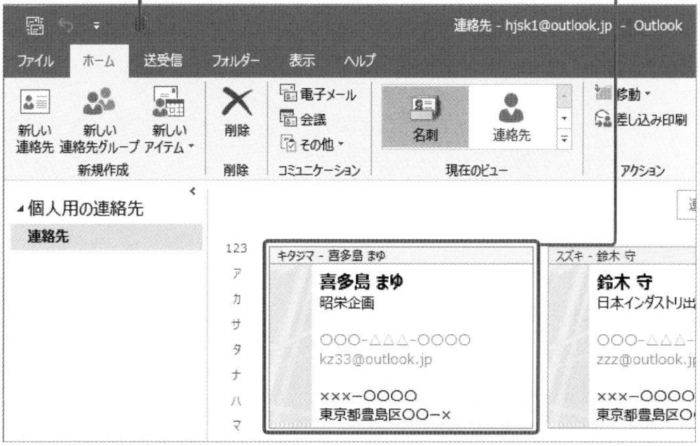

2 ［ホーム］タブ→［連絡先の転送］をクリックして、

3 ドロップダウンから［名刺として送信］をクリックします。

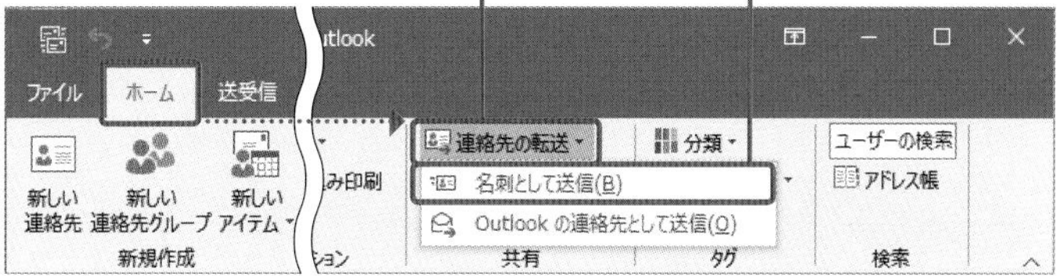

4 新しいメールに連絡先情報を添付することができます。

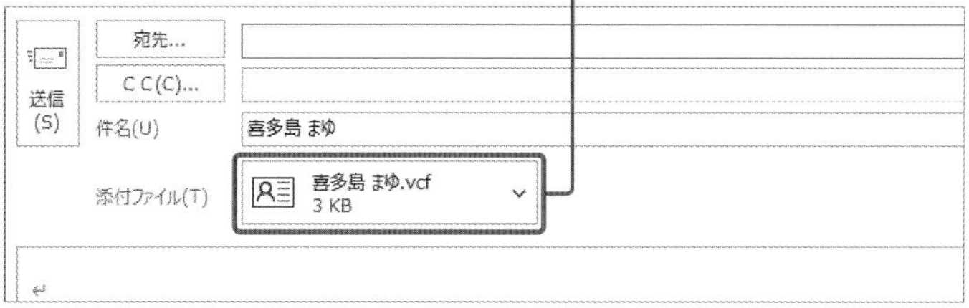

注意 ［Outlook の連絡先として送信］について

［連絡先の転送］では［Outlookの連絡先として送信］を選択することができます。これは、送信相手がMicrosoft系メーラー（Outlookシリーズなど）であれば利用できますが、相手がOutlookシリーズ以外のメーラーを利用している場合には開けない（利用できない）可能性があります。

Section

77 連絡先を分類してわかりやすい仕分けをする

ここで学ぶのは

- 分類項目の設定
- 連絡先の分類
- 分類の確認

連絡先は「分類」しておくと、分類別で表示することや分類で検索するなどの活用ができます。ここでは、分類項目の設定と、任意の連絡先に分類を割り当てる方法を解説します。

1 分類項目を設定する

Memo 「分類(色)」はOutlook 2019 共通

連絡先で利用する「分類(色)」は、「メール」「予定表」「タスク」でも利用できます。また、設定内容も共通です。色分けや分類はユーザーが自由に行えますが、例えばビジネスであれば「取引先別」「業種別」「作業内容別」などで分けると便利です。

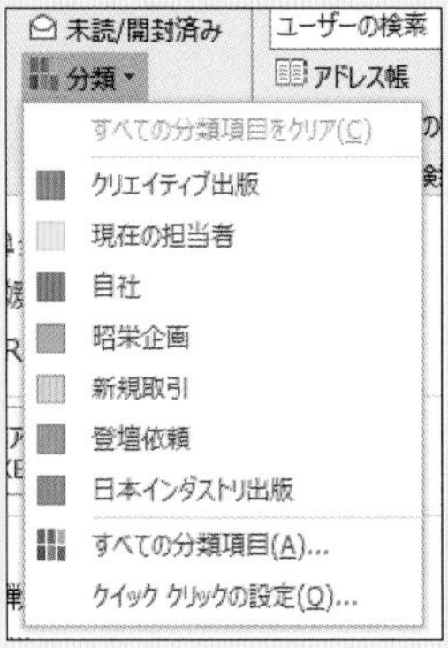

Hint 分類は複数指定可能

ひとつの連絡先に対して複数の分類を指定することも可能です。例えば「取引先名」と「業種」という分類を指定しておいて、両方の分類をひとつの連絡先に割り当てるといった利用が考えられます。

1 [ホーム]タブ→[分類]をクリックして、

2 ドロップダウンから[すべての分類項目]をクリックします。

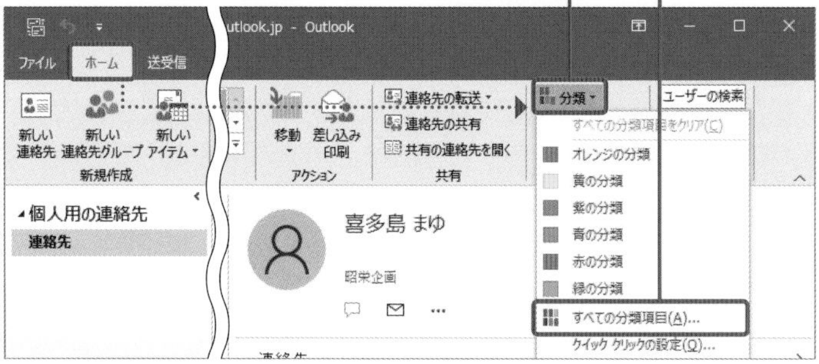

3 [色分類項目]ダイアログが表示されます。

4 任意の色をクリックして、[名前の変更]をクリックします。

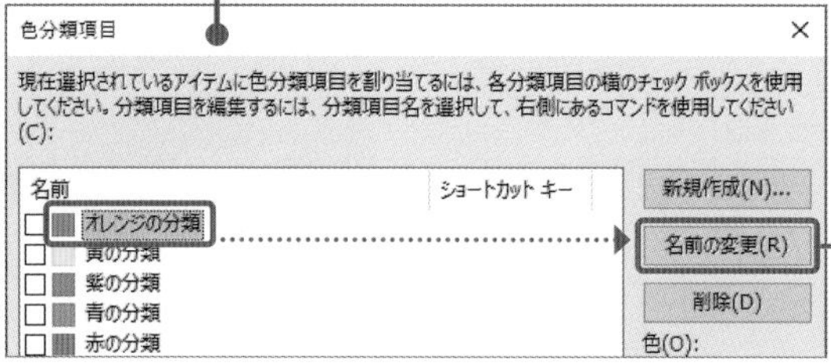

5 任意の分類名に変更できます。

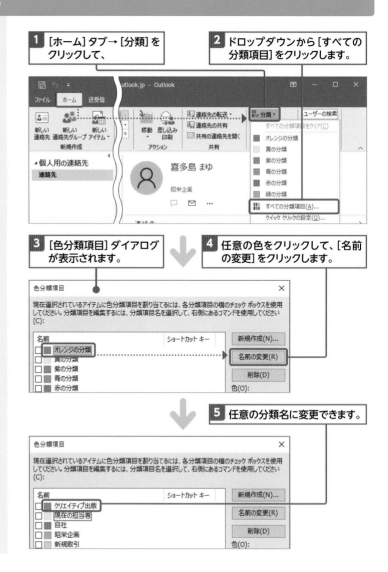

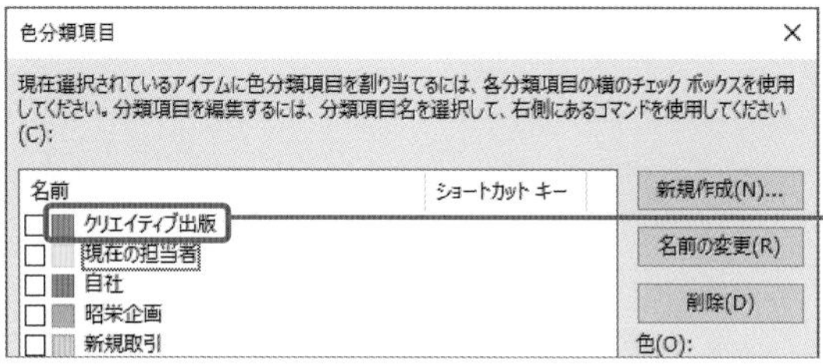

2 連絡先を分類する

時短のコツ 作業対象アイテムをすばやく選択する

ビュー内のアイテムは Ctrl キーを押しながらクリックすることで複数選択が可能です。また始点をクリックしたうえで、終点を Shift キーを押しながらクリックすれば範囲選択を行うこともできます。連絡先を複数選択して一括で分類したい場合には、有効な操作方法です。

Memo 分類(色)には目的を持たせる

なんとなく分類しておくという操作はおすすめできません。分類を行うのであれば「見つけやすくする」「検索しやすくする」など、明確な目的を持って設定を行うようにします。

1 分類を指定したい連絡先をクリックして選択します。

2 [ホーム] タブ→ [分類] をクリックして、

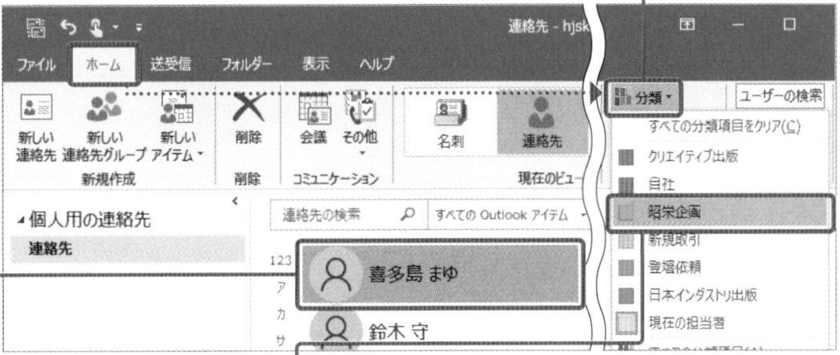

3 ドロップダウンから任意の分類 (色) をクリックします。

4 連絡先情報を開くと、指定した分類(色)が適用されています。

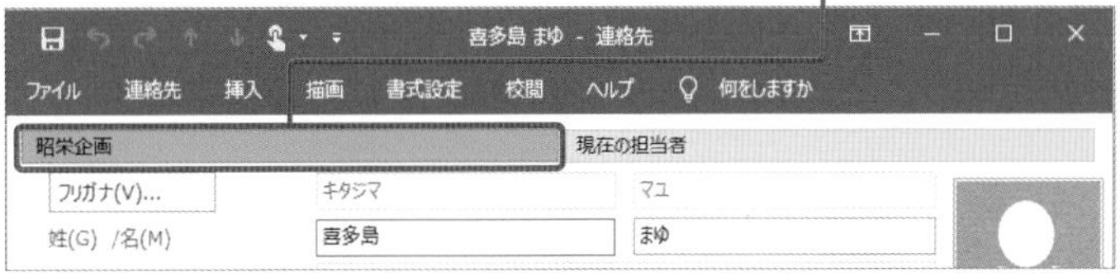

3 連絡先の分類を確認する

Hint ビューの表示設定

ビューの表示において、現在の一覧にはない任意の項目 (情報) も含めて表示したい場合は [表示] タブ→ [ビューの設定] をクリックします。[列] をクリックすれば、任意のフィールド (列) の表示/非表示や表示順序などを変更できます。

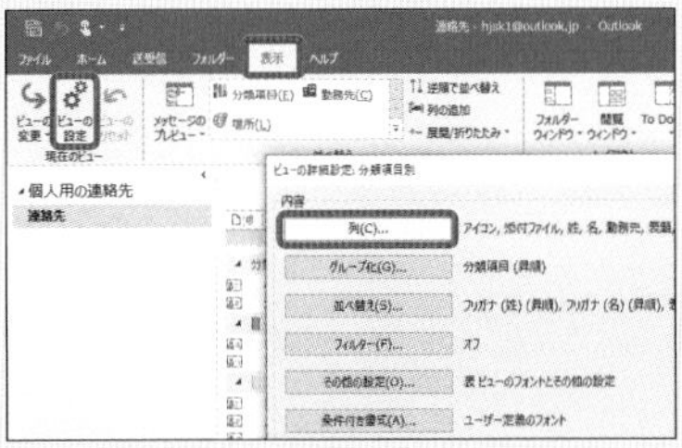

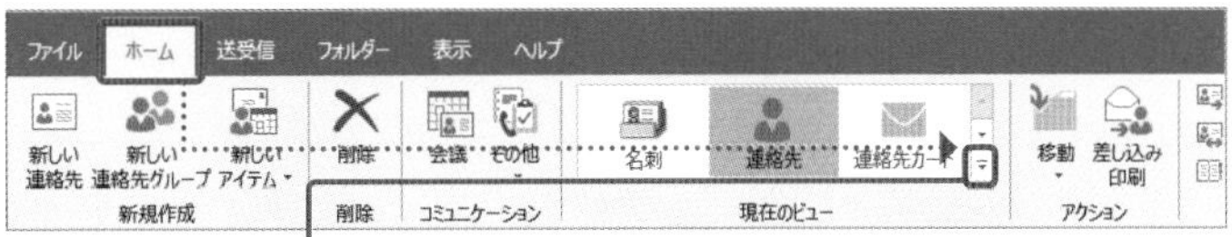

1 [ホーム] タブ→ [その他] をクリックして、

2 [分類項目別] をクリックします。

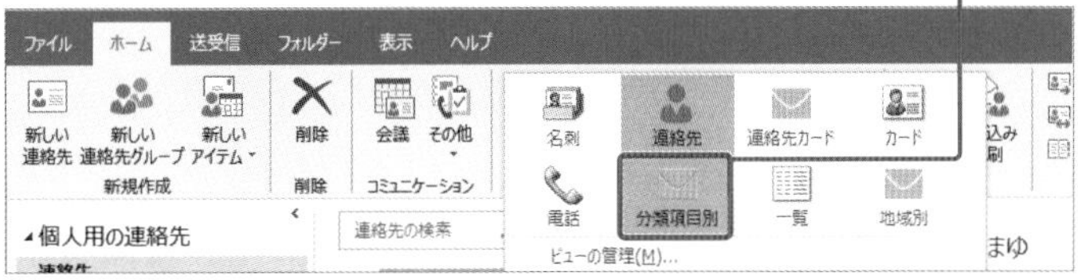

3 [分類項目別] で連絡先の一覧が確認できます。

分類をしておくと、連絡先がわかりやすく管理できます。

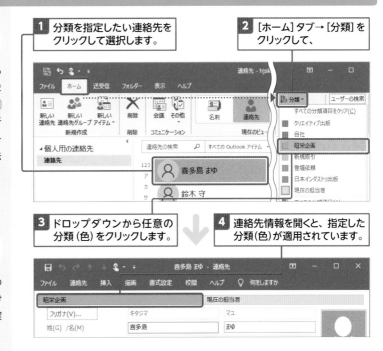

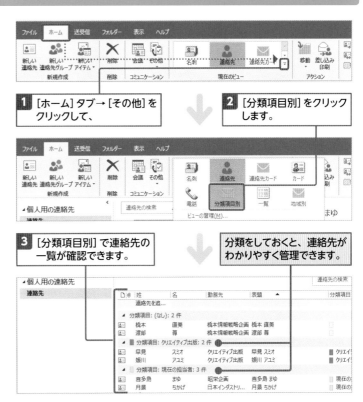

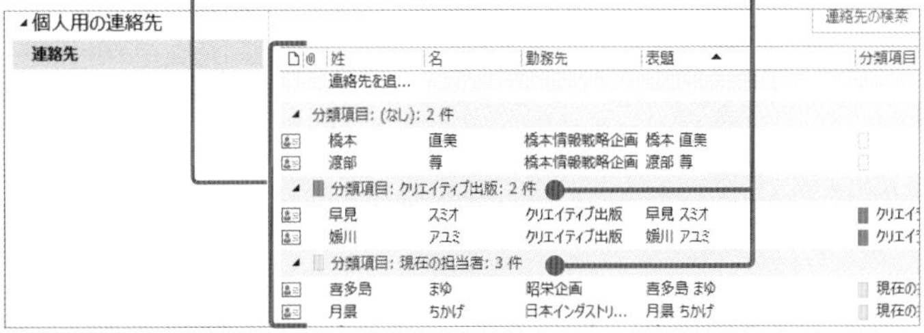

Section **78**

連絡先グループを活用する

ここで学ぶのは

- 連絡先グループの作成
- メンバーへの一括送信
- 連絡先グループの編集

個々の連絡先を「連絡先グループ」に登録しておくと、メールや会議通知を一括で送信したい場合などに便利です。ここでは、連絡先グループの作成方法と、連絡先グループのメンバーにメールを送る方法、また連絡先グループの編集などについて解説します。

1 連絡先グループを新規作成する

解説 連絡先グループの活用

仕事や趣味などで連絡事項を共有したいメンバーがいる場合は、「連絡先グループ」を作成すると便利です。連絡先グループではメンバーに対してメールを一斉送信できます。また、会議通知などにも活用でき、全般的に「同じ内容の事柄をひとつのグループに伝えたい」という場合に便利です。ただし、作成にあたってはプライバシーに注意する必要があります（次ページのHint参照）。

1 ［ホーム］タブ→［新しい連絡先グループ］をクリックします。

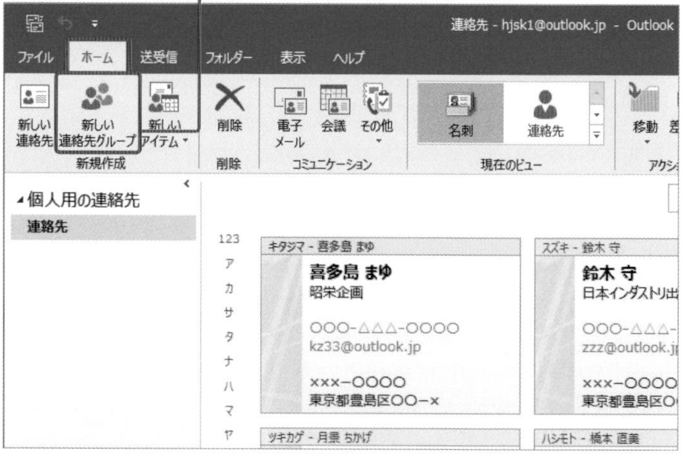

2 ［名前］に任意グループ名を入力します。

3 ［連絡先グループ］タブ→［メンバーの追加］をクリックして、

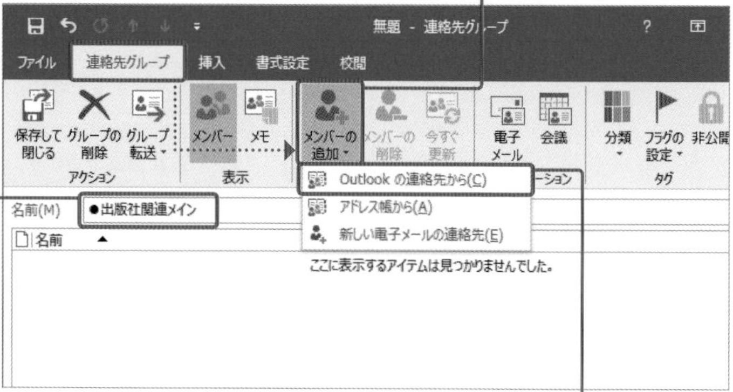

4 ドロップダウンから［Outlookの連絡先から］をクリックします。

Hint プライバシーに注意

連絡先グループを用いてメールの一斉送信や会議通知を行った場合、該当情報の「宛先」には、すべてのメンバーのメールアドレスが列記されます。メールにおいて「宛先」で入力したメールアドレスは、メールアドレスを受け取った人のすべてが確認可能であるため、メンバー同士が知り合いでない場合は、知らない人物のメールアドレスを教えてしまうことに注意が必要です。もし、メールアドレスを見せずに全員に「連絡先グループ」を活用してメールを送信したい場合は、「BCC」に連絡先グループを指定するようにします。また、「宛先」には自分のメールアドレスを指定しておくとメール管理としてもわかりやすくなります。「BCC」への指定についてはp.68を参照してください。

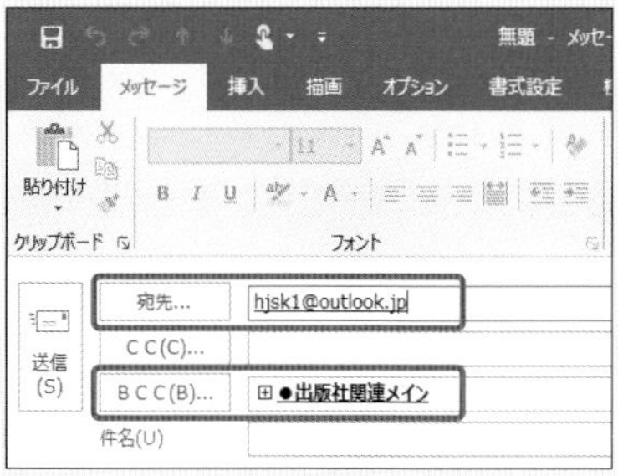

5 [メンバーの選択] ダイアログが表示されます。

6 メンバーに加えたい任意の連絡先を Ctrl キーを押しながらクリックして、複数の連絡先を選択します。

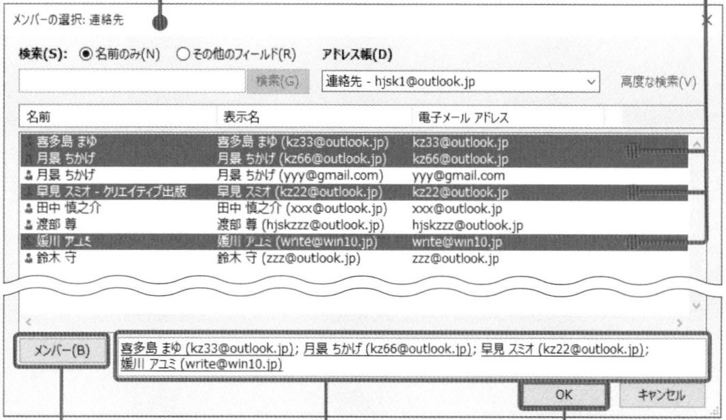

7 [メンバー] をクリックします。

8 メンバー欄に追加された連絡先を確認します。

9 [OK] をクリックします。

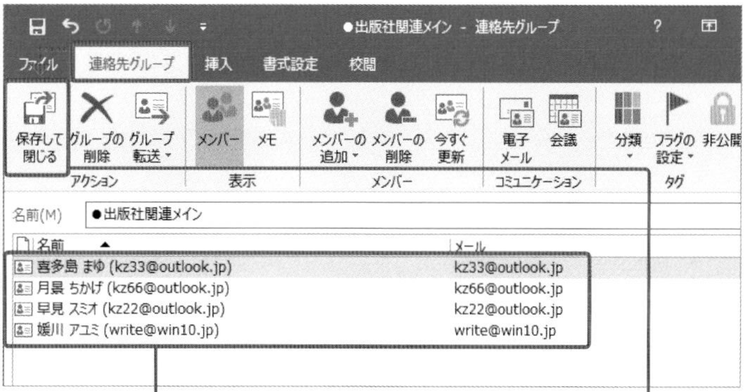

10 連絡先グループに追加された連絡先を確認します。

11 [連絡先グループ] タブ→ [保存して閉じる] をクリックします。

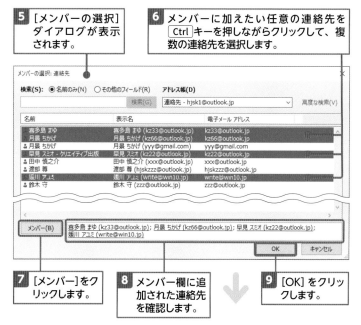

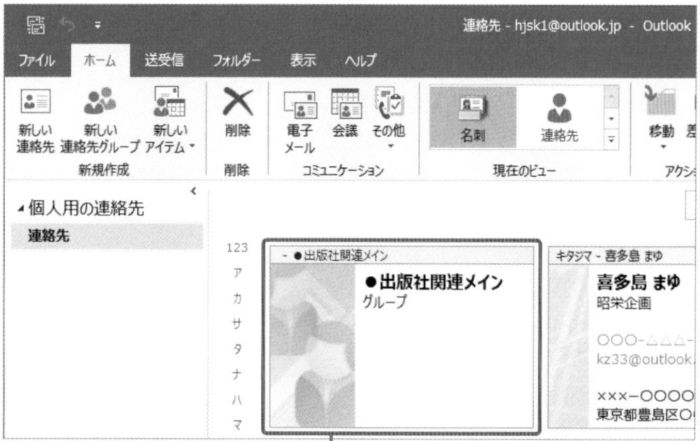

12 連絡先グループが連絡先に追加されます。

2 連絡先グループに含まれる全員にメールを送る

Memo ビューによってリボンコマンドは異なる

Outlook 2019の「連絡先」では、ビューの選択によってリボンコマンドの表示が変化します。現在のビューが「名刺」の場合には「電子メール」が表示されますが、現在のビューが「連絡先」の場合には「電子メール」は表示されません。

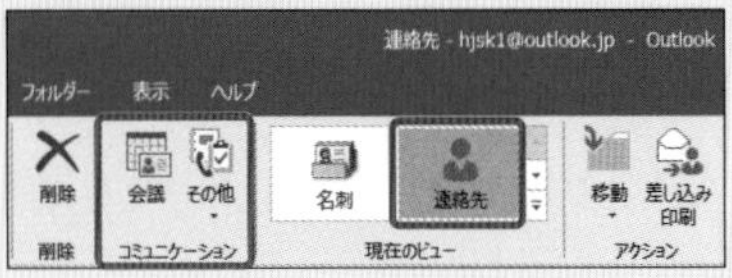

現在のビューを「名刺」にしておきます。

1 メールを送りたい連絡先グループをクリックして選択します。

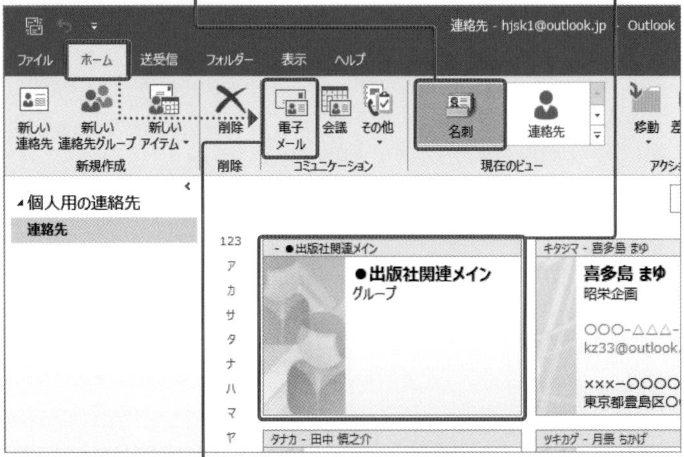

2 [ホーム] タブ→[電子メール] をクリックします。

3 宛先に「連絡先グループ」を指定したメールを作成することができます。

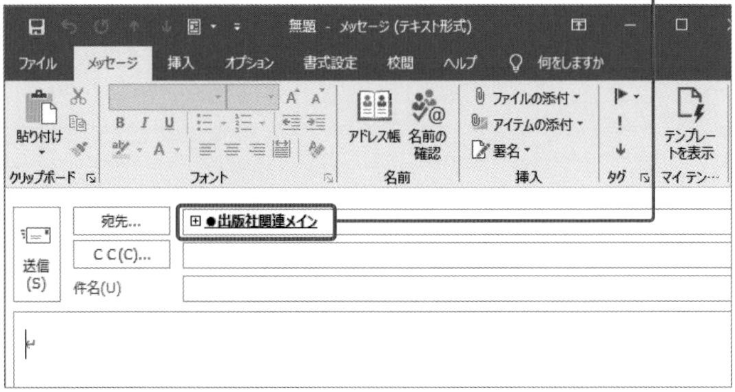

Hint 宛先のリスト展開

連絡先グループを用いてメールを作成した際、メールの宛先には「連絡先グループ」のリスト名が表示されていますが、[+] をクリックすることにより個々のメールアドレスに展開することが可能です。なお、メッセージでも注意喚起されますが、リストを展開してリスト名をメンバー名に置き換えた後は、元のリスト表示に戻すことはできません。

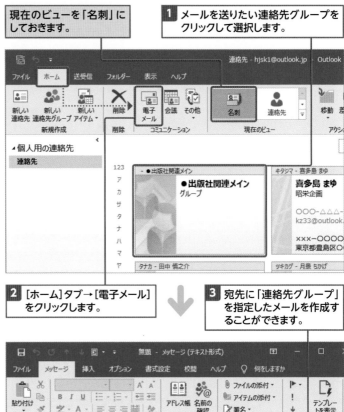

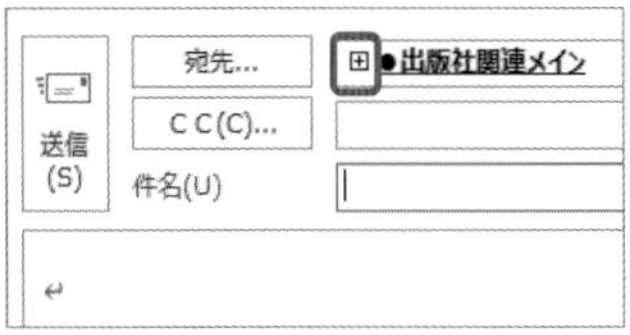

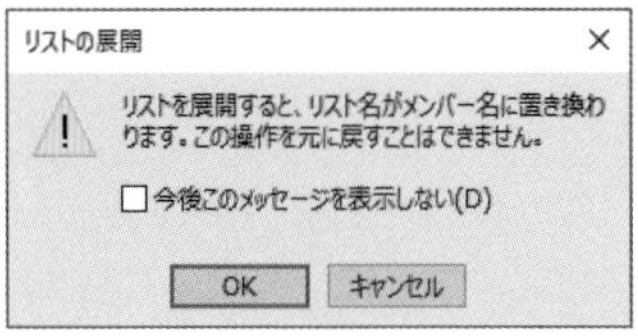

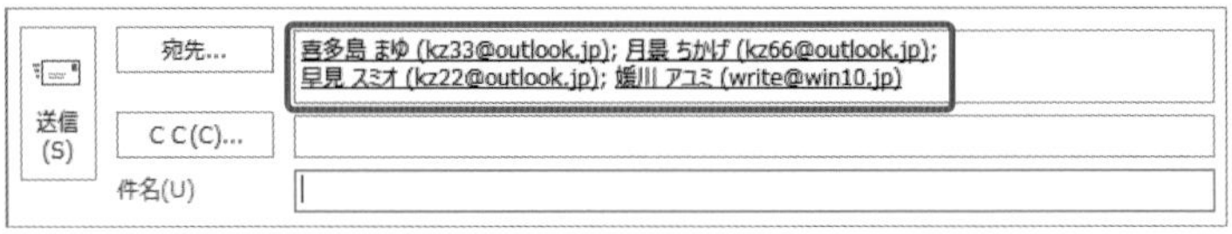

3 連絡先グループ内のメンバーを確認する

Memo 連絡先グループ編集画面の活用

連絡先グループの編集画面から、メールの送信や会議通知などが可能です。「連絡先」画面からの操作よりも、ここからの操作のほうがむしろメンバーを一覧表示している状態で操作できるので、対象がわかりやすいというメリットがあります。

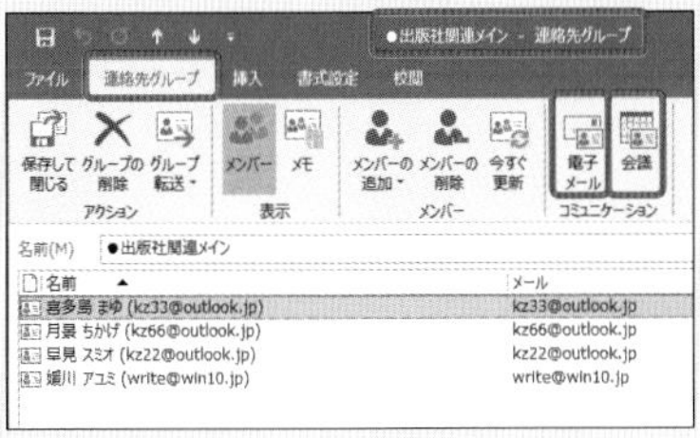

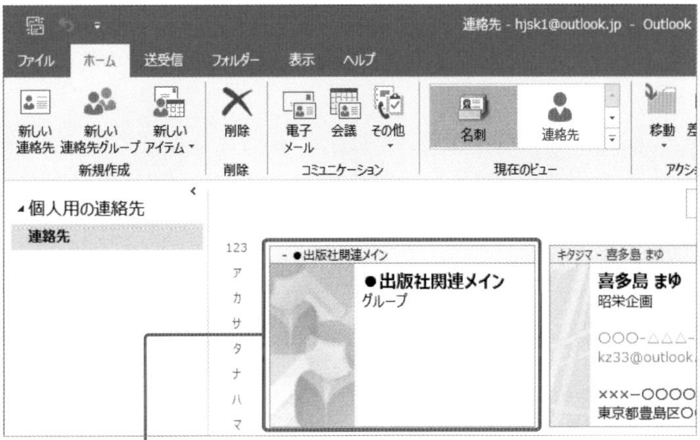

1 任意の連絡先グループをダブルクリックします。

2 連絡先グループに含まれている連絡先を確認できます。

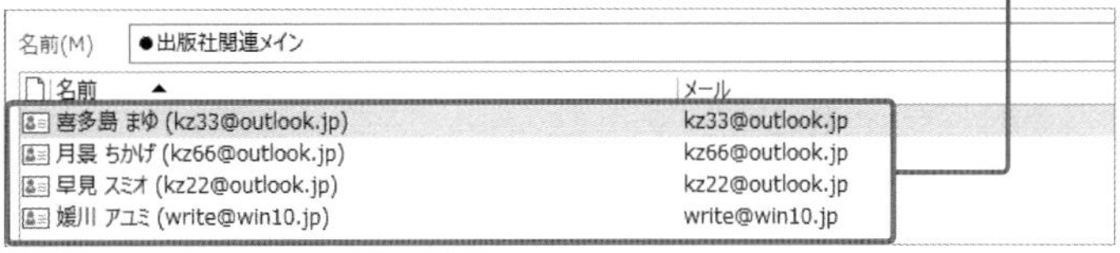

4 連絡先グループから連絡先を削除する

Hint フォルダーも作成可能

Outlook 2019の「連絡先」では、フォルダーを作成して連絡先を仕分けて管理することもできますが、連絡先の活用方法を考えた場合、よほどの登録件数がない限り必要ありません。

連絡先グループをあらかじめ表示しておきます。

1 削除したい連絡先をクリックして選択します。

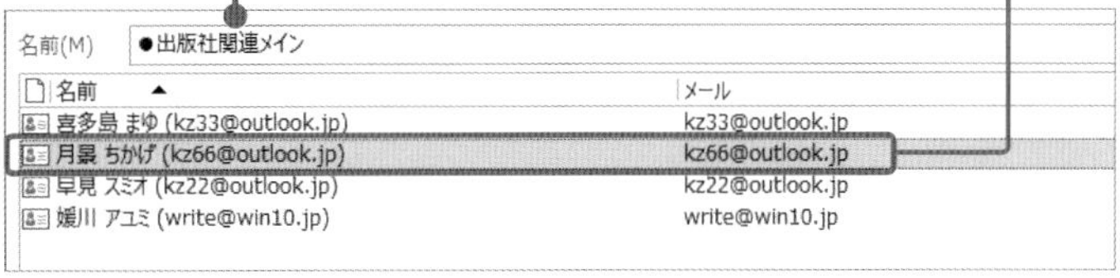

2 [連絡先グループ] タブ→[メンバーの削除]をクリックします。

3 任意の連絡先（メンバー）を削除することができます。

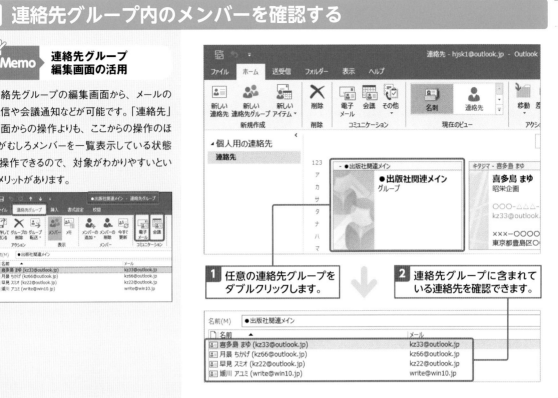

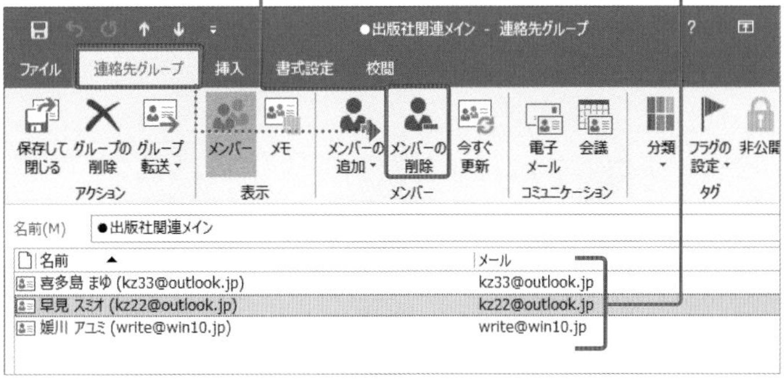

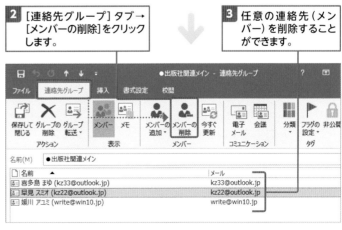

Section

79 連絡先を検索する

ここで学ぶのは

- 連絡先の検索
- 分類項目による検索

連絡先が多い場合は、検索機能を使って目的の連絡先を探すことができます。名前やメールアドレスなどを検索キーワードとして指定して連絡先を探すことができるほか、「分類項目」や「勤務先電話番号あり」などの条件で絞り込むこともできます。

1 連絡先をキーワードで検索する

Memo 検索の対象

検索の対象は「姓名（名前）」だけではなく、連絡先の情報すべてが対象になります。例えば、メールアドレスや住所なども検索対象になります。

ショートカットキー

- 連絡先の検索（検索ボックスに移動）
  Ctrl + E
  F3

1 検索ボックスをクリックします。

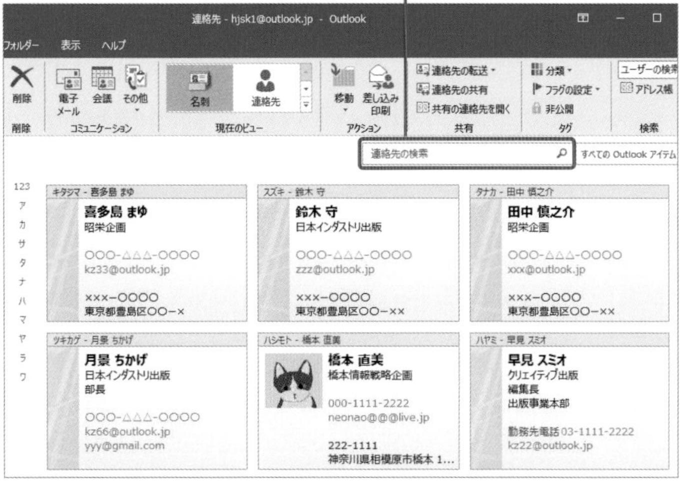

2 連絡先に含まれるキーワードを入力します。

3 キーワードに一致する連絡先のみが表示されます。

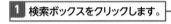

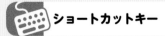

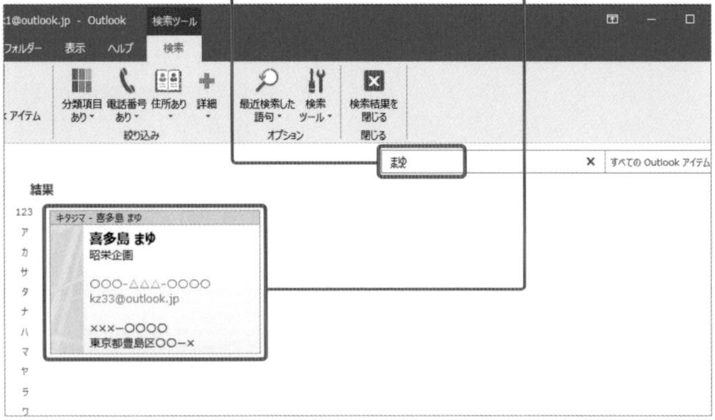

2 連絡先を分類条件で絞り込む

Memo 連絡先をあらかじめ分類しておく

連絡先をあらかじめ分類しておけば、対象の分類を指定するだけですぐに検索結果を表示できます。
よく利用する連絡先は「お気に入り」で管理するのが基本ですが、分類で管理して、場面に応じて検索から分類を指定して目的の連絡先を見つけられるようにしておくのもよいでしょう。

Hint 情報の「有無」でも検索できる

[検索] タブでは、情報の有無でも検索可能です。例えば、[検索] タブ→ [住所あり] をクリックして、[勤務先住所あり] をクリックすれば、勤務先住所の登録がある連絡先のみを表示できます。

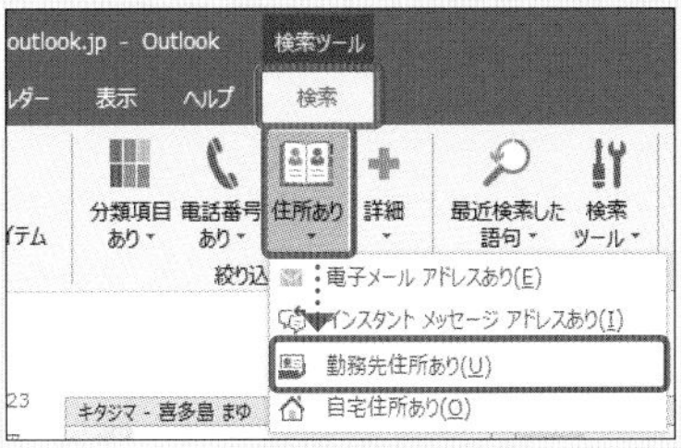

1 検索ボックスをクリックします。

2 [検索] タブが表示されます。

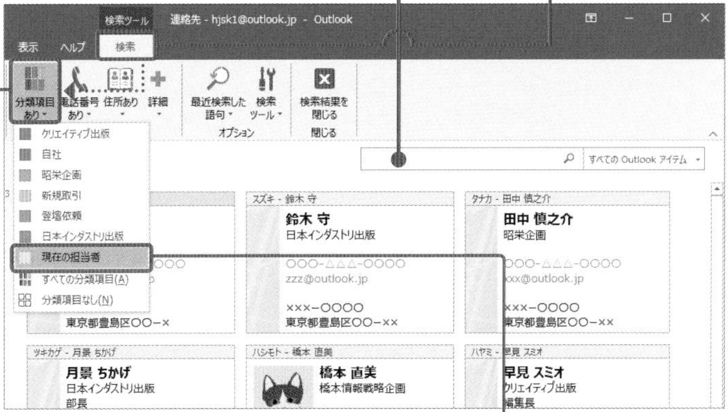

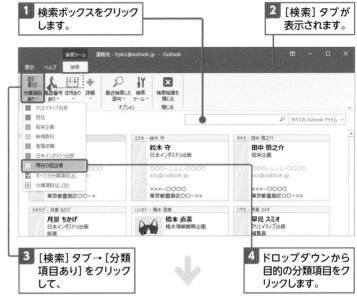

3 [検索] タブ→ [分類項目あり] をクリックして、

4 ドロップダウンから目的の分類項目をクリックします。

5 分類項目に従った連絡先が絞り込まれて表示されます。

Hint いろいろな項目を指定して検索する

[検索] タブにある [詳細] では、連絡先情報のフィールドを指定して検索することができます。Webページ、メール、肩書き、更新日時などさまざまな条件で検索が可能です。

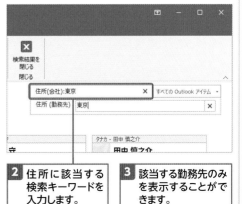

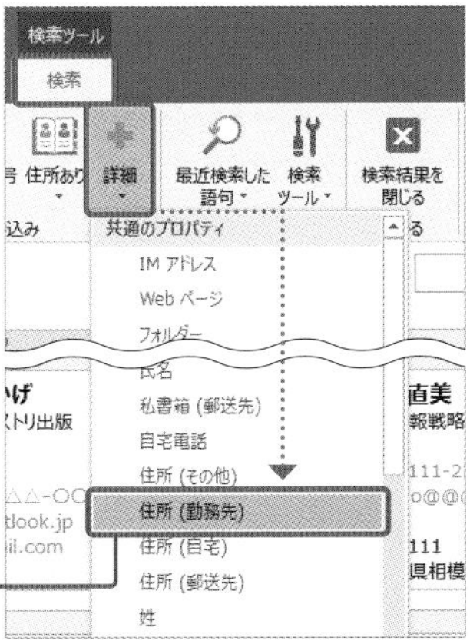

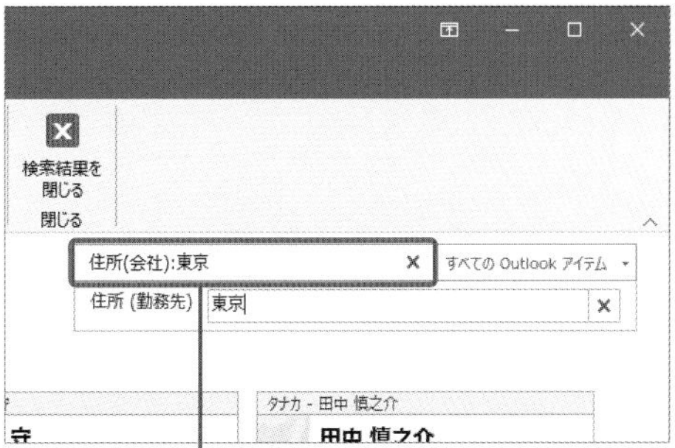

1 [検索] タブ→ [詳細] から [住所 (勤務先)] をクリックして、

2 住所に該当する検索キーワードを入力します。

3 該当する勤務先のみを表示することができます。

Section

80 連絡先を印刷する

ここで学ぶのは

- 印刷プレビュー
- 余白の調整
- レイアウトの詳細設定

連絡先を印刷したい場合は、印刷プレビューで印刷の様子を確認してから実際に紙にプリントアウトするようにします。印刷の用紙サイズや余白、レイアウトなどを整えたい場合には、以下の手順に従います。

1 印刷イメージを整える

1 Backstageビューから[印刷]をクリックします。

2 印刷プレビューと設定画面が表示されます。

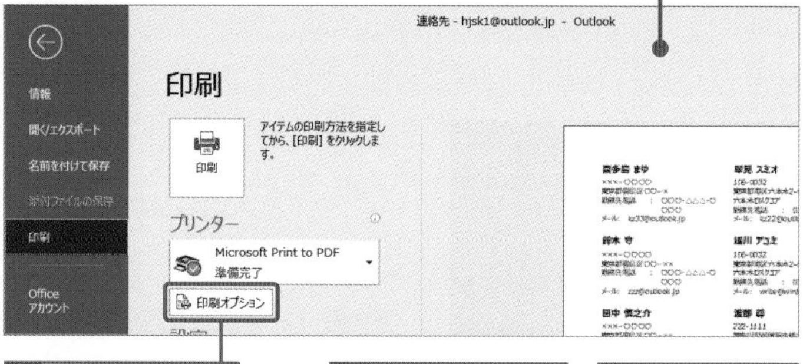

3 [印刷オプション]をクリックします。

4 [印刷]ダイアログが表示されます。

5 出力先となるプリンターを選択します。

6 [ページ設定]をクリックします。

Memo Backstage ビューの表示

Backstageビューは、Outlook 2019の操作画面から[ファイル]タブをクリックすることで表示できます。

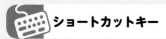

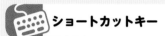

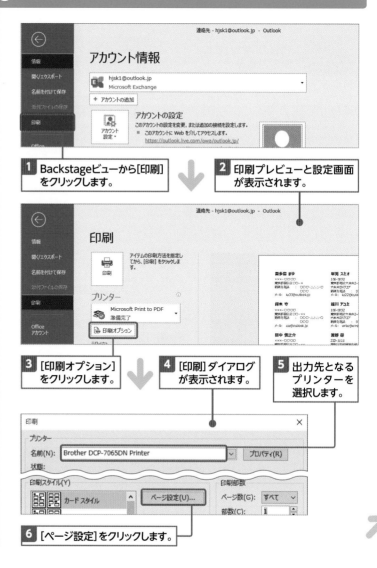

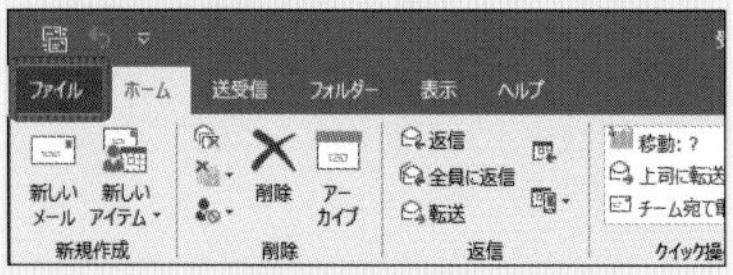

ショートカットキー

- Backstageビューの表示
  Alt→F

ショートカットキー

- 印刷(印刷プレビュー)
  Ctrl+P
- プリンターの選択(印刷)
  Alt→F→P→I
- 印刷オプション(印刷)
  Alt→F→P→R

Hint 印刷の詳細はプリンターによって異なる

印刷の詳細設定項目はプリンターによって異なります。例えば同じA4用紙にプリントアウトする場合でも、プリンターの機種によって余白や設定の詳細が異なるため、最初に出力先となるプリンターを指定してから、印刷オプションの設定を行うようにします。

Memo 用紙の「余白」の設定

用紙に対して印刷できる範囲はプリンターの機種によって異なります。利用するプリンターによっては1cm以上の余白が必要になることもあるので、この点を考慮して設定する必要があります。

Hint 用紙の向き

印刷内容によっては、用紙を横向きにしたほうが最適な場合があります。おさまりが悪い場合には、用紙の向きを［横］にして、プレビューで確認してみるとよいでしょう。

7 ［ページ設定］ダイアログが表示されます。

8 ［用紙］タブをクリックします。

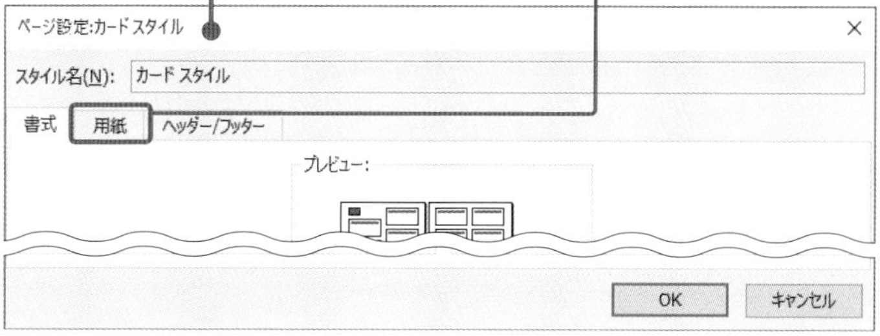

9 ［用紙］欄の［種類］から任意の用紙をクリックします。

10 ［印刷の向き（用紙の縦／横）］を任意に指定します。

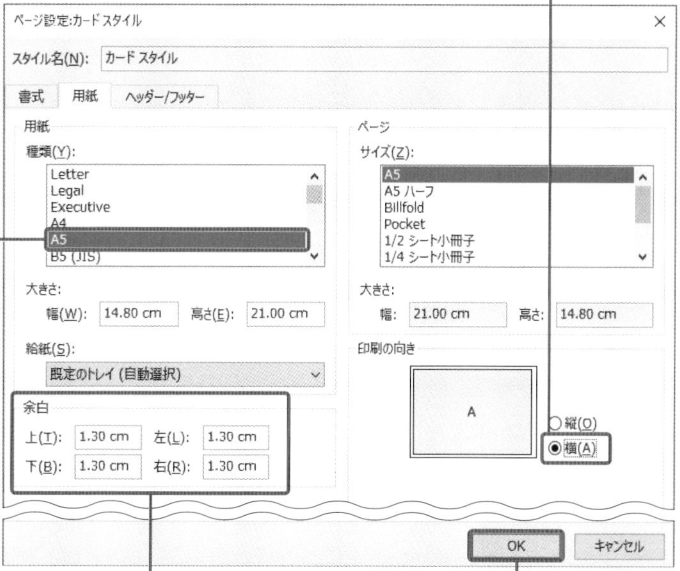

11 ［余白］欄で用紙に対する［上］［下］［左］［右］の余白cm数を任意に設定します。

12 ［OK］をクリックして、［印刷］ダイアログで［プレビュー］をクリックします。

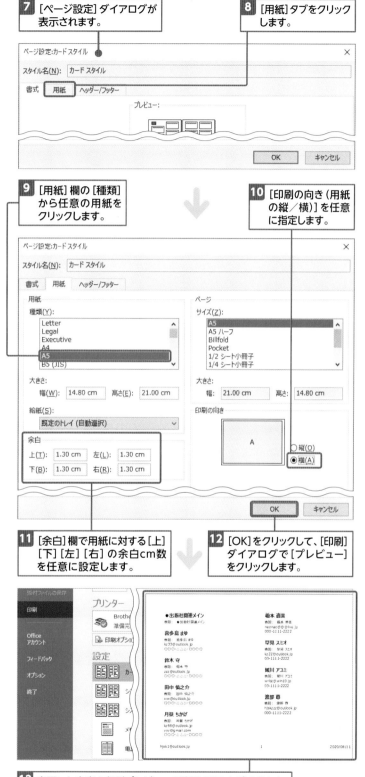

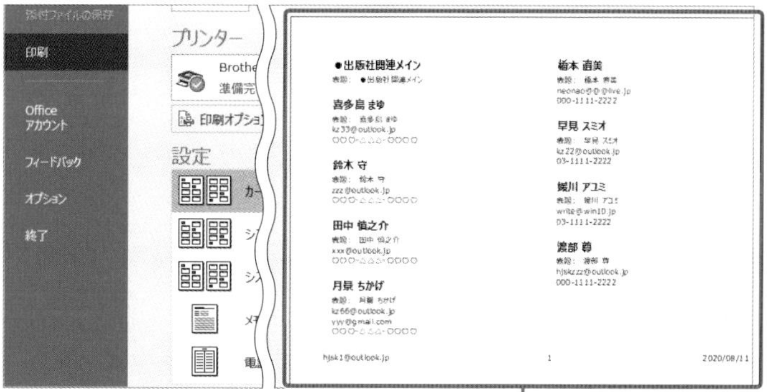

13 変更した内容を印刷プレビューで確認することができます。

2 カードスタイルで印刷する

Memo 任意の部数を印刷する

同じ内容を複数枚印刷したい場合は、[印刷オプション]をクリックして、[印刷部数]で任意の印刷部数を指定できます。

Hint プリンターが見つからない場合

プリンター全般の管理はWindows 10で行います。印刷したいプリンターが見当たらない場合は、プリンターの電源を入れて、Windows 10の[設定]⚙から[デバイス]をクリックします。[プリンターとスキャナー]から[＋プリンターまたはスキャナーを追加します]をクリックして該当のプリンターを追加します。

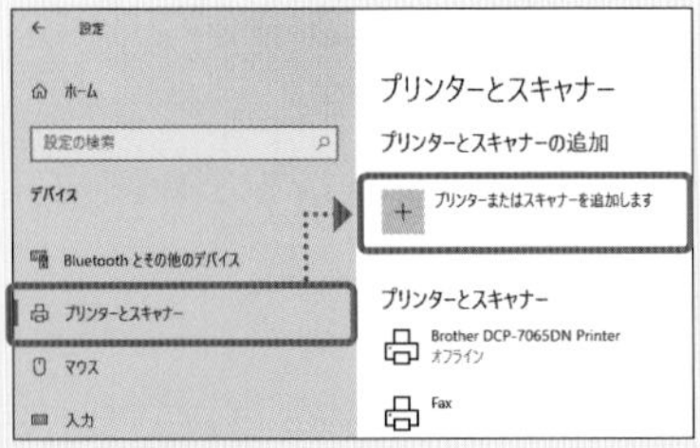

Hint 印刷を止めたい場合には

印刷を実行したものの間違いに気づくなどして、プリンターの印刷を止めたい場合は、Windows 10の通知領域の[プリンター]アイコンをダブルクリックします。印刷のキューが確認できるので、停止したいドキュメント名を右クリックして、ショートカットメニューから[キャンセル]をクリックします。

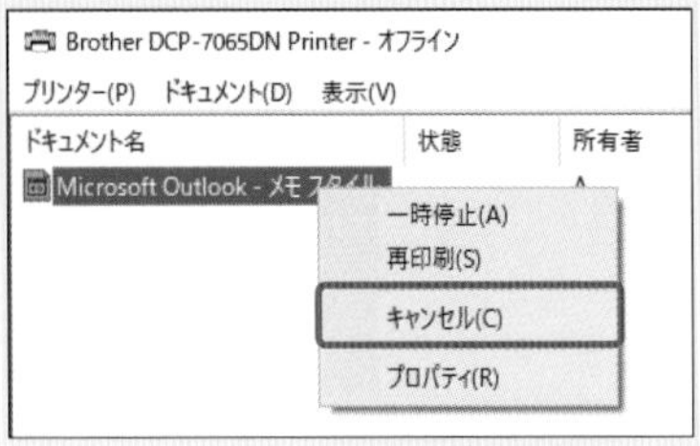

1 設定から[カードスタイル]をダブルクリックします。

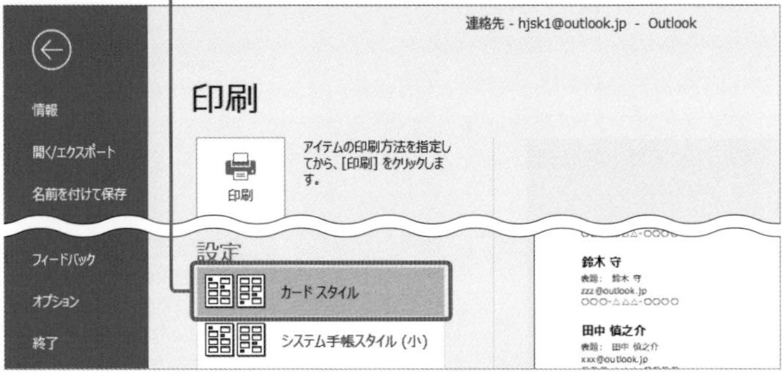

2 [ページ設定]ダイアログが表示されます。

3 [オプション]で「列数」や「連絡先インデックス」「見出し」を設定できるので任意に設定します。

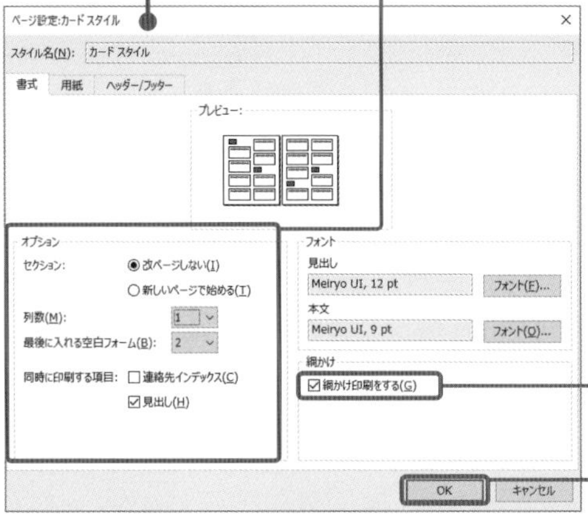

4 [網かけ印刷をする]をチェックします。

5 [OK]をクリックします。

6 [印刷]をクリックすると、指定のプリンターで連絡先を印刷できます。

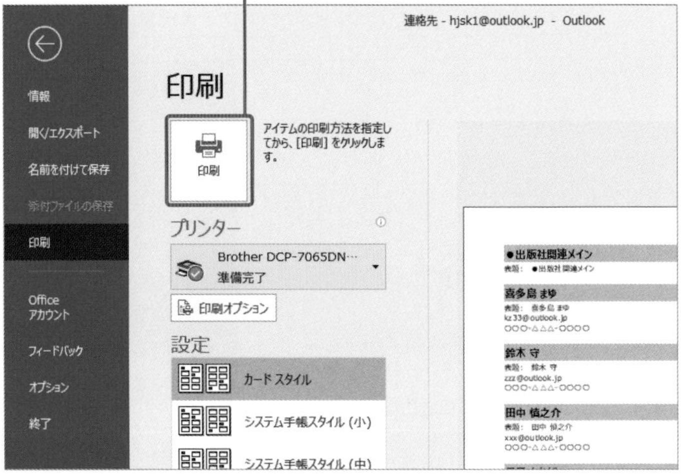

第7章

予定表の使い方をマスターする

予定表では文字通り予定を管理でき、予定時刻にアラームを鳴らすことや会議通知などを行うことができます。ここでは、予定表の使い方を解説します。

Section 81 予定表の機能と画面構成

ここで学ぶのは
- 予定表とは
- 予定表の表示
- 予定表の選択

Outlook 2019の「予定表」画面への切り替え方法と、「予定表」の画面構成を知りましょう。「予定表」ではカレンダー形式で任意の予定（イベント）を管理することができ、予定の内容や開始時刻や終了時刻などを設定することが可能です。

1 Outlook 2019 の「予定表」の画面構成

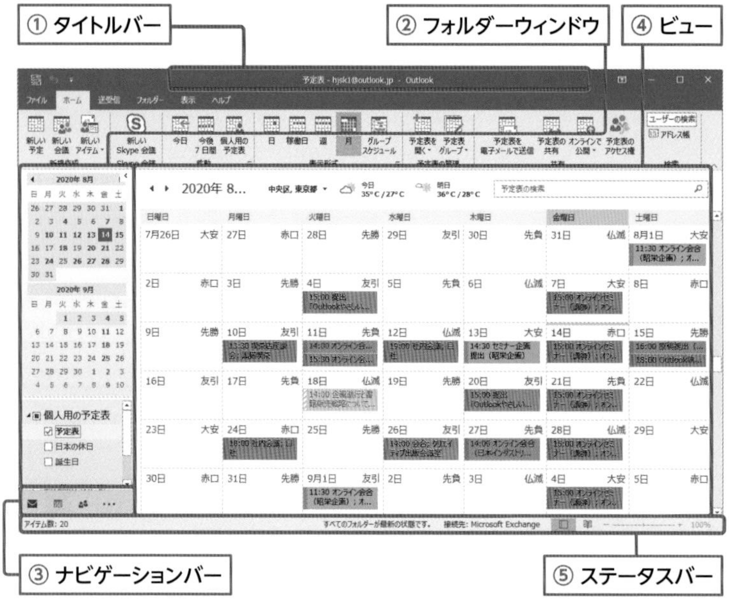

名称	機能
① タイトルバー	現在開いている予定表の「アカウント」が表示される
② フォルダーウィンドウ	カレンダーナビゲーターでビューの表示を調整することや、ビューで表示する予定表を指定できる
③ ナビゲーションバー	「メール」「予定表」「連絡先」「タスク」などを切り替えることができる
④ ビュー	選択した形式で予定表の一覧が表示される
⑤ ステータスバー	登録している予定の数や、接続先情報などが表示される

2 表示を「予定表」に切り替える

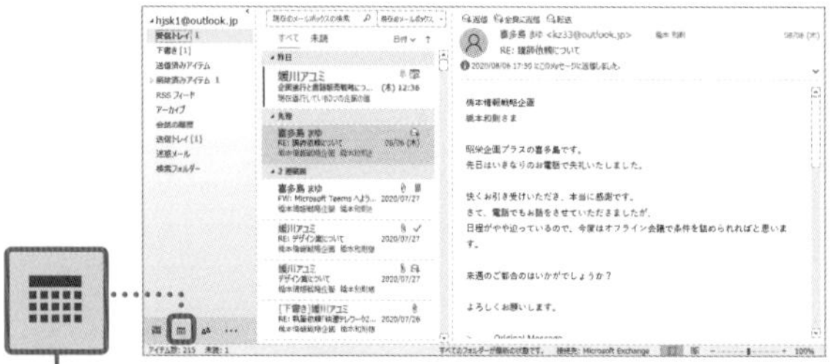

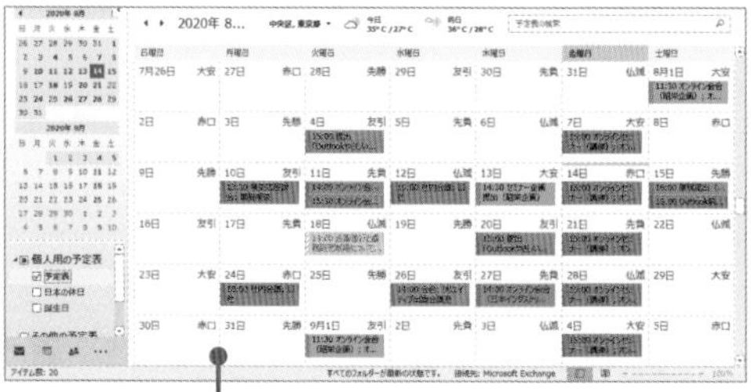

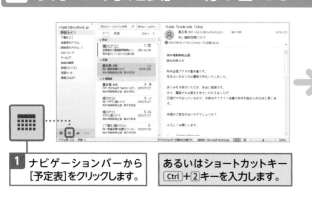

1 ナビゲーションバーから[予定表]をクリックします。

あるいはショートカットキー Ctrl + 2 キーを入力します。

2 「予定表」画面に切り替えることができます。

3 表示する予定表の選択

Hint 複数のアカウントを管理している場合は

Outlook 2019で複数のMicrosoft系アカウントを管理している場合、予定表を各Microsoft系アカウントで個別に管理できます。
しかし、基本的にはどれかひとつのMicrosoft系アカウントのみで予定表を管理しないとわかりにくい状態になってしまうため、予定表を管理するアカウントはあらかじめ決定しておくようにします。必要な予定表のみを表示して、利用・管理するのが基本です。

Memo 無料のOutlook.comの活用

現在非Microsoft系アカウント（IMAPアカウントなど）を利用している環境において、Outlookで「連絡先」「予定表」「タスク」「メモ」を本書で解説している形で管理したい場合は、Outlook.com（https://www.outlook.com/）で無料のOutlook.comアカウント（「～@outlook.jp」「～@outlook.com」「～@hotmail.com」など）を作成してMicrosoft系アカウントで管理することをおすすめします。Outlook.comアカウントは、本書で解説しているOutlook 2019の操作・設定をすべて実行できます。

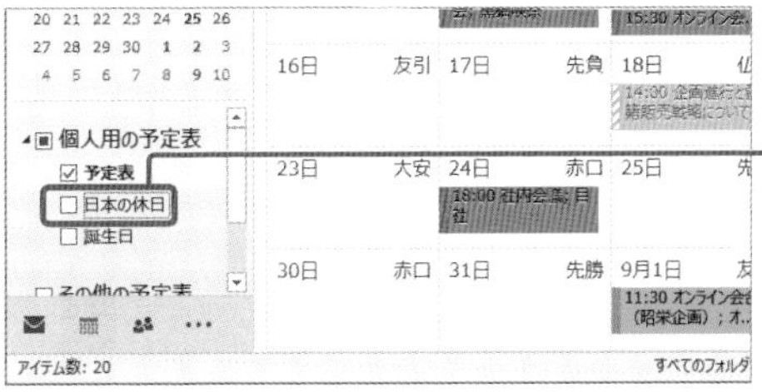

1 フォルダーウィンドウ下部にある任意の「予定表」をチェックします。

2 複数の予定をチェックした場合、ビューに複数の予定表が表示されます。

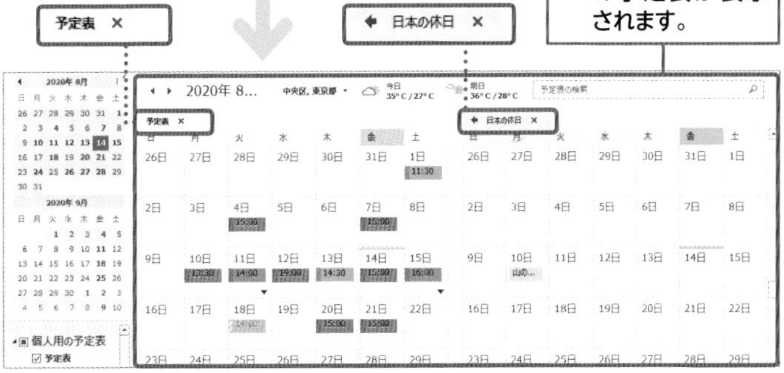

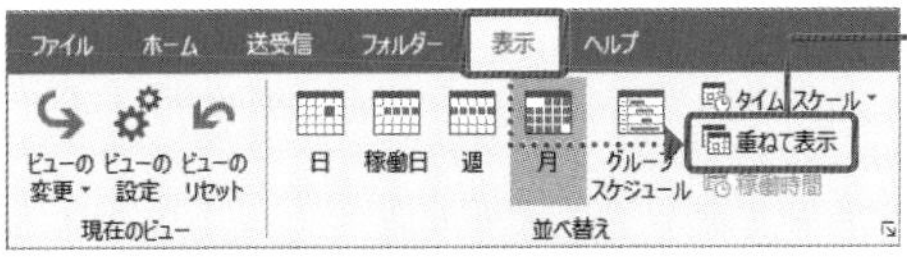

3 ［表示］タブ→［重ねて表示］をクリックします。

4 複数の予定表を重ねて表示できます。

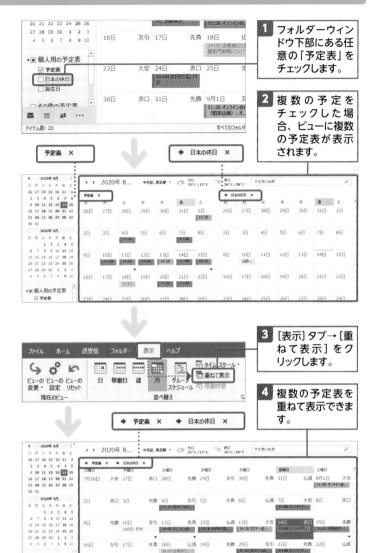

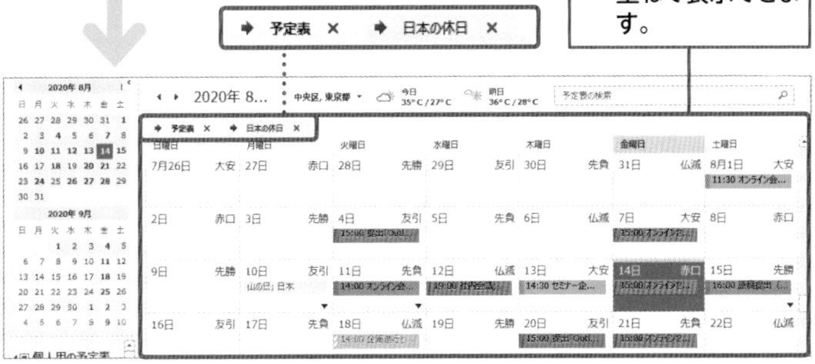

Hint 予定表の管理と保存先

予定表の管理と保存先は、Outlook 2019に登録したアカウントの種類によって異なります。
Microsoft Exchangeアカウント／Microsoft 365のアカウント／Outlook.comアカウントなどのMicrosoft系アカウントの場合には、Outlook 2019で編集・追加・更新した「予定表」の情報がクラウドにも保存されます。
つまり、Microsoft系アカウントであれば別のPCで「予定表」の情報にアクセスして閲覧・編集・追加・更新も可能であるほか、万が一今利用しているPCが壊れた場合でも、該当情報はクラウドにも保存されているため「安全性も利便性も高い管理」が可能です（本章はMicrosoft系アカウントを利用していることを前提に解説を進めます）。
一方、非Microsoft系アカウント（IMAPアカウントなど）である場合、「予定表」の情報は「該当PC内（このコンピューターのみ）」に保存されるほか（クラウドには情報保存されません）、Outlook 2019の操作や機能の一部が制限されます。

Section 82 予定表を見やすく表示する

ここで学ぶのは

- 予定表の表示
- 稼働時間
- 予定表の表示形式

予定表には複数の表示形式があり、環境や目的によって最適な表示は異なります。ここでは、主な表示形式と指定の範囲のみ予定表として表示する方法など、見やすい予定表の表示について解説します。

1 予定表を「週」表示形式にして時間帯の予定を見やすくする

Memo 「稼働時間」の確認

予定表の「週」表示形式などにおいて、稼働時間（自分の作業時間帯）は白い背景で表示されます。
なお、稼働日と稼働時間の指定についてはp.273を参照してください。

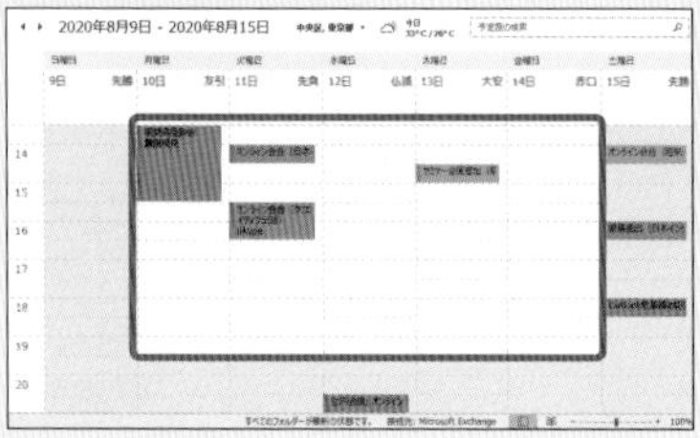

ショートカットキー

- 「メール」画面に切り替え
  Ctrl + 1
- 「予定表」画面に切り替え
  Ctrl + 2

1 [ホーム] タブ→ [週] をクリックします。

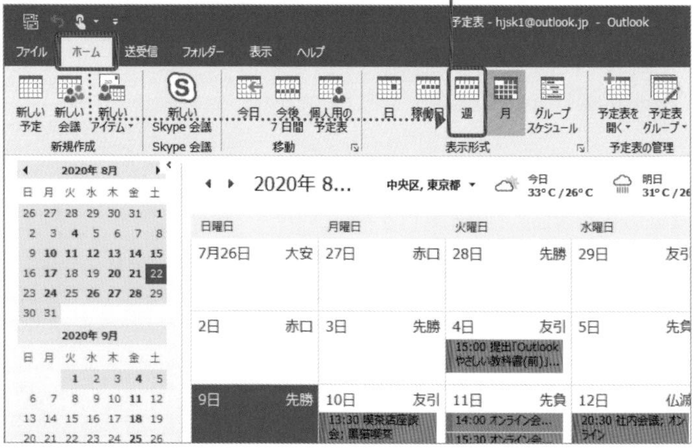

2 予定表が「週」表示形式になります。

3 スクロールバーでスクロールします。

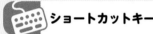

4 予定表を見渡すことができます。

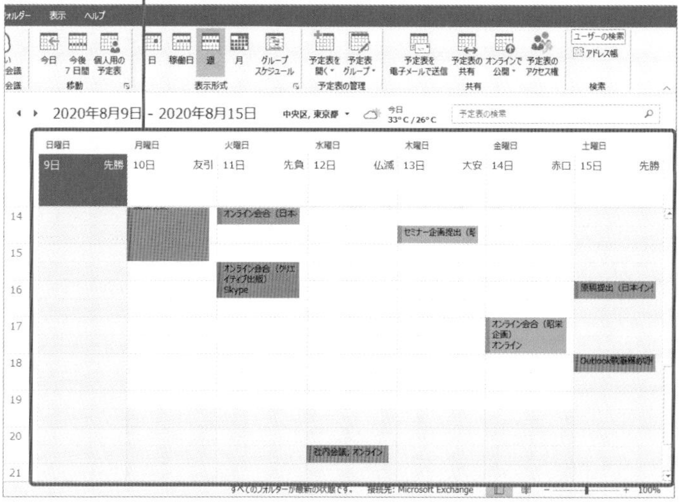

2 予定表で表示している「週」を切り替える

ショートカットキー

- 予定表を「週」表示にする
  Ctrl + Alt + 3
- 予定表を「月」表示にする
  Ctrl + Alt + 4

予定表をあらかじめ「週」表示形式にしておきます。

1 カレンダーナビゲーターで表示したい週をクリックします。

該当する「週」であれば、週内のどの「日」をクリックしても構いません。

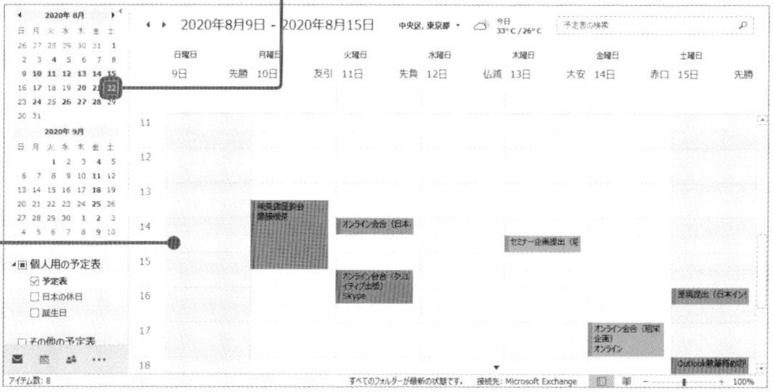

2 予定表で表示する「週」を切り替えることができます。

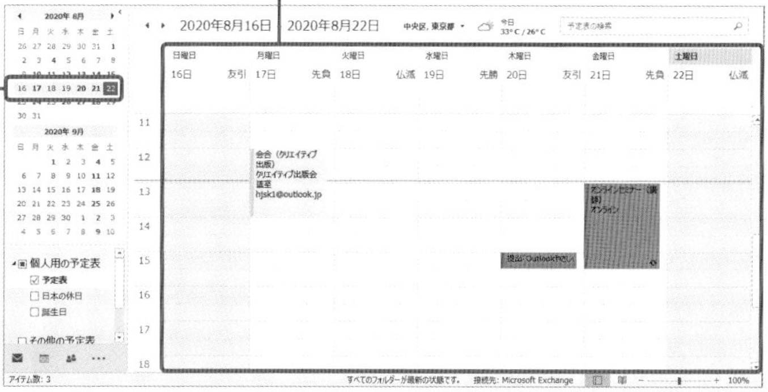

Hint 予定表でのスクロール操作

予定表ではビュー内をクリックした後はカーソルキーで任意の日時に移動することが可能です。

また、表示外になっている上部を表示したい場合には PageUp キー、表示外になっている下部を表示したい場合には PageDown キーを利用します。

3 予定表のビューに表示する週の範囲を指定する

Hint 週の範囲表示と移動

予定表のビューに表示する週の範囲はドラッグ範囲に従い「2週間」「3週間」などの表示も可能です。

また、2週間／3週間表示した後は、PageDown キーで、続く2週間／3週間の表示を行うことができます。

1 カレンダーナビゲーターで任意の週範囲をドラッグして選択します。

2 ドラッグで指定された範囲の週の予定が表示されます。

4 予定表を「月」表示形式にして1カ月の予定を見やすくする

ショートカットキー

- 次月の表示（「月」表示）
  PageDown
- 前月の表示（「月」表示）
  PageUp
- 指定日付に移動
  Ctrl + G

1 ［ホーム］タブ→［月］をクリックします。

Hint 六曜を非表示にする

予定表の表示において「先勝」「友引」「仏滅」などの表示が必要ない場合は、Backstageビューから［オプション］をクリックします。［Outlookのオプション］ダイアログから［予定表］をクリックして、［予定表オプション］欄内の［他の暦を表示する］のチェックを外します。

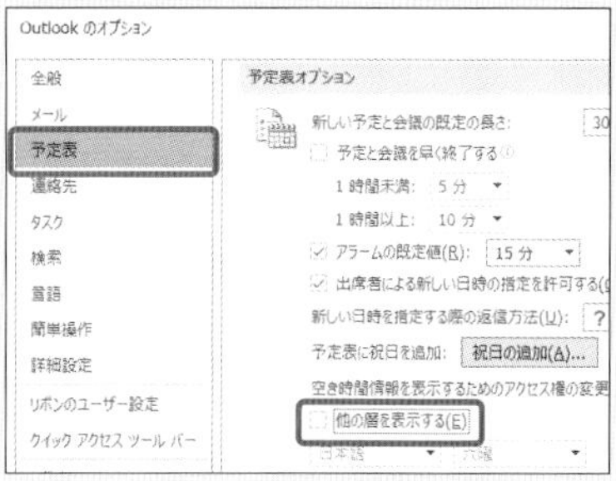

六曜の表示が消えます。

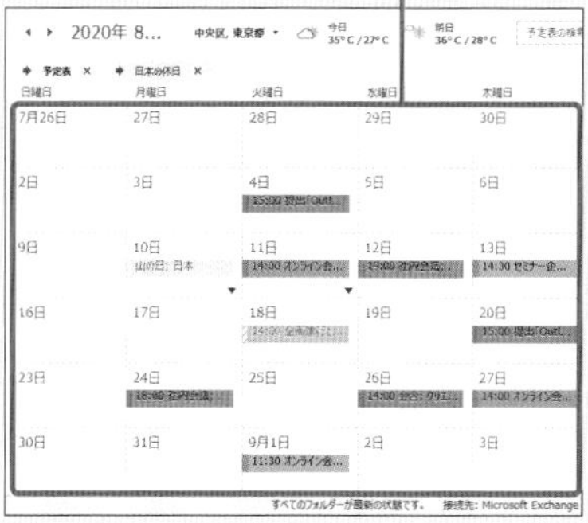

2 予定表が「月」単位で表示されます。

3 次月を表示したい場合には、ビューの▶をクリックします。

4 次月の予定表を表示できます。

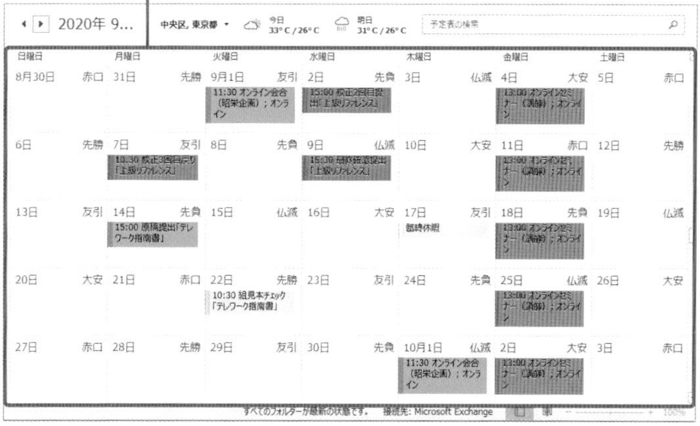

Hint 「稼働時間」「稼働日」の変更

稼働時間（自分の作業時間帯）の表示を変更したい場合には、Backstageビューから［オプション］をクリックします。［Outlookのオプション］ダイアログから［予定表］をクリックして、［稼働時間］欄内の［開始時刻］［終了時刻］［稼働日］で任意に設定します。また、ここでは予定表（カレンダー）の［週の最初の曜日］を指定して、月曜始まりなどにすることも可能です。

Section 83 予定を作成する

ここで学ぶのは

- 予定の作成
- 日付の指定
- 時間の指定

予定表の表示方法を確認したら、次は実際に「予定（イベント）」を作成してみましょう。予定を作成するとスケジュール管理がとてもしやすくなります。「予定」では件名のほか、場所や開始時刻や終了時刻や内容の入力が行えます。

1 予定を作成する

解説 「予定」を作成する

「予定」の入力画面では、件名のほか、場所や開始時刻や終了時刻を登録できます。具体的な予定の内容を入力することも可能です。

Hint 「予定」と「タスク」の違い

Outlook 2019では「予定表」のほかに「タスク」を管理することが可能です（「タスク」についてはp.308参照）。
この予定表の「予定」とタスクの「タスク」をどのように管理するかはユーザーが自由に決められますが、「予定」は開始時刻や終了時刻が明確なもの、タスクは中長期的な作業といった使い分けをするのが比較的わかりやすいでしょう。
なお、タスクでは「期限」や「進捗状況」などを管理することもできます。

ショートカットキー

- 新しい予定を作成（「予定表」画面から）
  Ctrl + N

1 ［ホーム］タブ→［新しい予定］をクリックします。

2 「予定」の入力画面が表示されます。

3 ［件名］に任意の予定の件名を入力します。

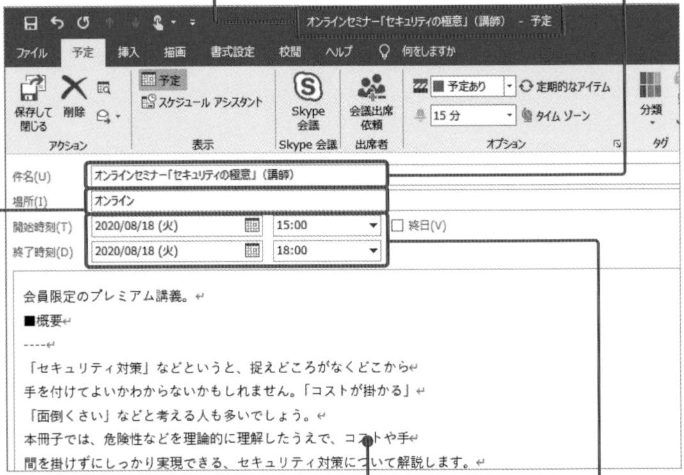

4 ［場所］に予定を行う場所を任意に入力します。

5 ［開始時刻］［終了時刻］を任意に設定します。

6 内容を入力します。

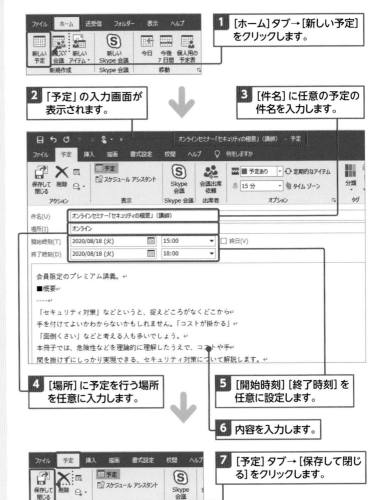

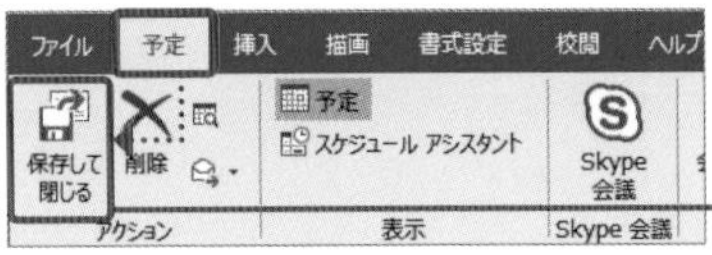

7 ［予定］タブ→［保存して閉じる］をクリックします。

ショートカットキー

- 「予定表」画面から新しいメールを作成
  Ctrl + Shift + M
- 「予定表」画面から新しい会議を作成
  Ctrl + Shift + Q
- 「予定表」画面から新しい連絡先を作成
  Ctrl + Shift + C
- 「予定表」画面から新しいタスクを作成
  Ctrl + Shift + K

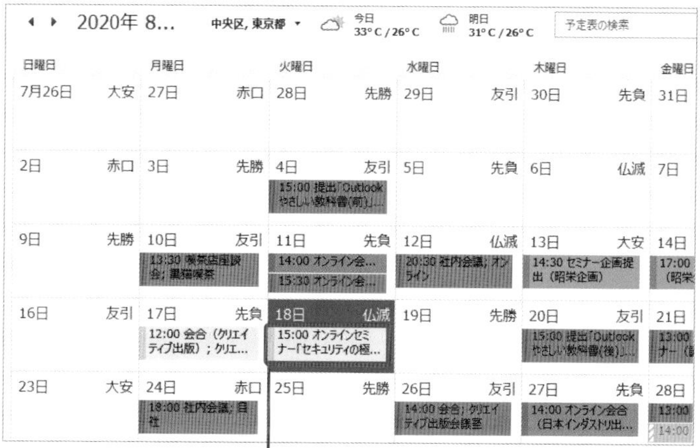

8 予定表に予定を登録できます。

2 任意の日付を指定してイベントを作成する

Memo 「予定」と「イベント」の違い

Outlook 2019において「開始時刻」「終了時刻」が設定されているものは「予定」、「終日」の予定は「イベント」と表記します。この2つの表記の違いはタイトルバーで確認できますが、基本的にどちらも「予定」と捉えてしまって構いません。

- **開始時刻と終了時刻が設定されていると「予定」**

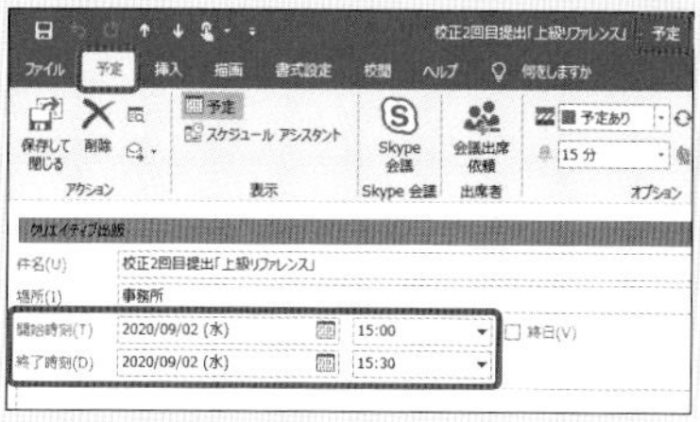

- **終日の予定だと「イベント」**

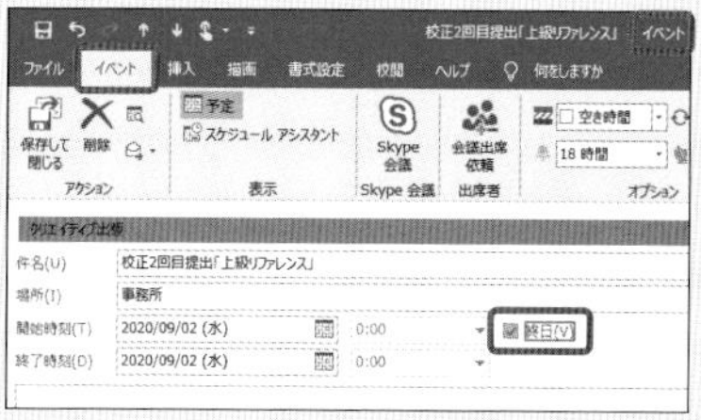

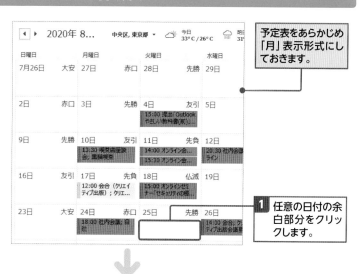

予定表をあらかじめ「月」表示形式にしておきます。

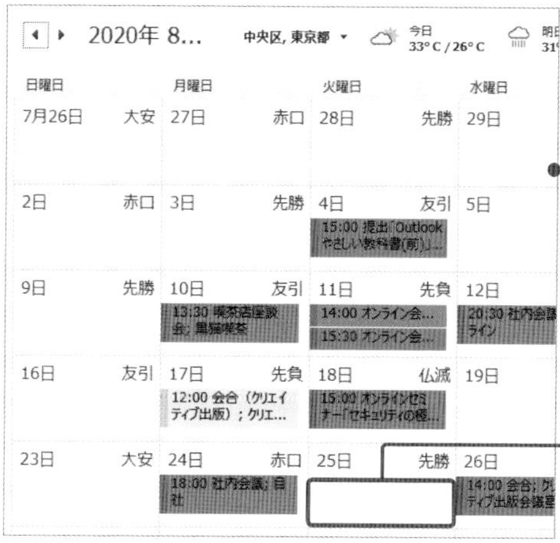

1 任意の日付の余白部分をクリックします。

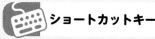

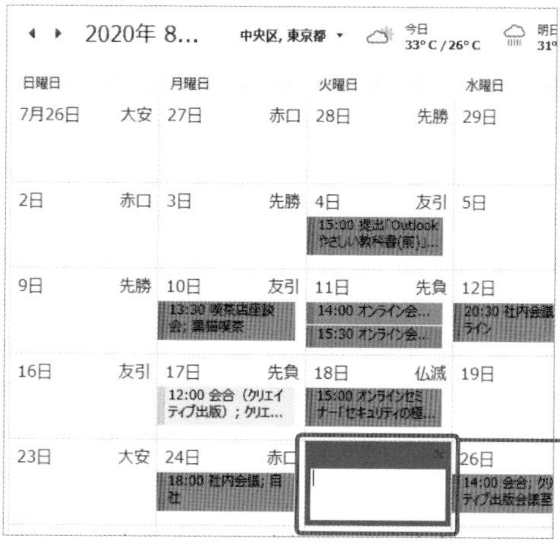

2 カーソルが表示され直接入力できるようになります。

Memo 「天気予報バー」の表示

Outlook 2019の「予定表」画面では、「天気予報バー」で天気予報を表示できますが、一部の環境では表示されません。これはOutlook 2019「セキュリティ設定」によるものです（次ページのHint参照）。

● セキュリティ設定で許可されていない場合

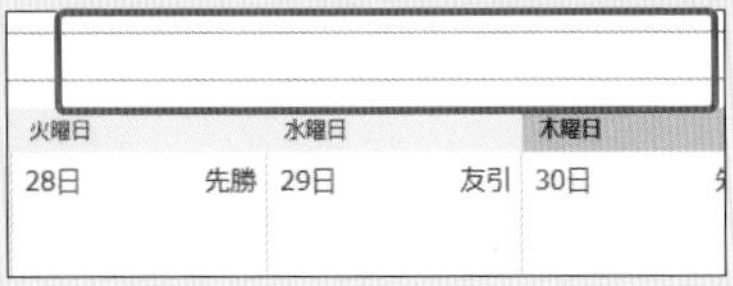

● セキュリティ設定で許可している場合

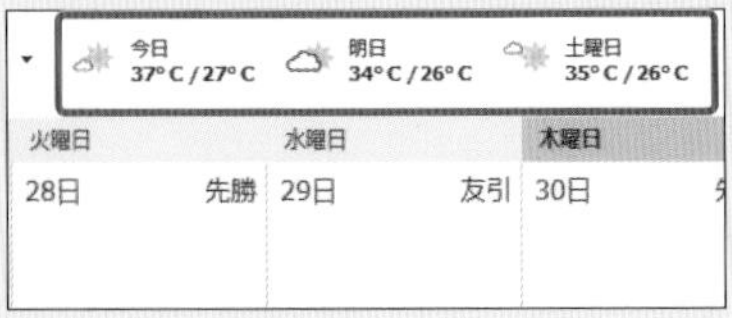

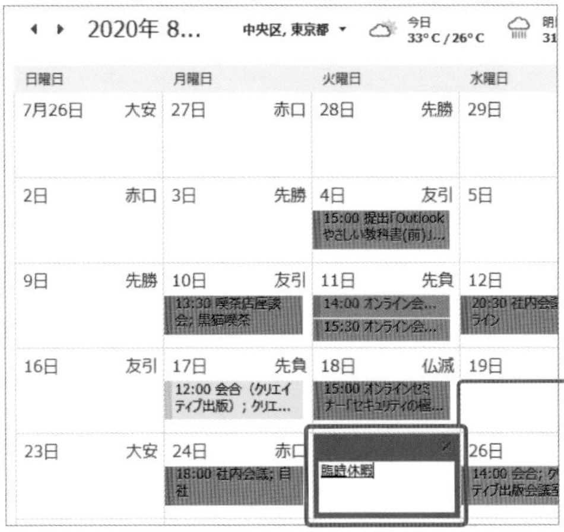

3 イベントの件名を直接入力します。

4 Enter キーを押します。

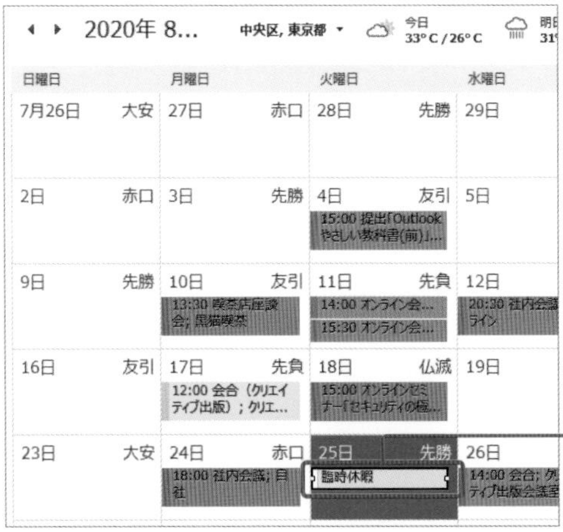

5 イベントを作成できます。

3 ビュー内で開始時刻と終了時刻を範囲指定して予定を作成する

解説 予定の開始時刻と終了時刻の指定

予定を作成する際、開始時刻と終了時刻の指定は、開始時刻［ホーム］タブ→［新しい予定］をクリックしたのち、「開始時刻」「終了時刻」でそれぞれ指定できます。ここではビュー内の時間範囲をドラッグして予定を作成しています。

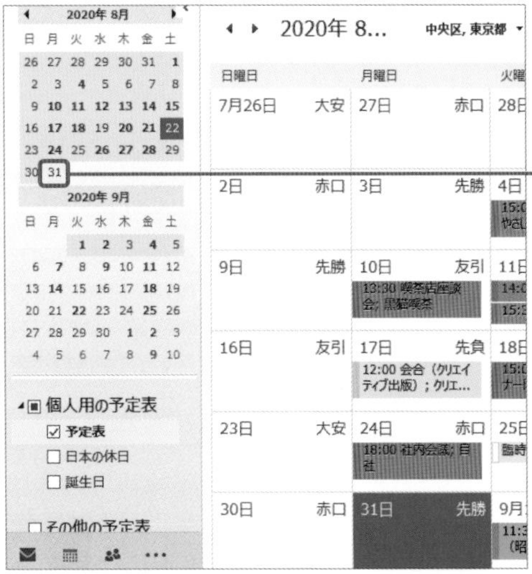

1 カレンダーナビゲーターから予定を作成したい日付をクリックします。

Hint セキュリティ設定と「天気予報バー」の表示

「天気予報バー」を表示したい場合には、Backstageビューから［オプション］をクリックします。［Outlookのオプション］ダイアログから［トラストセンター］をクリックして、［Microsoft Outlookトラストセンター］欄内の［トラストセンターの設定］をクリックします。［プライバシーオプション］内の［プライバシー設定］をクリックして、［接続エクスペリエンス］内の必要な項目をチェックすれば表示できます。

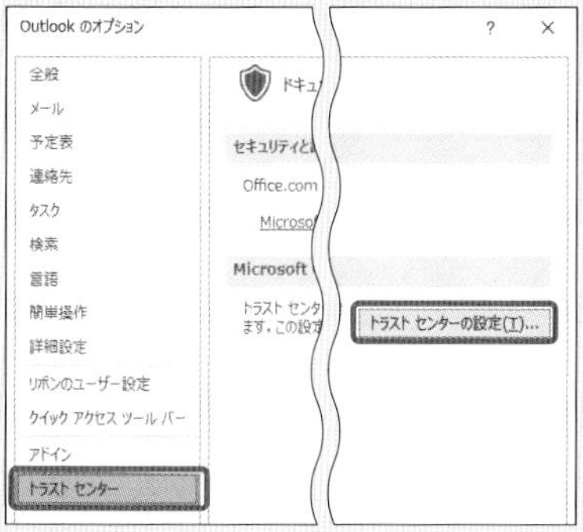

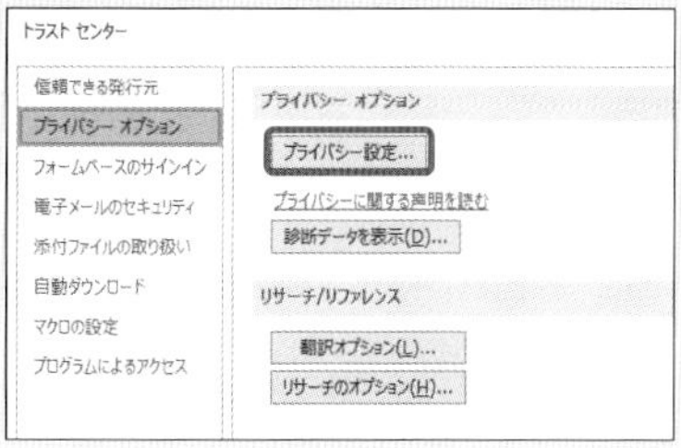

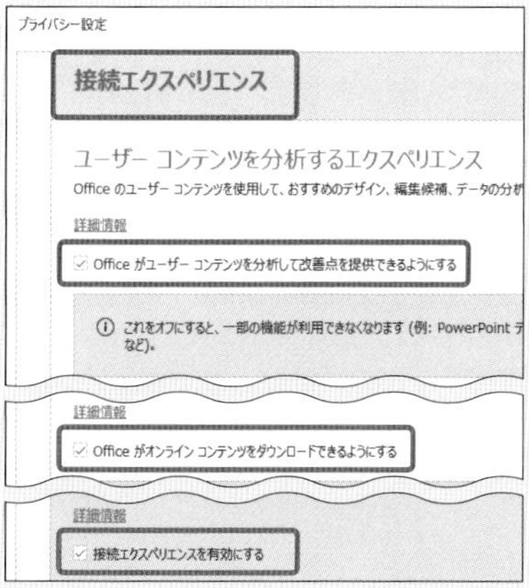

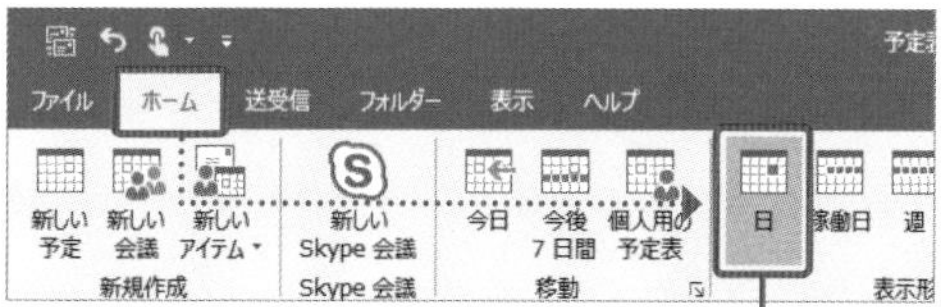

2 「日」表示形式になります。

「日」表示形式にならない場合には、［ホーム］タブ→［日］をクリックします。

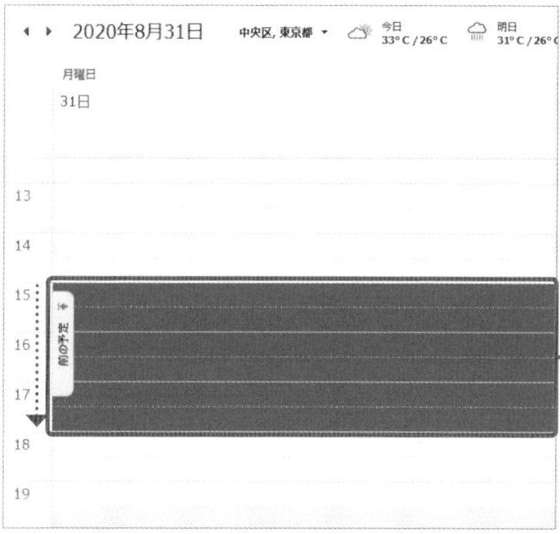

3 予定の時間（開始時刻～終了時刻）をドラッグします。

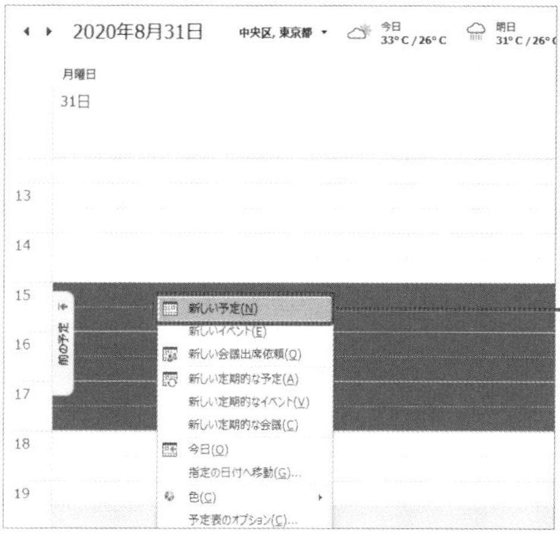

4 ドラッグした範囲を右クリックして、ショートカットメニューから［新しい予定］をクリックします。

5 指定した範囲時間があらかじめ入力された予定を作成できます。

Section

84 予定を確認／分類／修正／移動／削除する

ここで学ぶのは

- 予定の確認
- 予定の編集
- 予定の削除

作成した予定の「開始時刻」「終了時刻」などは、後から修正できます。ここでは、予定を確認する各種方法のほか、予定の分類、予定の修正、予定の移動、予定の削除などの操作を解説します。

1 予定を確認する

解説 ポップアップで確認できる内容

作成した予定は、マウスポインターを合わせるだけでポップアップで内容が表示されます。ポップアップでは、「予定(イベント)」の場合は「開始時刻」「終了時刻」「場所」「アラーム」、「会議」の場合は各種情報のほかに「承諾状況(自身が開催者ではない場合)」を確認することができます。

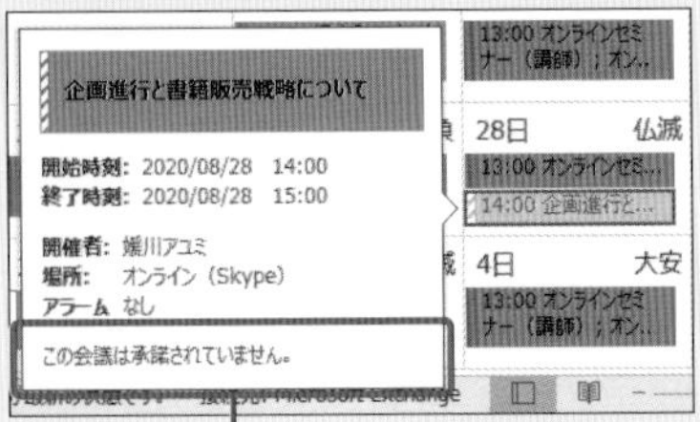

「会議」の場合は承諾状況も確認できます。

Keyword ポイント

マウスポインターを対象のアイテムの上に置くことをポイント(あるいはホバー)といいます。クリックする必要はありません。

1 予定表内の「予定」にマウスポインターを合わせます。

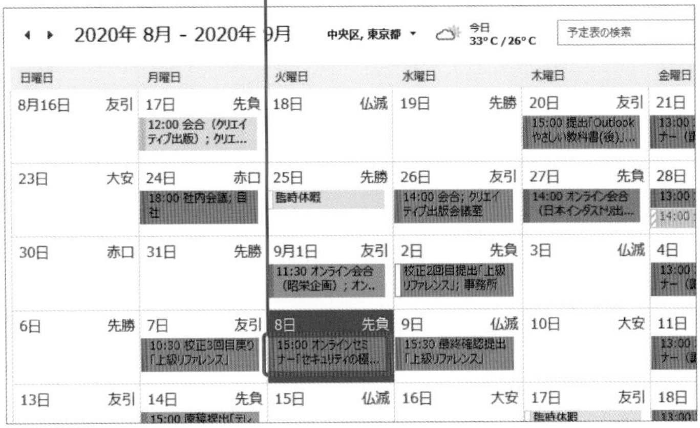

2 予定の内容をポップアップで確認できます。

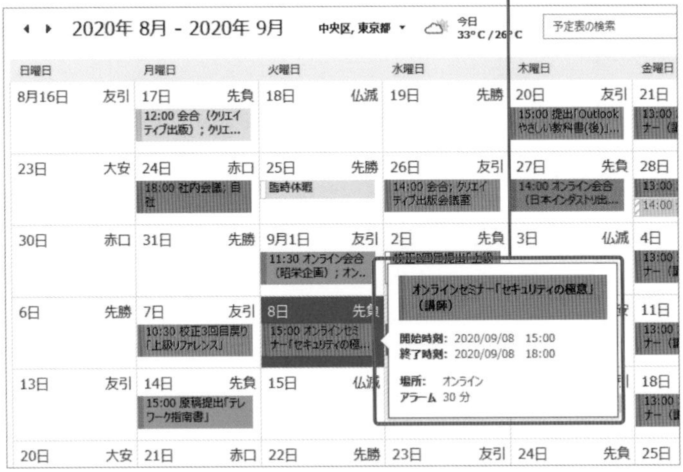

2 予定を修正する

Hint 予定の件名の修正

予定の件名は予定表のビューで直接修正することも可能です。任意の予定をクリックして選択した後、F2 キーを押せば件名を直接編集できます。

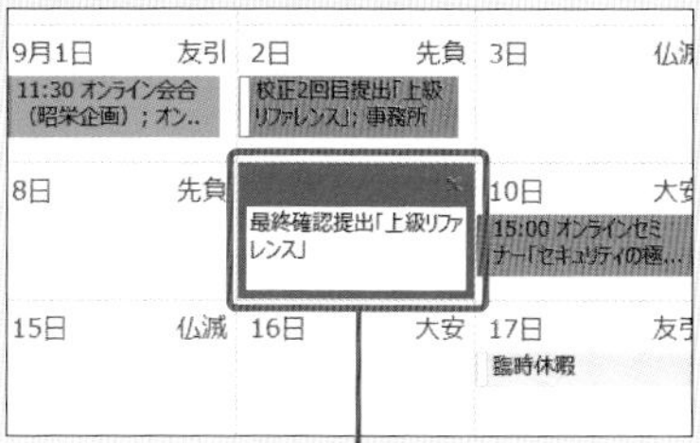

クリック→ F2 で直接編集できます。

1 修正したい予定をダブルクリックします。

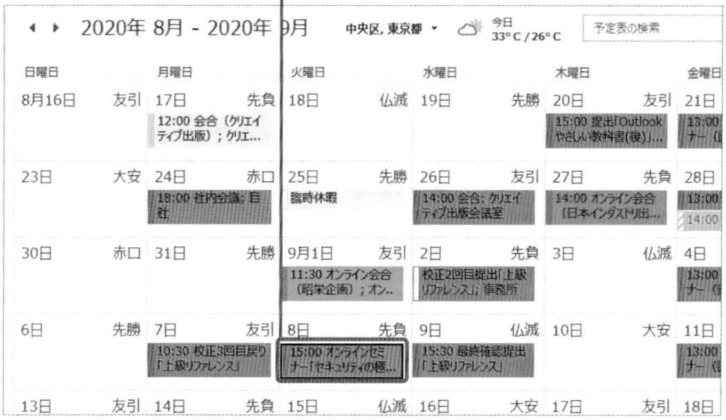

2 「予定」が表示されます。

3 任意に予定内容を修正します。

4 ［予定］タブ→［保存して閉じる］をクリックします。

5 予定を修正できます。

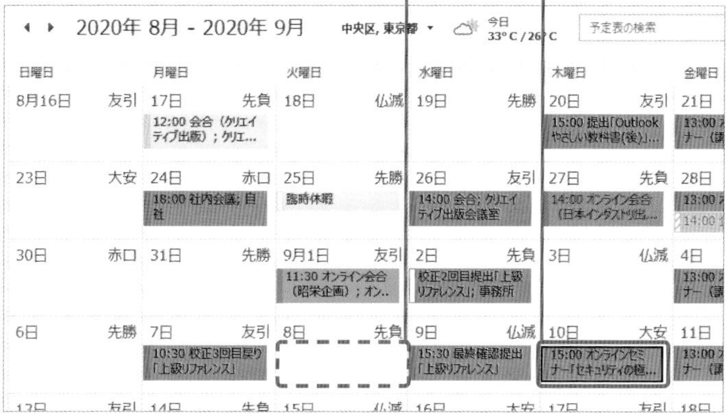

ショートカットキー

- 予定表を1日表示にする
  Alt + 1
- 予定表を2日表示にする
  Alt + 2
- 予定表を3日表示にする
  Alt + 3
- 予定表を7日表示にする
  Alt + 7
- 予定表を10日表示にする
  Alt + 0

3 予定を分類する

解説 分類すれば予定表が見やすくなる

メールや連絡先などでも「分類」は活用できますが、「予定表」における分類は、予定表の見やすさに直接影響するため、重要な設定になります。「取引先別」「業種別」「作業内容別」などで分類するとよいでしょう。

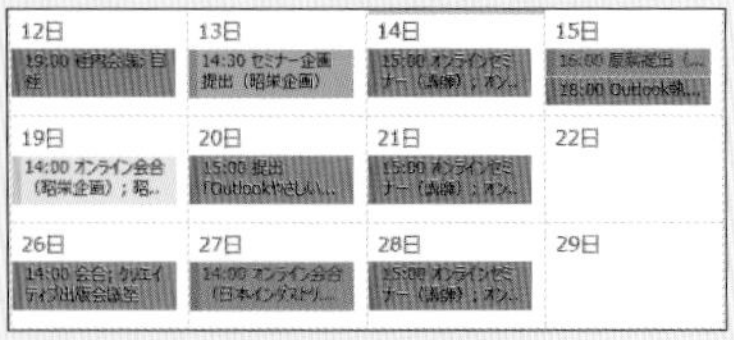

Hint 分類に名前を付ける

分類に名前を付けたい場合は、［予定］タブ→［分類］をクリックして、ドロップダウンから［すべての分類項目］をクリックします。［色分類項目］ダイアログで、任意の色を追加することや、色に対して名前（分類項目名）を付けることができます。

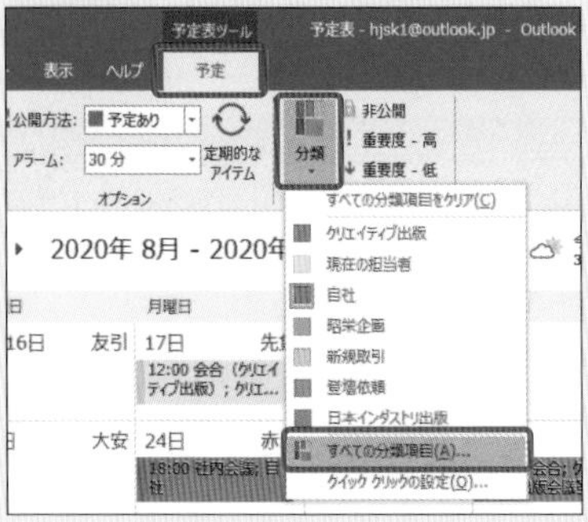

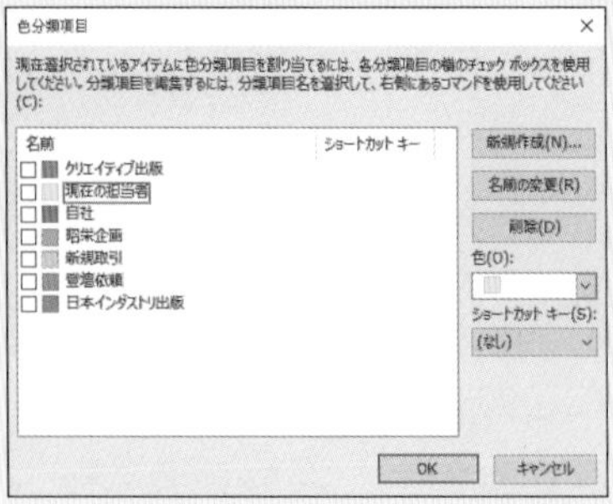

1 任意の予定をダブルクリックします。

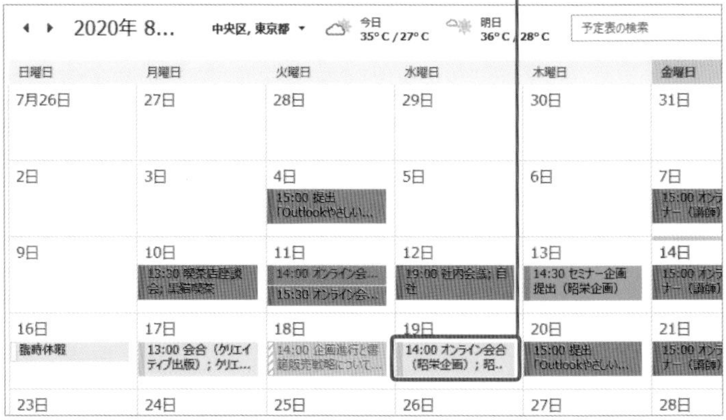

2 「予定」が表示されます。

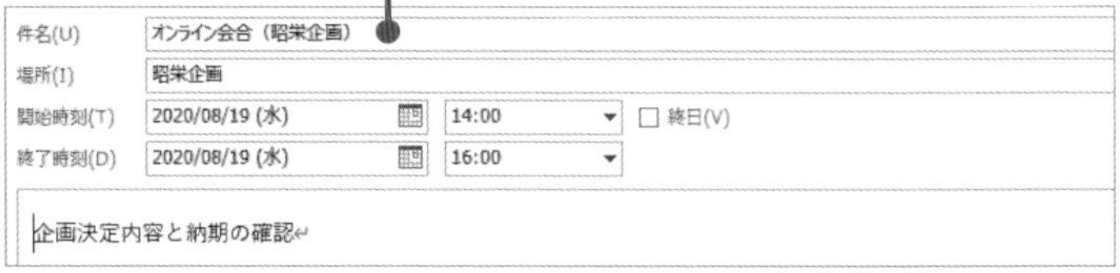

3 ［予定］タブ→［分類］をクリックして、

4 ドロップダウンから任意の分類（色）をクリックします。

5 予定に対して任意の分類（色）を指定できます。

6 ［予定］タブ→［保存して閉じる］をクリックします。

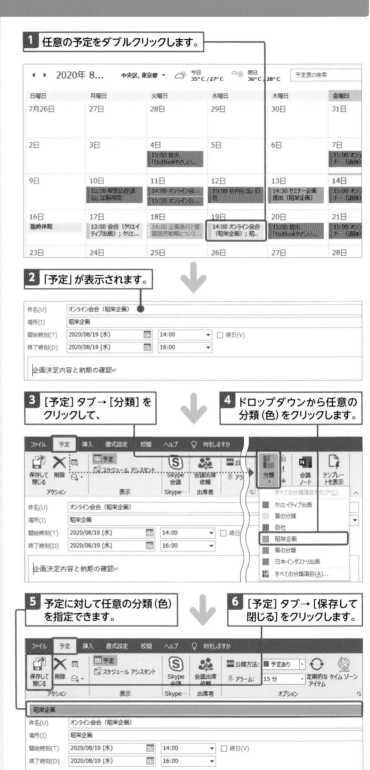

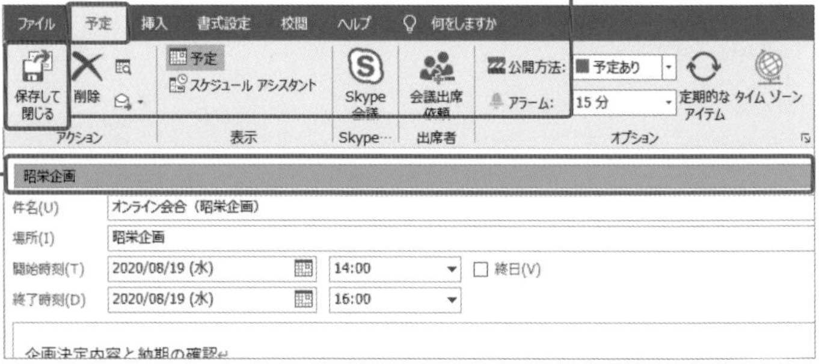

4 予定を移動する

Hint 表示外の月日に予定を移動する

現在「予定表」のビューに表示されていない月日に予定を移動したい場合は、移動したい予定をドラッグしてカレンダーナビゲーターの任意の月日にドロップします。

Memo 予定の長さの変更

予定の長さ（「開始時刻」と「終了時刻」）は、境界線をドラッグすることで変更できます。

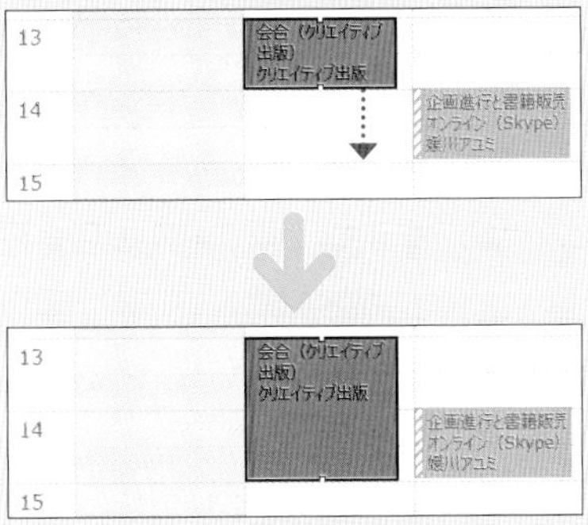

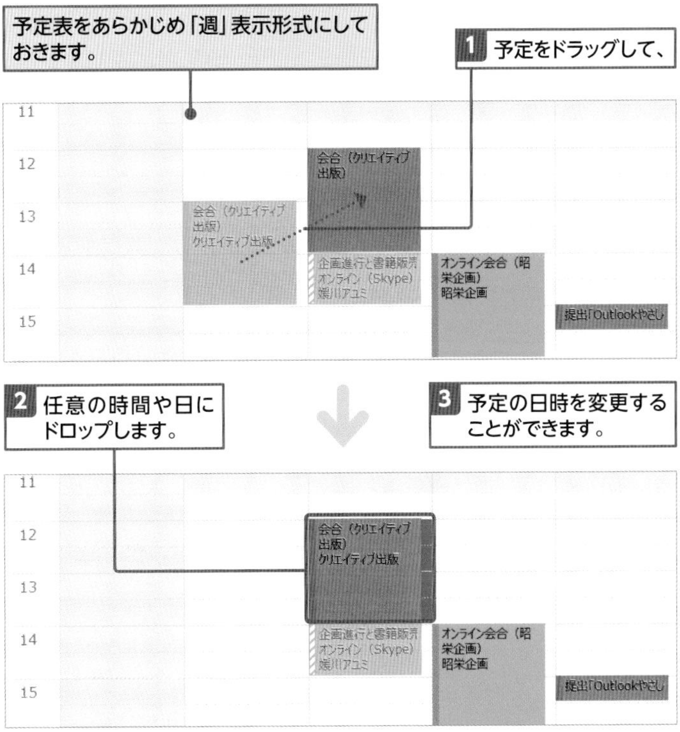

5 予定を削除する

Memo 予定の削除

予定表のビューで任意の予定を右クリックして、ショートカットメニューから［削除］をクリックすれば、該当の予定をすばやく削除できます。また、ビューで予定をクリックして選択した状態で Delete キーを押しても同様に削除できます。

なお、直後にショートカットキー Ctrl ＋ Z キーを入力すれば削除した予定を復元することができます。

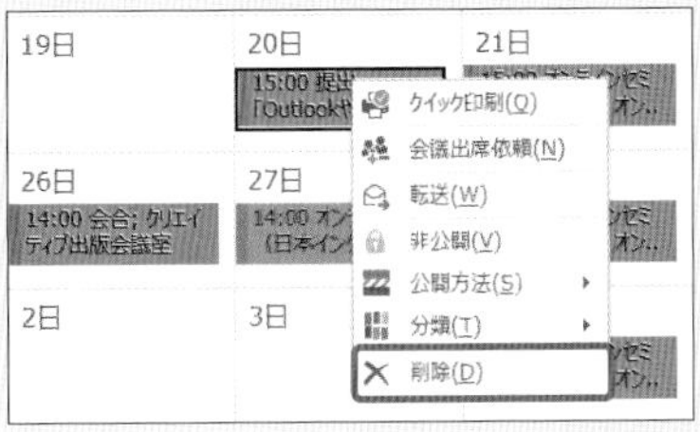

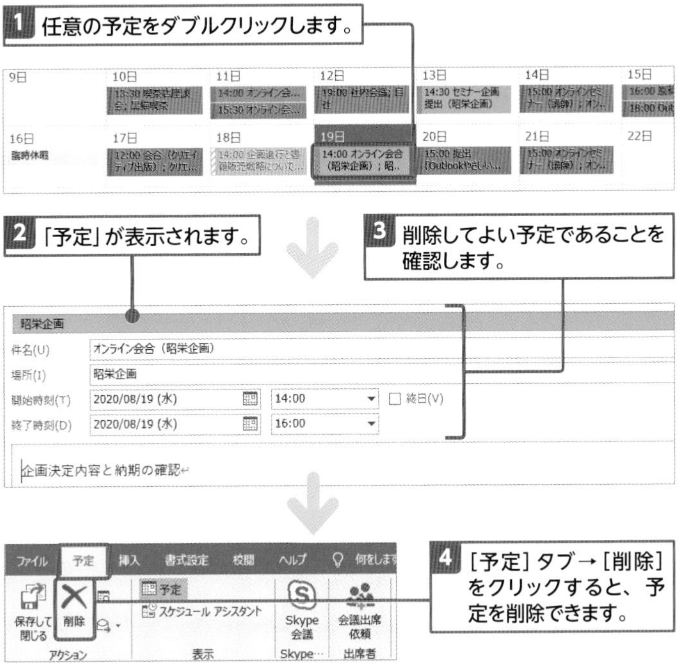

Section
85 メールと予定表を相互で活用する

ここで学ぶのは
- メール画面からの予定確認
- To Do バーの活用
- メールから予定作成

「予定表」の予定の確認や予定の作成は、ときに「メール」を確認しながら作業したい場面があります。ここでは、**メール画面から予定を確認**する方法や**メール内容を予定表に組み込む**方法などを解説します。

1 「メール」画面で予定を確認する

Memo 「メール」画面にすばやく切り替える

「メール」画面に切り替えるには、ナビゲーションバーの［メール］をクリックする方法のほか、ショートカットキー Ctrl ＋ 1 キーでも切り替えることができます。ショートカットキーのほうがすばやく切り替えられます。

ショートカットキー

- 「メール」画面に切り替え
  Ctrl ＋ 1
- 「予定表」画面に切り替え
  Ctrl ＋ 2

Keyword ポイント

マウスポインターを対象のアイテムの上に置くことをポイント（あるいはホバー）といいます。クリックする必要はありません。

Outlook 2019を「メール」画面にしておきます。

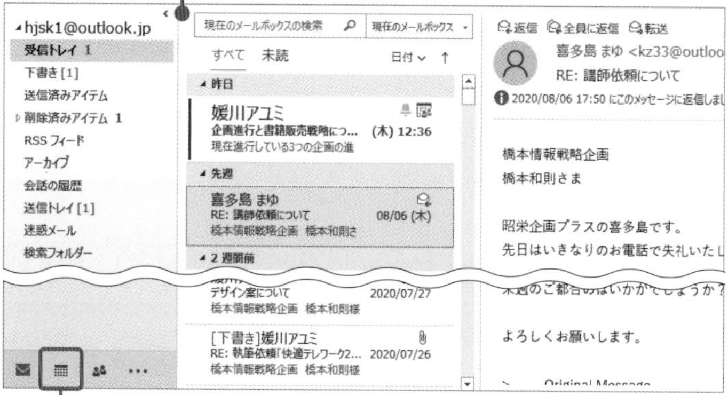

1 ナビゲーションバーの［予定表］にマウスポインターを合わせます。

2 予定表がプレビュー表示され、カレンダーナビゲーターと予定が表示されます。

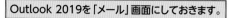

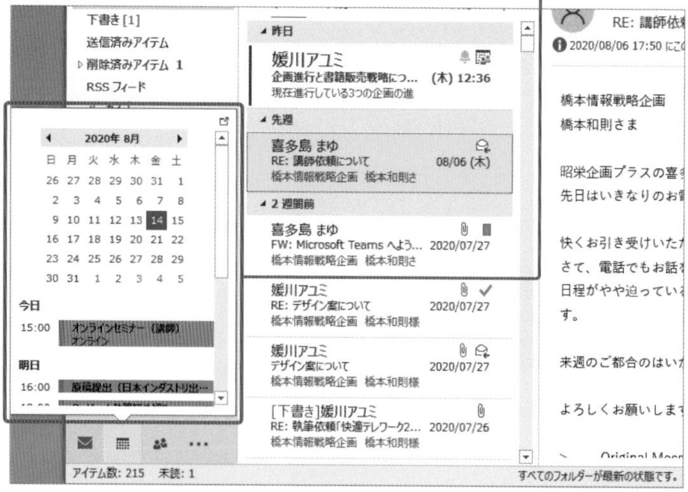

2 「メール」画面に予定表を表示する（To Do バー）

Memo **To Do バーは複数要素を表示可能**

To Doバーでは「予定表」だけではなく、「連絡先」「タスク」なども表示できます。また、複数選択して同時に表示することも可能です。

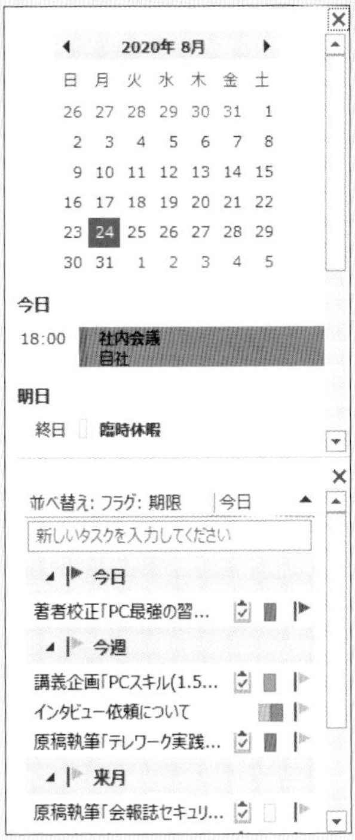

1 ［表示］タブ→［To Doバー］をクリックして、

2 ドロップダウンから［予定表］をクリックします。

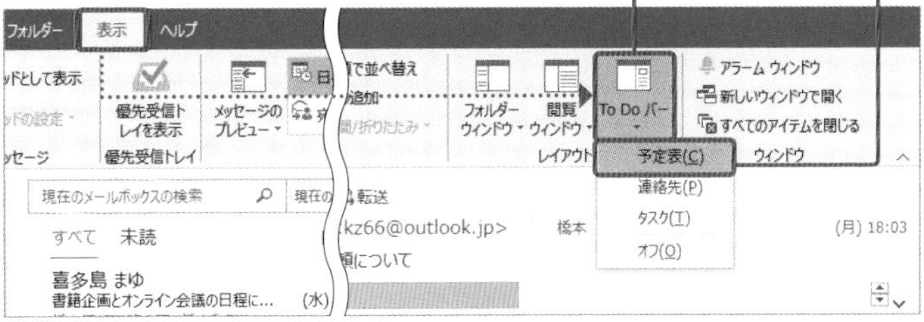

3 To Doバーにカレンダーナビゲーターと予定が表示されます。

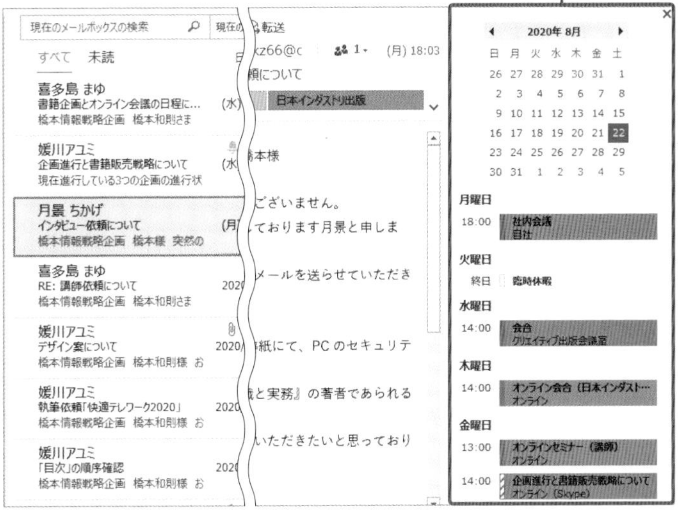

3 To Do バーの予定表示の月日を切り替える

Hint **プレビューから To Do バーに表示**

ナビゲーションバーの［予定表］にマウスポインターを合わせて、予定表のプレビューが表示された状態で、をクリックしても、To Doバーに予定表を表示することが可能です。

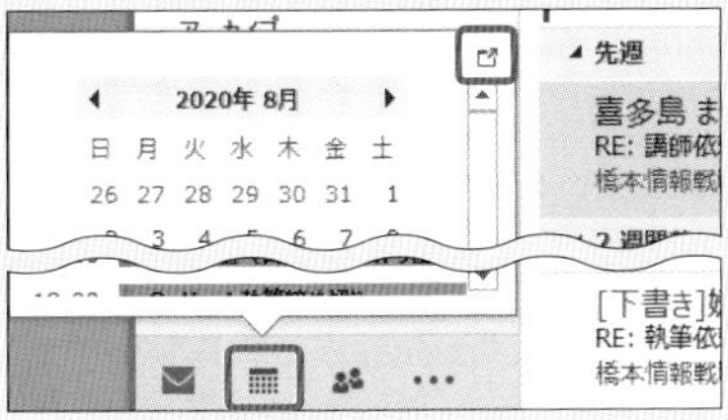

1 カレンダーナビゲーターで任意の月日をクリックします。

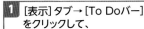

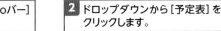

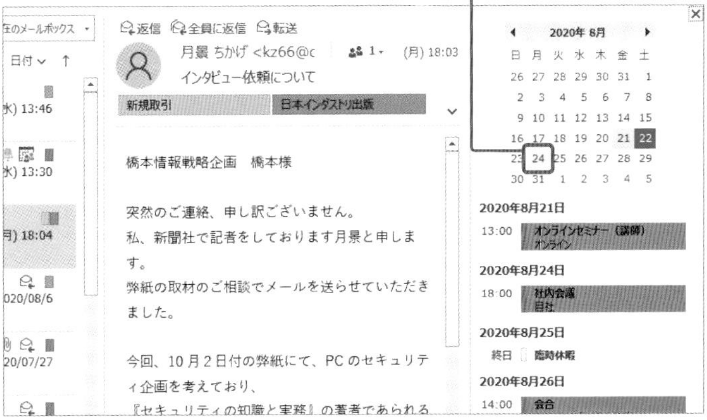

Hint To Do バーから予定を確認・編集する

To Doバーに表示されている「予定」をダブルクリックすると、予定の詳細を確認・編集することができます。

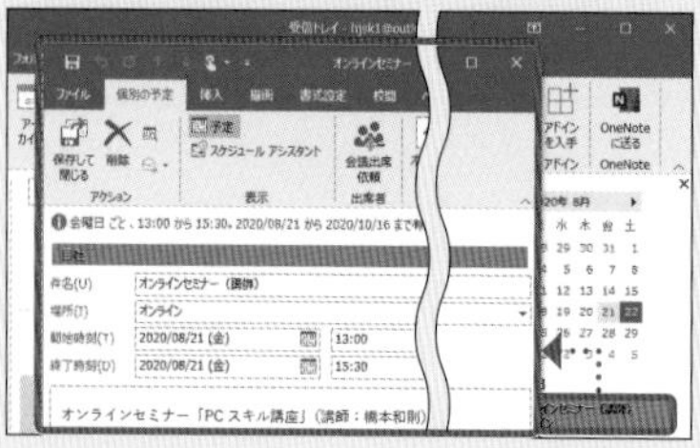

2 該当月日以降の予定をTo Doバーに表示できます。

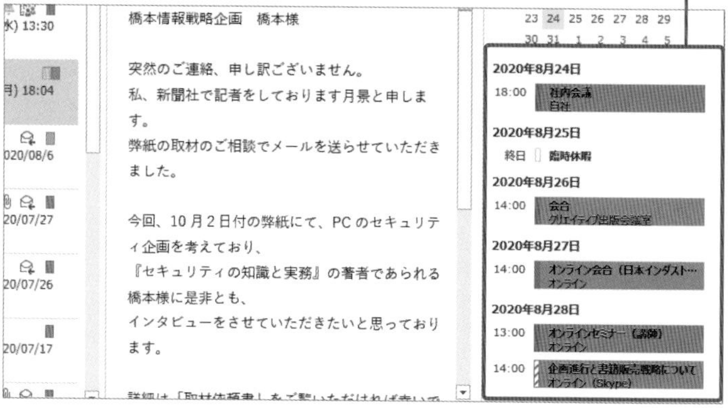

4 メール内容を予定表に組み込む

注意 複数のアカウントを登録している場合

Outlook 2019で複数アカウントを管理している場合、「予定表」を管理するアカウントはどれか特定のものにするのが基本になります。複数のアカウントで予定表を管理すると、予定管理が複雑になり、また本来予定を登録すべきではないアカウントに登録してしまう危険性があります。

なお、Outlook 2019で複数アカウントを管理している場合、メールをナビゲーションバーの［予定表］にドロップすると、予定がどのアカウントに登録されるか注意が必要になるため（異なるアカウントに予定を登録してしまうと予定を見失う可能性があるため）、この手順による予定作成はおすすめしません。

Outlook 2019を「メール」画面にしておきます。

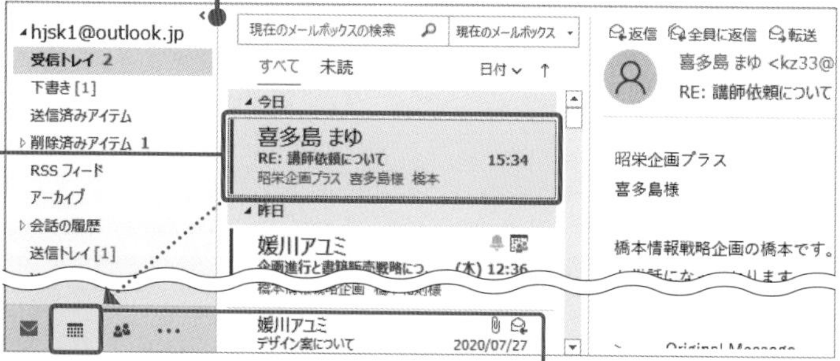

1 ビュー内の予定として登録したいメールをドラッグして、

2 ナビゲーションバーの［予定表］にドロップします。

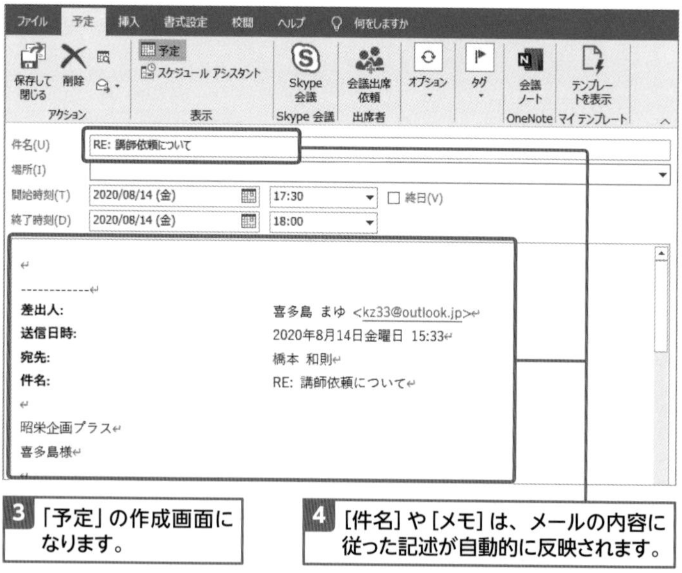

3 「予定」の作成画面になります。

4 ［件名］や［メモ］は、メールの内容に従った記述が自動的に反映されます。

Hint 分類も引き継がれる

メールを分類しておけば、メール内容を予定表に組み込んだ際に「分類（色）」も引き継がれます。

これは業種別や取引先別でメールを管理している場合、その分類がそのまま予定表の予定にも反映されるため、わかりやすい管理が可能になります。

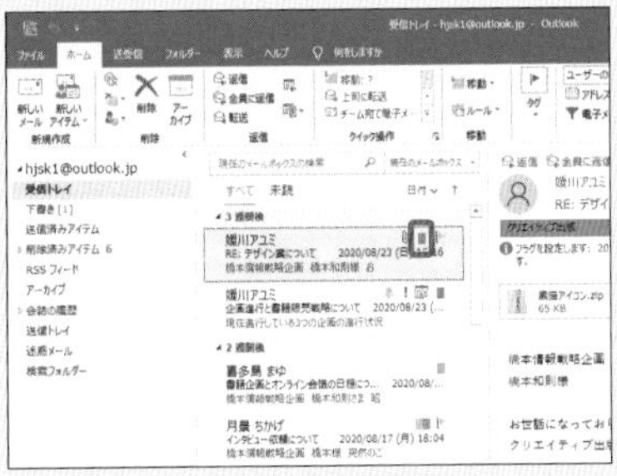

5 予定表の［場所］［開始時刻］［終了時刻］などを任意に入力・修正します。

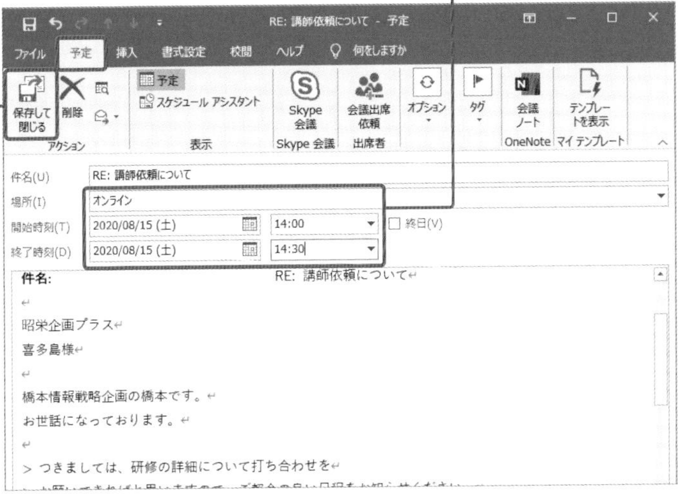

6 ［予定］タブ→［保存して閉じる］をクリックします。

7 メールから予定表の「予定」を作成できます。

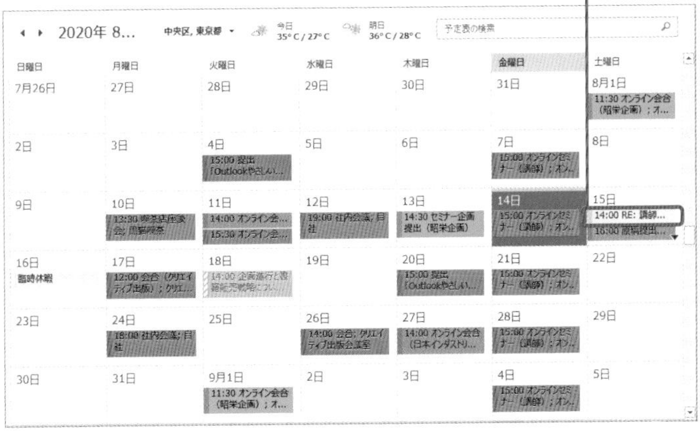

使えるプロ技！ 「メール」も「予定表」も見たい

「メール」を操作しながら「予定表」も見たい場合は、予定表のプレビューやTo Doバーを利用する方法のほか、「Outlook 2019を複数起動する」という方法もあります（p.176参照）。Outlook 2019を複数起動してウィンドウを並べて表示すれば、効率的な確認と操作を実現できます。

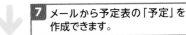

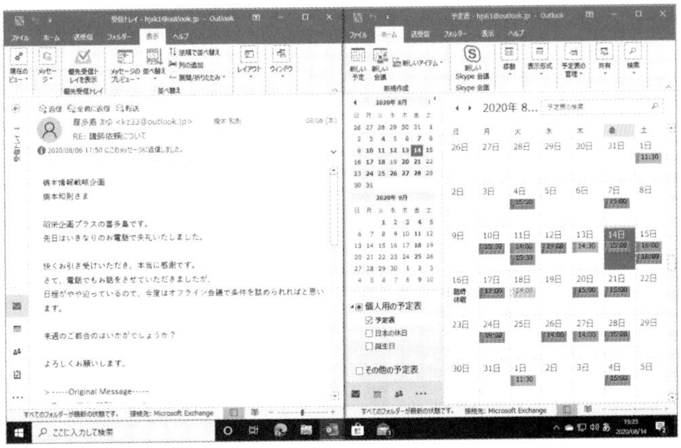

Section

86 定期的な予定を作成する

ここで学ぶのは

- 定期的な予定の作成
- 定期的な予定の編集
- 定期的な予定の削除

Outlook 2019の予定表では、「毎週水曜日の10:00は定例会議」など、**定期的な予定**を作成することも可能です。また、「来週だけは別の時間になる」など、**定期的な予定において特定の回のみ変更**することなども可能です。

1 定期的な予定を作成する

解説 定期的な予定の作成

毎週あるいは毎月の決まった曜日の決まった時間など、定期的な開催が決まっている予定には「定期的な予定」の設定を行いましょう。「定期的な予定」では「ある週だけはいつもと異なる時間の開始になる」といった変則的変更にも対応できるので便利です。

Memo 「月ごと」の詳細設定

「毎月28日に定期的な予定がある」あるいは「毎月最終月曜日に定期的な予定がある」なども設定可能です。[定期的な予定の設定]ダイアログの[パターンの設定]から[月]をチェックしたうえで、[日]あるいは[曜日]をチェックして、任意に設定します。

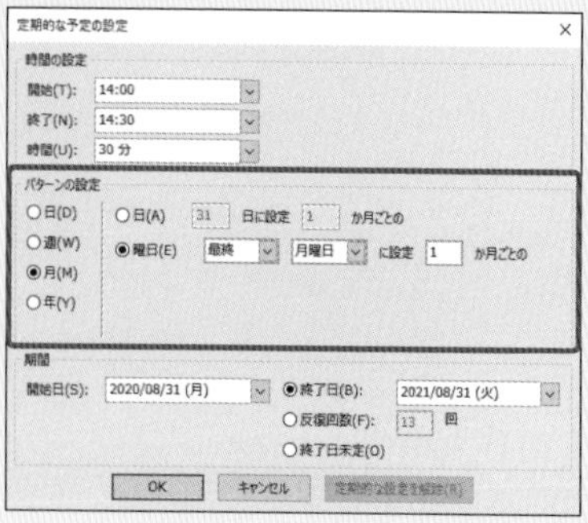

1 [ホーム]タブ→[新しい予定]をクリックします。

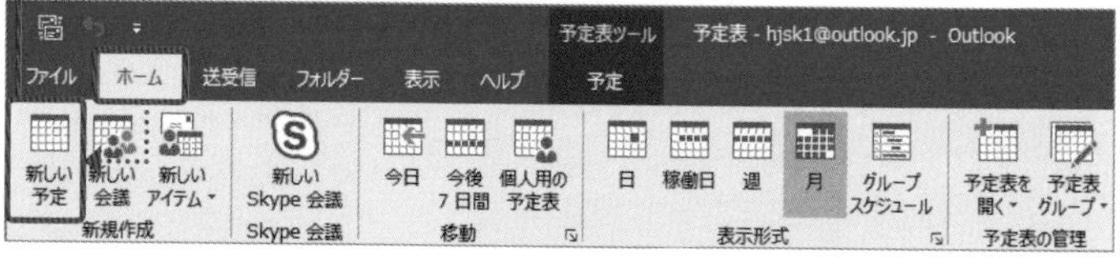

2 「予定」が表示されます。

3 [予定]タブ→[定期的なアイテム]をクリックします。

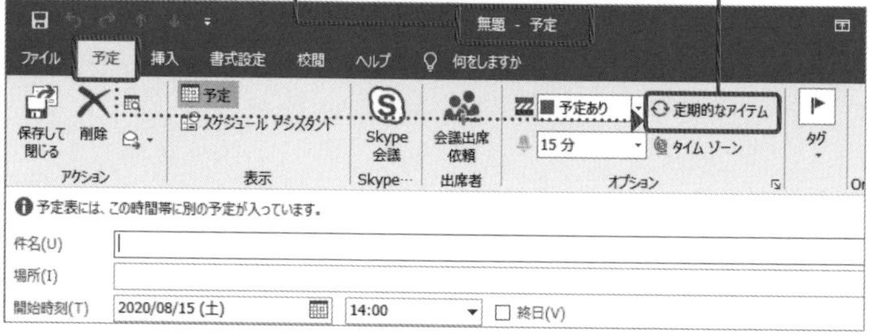

4 [定期的な予定の設定]ダイアログが表示されます。

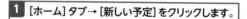

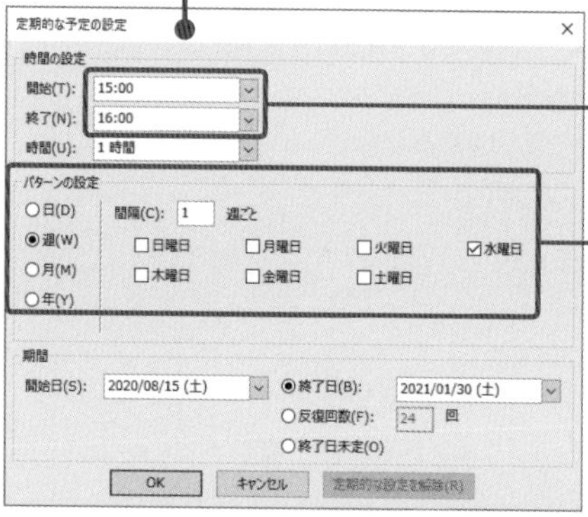

5 定期的な予定の開始時間と終了時間を指定します。

6 定期的な予定の間隔や曜日を任意に設定します。

ここでは毎週水曜日、15:00～16:00の定期的な予定を設定しています。

Hint 開始終了時刻設定に注意

［定期的な予定の設定］ダイアログの［時間の設定］はやや融通が利かず、「開始：10:00」「終了：11:00」などと設定しても、25時間のスケジュールになってしまうことがあります。よって、［時間の設定］内の「時間（予定の長さ）」は必ず確認するようにします。基本的に［開始］（①）を指定したのち、［時間］（その予定は何時間か）（②）を設定したほうが間違いのない設定が可能です。

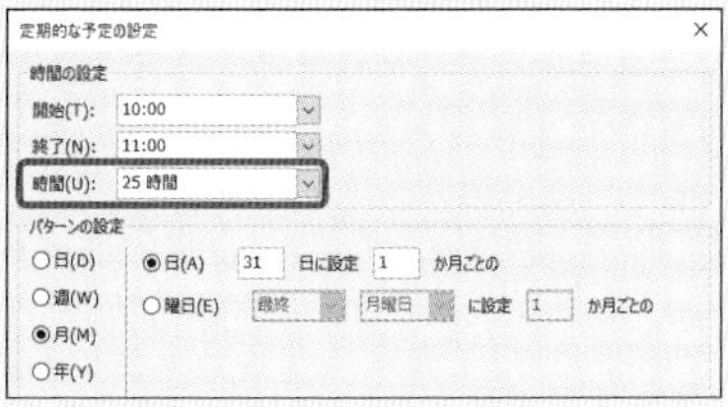

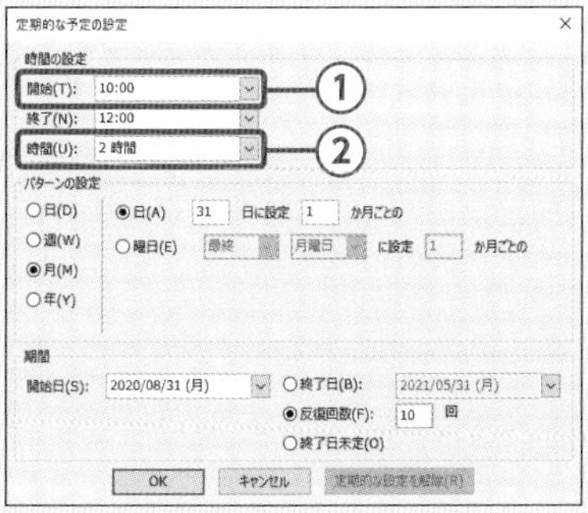

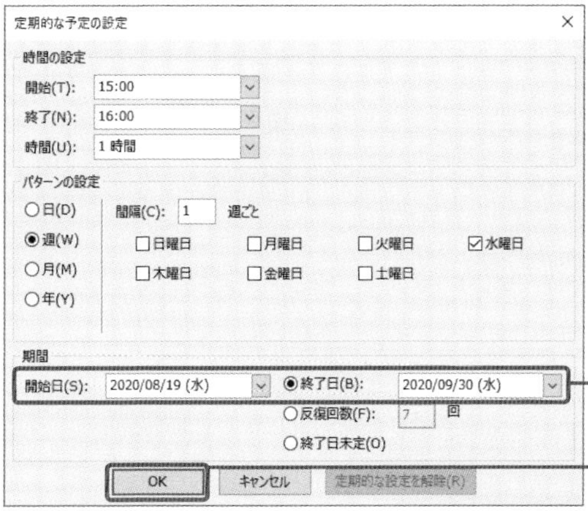

7 ［期間］に定期的な予定の開始日と終了日を設定します。

8 ［OK］をクリックします。

9 「定期的な予定」の作成画面になります。

10 ［パターン］で定期的な予定のパターンを確認できます。

11 ［件名］［場所］［メモ］などを任意に入力します。

12 ［定期的な予定］タブ→［保存して閉じる］をクリックします。

13 定期的な予定を予定表に登録できます。

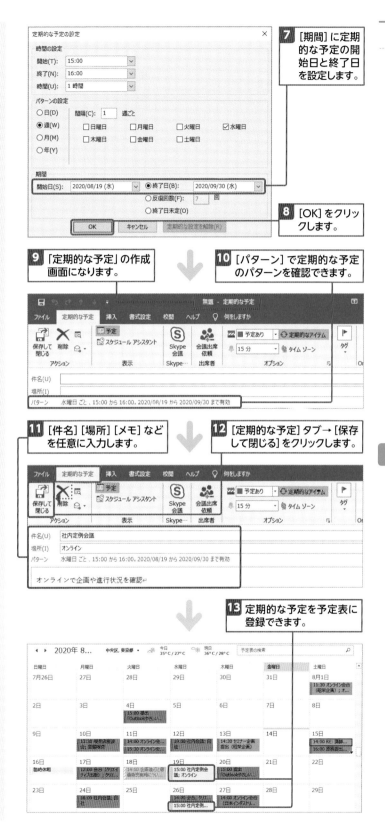

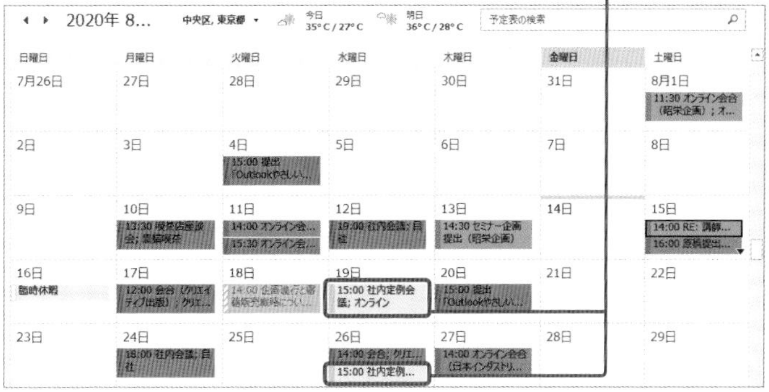

2 定期的な予定を変更する

Memo 定期的な予定を開く

「定期的な予定」を開いて設定に変更を加えたい場合は、いずれかの「定期的な予定」をダブルクリックします。

Hint 定期的な予定の期間設定

「定期的な予定」は期間を設定することができます。[定期的な予定の設定]ダイアログの[期間]で[終了日未定]にすると恒久的な反復、[反復回数]を設定するとその回数で定期的な予定は終了します。また、[終了日]を設定すれば指定した年月日に従って定期的な予定が終了します。

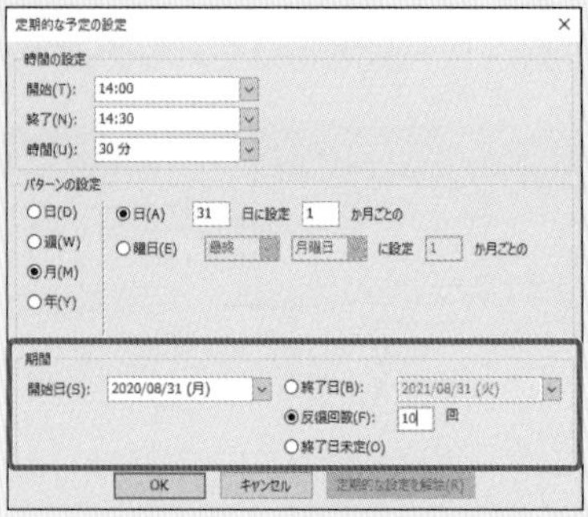

ショートカットキー

- 新しい予定を作成
  (「予定表」画面から)
  Ctrl + N
- 定期的な予定の設定
  (「予定」の作成画面から)
  Ctrl + G

1 定期的な予定をダブルクリックします。

2 [定期的なアイテムを開く]ダイアログが表示されます。

3 [定期的な予定全体]をチェックして、[OK]をクリックします。

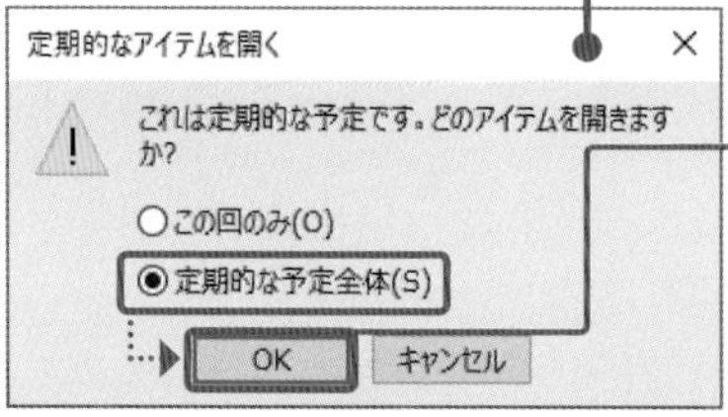

4 [定期的な予定]タブ→[定期的なアイテム]をクリックします。

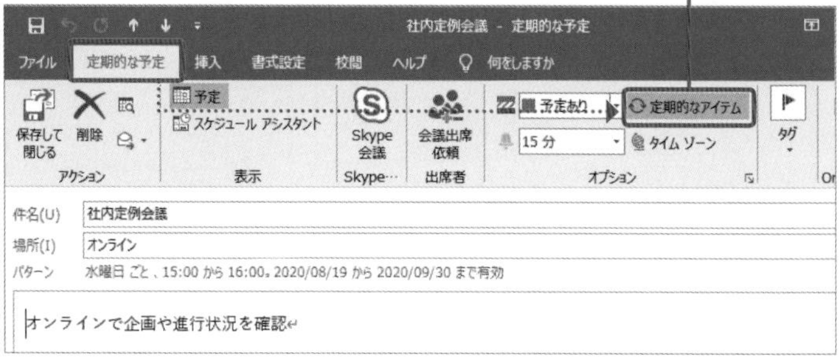

5 [定期的な予定の設定]ダイアログが表示されます。

6 任意に定期的な予定を変更します。

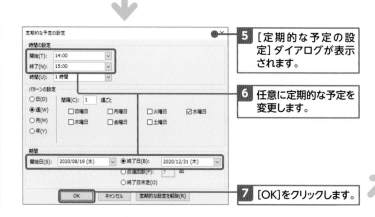

7 [OK]をクリックします。

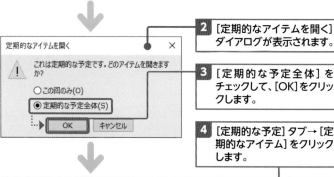

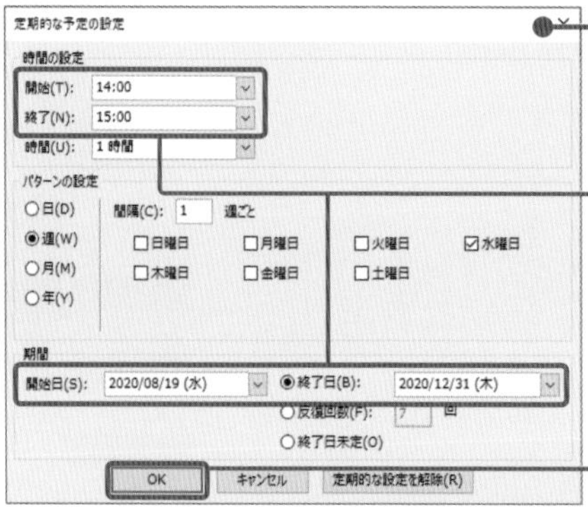

Hint **定期的な毎年の予定を設定する**

定期的な予定では「毎年の行事」なども設定可能です。
例えば、毎年12月の第4金曜日を定期的な予定に設定すれば、2020年12月25日(金)、2021年12月24日(金)、2022年12月23日(金)という形で定期的な予定を組み込むことができます。

8 [パターン] で定期的な予定のパターンを確認できます。

9 [件名] [場所] [メモ] [分類] などを任意に変更します。

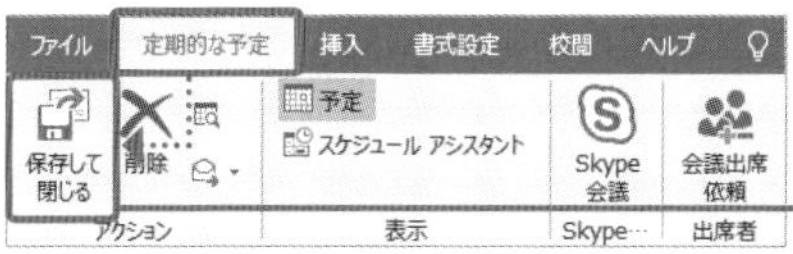

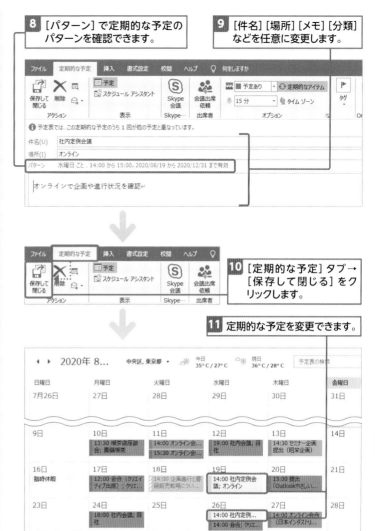

10 [定期的な予定] タブ→[保存して閉じる] をクリックします。

11 定期的な予定を変更できます。

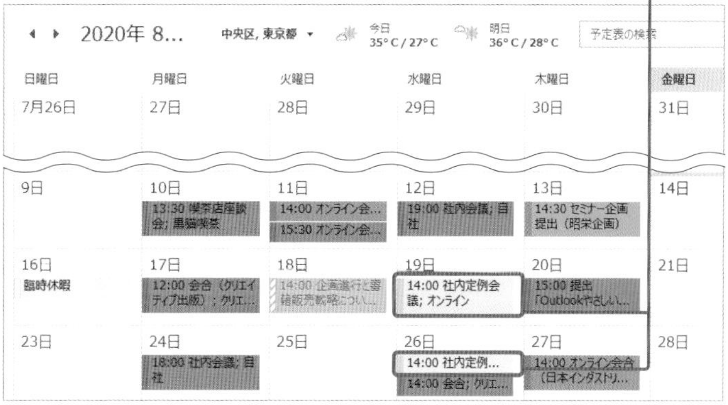

3 定期的な予定の特定の回を変更する

1 定期的な予定の特定の回をダブルクリックします。

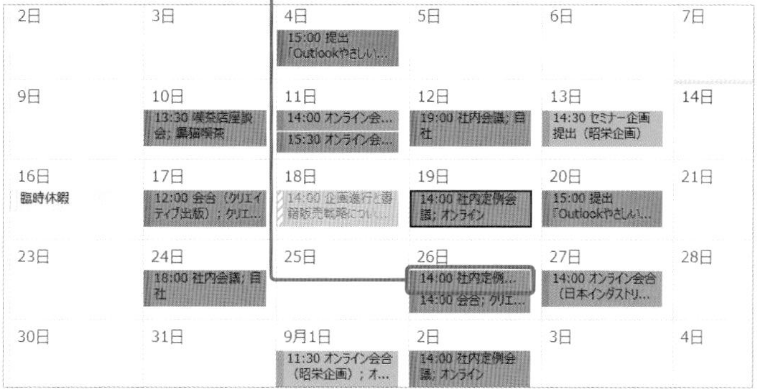

Memo 「この回のみ」の変更

定期的な予定における「この回のみ」の変更では、タイトルバーの表示が「個別の予定」になります。「開始時刻」「終了時刻」や「件名」「場所」なども変更可能です。
わかりやすく管理したい場合は「件名」に「（時間変更）」といった記述を加えるなどの工夫をするとよいでしょう。

「この回のみ」の変更の場合は「個別の予定」と表示されます。

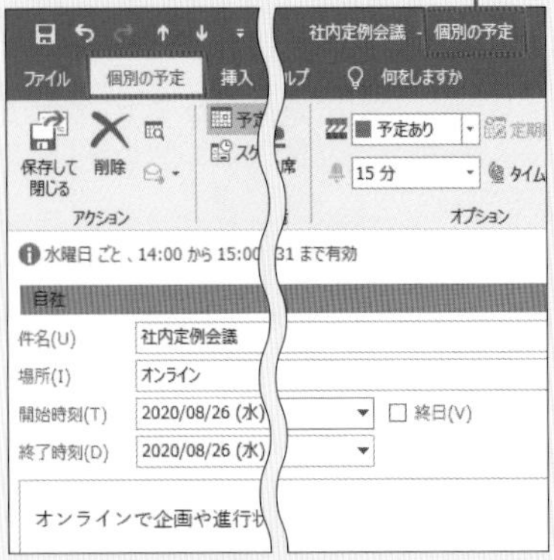

「定期的な予定全体」の場合は「定期的な予定」と表示されます。

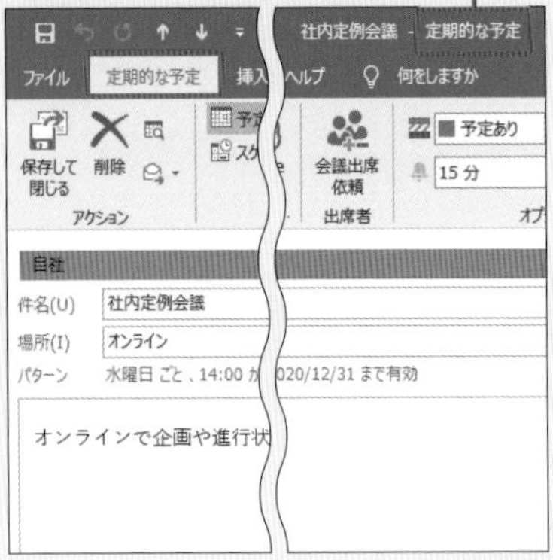

2 [定期的なアイテムを開く] ダイアログが表示されます。

3 [この回のみ]をチェックして、[OK] をクリックします。

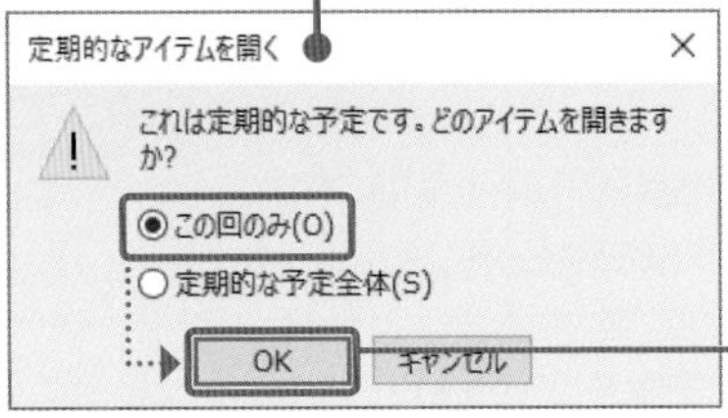

4 「個別の予定」の入力画面が表示されます。

5 任意に予定（特定の回のみ）を変更します。

6 [個別の予定] タブ→ [保存して閉じる] をクリックします。

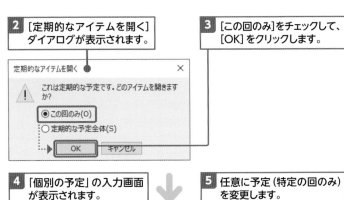

7 定期的な予定における特定の回のみを変更できます。

4 定期的な予定全体を削除する

Hint 定期的な予定の特定の回を削除する

定期的な予定において特定の回のみ削除したい場合は、定期的な予定の特定の回をダブルクリックしたのち、[この回のみ]をチェックして、[OK]をクリックします。
[個別の予定]タブ→[削除]をクリックすると、削除の確認が表示されるので、[このアイテムのみ削除する]をチェックして、[OK]をクリックすれば、定期的な予定における特定の回のみを削除できます。

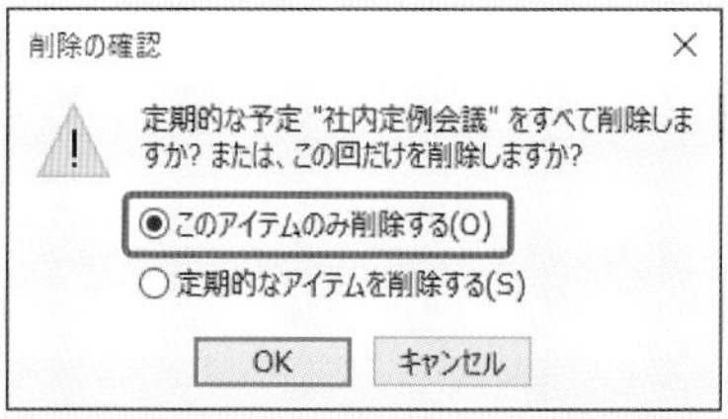

1 定期的な予定をダブルクリックします。

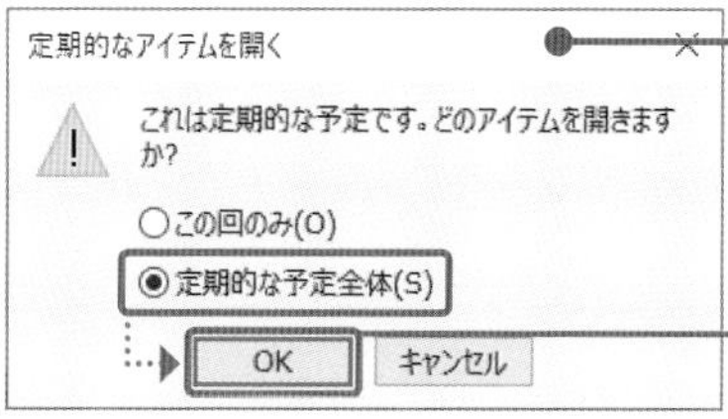

2 [定期的なアイテムを開く]ダイアログが表示されます。

3 [定期的な予定全体]をチェックして、[OK]をクリックします。

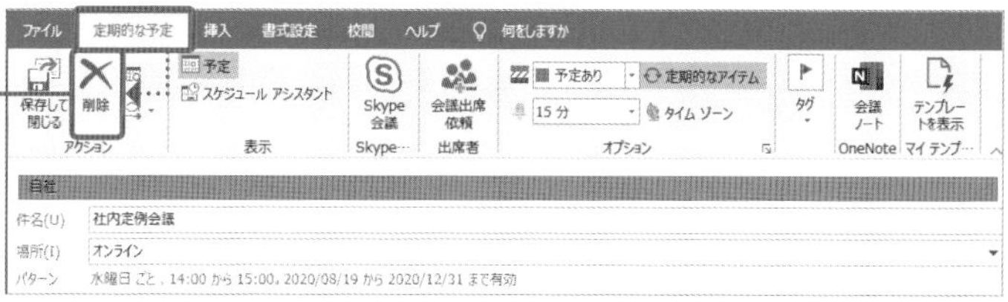

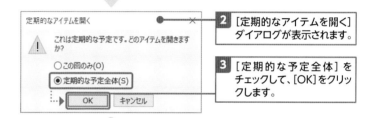

4 [定期的な予定]タブ→[削除]をクリックします。

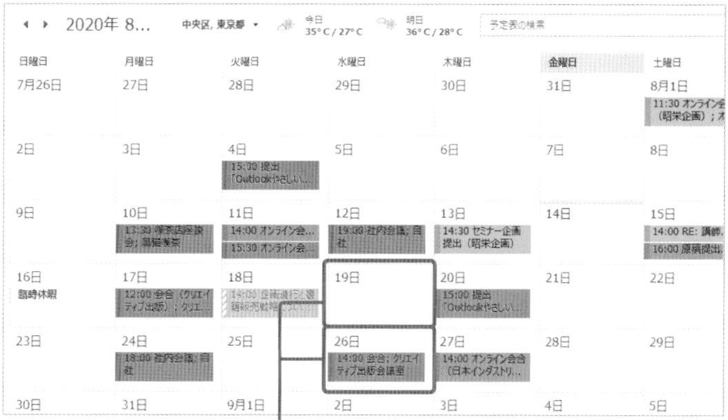

5 定期的な予定全体を削除できます。

Section 87

予定表の「予定」を確認しやすくする

ここで学ぶのは

- 閲覧ウィンドウの表示
- 予定の一覧表示
- 予定一覧の並べ替え

予定表の通常表示では予定の詳細を確認できませんが、**閲覧ウィンドウ**を表示すれば、ビューで予定表を表示したまま予定の場所や時刻などの詳細を確認できます。またここでは、予定を時系列や分類別に**一覧表示**にする方法も解説します。

1 予定表と予定内容を表示する

解説 閲覧ウィンドウの表示

予定表に閲覧ウィンドウも併せて表示すると、予定の日付をカレンダー形式で確認しながら、内容の詳細を確認できるので便利です。

Memo 閲覧ウィンドウのサイズ変更

ビューの予定表の表示サイズを大きくしたい場合は、ビューと閲覧ウィンドウの間にある境界線をドラッグしてサイズ調整します。

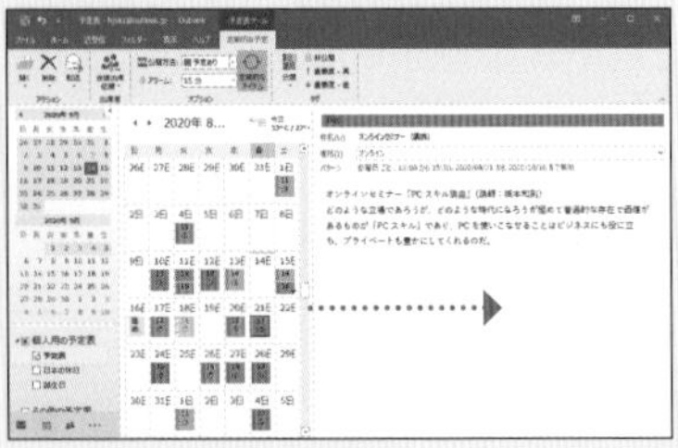

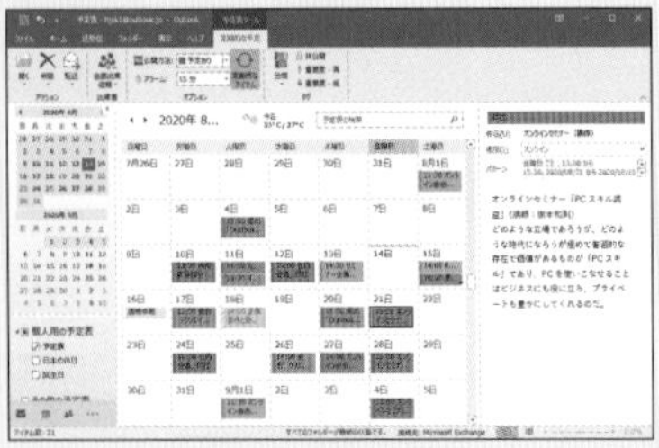

1 [表示] タブ→ [閲覧ウィンドウ] をクリックして、

2 ドロップダウンから [右] をクリックします。

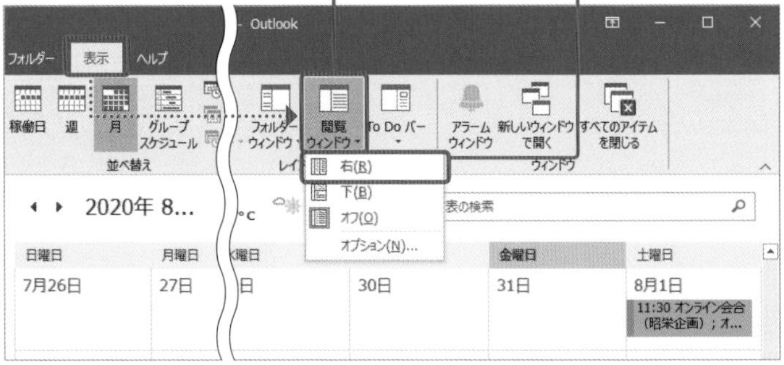

3 閲覧ウィンドウが表示されます。

4 予定表から任意の予定をクリックします。

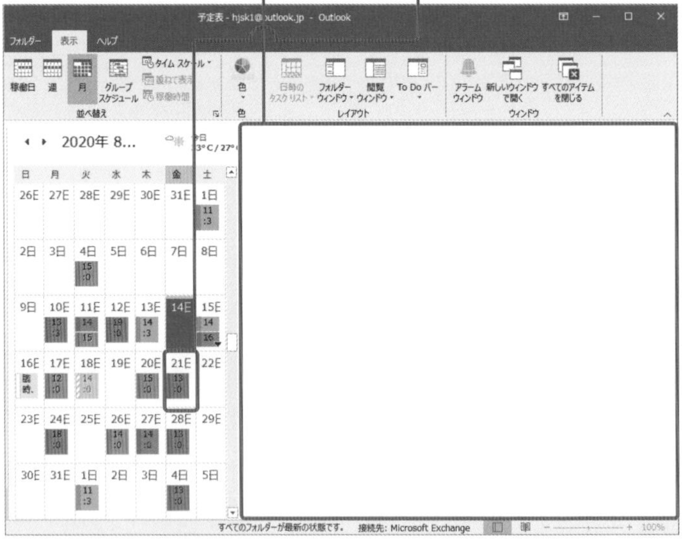

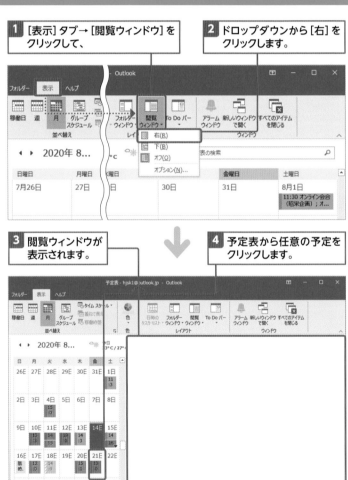

Hint 閲覧ウィンドウの非表示

「予定表」画面において、閲覧ウィンドウの必然性を感じない場合は、[表示] タブ→ [閲覧ウィンドウ] をクリックして、ドロップダウンから [オフ] をクリックします。

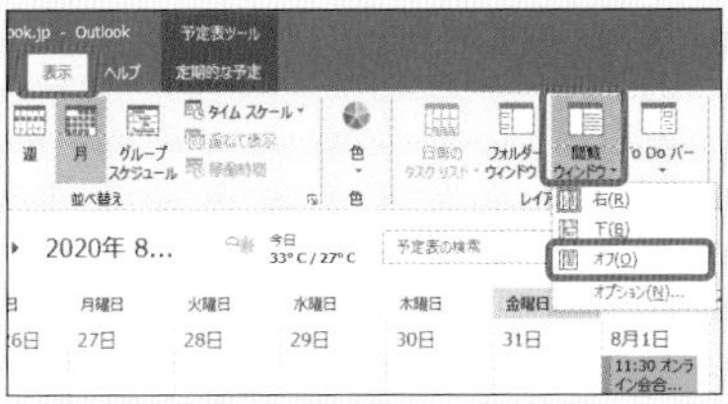

5 予定の内容を閲覧ウィンドウで確認できます。

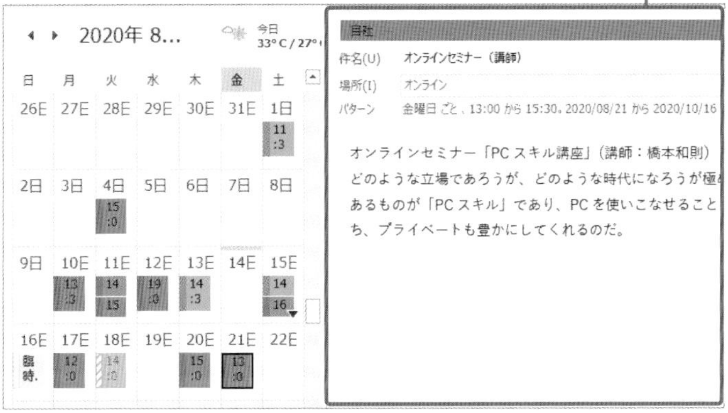

2 予定を一覧表示にする

解説 一覧表示のメリット

Outlook 2019の「予定表」における「月」「週」などの予定表形式の表示では、個別の日の予定は眺められるものの、予定が全体でいくつあるのか見にくいほか、ひとつの日に複数の予定が入った場合にはそもそも画面に予定が表示されない（表示が入りきらない）こともあります。

一方、一覧表示では確実に予定を確認できるのがポイントで、開始日で並べることができるほか、終了日が近い順に並べたり、場所で並べたりできる点が優れています。

Memo 直接編集が可能

予定表のビューを一覧表示にすると、予定の「件名」「場所」「開始日」「終了日」などをクリックするだけで直接編集できます。もちろん、予定をダブルクリックすることでウィンドウ表示で該当の予定を編集することもできます。

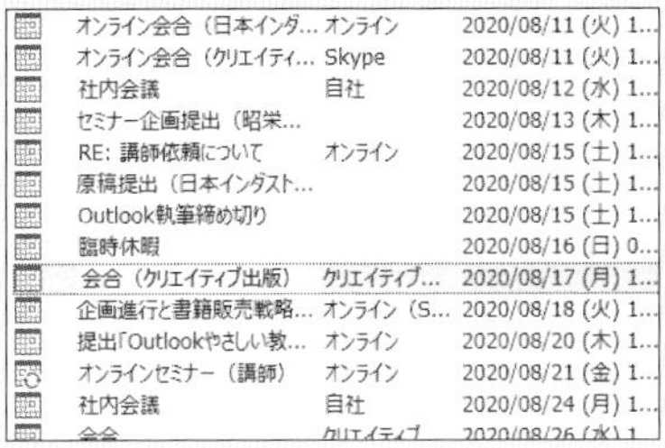

1 [表示] タブ→ [ビューの変更] をクリックして、

2 ドロップダウンから [一覧] をクリックします。

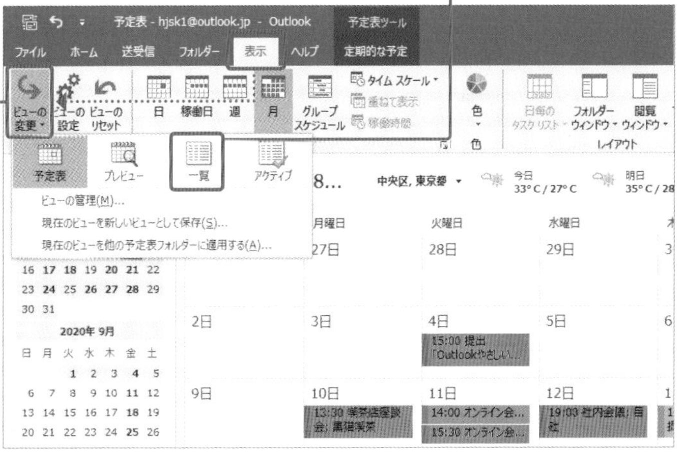

3 予定を一覧で確認できます。

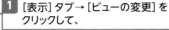

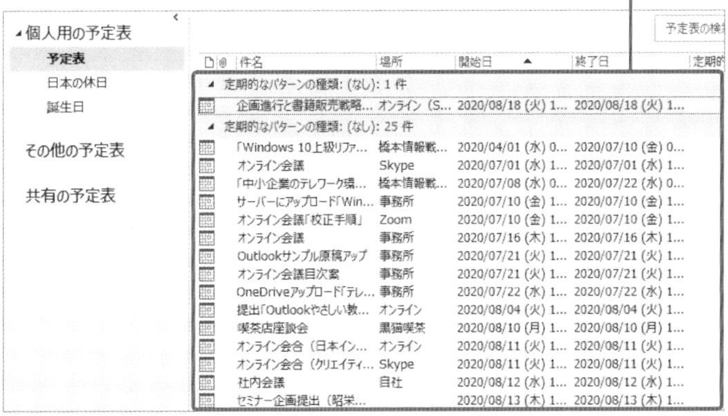

3 予定の一覧表示を「分類」で並べ替える

解説 分類をしていれば作業を管理しやすい

予定に対して「分類」を行うかどうかは任意ですが、分類を行っていれば、色ごとに「取引先」などをわかりやすく管理できます。また、定期的な予定にも任意の分類を割り当てることにより、一覧表示で差別化できてわかりやすくなります。

Memo 順序の昇順降順

一覧表示の「項目名」をクリックすることで、項目名に従った順序で昇順や降順を切り替えることができます。

例えば「終了日」であれば、項目名の「終了日」をクリックするごとに「▲（昇順）」と「▼（降順）」を切り替えることができます。

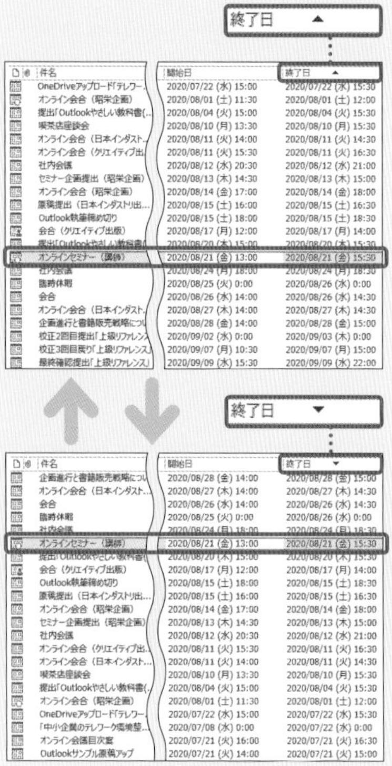

あらかじめビューを一覧表示にしておきます。

1 [表示] タブ→ [分類項目] をクリックします。

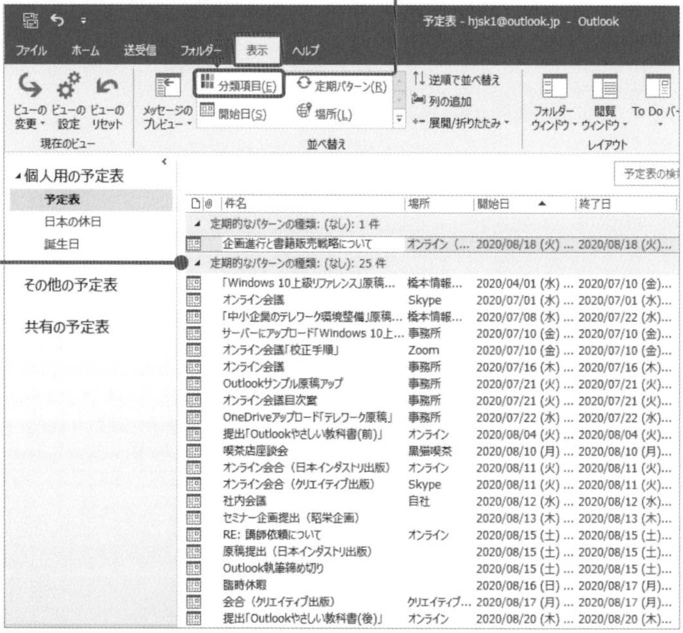

2 予定を「分類項目」ごとに並べることができます。

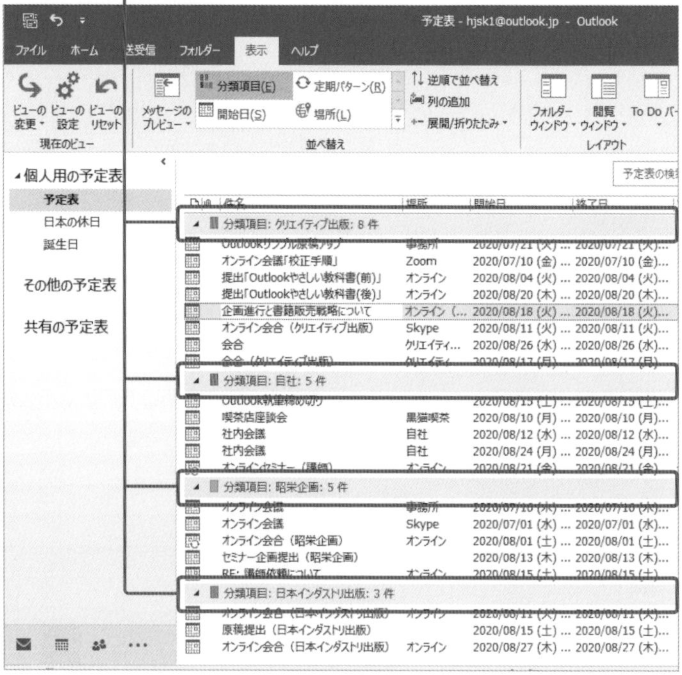

4 ビューを「予定表」表示に戻す

Hint 予定表の色を設定する

「予定表」には「色」を設定することが可能です。具体的には［表示］タブ→［色］をクリックして、ドロップダウンから任意の色を指定します。予定表の基本色を変更することができ、曜日表示などの背景を指定の色に変更できます。複数の予定表を表示している場合のほか、「分類」の色と差別化したい場合などにも便利です。

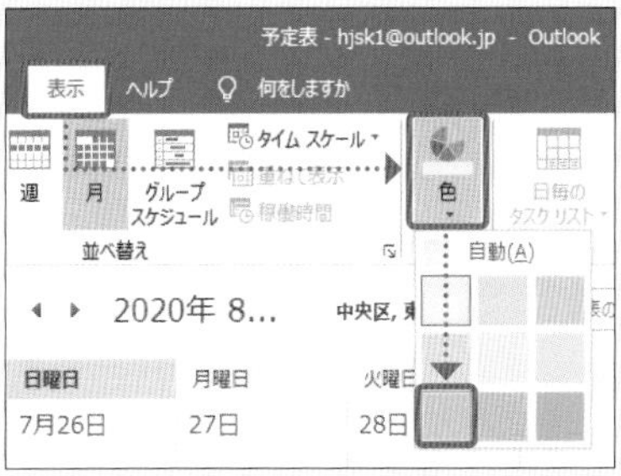

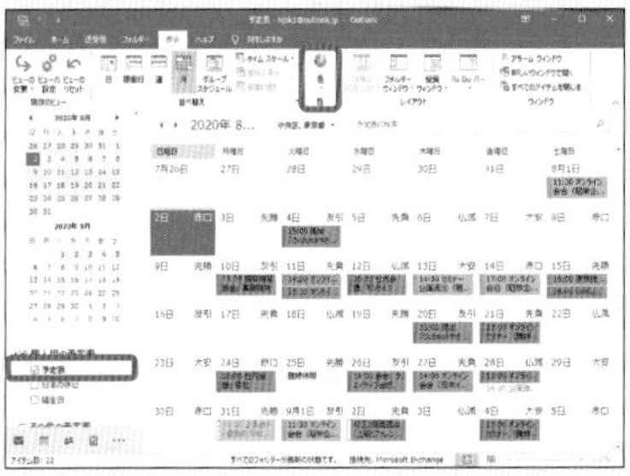

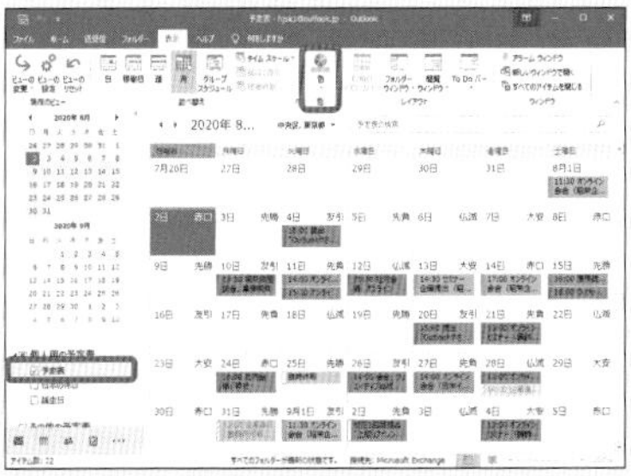

1 ［表示］タブ→［ビューの変更］をクリックして、

2 ドロップダウンから［予定表］をクリックします。

3 ビューを「予定表」表示形式に戻すことができます。

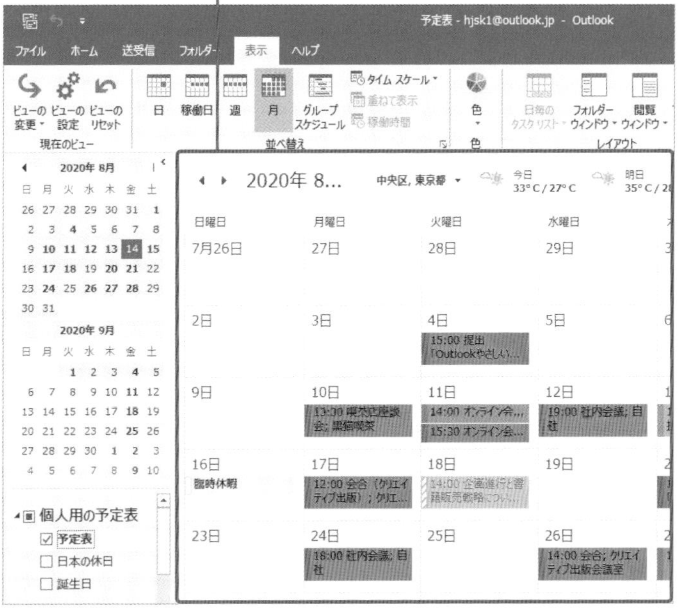

Section

88 予定の時刻にアラームを鳴らす

ここで学ぶのは

- アラームの設定
- アラームの確認
- アラームの削除

予定を作成したうえで、その予定の時間が近づいてきたら通知をしてほしい場合は、「アラーム」を設定します。なお、指定時刻にアラーム通知を行うには、該当時刻にOutlook 2019が起動していなければならない点に注意が必要です。

1 予定の時刻にアラームを鳴らす

Memo アラームの設定

予定の通知をしてほしい場合はアラームを設定しましょう。アラームの設定は「何分前（何時間前）にアラームを鳴らすか」の設定になります。用意などを含めて時間がかかる場合にはやや長めに（準備の時間も含めて考えて30分前など）、オンライン会議などPCの前でそのまま済むものは短めになど、自分の作業スタイルに合わせてアラームを設定します。

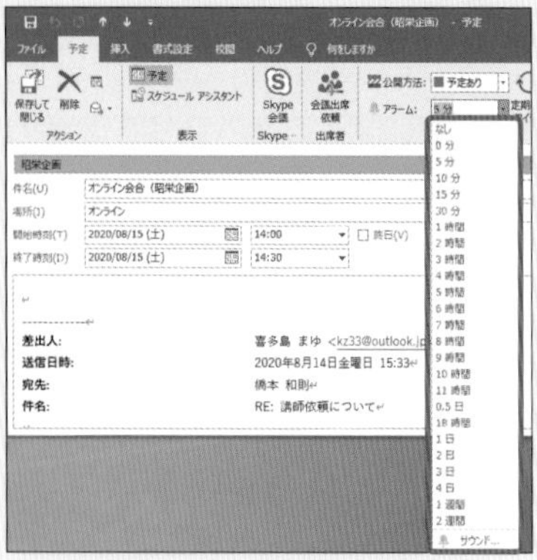

1 任意の予定をダブルクリックします。

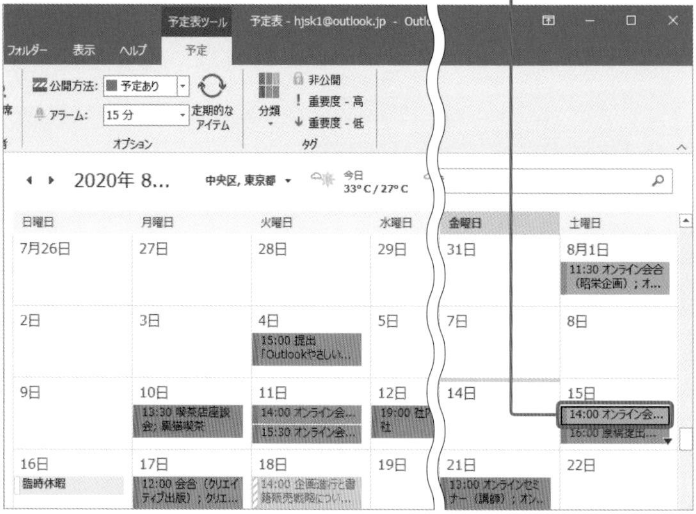

2 「予定」が表示されます。

3 ［予定］タブ→［アラーム］の［▼］をクリックして、

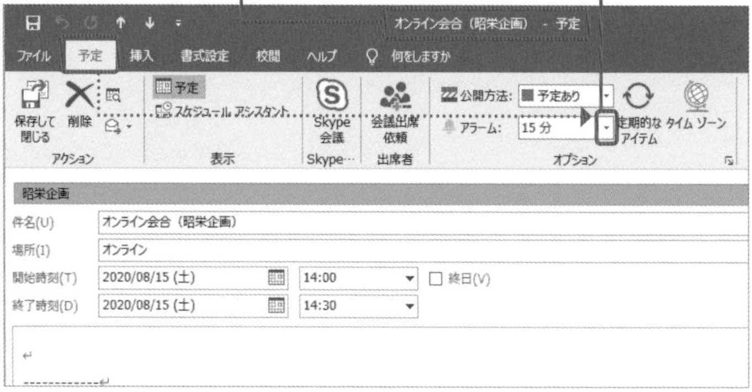

Hint アラームを取りやめる

予定に対してアラームを必要としない場合には、[予定] タブ→ [アラーム] をクリックして、ドロップダウンから [なし] を選択します。

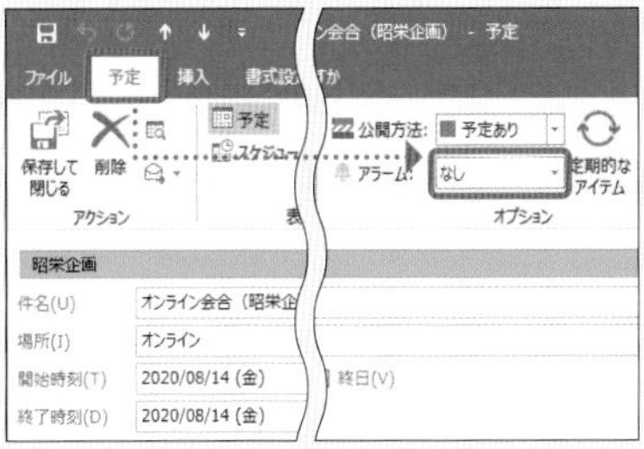

4 ドロップダウンから開始時刻前のアラーム時間を任意に選択します。

5 [予定] タブ→ [保存して閉じる] をクリックします。

6 設定された時間になるとアラームが表示されます。

予定までの残り時間（あるいは超過時間）が表示されます。

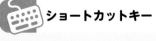

ショートカットキー

- アラームを消す
  Alt + D
- すべてのアラームを消す
  Alt + A
- アラームを再通知する
  Alt + S

2 アラームの内容を確認する

Hint アラームの再通知

アラームが表示された状態で、再通知のタイミングの［▼］をクリックして、ドロップダウンから任意のタイミングを指定して［再通知］をクリックすれば、設定に従って再びアラームが表示され再通知を行うことができます。

設定された時刻になるとアラームが表示されます。

1 アラームで表示されている任意の予定をダブルクリックします。

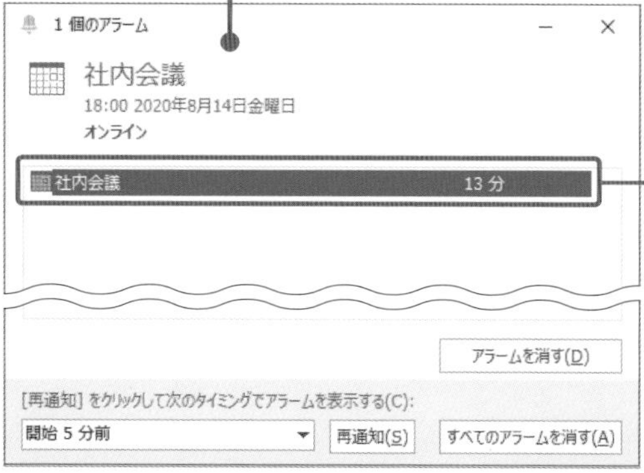

2 「予定」が表示されます。

3 予定の内容を確認・編集できます。

3 任意のアラームを消す

解説 アラームを消す

予定が過ぎたアラームは、「アラームを消す」作業を行わない限り残ります。予定を終えたものは消すようにしましょう。

設定された時刻になるとアラームが表示されます。

1 任意の予定をクリックして選択したうえで、［アラームを消す］をクリックします。

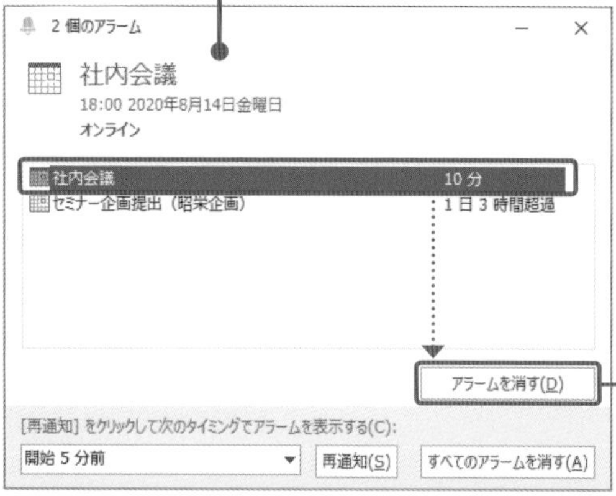

注意 **アラーム自体は消さない限り残る**

アラームで表示される内容は、予定の「件名」と開始時刻の何分前（何時間前）かの表示です。なお、アラーム自体はスマートフォンなどのアラームとは異なり、超過したもの（予定時刻が過ぎたもの）もアラームを消さない限り表示されます。これは予定時刻にPCやOutlook 2019が起動していない場合も考えての仕様です。

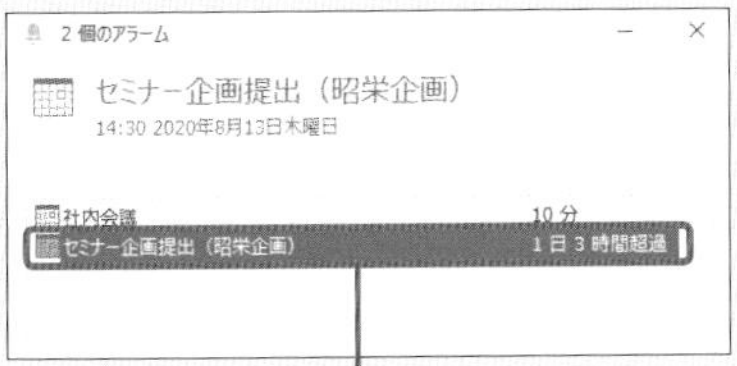

予定時刻が超過したものもアラームを消さない限り表示されます。

2 該当のアラームを消すことができます。

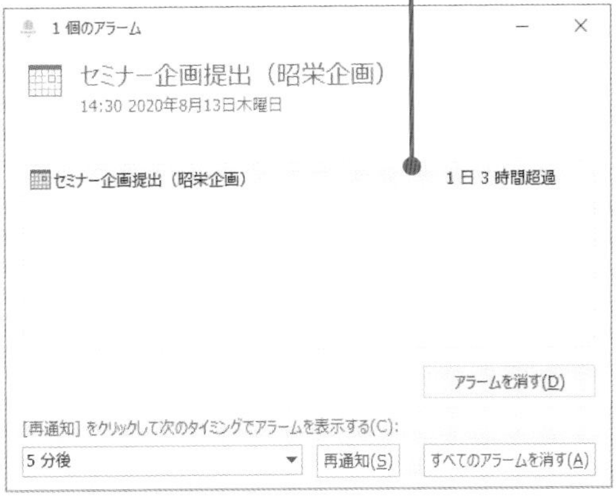

4 すべてのアラームを消す

Hint **Outlook 2019 を PC 起動直後に自動起動する**

PCを起動したら（任意のユーザーアカウントでサインインしたら）、Outlook 2019を自動的に起動する設定にしておくと、アラームの見逃しが少なくなるため便利です。Outlook 2019の自動起動設定（Windows 10でのアプリの自動起動設定）については、p.226を参照してください。

消さないままのアラームが複数表示されています。

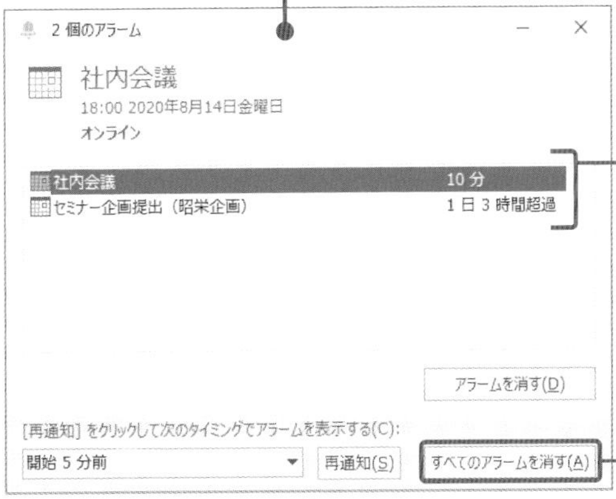

1 すべてのアラームを消してよいか（作業済みか）を確認します。

2 [すべてのアラームを消す] をクリックします。

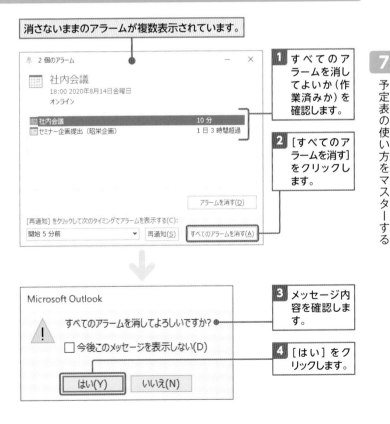

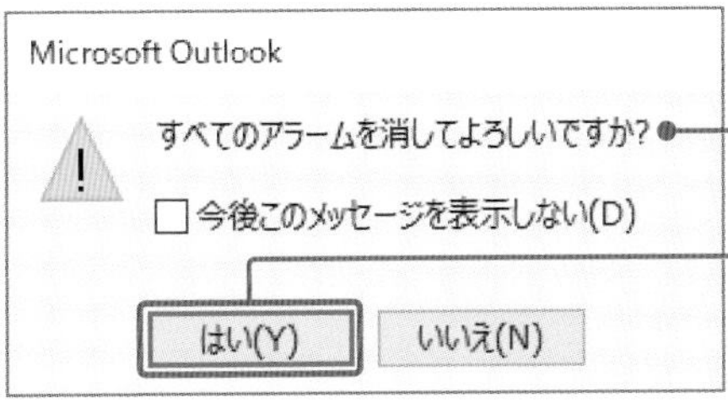

3 メッセージ内容を確認します。

4 [はい] をクリックします。

Section 89

会議通知を送信／返信／確認する

ここで学ぶのは

- 開催者による会議通知
- 出席者による会議の承諾
- 会議の辞退

会議通知を利用すれば、任意の相手と会議の日程を調整できます。ここでは、複数の相手に開催者として会議通知を送信する方法と、会議通知を受け取った場合の「承諾」と「辞退」、また予定表に組み込まれた会議の予定の確認などについて解説します。

1 「予定表」から会議通知を送信する（開催者）

Memo 予定としての会議通知

会議通知は「予定」として扱われ、会議通知を送信した開催者の予定表の予定として扱われるほか、会議通知を受け取った人も予定表の予定として扱われます。

ショートカットキー

- 「連絡先」画面に切り替え
  Ctrl + 3
- 「予定表」画面に切り替え
  Ctrl + 2

Outlook 2019を「予定表」画面にしておきます。

1 ［ホーム］タブ→［新しい会議］をクリックします。

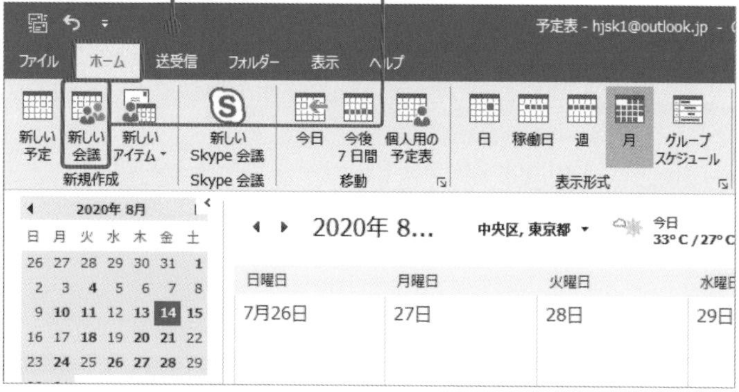

2 「会議」の作成画面が表示されます。

3 ［宛先］をクリックします。

Hint 会議通知は変更可能

会議通知は出席者にメールを送る形で実現します。つまり、一度会議通知をしてしまうと「会議通知をメールしたこと」を取り消すことはできません。しかし、会議通知そのものの変更や削除を行うことは可能で、変更や削除を行った場合は、あらためて出席者にメールが送られる形になります。

つまり、会議通知は変更可能ですが、変更の都度に出席者にメールが送られる形になる（都度確認を行わなければならなくなる）ことに注意します。

4 ［出席者とリソースの選択］ダイアログが表示されます。

5 会議通知を送りたい連絡先をダブルクリックし、［必須出席者］にすべての参加者を列記します。

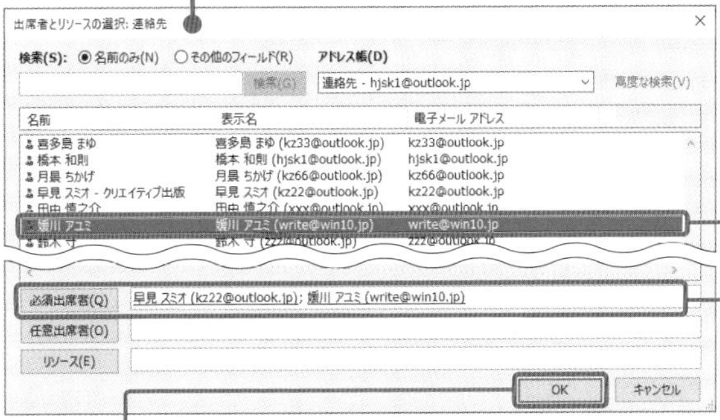

6 ［OK］をクリックします。

7 ［件名］［場所］［開始時刻］［終了時刻］を入力・設定します。

8 ［送信］をクリックします。

9 ［宛先］で指定したメールアドレスに会議通知が送信されます。

2 「連絡先」から会議通知を送信する（開催者）

解説 「連絡先」からの会議通知

会議通知は「連絡先」画面から操作して送信することも可能です。「予定表」画面からの操作に比べて、出席者をあらかじめ選択できるのがメリットで、会議通知の機能としては全く同様のものになります。

Outlook 2019を「連絡先」画面にしておきます。

1 会議通知を送りたい連絡先を Ctrl キーを押しながらクリックして選択します。

2 ［ホーム］タブ→［会議］をクリックします。

Memo 会議の参加者を追加する

手順3で会議の参加者を確認した際に、必要であれば任意のメールアドレスを入力して追加します。

Hint 連絡先グループの活用

ユーザーA、B、Cという形で、会議を行うメンバーが決まっているのであれば「連絡先グループ」を作成しておくと、「連絡先」画面からの会議通知はもちろん、「予定表」画面からの会議通知も宛先に連絡先グループを指定するだけでよくなるため効率的です（p.258参照）。

3 ［宛先］の会議の参加者を確認します。

4 ［件名］［場所］［開始時刻］［終了時刻］を入力・設定します。

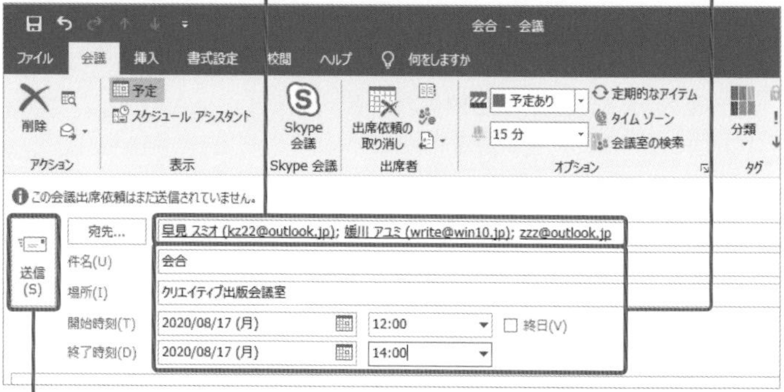

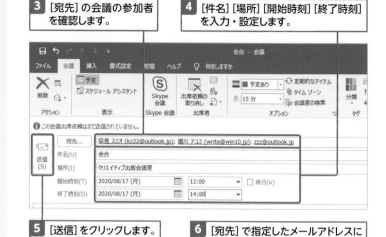

5 ［送信］をクリックします。

6 ［宛先］で指定したメールアドレスに会議通知が送信されます。

3 会議通知を受け取ったときの対応方法（出席者）

Hint 会議を辞退する

相手から届いた会議通知に対して「辞退」したい場合は、［辞退］をクリックして、ドロップダウンから［すぐに返信する］あるいは［コメントを付けて返信する］をクリックします。

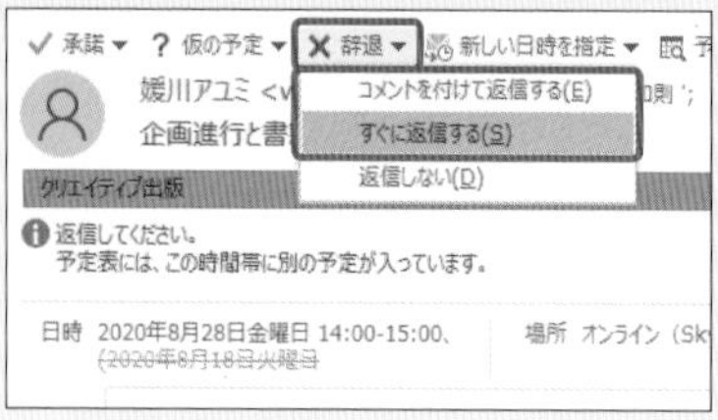

Hint 会議の予定は予定表に組み込まれる

会議通知を受け取ると、予定表の予定に会議が組み込まれます。この会議の予定をダブルクリックすれば、自身の回答と会議の内容を確認できます。

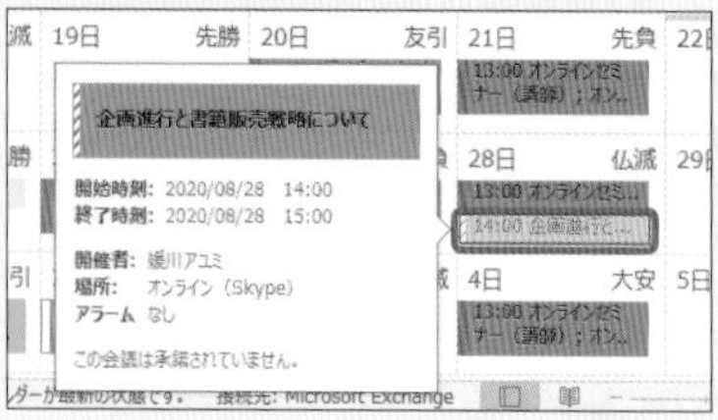

1 相手から会議通知が送信されると、メールに会議通知が届きます。

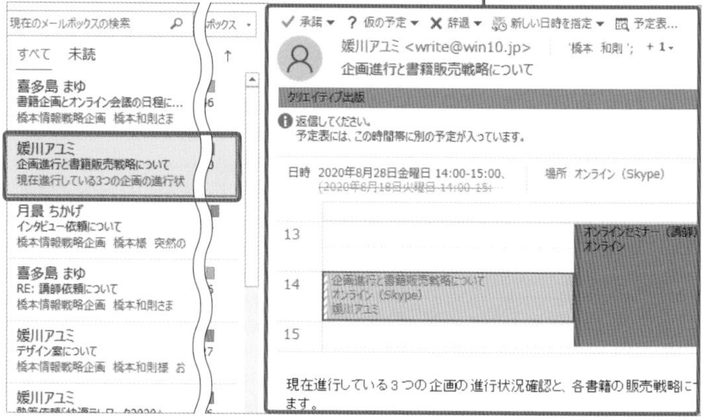

2 会議の日時や場所を確認します。

3 承諾する場合には［承諾］をクリックして、

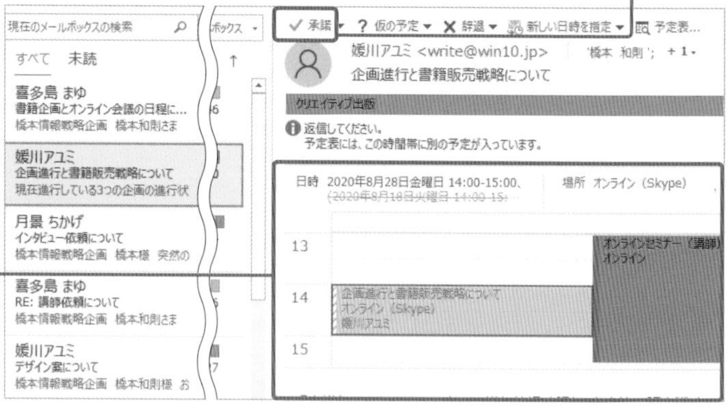

Hint 会議通知にコメントを付けて返信する

[承諾][仮の予定（仮出席）][辞退]共にドロップダウンから[コメントを付けて返信する]をクリックすれば、メール同様にメール本文を記述して相手に返信できます。

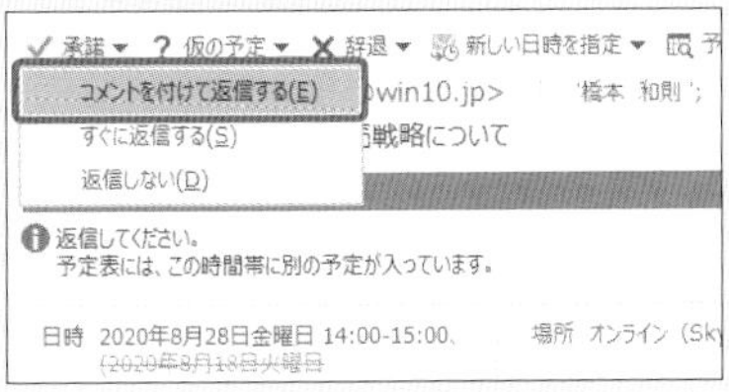

4 ドロップダウンから[すぐに返信する]をクリックします。

5 会議の参加の可否（承諾）が送信されます。

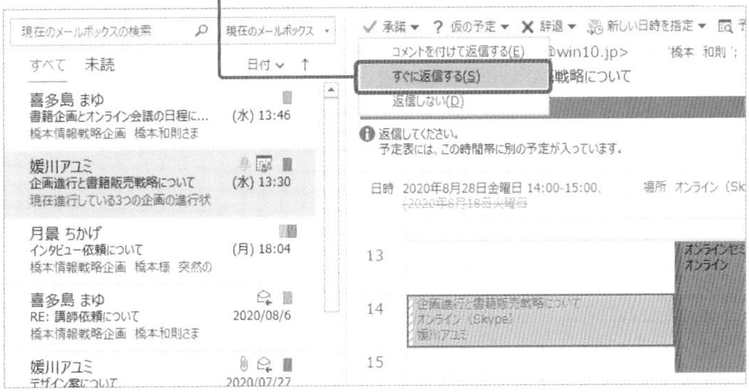

4 会議出席依頼の返信状況を確認する（開催者）

Hint 会議のキャンセル

開催者が会議をキャンセルしたい場合には、[会議]タブ→[会議のキャンセル]をクリックした後に、[キャンセル通知を送信]をクリックします。会議がキャンセルされ、予定表からも消去されます。

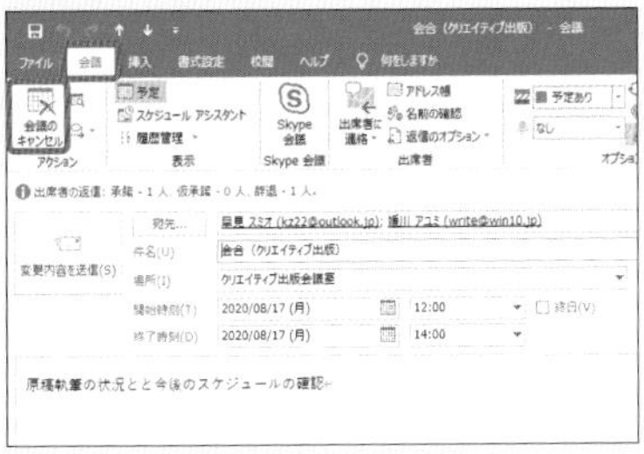

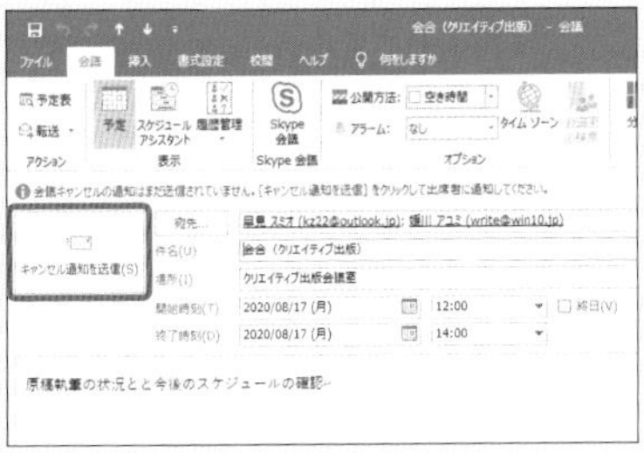

Outlook 2019を「予定表」画面にしておきます。

1 会議をクリックして選択します。

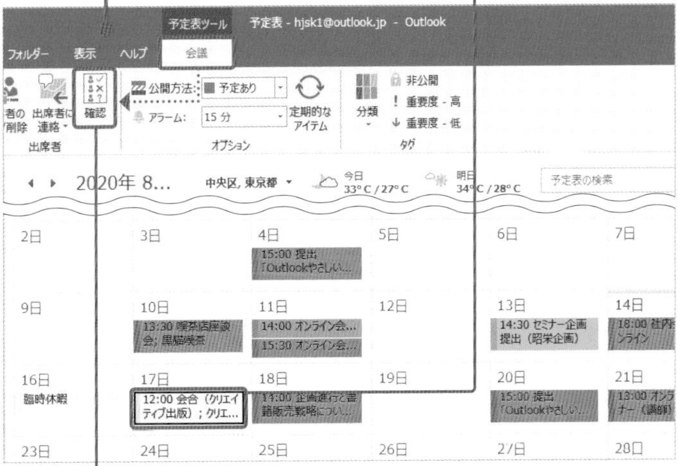

2 [会議]タブ→[確認]をクリックします。

3 「会議」が表示されます。

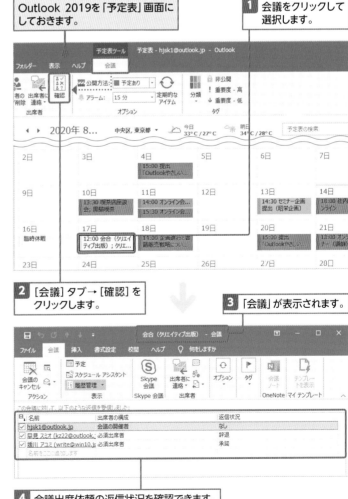

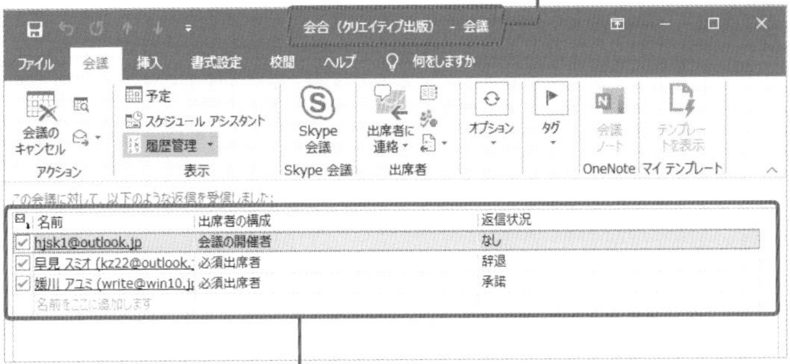

4 会議出席依頼の返信状況を確認できます。

5 会議通知を「承諾」した後に「辞退」する（出席者）

Memo 承諾後の辞退

「承諾後の辞退」は可能です。コメントを付けずにすぐに辞退を返信することができますが、開催者側から見ると「承諾」を受け取った後に「辞退」になるわけですから、やはりコメントに理由を記述して開催者側にメールするのが基本です。

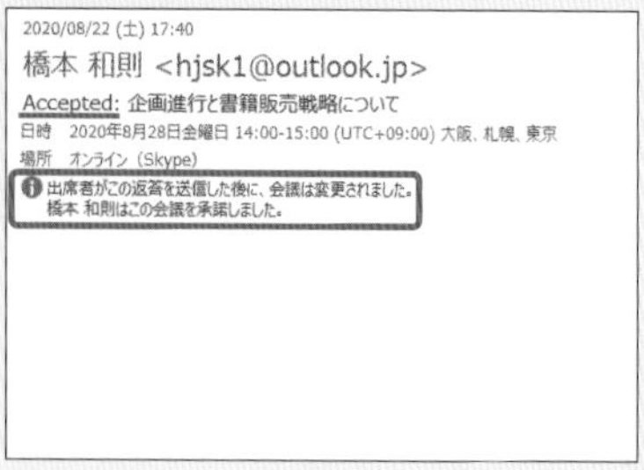

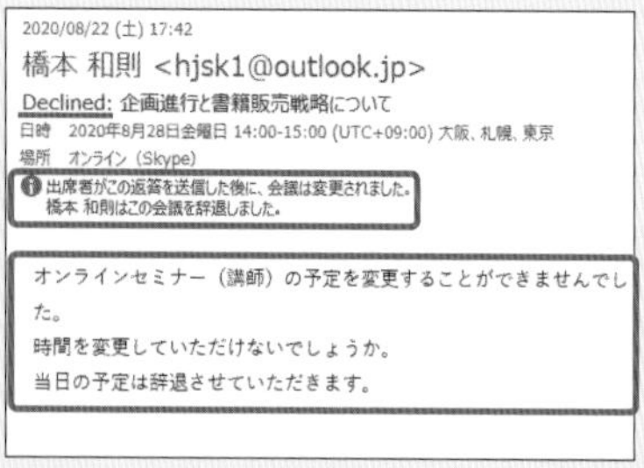

Memo コメントなしで辞退する

手順4で［すぐに返信する］をクリックすると、コメントなしで辞退できます。

Outlook 2019を「予定表」画面にしておきます。

1 辞退したい会議予定をダブルクリックします。

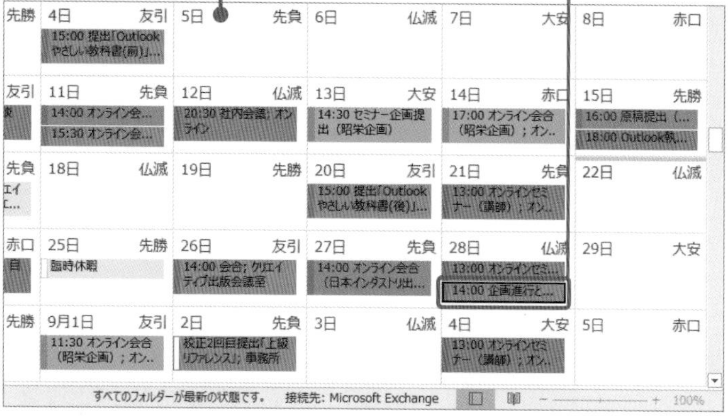

2 「会議」が表示されます。

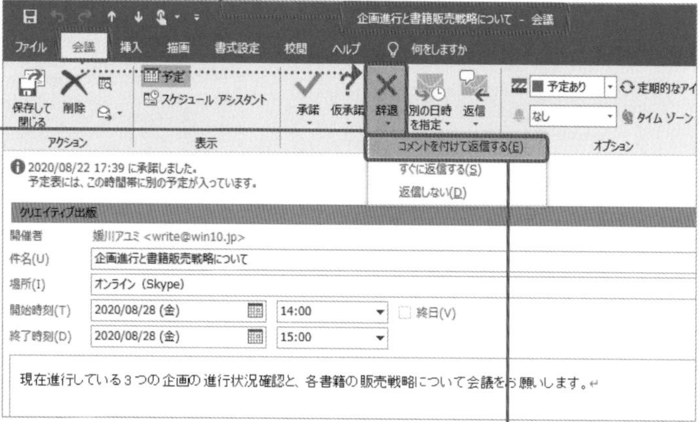

3 ［会議］タブ→［辞退］をクリックして、

4 ドロップダウンから［コメントを付けて返信する］をクリックします。

5 メールの作成画面が表示されます。

6 件名が「Declined：」になり、またメール上部に「欠席します」が表示されます。

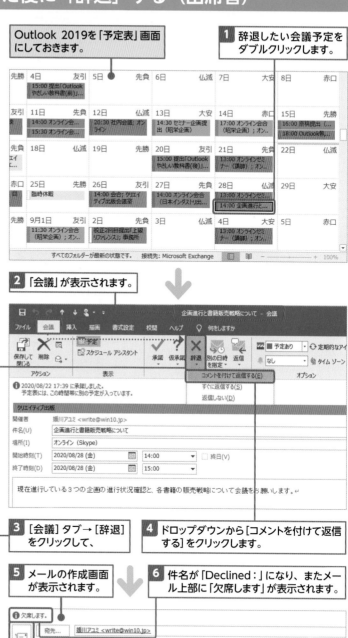

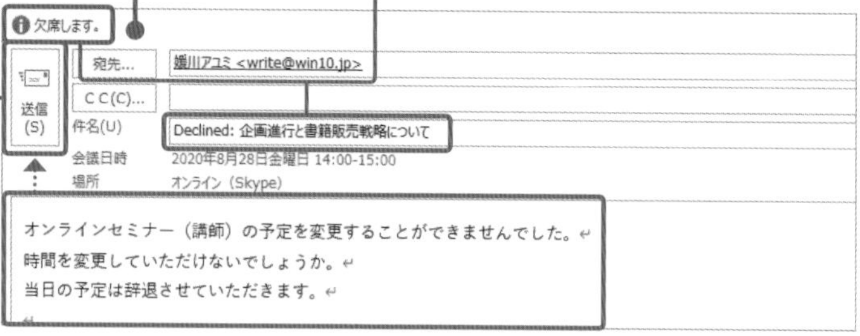

7 任意のメッセージを記述して、［送信］をクリックすると、会議出席依頼に対して「辞退」できます。

Hint 予定表の共有

Outlook 2019ではMicrosoft Exchangeアカウント／Microsoft 365のアカウント／Outlook.comアカウントなどのMicrosoft系アカウントを利用している場合、アカウント間で「予定表の共有」が可能です。

なお、予定表を共有する方法はアカウントの種類によって手順が異なり、「アカウントそのものの設定（共有許可）」が必要になる場合もあります。

例えばOutlook.comアカウントであれば、Webブラウザーで該当アカウント設定にサインインしたのちに［共有予定表］を選択して、共有とアクセス許可で任意のアカウントに対して共有許可を行います（クラウドサービスはバージョンアップにより手順が変更される可能性があります）。共有許可対象者にメールが送られるので、後は対象者が許可すれば対象者側での予定表の共有が実現できます。

一般的に、同一社内でビジネス情報のみ予定表で管理しているアカウント間で行うのが「予定表の共有」であり（システム管理者がアカウントを一括管理しており、予定表には社内情報以外入力しない環境など）、個人所有するアカウントでは「予定表の共有」は必然性がない限り行うべきではありません。予定表に記述した内容が他者に共有されるため、プライバシーや社内情報の漏えいが起こるリスクがあります。

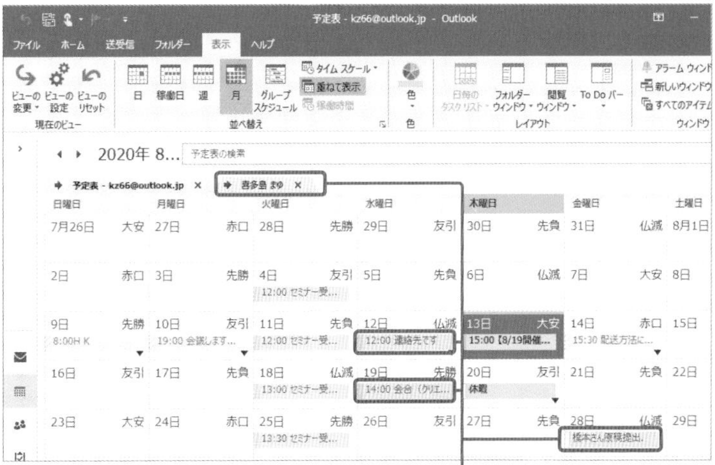

他者の予定表

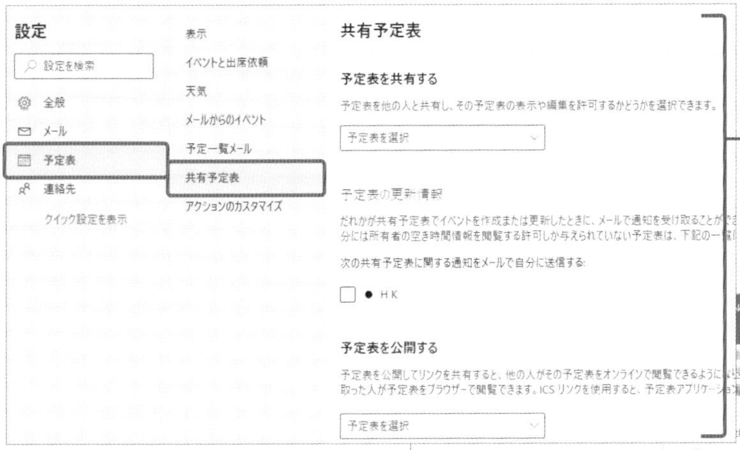

1 アカウント設定で「共有予定表」を許可する設定を行います（アカウントの種類やセキュリティの更新により手順は変更されることがあります）。

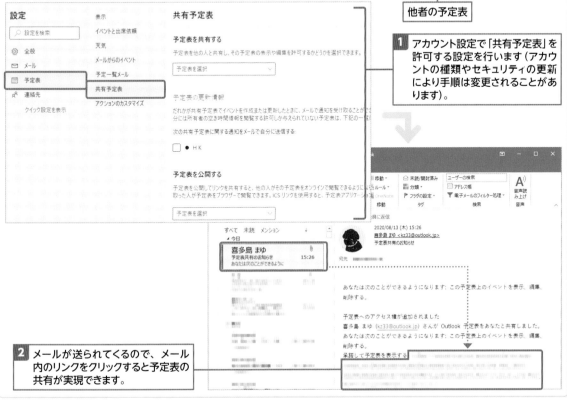

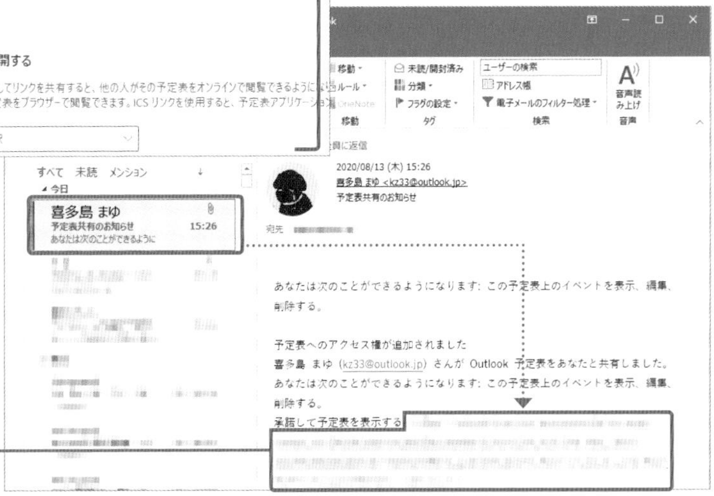

2 メールが送られてくるので、メール内のリンクをクリックすると予定表の共有が実現できます。

Section

90 予定表を印刷する

ここで学ぶのは

- 印刷プレビュー
- 印刷の設定
- 月間スタイル

オフラインでも予定を確認したい場合は、予定表を印刷しておくと便利でしょう。「月間スタイル」形式を選択すれば、カレンダーや手帳のような形で印刷することが可能です。

1 予定表の任意の「月」を印刷する

Hint 予定表を「週」で印刷する

ここでは「月」表示で印刷していますが、「週」で印刷したい場合は、手順1で［週］を選択します。

1 ［ホーム］タブ→［月］をクリックします。

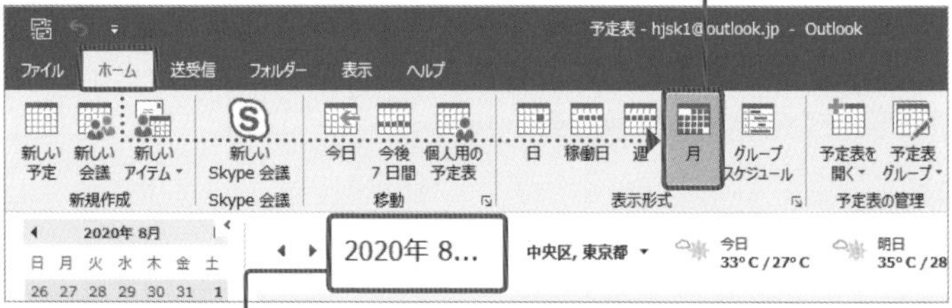

2 任意に印刷したい「月」を表示します。

3 Backstageビューから［印刷］をクリックします。

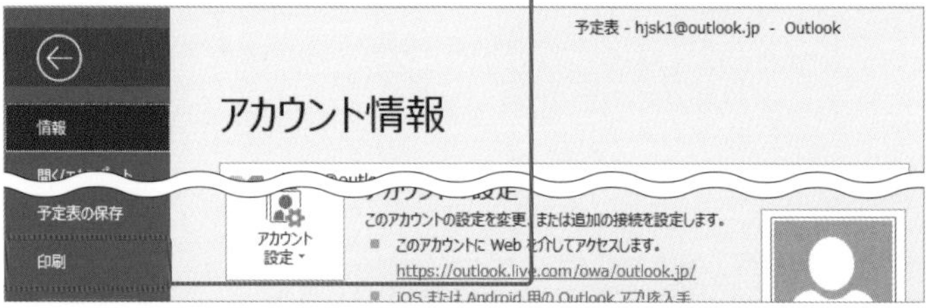

4 「月間スタイル」形式で、予定表の印刷プレビューを表示できます。

5 「印刷」をクリックすると、予定表を印刷できます。

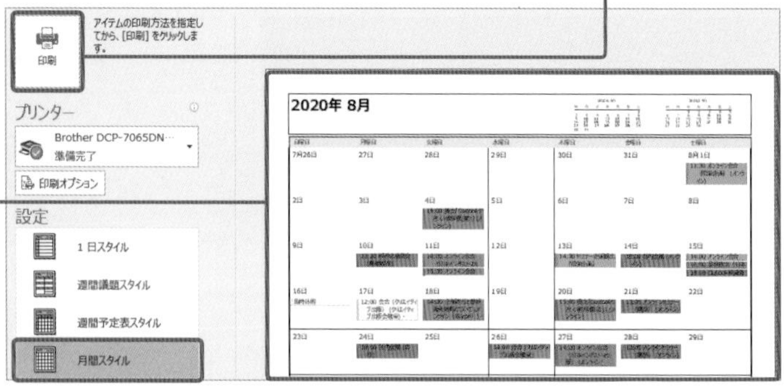

Memo Backstage ビューの表示

Backstageビューは、Outlook 2019の操作画面から［ファイル］タブをクリックすることで表示できます。

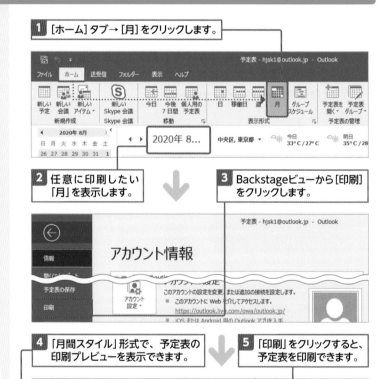

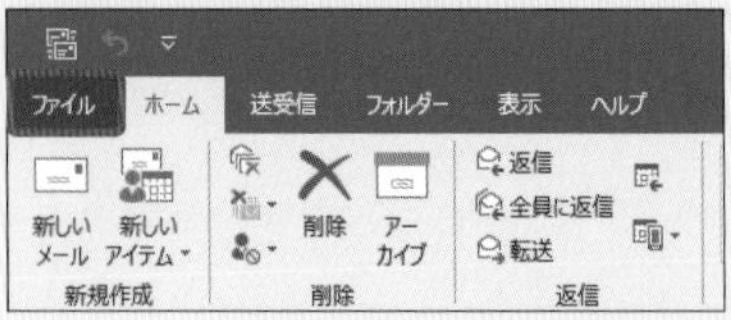

第 8 章

タスクやメモの効果的な使い方

タスクとは、仕事や作業のことを示します。Outlook 2019の「タスク」では、作業の開始日・終了日や進捗状況などを管理することができます。また、「メモ」は複数のメモを管理でき、Windows 10の「付箋」と同期して管理することが可能です。

Section 91 タスクの機能と画面構成

ここで学ぶのは

- タスクの画面構成
- 表示の切り替え
- タスクの管理

Outlook 2019の「タスク」画面への切り替え方法と、「タスク」の画面構成を知りましょう。「タスク」では「期限」や「進捗状況」などを任意に設定することができ、またタスクが完了したかどうか（何がタスクとして残っているのか）を管理することができます。

1 Outlook 2019の「タスク」の画面構成

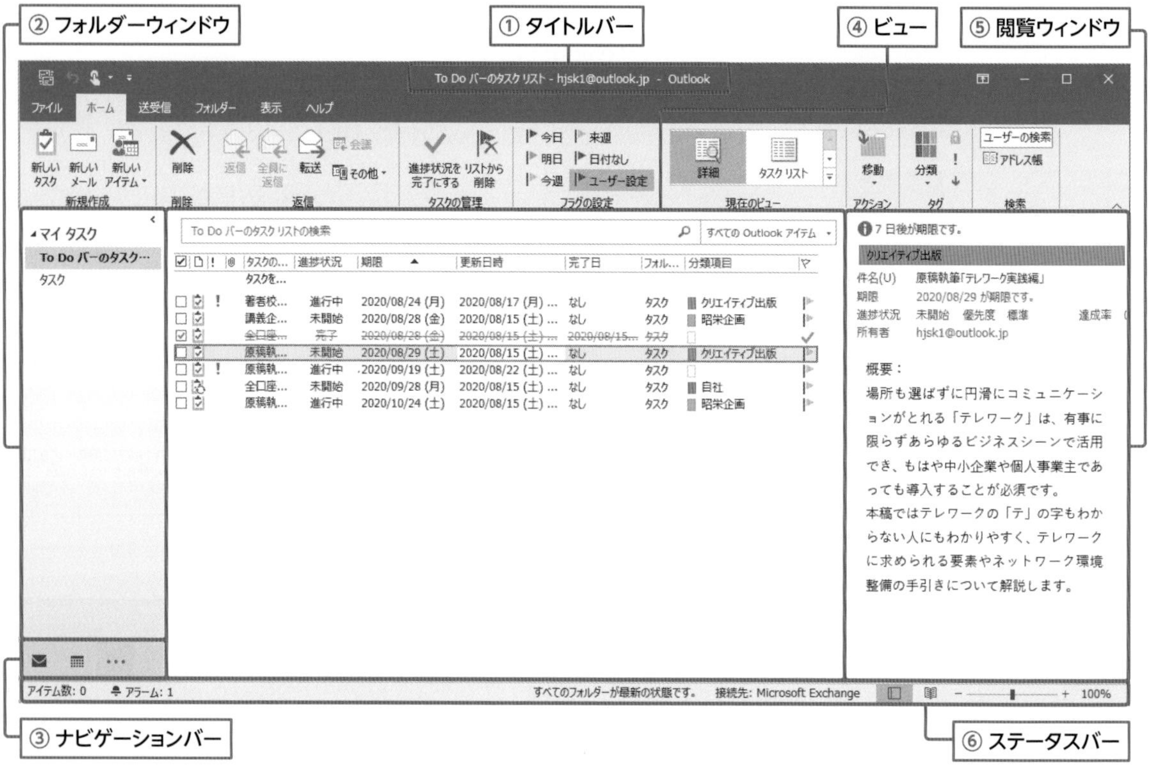

名称	機能
① タイトルバー	現在開いているタスクの「アカウント」が表示される
② フォルダーウィンドウ	タスクやTo Doバーのタスクリストに表示を切り替えられるほか、複数アカウントの場合にはアカウントを切り替えることができる
③ ナビゲーションバー	「メール」「予定表」「連絡先」「タスク」などに切り替えることができる
④ ビュー	該当するタスクリストを一覧で確認できる
⑤ 閲覧ウィンドウ	タスクの内容を確認できる
⑥ ステータスバー	登録しているタスクの数や、接続先情報などが表示される

2 表示を「タスク」に切り替える

Memo タスクが表示されていない場合は

ナビゲーションバーに [タスク] が表示されていない場合は、ナビゲーションバーの [⋯] をクリックして、[タスク] をクリックします。

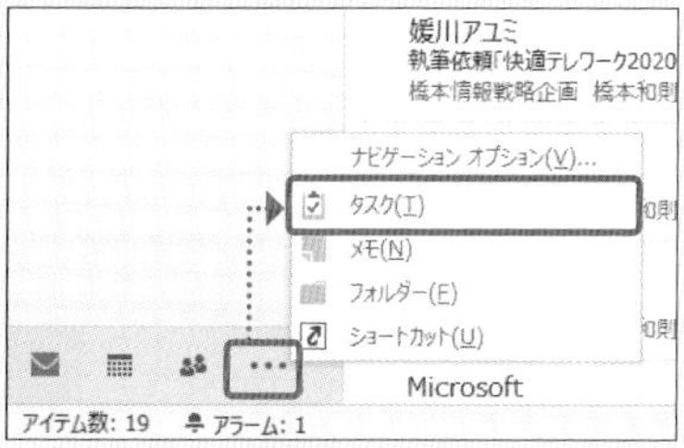

ショートカットキー

- 「メール」画面に切り替え
  Ctrl + 1
- 「予定表」画面に切り替え
  Ctrl + 2
- 「連絡先」画面に切り替え
  Ctrl + 3
- 「タスク」画面に切り替え
  Ctrl + 4

1 ナビゲーションバーから [タスク] をクリックします。

あるいはショートカットキー Ctrl + 4 キーを入力します。

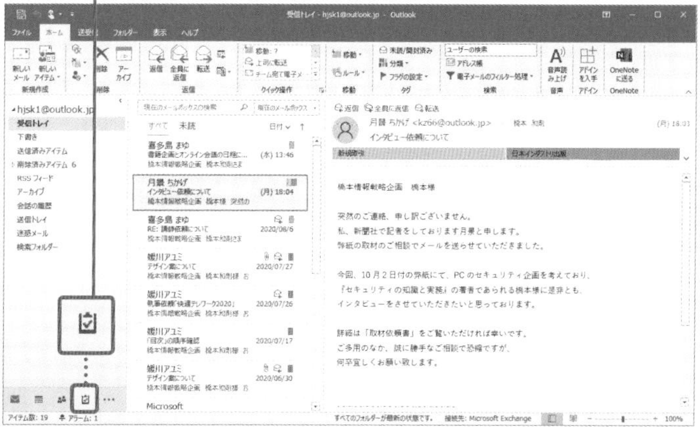

2 「タスク」画面に切り替えることができます。

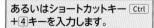

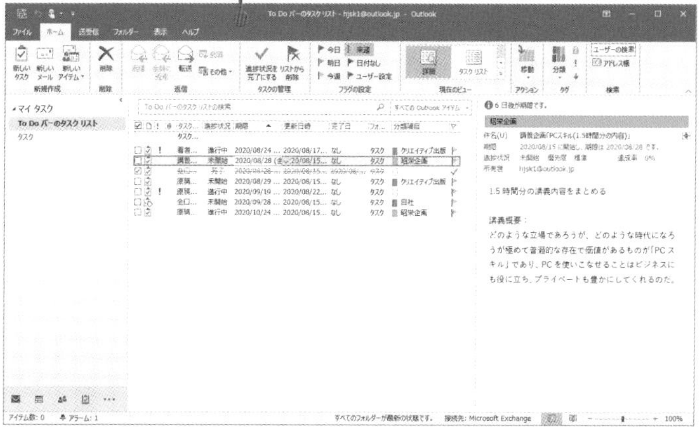

Hint タスクの管理と保存先

タスクの管理と保存先は、Outlook 2019に登録したアカウントの種類によって異なります。
Microsoft Exchangeアカウント／Microsoft 365のアカウント／Outlook.comアカウントなどのMicrosoft系アカウントの場合には、Outlook 2019で編集・追加・更新した「タスク」の情報がクラウドにも保存されます。
つまり、Microsoft系アカウントであれば別のPCで「タスク」の情報にアクセスして閲覧・編集・追加・更新も可能であるほか、万が一今利用しているPCが壊れた場合でも、該当情報はクラウドにも保存されているため「安全性も利便性も高い管理」が可能です（本章はMicrosoft系アカウントを利用していることを前提に解説を進めます）。
一方、非Microsoft系アカウント（IMAPアカウントなど）である場合、「タスク」の情報は「該当PC内（このコンピューターのみ）」に保存されるほか（クラウドには情報保存されません）、Outlook 2019の操作や機能の一部が制限されます。

Section 92 新しいタスクを作成する

ここで学ぶのは

- 新しいタスクの作成
- 定期的なタスクの登録
- 予定表の予定との違い

Outlook 2019の「タスク」で**新しいタスクを作成する**には以下の手順に従います。特に難しい操作はありませんが、むしろ「予定表の予定」と「タスク」を差別化してどのように管理するかが重要になります。毎週／毎月／毎年の作業は「**定期的なアイテム**」として管理することもできます。

1 新しいタスクを作成する

解説 タスクには中長期的なスケジュールを登録

「予定表」では予定を、「タスク」ではタスクを管理できますが、「予定」と「タスク」の使い分けはユーザーの自由です。考え方としては、「予定」には時間が確定しているもの、「タスク」には中長期的なスケジュール（作業する内容など）を登録するという分け方がよいでしょう。なお、タスクでは「進捗状況」や「進行中／完了」を管理できるという点が、予定表の「予定」との違いになります。

Memo 期間が明確ではないアイテムもタスクに登録

作業はしなければならないものの、期限が明確ではない物事（いつか作業しなければならないが、特定の時間範囲内で実行する内容ではないもの）は「タスク」に登録しておくとよいでしょう。タスクは、後から任意に期限や進捗状況を変更・更新できます。

ショートカットキー

- 新しいタスクの作成
  Ctrl＋N
- 新しいタスクの作成（別画面から）
  Ctrl＋Shift＋K

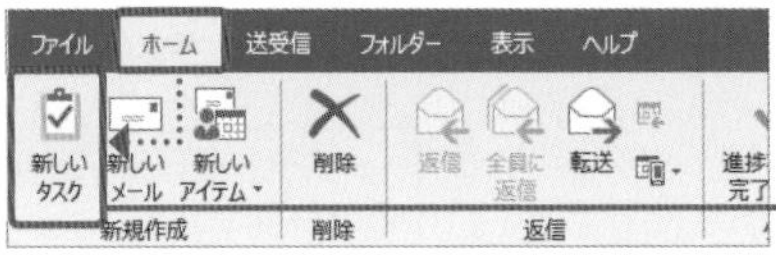

1 ［ホーム］タブ→［新しいタスク］をクリックします。

2 「タスク」の作成画面が表示されます。

3 ［件名］にタスクの件名を入力します。

4 ［開始日］にタスクの開始日を入力します。

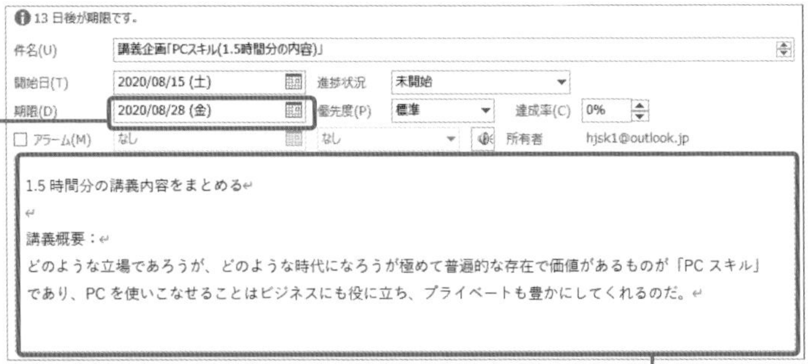

5 ［期限］にタスクの期限を入力します。

6 「メモ」にタスクの内容を入力します。

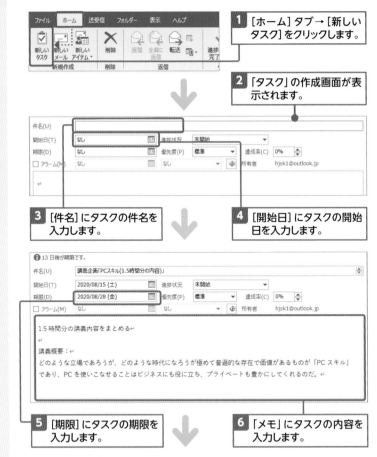

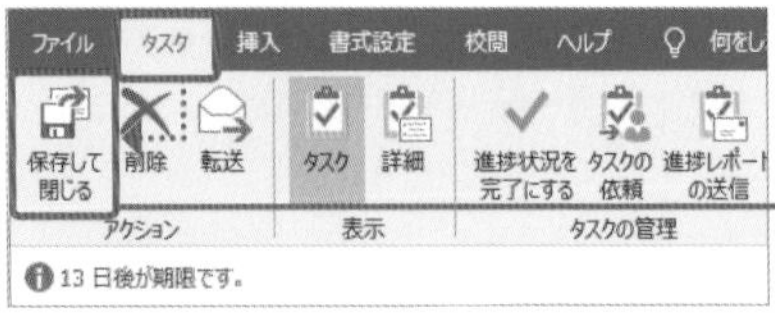

7 ［タスク］タブ→［保存して閉じる］をクリックすると、タスクに登録されます。

2 定期的なタスクを登録する

Memo 「定期的」は毎週／毎月／毎年の作業などに便利

「定期的なタスク」は毎週／毎月／毎年の作業などに便利です。予定表でも「定期的な予定」を作成できますが、タスクでは「タスクを完了したか否か」を一覧で目視できる点に違いがあります。

前ページの方法で「タスク」の作成画面を表示します。

1 ［件名］に定期的なタスクの件名を入力します。

2 「メモ」にタスクの内容を入力します。

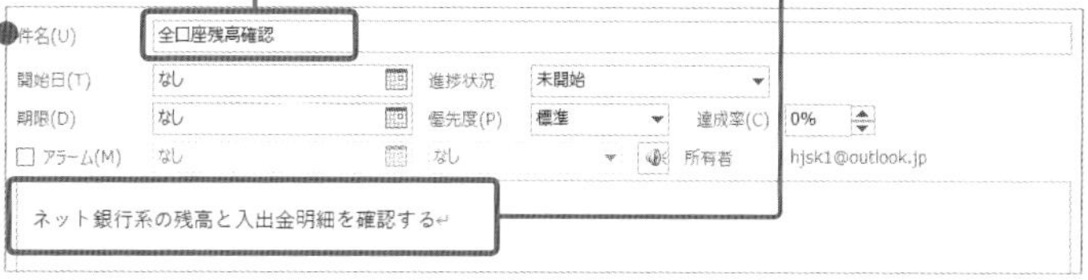

3 ［タスク］タブ→［定期的なアイテム］をクリックします。

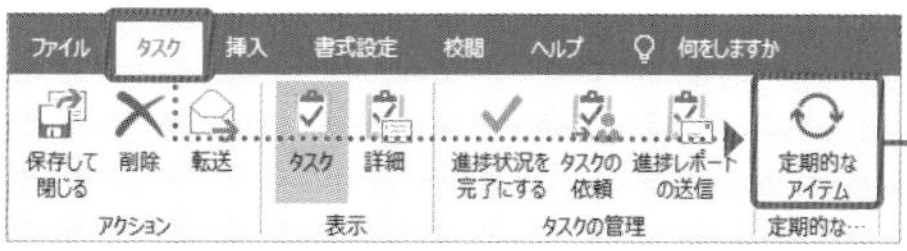

4 ［定期的なタスクの設定］ダイアログが表示されます。

5 定期的な予定におけるパターンを任意に設定します。

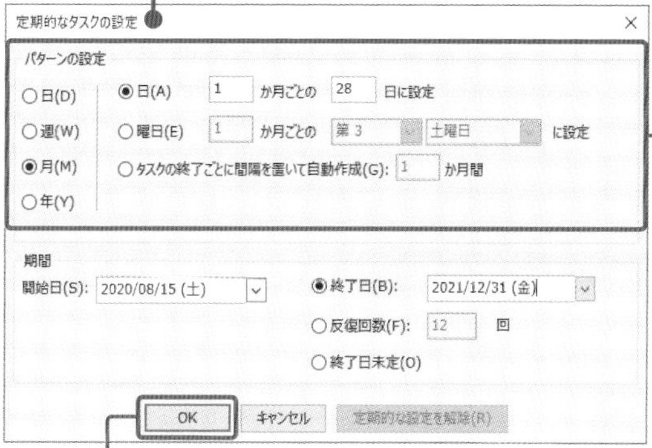

6 ［OK］をクリックします。

7 登録内容を確認して、［タスク］タブ→［保存して閉じる］をクリックします。

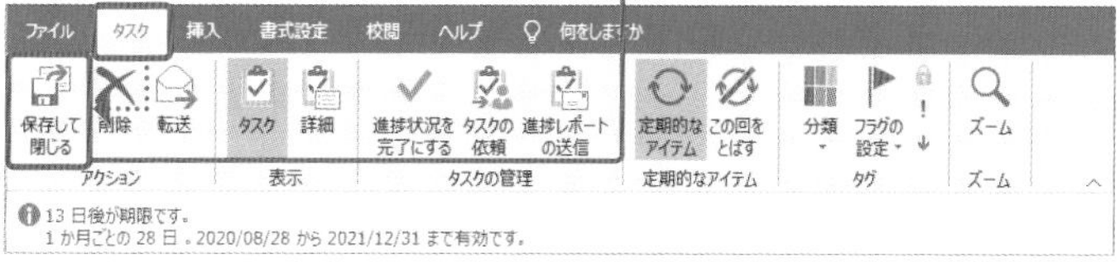

8 定期的なタスクが登録されます。

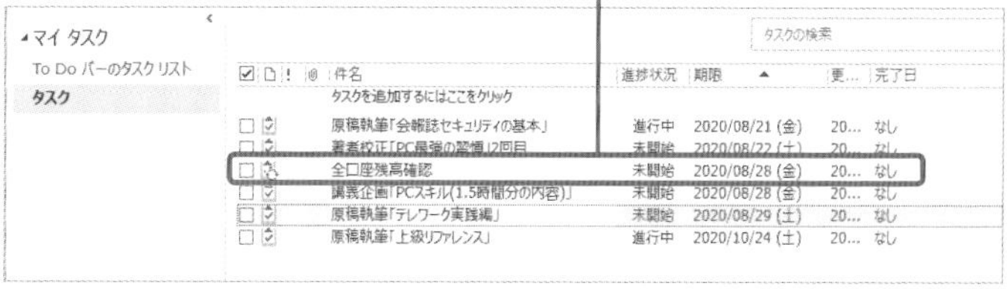

Hint 完了すると次のタスクが表示される

予定表の「定期的な予定」とは異なり、「定期的なタスク」は完了すると「次のタスクが表示される」という特性があります。

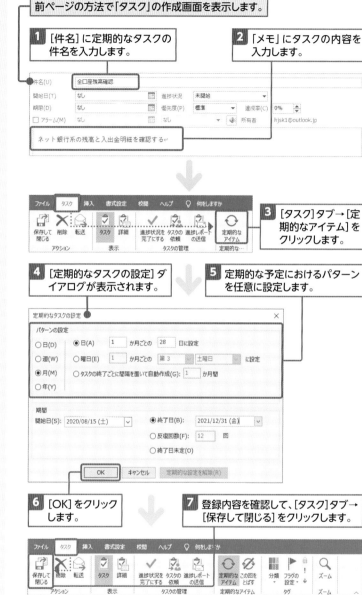

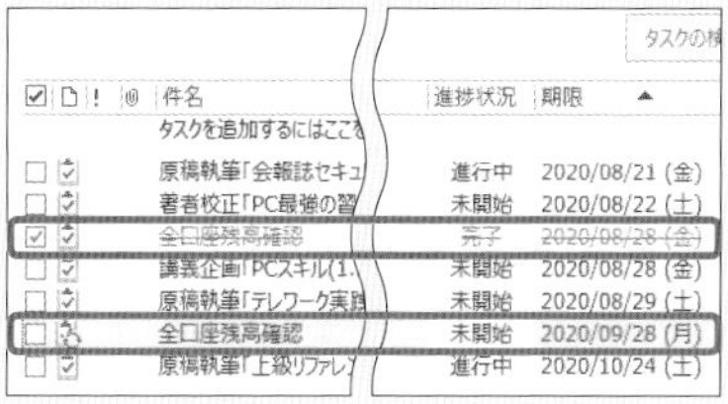

Section

93 タスクの表示を整えて使いやすくする

ここで学ぶのは

- タスクの内容の確認
- 表示の切り替え
- タスクの検索

タスクを見やすくすると、タスクの状態やタスクの詳細を確認しやすくなります。ここでは、「タスク」画面のビュー表示を切り替える方法や「メール」画面にTo Doバーのタスクリストを表示する方法、またタスクの検索について解説します。

1 タスクの詳細を確認する

Hint ビューの切り替えをすばやく行う

Outlook 2019の「タスク」画面でビュー表示を切り替えるには、リボンコマンドをクリックする方法のほか、ショートカットキー Alt → H → C → V キーで[現在のビュー]欄にアクセスして、後はカーソルキーで任意の表示スタイルを選択して Enter キーを押すという方法もあります。

1 [ホーム]タブ→[詳細]をクリックします。

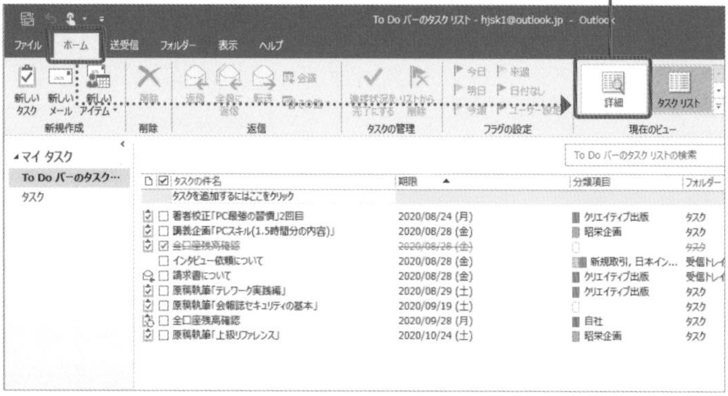

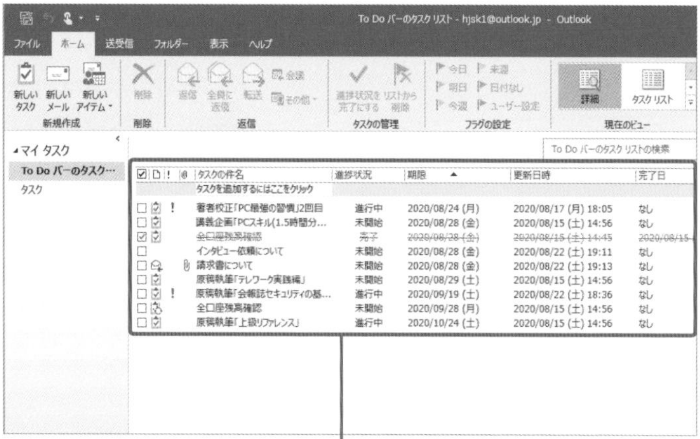

2 タスクの進捗状況や更新日時など、より詳細な情報を一覧で確認できます。

2 タスクの内容を確認できるようにする

Hint 閲覧ウィンドウの位置を工夫する

タスクにおいて閲覧ウィンドウの位置とサイズは意外と重要です。これはOutlook 2019のウィンドウサイズにもよりますが、横幅が狭い場合、閲覧ウィンドウを「右」にしてしまうとタスクの詳細が見渡せなくなってしまいます。そのような場合には、[表示]タブ→[閲覧ウィンドウ]をクリックして、ドロップダウンから[下]をクリックすれば、タスクの詳細表示を邪魔せずに、タスクの内容を表示できます。

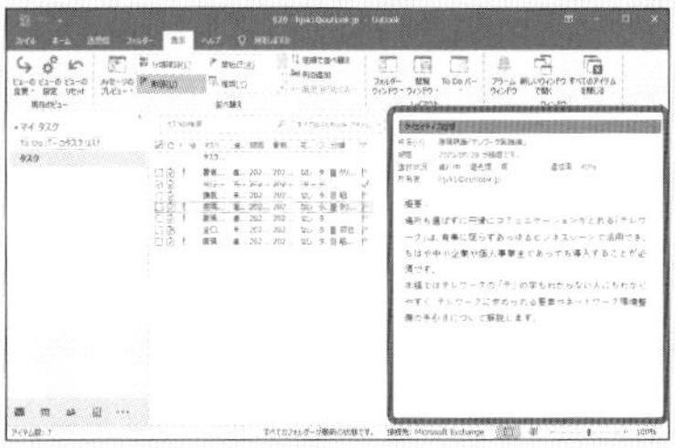

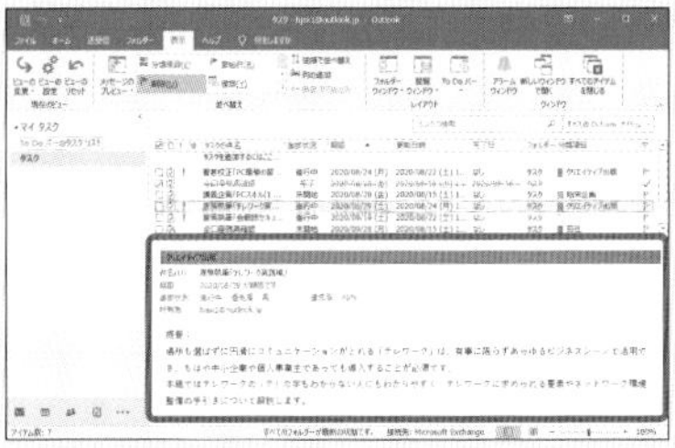

1 [表示]タブ→[閲覧ウィンドウ]をクリックして、

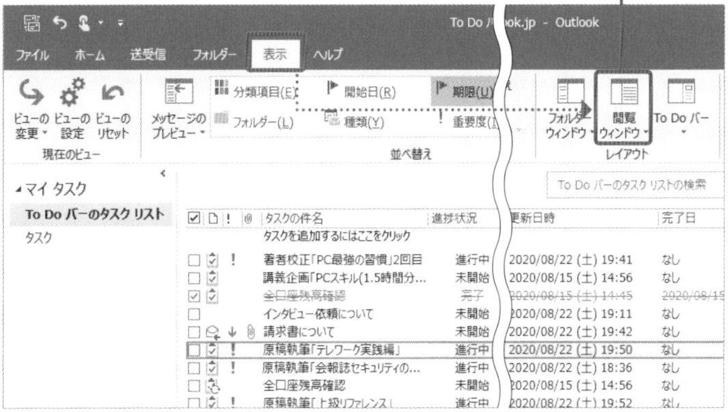

2 ドロップダウンから[右]をクリックします。

3 閲覧ウィンドウが表示されます。

4 閲覧ウィンドウで現在選択しているタスクの内容を表示できます。

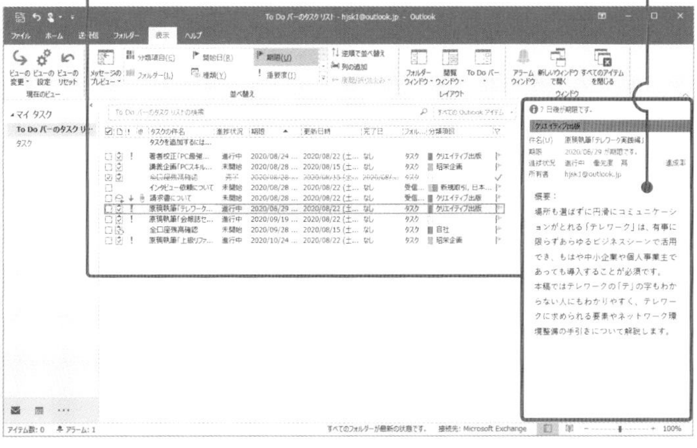

3 「メール」「予定表」「連絡先」画面にタスクを表示する

Key word ポイント

マウスポインターを対象のアイテムの上に置くことをポイント（あるいはホバー）といいます。クリックする必要はありません。

Memo 「To Do バー」のタスクリスト

「To Doバー」のタスクリストでは、「タスク」で作成したタスクのほかに「フラグを付けたメール」も表示されます。なお、完了したタスクは表示されません。

Memo メールをタスクに登録する

メールをタスクに登録したい場合には、「フラグ」を利用します。メール画面のビューからタスク（To Do バーのタスクリスト）に登録したいメールを選択したうえで、[ホーム]タブ→[フラグの設定]をクリックして、ドロップダウンから任意のフラグをクリックします。

Outlook 2019を任意の画面にしておきます。

1 [表示] タブ→ [To Doバー] をクリックして、

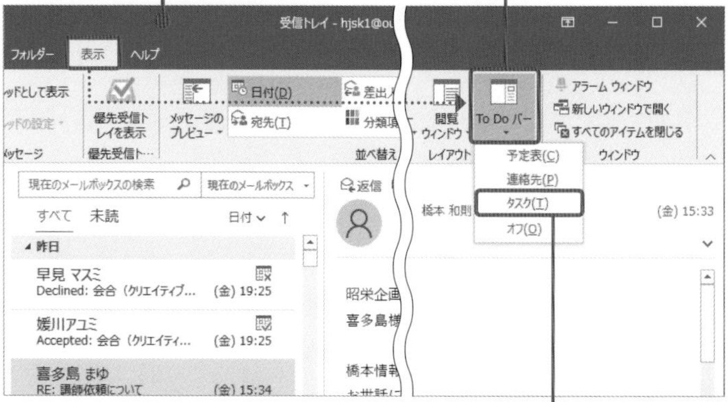

2 ドロップダウンから [タスク] をクリックします。

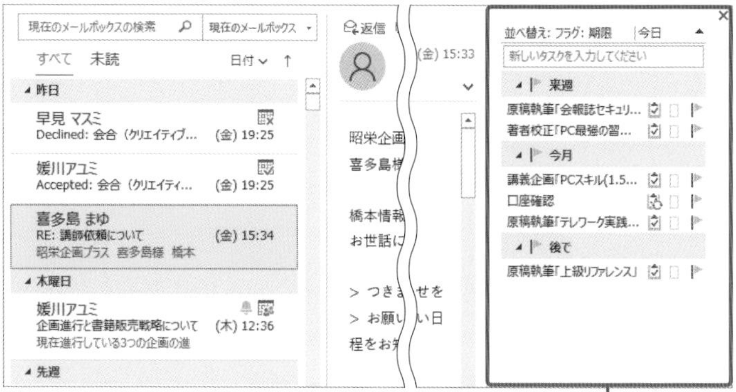

3 To Doバーにタスクリストが表示されます。

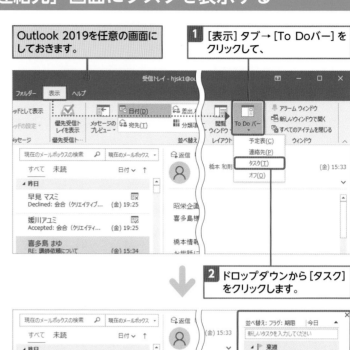

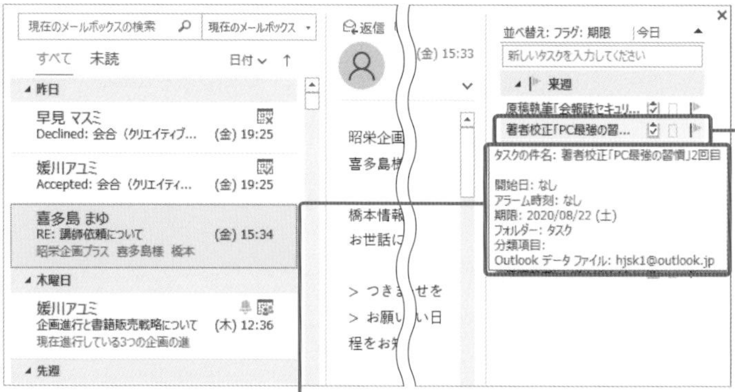

4 To Doバーのタスクにマウスポインターを合わせると、タスクの概要を確認できます。

5 ダブルクリックすれば、タスクを確認・編集できます。

4 タスクの件名や内容を検索する

ショートカットキー

- タスクの検索(検索ボックスに移動)
  Ctrl + E
  F3

Memo 検索時には[検索]タブが表示される

検索ボックスにカーソルを置くと、自動的にリボンに[検索]タブが表示され、詳細な検索を行うことができます。検索はキーワードを入力して行うのが基本ですが、場面によっては[検索]タブの「絞り込み」を活用したほうが目的のタスクをすばやく探し当てることができます。

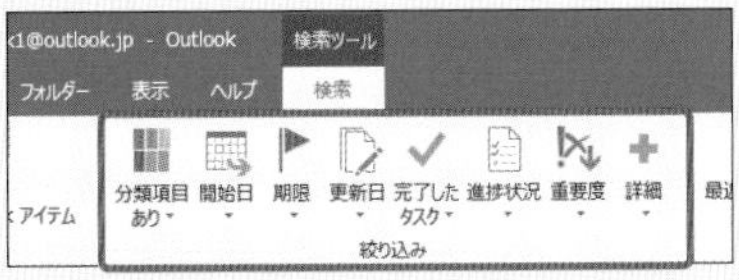

Hint 検索結果を閉じる

検索後に元の画面(検索以前の画面)に戻りたい場合は、検索ボックスの[×]をクリックするか、[検索]タブ→[検索結果を閉じる]をクリックします。

使える プロ技! タスクを進捗状況で絞り込み表示する

タスクを進捗状況で絞り込み表示することもできます。例えば、進捗状況が「未開始」のものに絞り込みたい場合は、[検索]タブ→[進捗状況]をクリックして、ドロップダウンから[未開始]をクリックします。

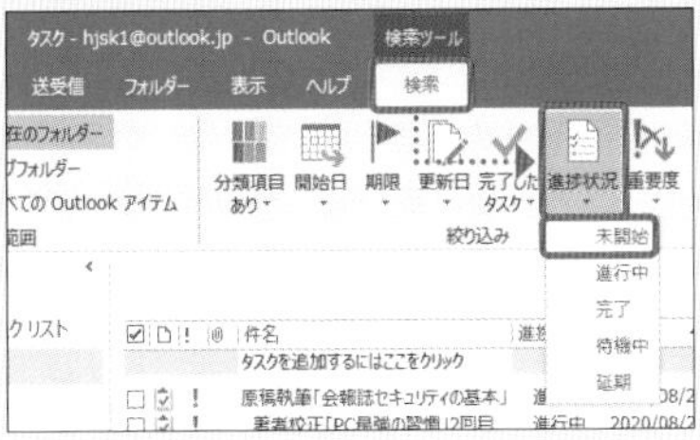

1 検索ボックスをクリックします。

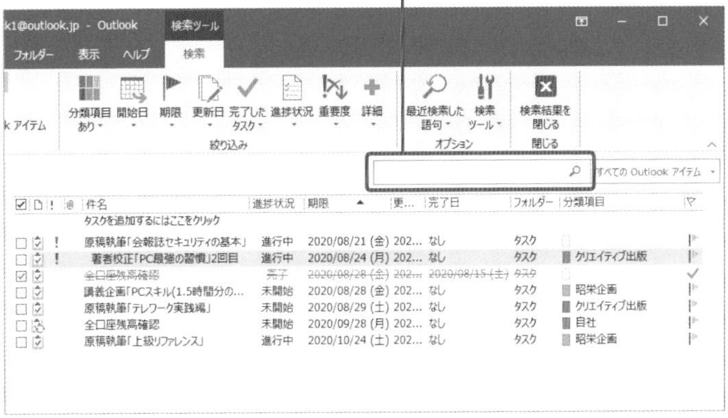

2 検索ボックスに任意の検索キーワードを入力します。

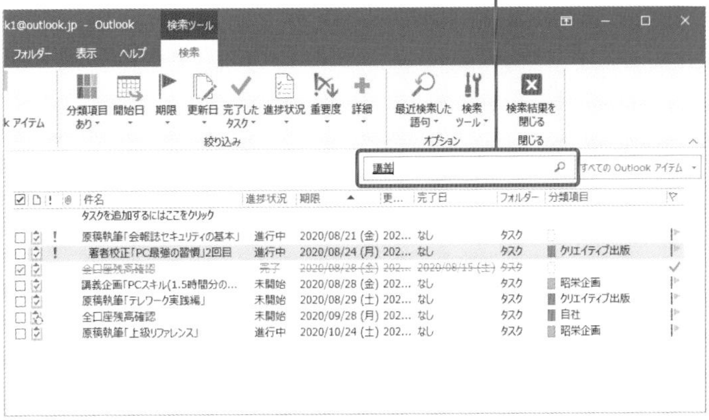

3 該当するタスクのみを一覧に表示することができます。

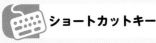

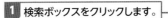

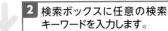

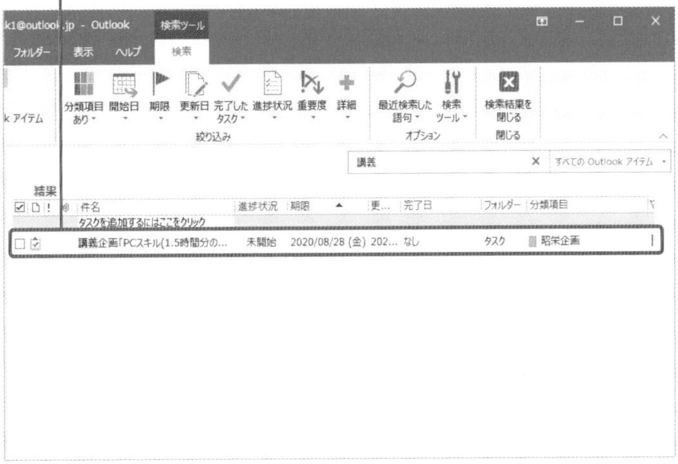

Section 94

タスクの進捗状況や重要度を管理する

ここで学ぶのは

- タスクの編集
- タスクの重要度
- タスクの完了

「タスク」は作成したときの状態のままにしておくものではなく、進捗状況などタスクの情報を更新して管理するのが基本です。ここではタスクの進捗状況の管理やタスクの完了について解説します。

1 タスクの進捗状況を管理する

Hint タスクの管理方法

タスクの比較的わかりやすい管理方法としては、厳格な納期が存在するタスクに関してはタスクの優先度を「重要度-高」に設定して、基本的に期限を変更せず、かつ達成率も随時しっかり更新するようにします。そして、その他のタスクについては進行状況を見極めて、任意に期限を変更する管理がおすすめです。

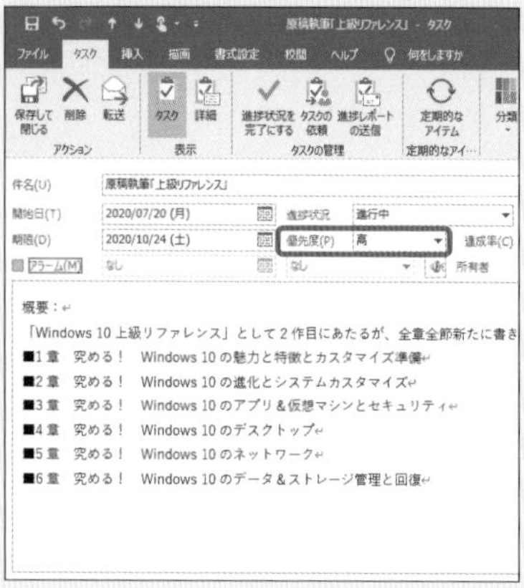

p.312の方法であらかじめビューを［詳細］にしておきます。

1 任意のタスクの「進捗状況」をクリックして、

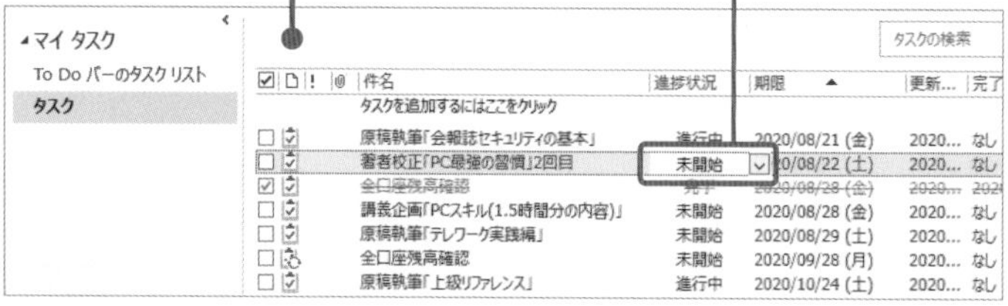

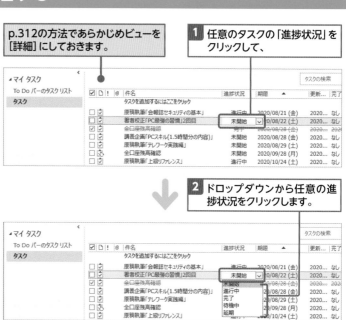

2 ドロップダウンから任意の進捗状況をクリックします。

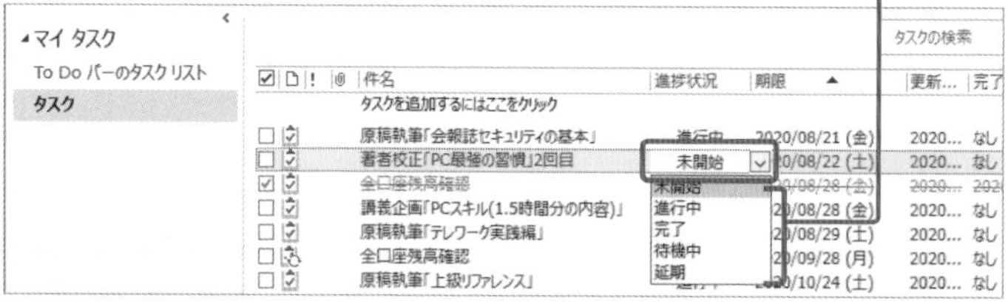

3 任意のタスクの「期限」をクリックすれば、期限を変更することもできます。

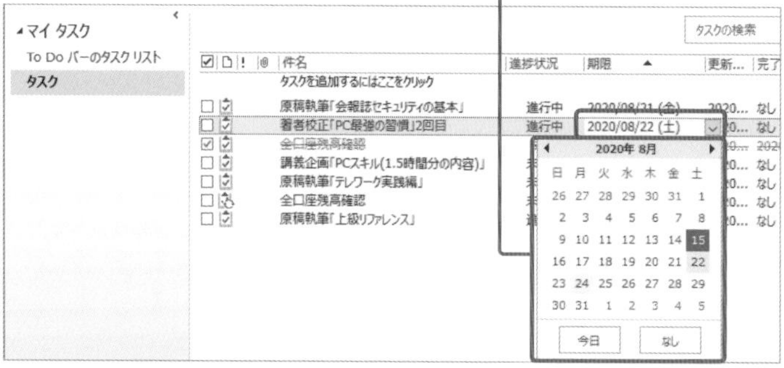

2 タスクの重要度を「高」に設定する

Hint タスクの重要度を「低」にする

任意のタスクを選択して、[ホーム]タブ→[↓(重要度-低)]をクリックすれば、タスクの重要度を「低」に設定できます。これはなかなか便利な設定で、作業の優先度の低いものに対しては積極的に「重要度-低」に設定することにより、優先すべきタスクをよりわかりやすく管理できます。

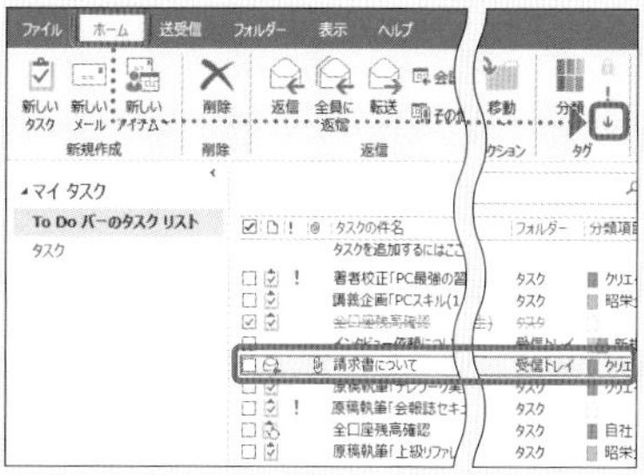

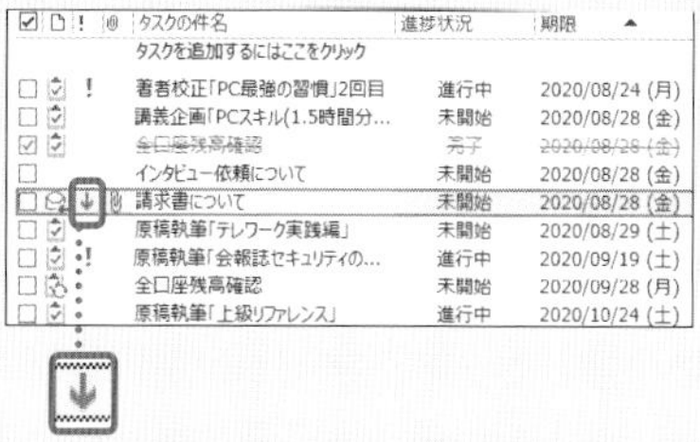

1 任意のタスクをクリックして選択します。

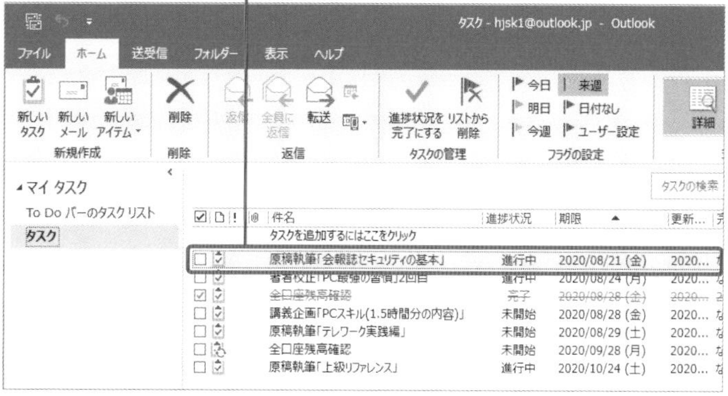

2 [ホーム]タブ→[!(重要度-高)]をクリックします。

3 タスクの優先度を「重要度-高」に設定できます。

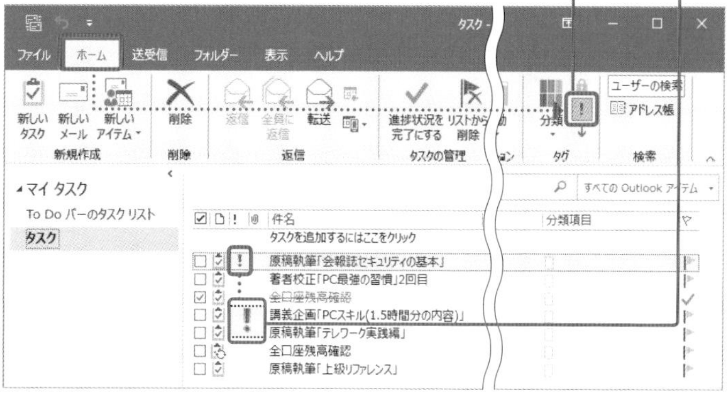

3 タスクの全般の情報を更新する

Memo タスクの編集

タスクの内容を確認・編集したい場合は、任意のタスクをダブルクリックします。

1 任意のタスクをダブルクリックします。

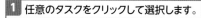

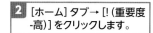

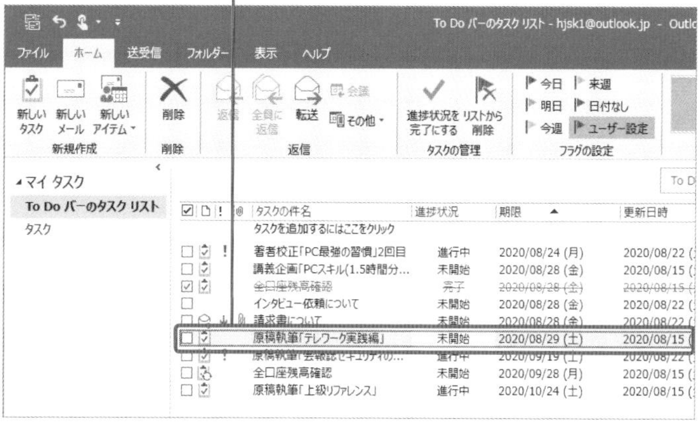

Hint 分類の設定

「タスク」も「メール」「予定表」「連絡表」と同様に「分類（色）」の設定を行うことができます。タスクも業種別や仕事先別に分類したいなどの場合には、活用してもよいでしょう。

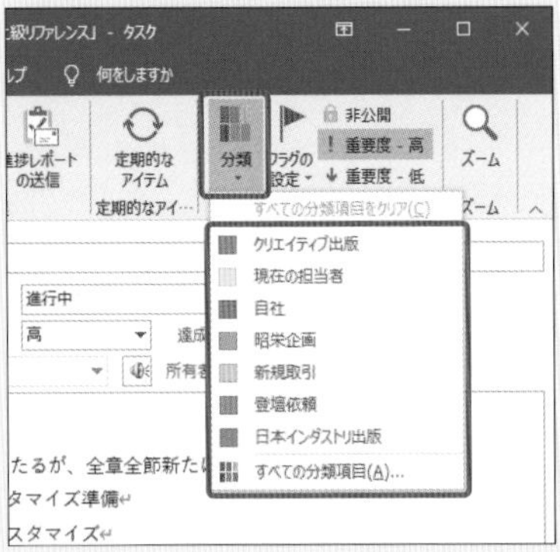

2 ［タスク］が表示されます。

3 タスクを確認・編集できます。

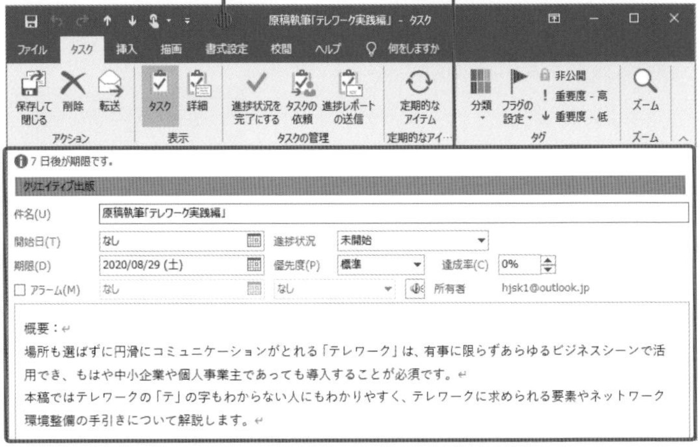

4 ［進捗状況］［達成率］などを任意に変更します。

5 その他更新されている情報があれば任意に情報を変更します。

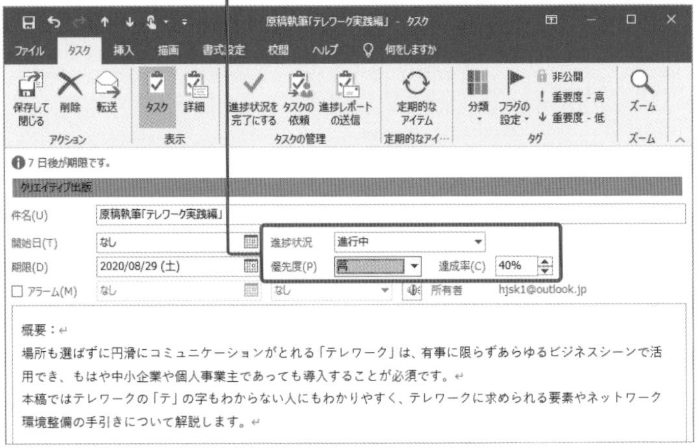

6 ［タスク］タブ→［保存して閉じる］をクリックします。

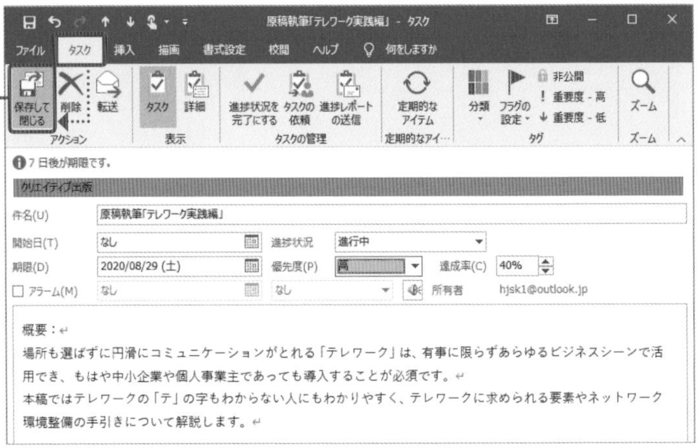

ショートカットキー

- 「タスク」画面から新しいメールを作成 Ctrl ＋ Shift ＋ M
- 「タスク」画面から新しい予定を作成 Ctrl ＋ Shift ＋ A
- 「タスク」画面から新しい会議を作成 Ctrl ＋ Shift ＋ Q
- 「タスク」画面から新しい連絡先を作成 Ctrl ＋ Shift ＋ C

4 任意のタスクを完了にする

Memo 一覧表示でのタスクの完了操作

ビュー内のタスク一覧に表示されている該当タスクの「進行状況」をクリックして、ドロップダウンから[完了]をクリックする方法のほか、該当タスクの「フラグ」をクリックすることでも「進捗状況を完了にする」ことができます。

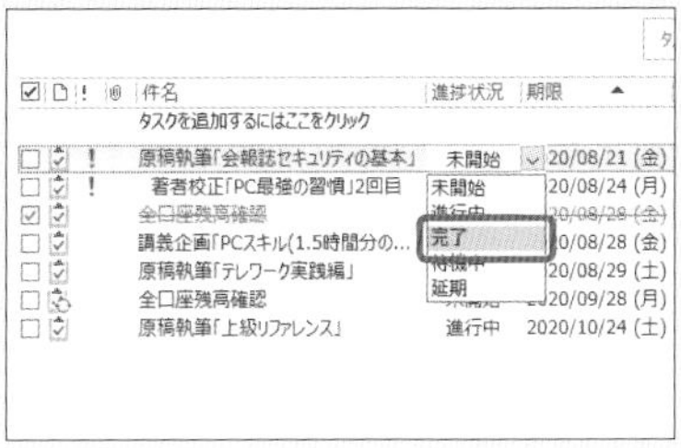

Hint 完了したタスクを除外して表示する

すでに完了しているタスクを除外して表示したい場合は、[ホーム]タブ→[アクティブ]をクリックします。アクティブなタスクのみを一覧で表示できます。

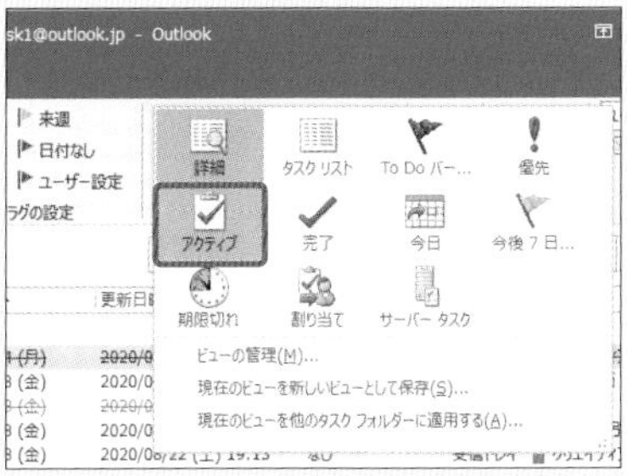

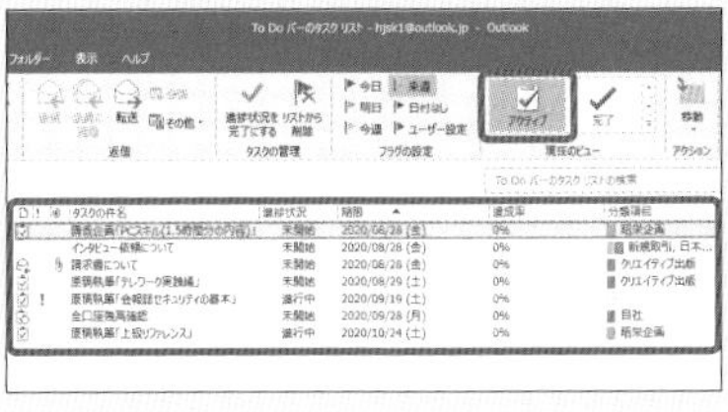

1 任意のタスクをクリックして選択します。

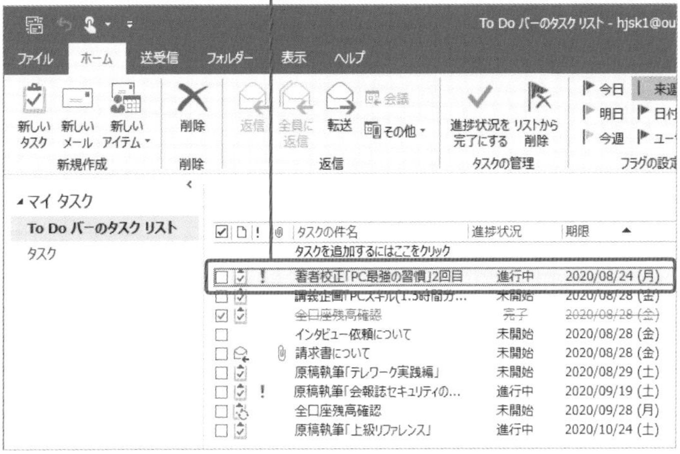

2 [ホーム]タブ→[進捗状況を完了にする]をクリックします。

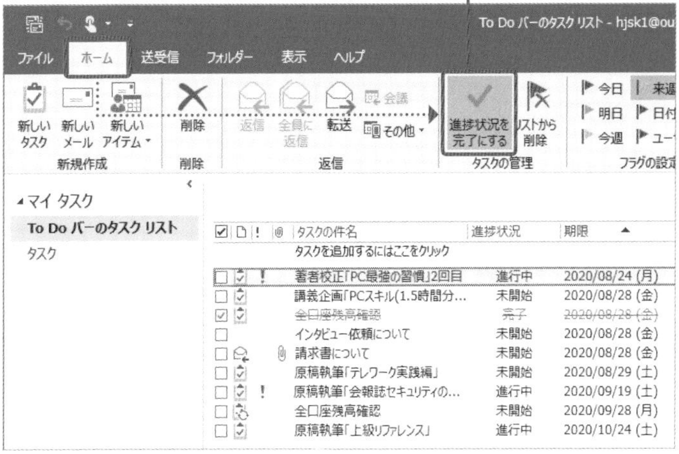

3 任意のタスクの進捗状況を「完了」にできます。

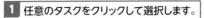

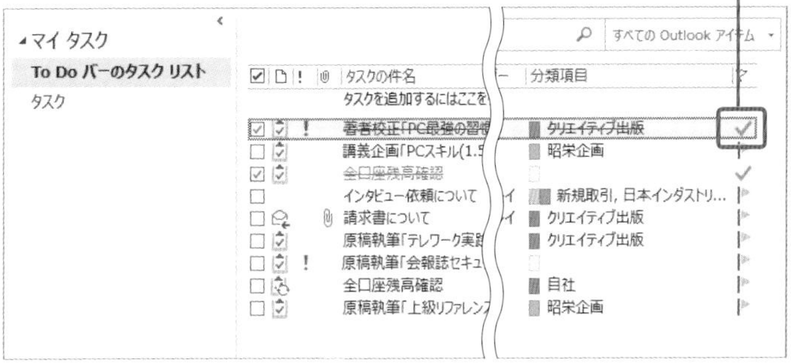

Section 95

タスクのアラーム設定／アラームからタスクを管理する

ここで学ぶのは

- アラームの設定
- アラームの表示
- タスクの変更

タスクにはアラームを設定することができ、任意の時間に通知を行うことができます。ここでは、タスクのアラーム設定と、アラームが表示された際の操作について解説します。

1 タスクにアラームを設定する

Memo アラームは必然性のあるタスクのみで OK

すべてのタスクにアラームを設定するのではなく、アラームで通知する必然性のあるタスクのみに設定を適用するようにします。
アラームの数が多いと「アラームを消す」などの操作に慣れてしまい、内容を確認しなくなったり、内容の重要度が薄れるなどの恐れがあるためです。

Hint タスクの役割

タスクは「タスクがきちんと進行しており、期限までに完了できるか?」を管理するものです。タスクに重要な案件を登録して管理を行う場合は、いつでもタスクの一覧が確認できるように、メール画面などにも「To Doバー」でタスクを表示しておくとよいでしょう（p.314参照）。

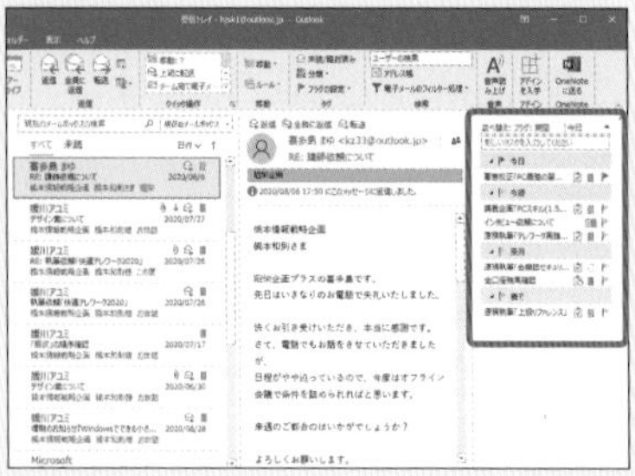

任意のタスクをダブルクリックして「タスク」を表示しておきます。

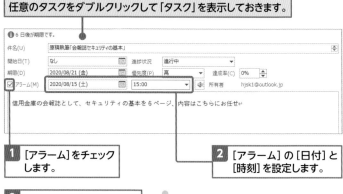

1 ［アラーム］をチェックします。

2 ［アラーム］の［日付］と［時刻］を設定します。

3 ［タスク］タブ→［保存して閉じる］をクリックします。

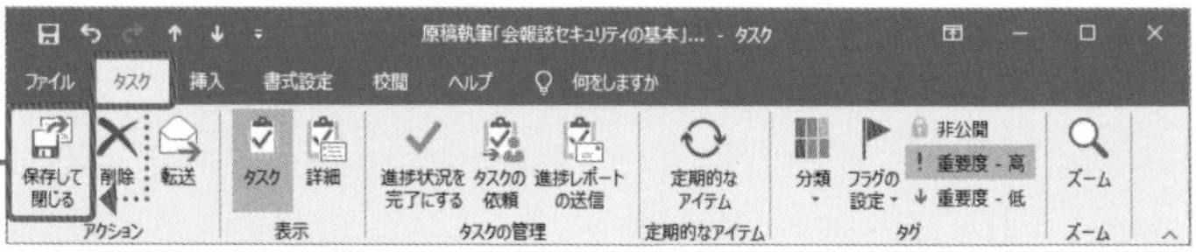

4 設定された時間になるとアラームが表示されます。

5 タスクの期限までの残り時間（あるいは超過時間）が表示されます。

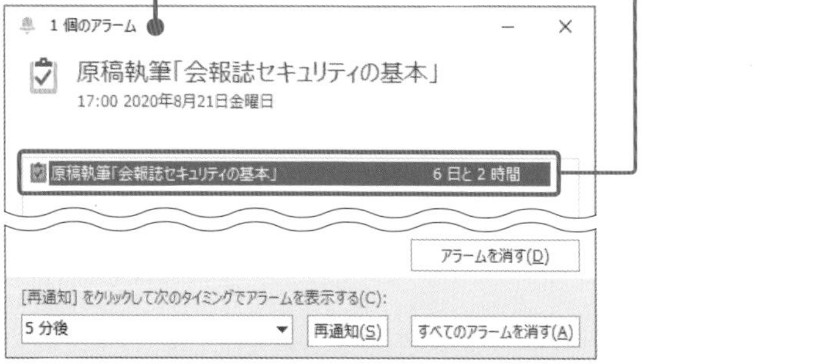

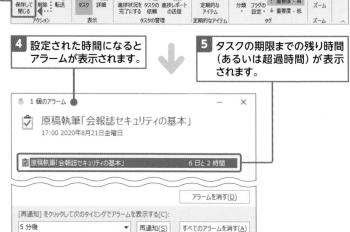

2 アラームからタスクを変更する

使えるプロ技！

毎日アラームを表示したいときは

タスクのアラームはタスクに対してひとつしか設定できません。アラーム通知後にタスクに対してアラームを再設定することは可能ですが、「毎日必ず通知してほしい」という場合には、「タスク」ではなく、「予定表」で日をまたいだ予定（イベント）を作成すれば、結果的に毎日アラームを表示できます。

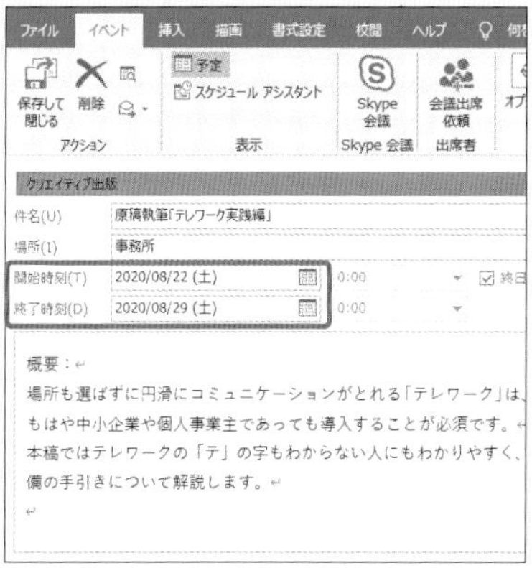

1 アラームに表示されたタスクをダブルクリックします。

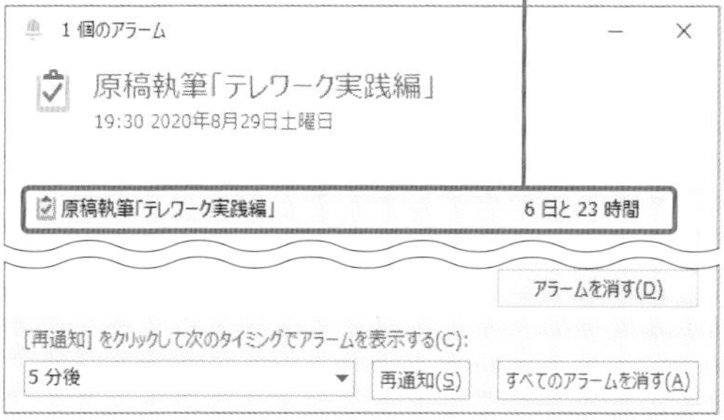

2 タスクの内容を確認して、必要であれば任意に変更することができます。

3 必要に応じてアラームも再設定して、再度通知を行うようにします。

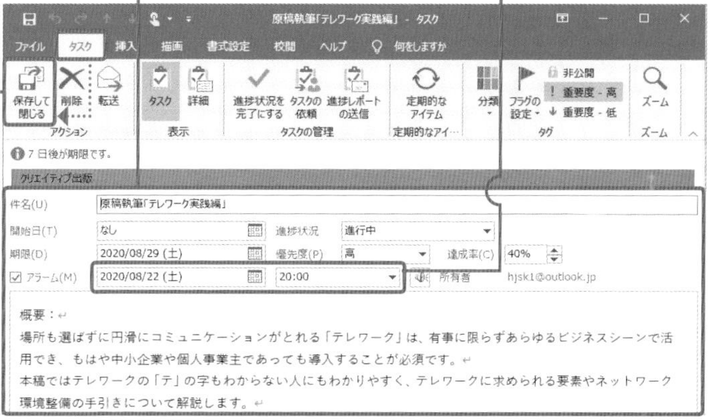

4 [タスク] タブ→ [保存して閉じる] をクリックします。

3 タスクのアラームを消す

Memo

アラームを消したタスク

アラームを消したタスクの「アラーム設定」はなくなります。アラームを消した後にアラームを再度設定したい場合には、アラームをチェックして任意の「日付」と「時刻」を設定します。

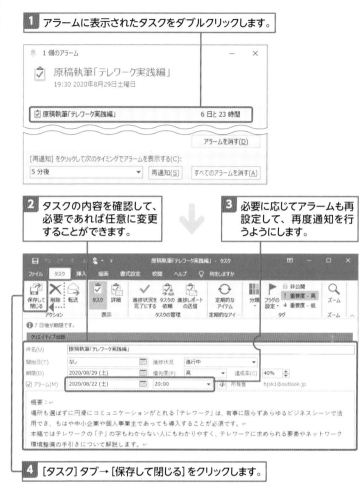

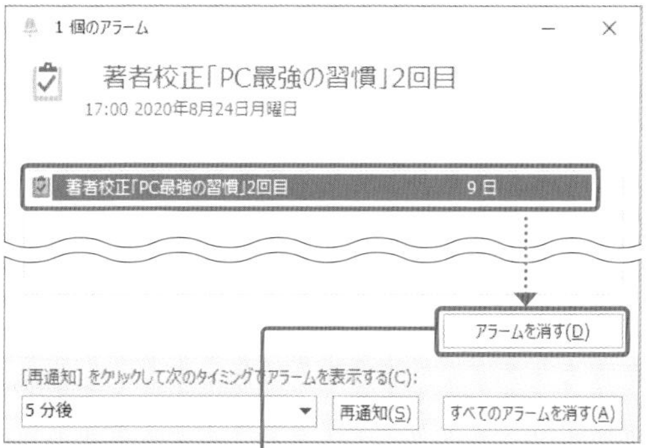

1 タスクを選択して、[アラームを消す] をクリックします。

2 アラームを消すことができます。

Section

96 メモを作成して情報を記述する

ここで学ぶのは

- メモの表示
- メモの作成
- メモの保存

Outlook 2019には「メモ」機能があり、任意のメモを作成してメール作成などに役立てることができます。ここでは、メモの管理とメモの作成、およびメモの記述について解説します。

1 メモの管理画面を表示する

Memo メモの管理を知る

メモの内容はMicrosoft Exchangeアカウント／Microsoft 365のアカウント／Outlook.comアカウントなどのMicrosoft系アカウントを利用している場合、クラウドに内容が保存・同期されます。他のPCやOutlook 2019でメモを参照することや、編集することも可能であるなど柔軟性に優れます(本書のメモ機能全般の解説はMicrosoft系アカウントを利用していることを前提としています)。
なお、Microsoft系アカウント以外の場合は、メモは該当PC内にのみ保存されます。

Hint メモがあらかじめ存在する場合

Outlook 2019の「メモ」で新規作成を行っていないにもかかわらず、メモリストにメモが存在する場合には、Windows 10のデスクトップで作成した「付箋」の内容が同期しています。
同じMicrosoft系アカウントでWindows 10の「付箋」を利用している場合、Outlook 2019の「メモ」の内容と同期して活用できます。

ショートカットキー

- 「メモ」画面に切り替え
  Ctrl + 5

1 ナビゲーションウィンドウの[…]をクリックします。

2 [メモ]をクリックします。

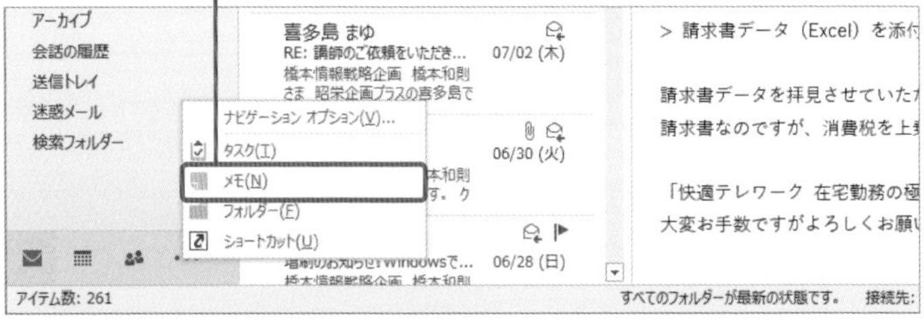

3 Outlook 2019の「メモ」の管理画面に切り替えることができます。

2 新しいメモを作成する

Hint メモは複数作成可能

Outlook 2019では複数のメモを作成して、クラウドと同期して管理できます（Microsoft系アカウントの場合）。なお、新しいメモの作成は空欄を右クリックして、ショートカットメニューから［新しいメモ］をクリックしても作成可能です。

ショートカットキー

- 新しいメモの作成
  Ctrl＋N
- 「メモ」画面から新しいメールを作成
  Ctrl＋Shift＋M

Hint メモのタイトル

Outlook 2019の「メモ」においては、１行目の記述が「メモのタイトル」になります。わかりやすく管理したい場合には、１行目にメモの見出しなどを記述しておくとよいでしょう。

Memo メモは自動保存される

通常の文書作成アプリは、文章を記述したのちに「保存」操作が必要です。しかし、Outlook 2019の「メモ」は保存不要で、［×］をクリックして閉じても、記述内容は自動的に保存されています。

1 ［ホーム］タブ→［新しいメモ］をクリックします。

2 新しいメモを作成することができます。

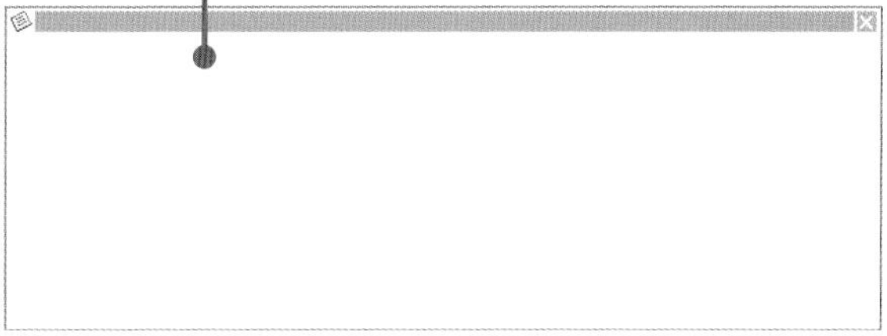

3 メモに任意の情報を記述します。

4 ［×］をクリックします。

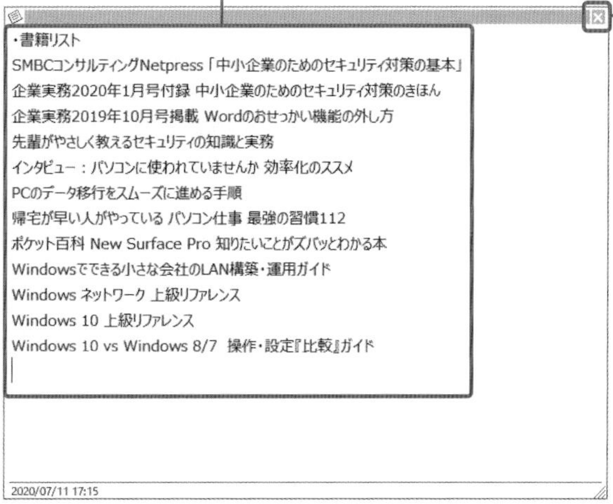

5 メモの内容が保存されます。

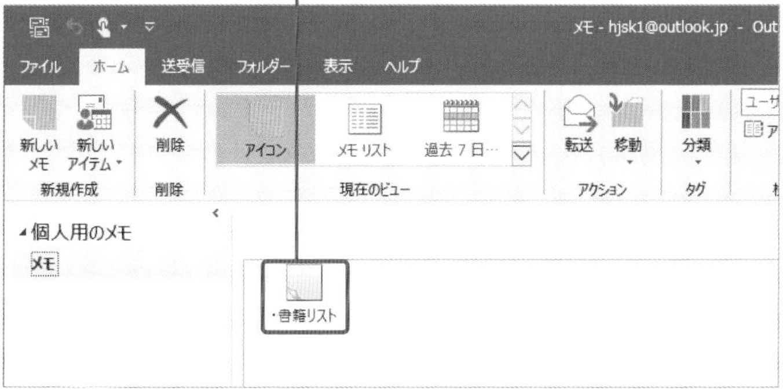

Section

97 メモを使いやすく管理する

ここで学ぶのは

- メモの編集
- メモの検索
- メールへの添付

Outlook 2019のメモ機能は複数のメモを管理できるほか、**色を付けて分類する**ことや、**メモ内容の検索**、また**メールに添付して送信する**などが可能です。ここでは、Outlook 2019の「メモ」の管理全般について解説します。

1 メモをリスト表示にする

解説　メモをリスト表示にするメリット

メモをリスト表示すると、「メモのタイトル文字列を長く表示できる」ほか、「作成日時（最終更新日時）」を確認できるメリットがあります。特に後者はメモ数が多い場合、最近更新したメモが確認できるので便利です。

Hint　最近のメモを表示する

[ホーム] タブ→ [過去7日以内] をクリックすることで、過去7日以内に更新したメモのみを表示できます。

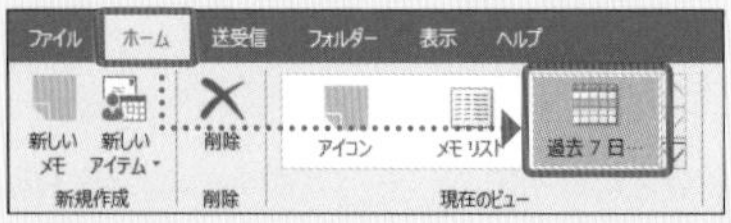

1 [ホーム] タブ→ [メモリスト] をクリックします。

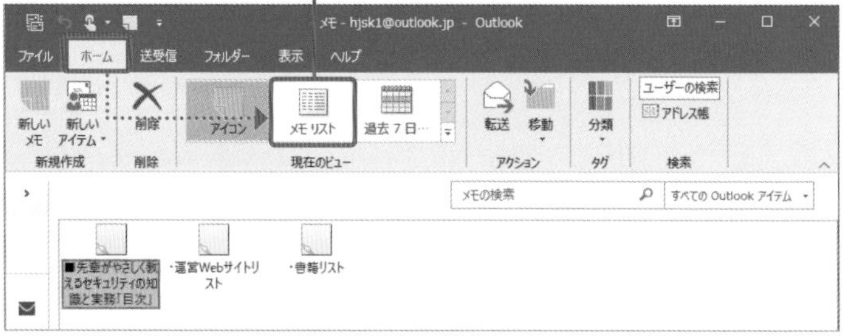

2 メモをリスト形式で一覧表示にできます。

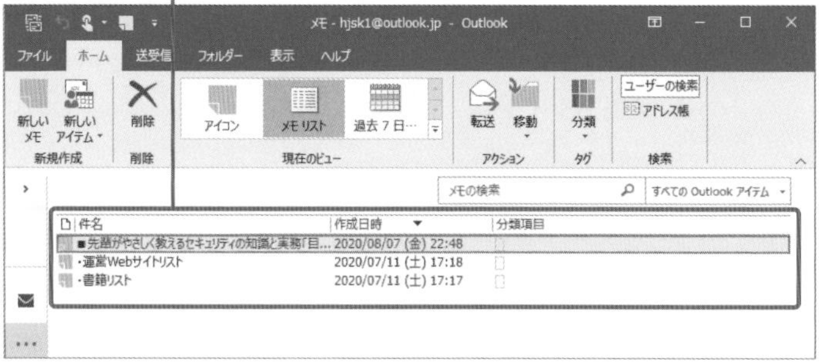

使えるプロ技！　Outlook 2019の「メモ」はWindows 10の「付箋」と同期できる

Outlook 2019で管理している「メモ」は、Windows 10の「付箋」と同じMicrosoft系アカウントを利用している場合、内容を共有できます。

Windows 10のデスクトップの「付箋」で記述した内容を、Outlook 2019の「メモ」として管理することができ、その逆も可能です。

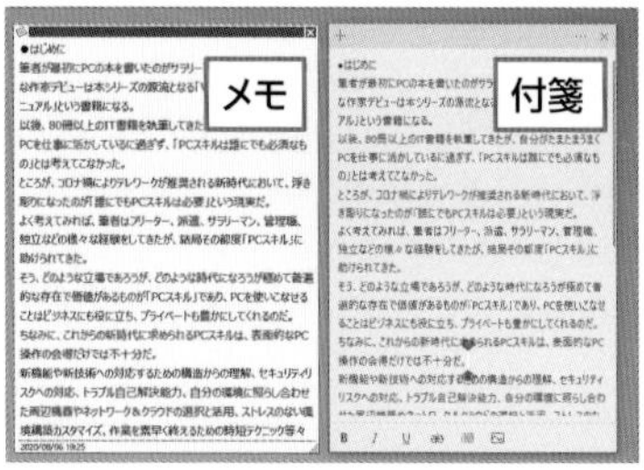

2 メモを確認・編集する

Memo メモの編集

メモは任意に編集して内容を変更することが可能です。また、変更した内容はすぐにメモに保存されます。Microsoft Exchangeアカウント／Microsoft 365のアカウント／Outlook.comアカウントなどのMicrosoft系アカウントの場合は、メモの記述内容はクラウドにも保存（共有）されます。

Hint メモのサイズ変更

メモの大きさは、ウィンドウ同様、境界線をドラッグすることでサイズを変更できます。

1 任意のメモをダブルクリックします。

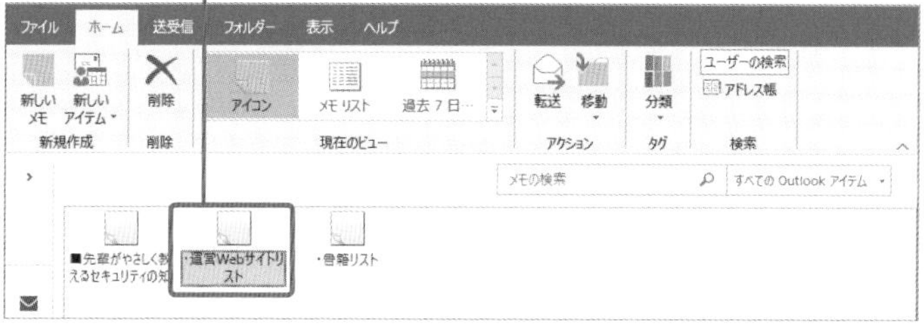

2 メモの内容を確認・編集できます。

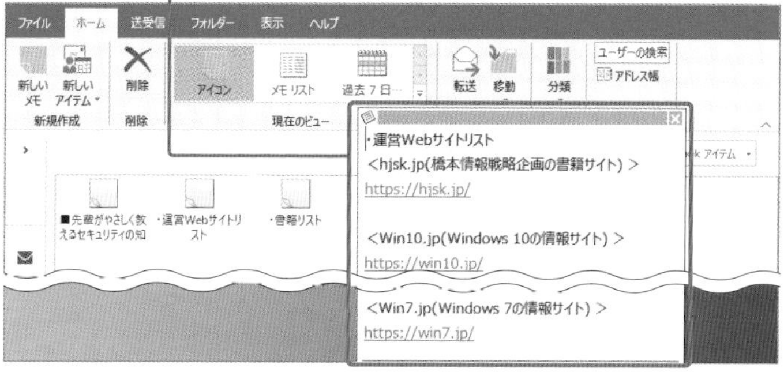

3 メモを削除する

ショートカットキー

- メモの削除
  Delete
- 削除の取り消し（削除直後）
  Ctrl＋Z

1 任意のメモをクリックして選択します。

2 ［ホーム］タブ→［削除］をクリックします。

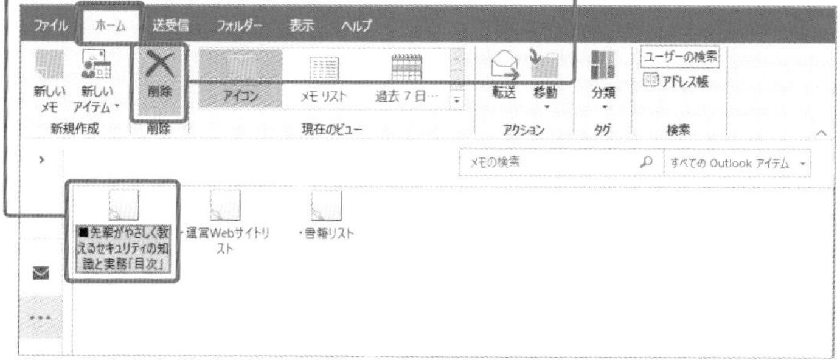

3 メモを削除することができます。

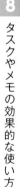

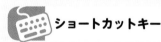

4 メモを検索する

ショートカットキー

● メモの検索（検索ボックスに移動する）
Ctrl + E
F3

Memo 検索時には［検索］タブが表示される

検索ボックスにカーソルを置くと、自動的にリボンに［検索］タブが表示され、詳細な検索を行うことができます。検索はキーワードを入力して行うのが基本ですが、場面によっては［検索］タブの「絞り込み」を活用したほうが目的のメモをすばやく探し当てることができます。

Hint 検索結果を閉じる

検索が終了した後に元の画面（検索以前の画面）に戻りたい場合は、検索ボックスの［×］をクリックするか、［検索］タブ→［検索結果を閉じる］をクリックします。

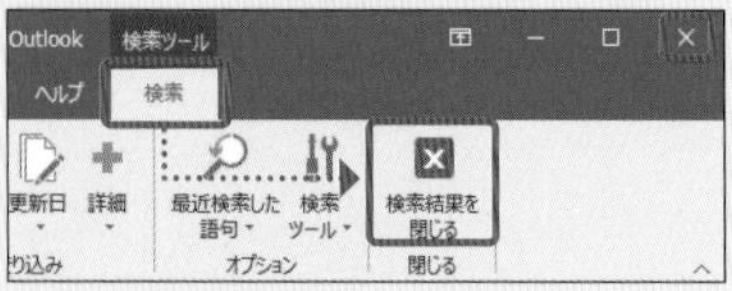

Memo 検索ボックスはインクリメントサーチ

Outlook 2019の検索ボックスは、「インクリメントサーチ」に対応します。インクリメントサーチとは、文字を入力するごとに検索結果が絞り込まれていく検索のことで、すべての文字を入力しなくても先頭の文字から1文字ずつ入力していけば、結果を絞り込んで目的のメモを見つけることができます。

1 検索ボックスをクリックします。

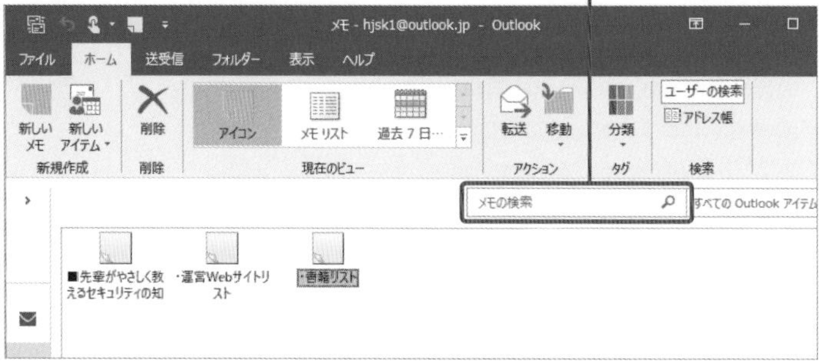

2 検索ボックスに任意の検索キーワードを入力します。

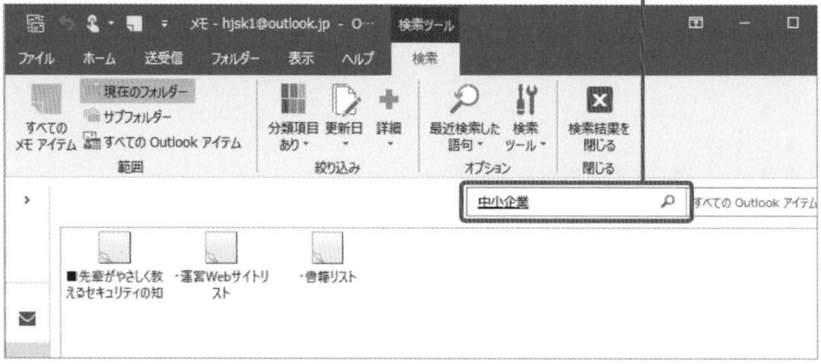

3 検索結果が表示されます。

4 任意のメモをダブルクリックします。

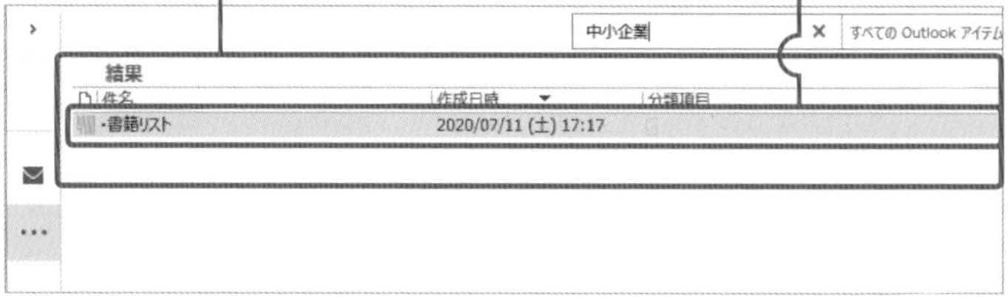

5 検索キーワードが含まれるメモを表示できます。

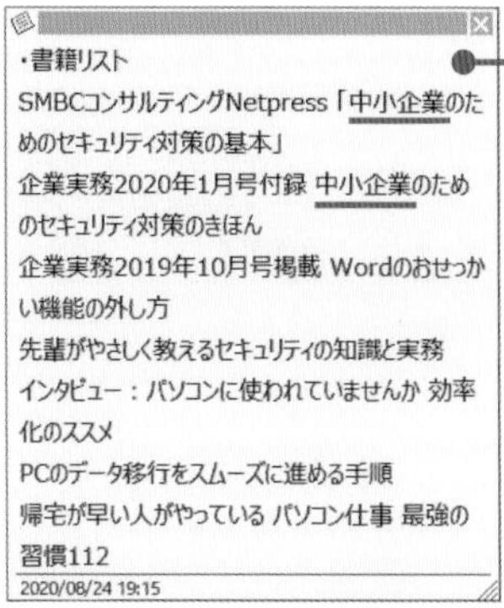

5 メールにメモを添付して送る

解説 メモ内容をメールに貼り付ける

Outlook 2019ではメモを添付することが可能ですが、相手のメーラー（メールアプリ）によっては開けない場合があります。相手が確認できないなどの場合には、単純なテキストファイルにするか、メールの本文にコピーして貼り付けるとよいでしょう。

メモ内容をすべてコピーしたい場合には、ショートカットキー Ctrl ＋ A キーで選択した後に Ctrl ＋ C キーでコピーして、メール本文などの任意の位置で Ctrl ＋ V キーで貼り付けます。

Ctrl ＋ A キーで全選択します。

Ctrl ＋ C キーでコピーします。

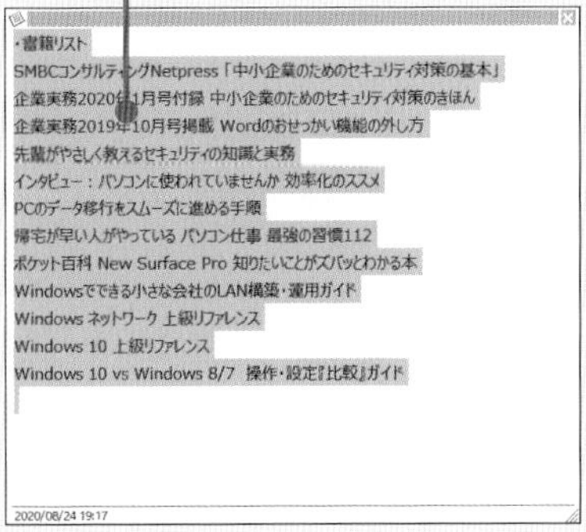

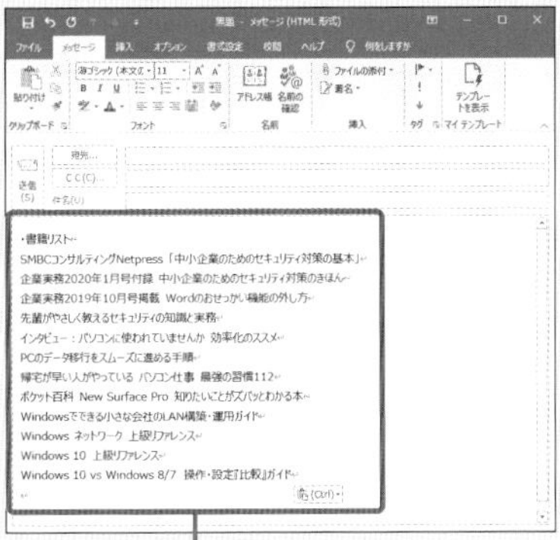

Ctrl ＋ V キーで貼り付けます。

1 任意のメモをクリックして選択します。

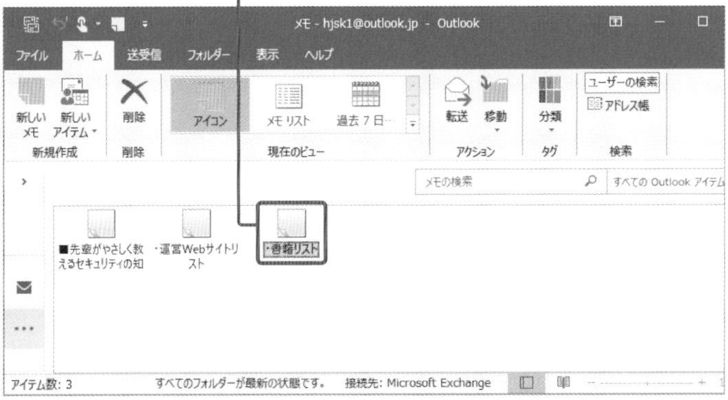

2 ［ホーム］タブ→［転送］をクリックします。

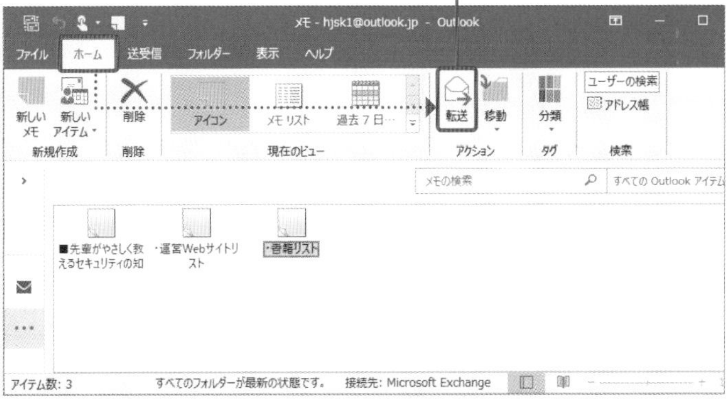

3 メモそのものをメールに添付して送信することができます。

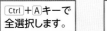

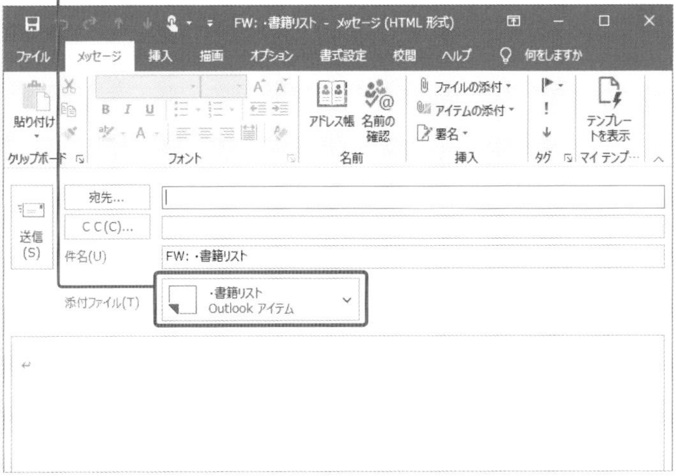

便利なショートカットキー

Outlook 2019で知っていると便利なショートカットキーをまとめました。例えばメールで「受信トレイ」に切り替える Ctrl ＋ Shift ＋ I キーは、Ctrl キーを押しながら Shift キーも押して、さらに I キーを押します。また、[Outlookのオプション] ダイアログを表示する Alt → F → T キーであれば、Alt を押してキーを離した後に（押しっぱなしにする必要はありません）、続けて F・T とキー入力することで実現できます。

● Outlook 2019 共通（「メール」「連絡先」「予定表」「タスク」）

ショートカットキー	操作内容
Alt ＋ F	Backstage ビューを表示する
Ctrl ＋ F1	リボンを折りたたむ／固定する
Alt ＋ [表示順序の数字]	クイックアクセスツールバーのコマンドを実行する
Ctrl ＋ Tab	Outlook の各要素にフォーカスを移動する （フォルダーウィンドウ・ビュー・閲覧ウィンドウなど）
Tab	現在フォーカスのあるウィンドウ内の各要素に移動する
F3 ／ Ctrl ＋ E	検索ボックスに移動する
Ctrl ＋ Shift ＋ F	[高度な検索] ダイアログを表示する
Alt → V → P → N	「閲覧ウィンドウ」の表示位置を変更する
Space	「閲覧ウィンドウ」内の表示を下方にスクロールする
Shift ＋ Space	「閲覧ウィンドウ」内の表示を上方にスクロールする
Ctrl ＋ Shift ＋ E	[新しいフォルダーの作成] ダイアログを表示する
Ctrl ＋ Y	[フォルダーへ移動] ダイアログを表示する
Alt → F → T	[Outlook のオプション] ダイアログを表示する
Ctrl ＋ P	印刷プレビューを表示する
Alt → F → P → I	印刷プレビューからプリンターを選択する（印刷プレビュー）
Alt → F → P → R	印刷プレビューから [印刷] ダイアログを表示する（印刷プレビュー）

● Outlook 2019 の画面操作（「メール」「連絡先」「予定表」「タスク」）

ショートカットキー	操作内容
Ctrl ＋ 1	「メール」に表示を切り替える
Ctrl ＋ 2	「予定表」に表示を切り替える
Ctrl ＋ 3	「連絡先」に表示を切り替える
Ctrl ＋ 4	「タスク」に表示を切り替える
Ctrl ＋ Shift ＋ M	新しいメールを作成する
Ctrl ＋ Shift ＋ C	新しい連絡先を作成する
Ctrl ＋ Shift ＋ A	新しい予定を作成する
Ctrl ＋ Shift ＋ K	新しいタスクを作成する
Ctrl ＋ Shift ＋ B	「アドレス帳」を表示する
Ctrl ＋ Shift ＋ Q	会議出席依頼を作成する

●「メール」の操作

ショートカットキー	操作内容
Ctrl ＋ N	新しいメールを作成する
Ctrl ＋ Shift ＋ I	「受信トレイ」に切り替える
Ctrl ＋ ,	前メールを表示する
Ctrl ＋ .	次メールを表示する
Alt → H → U → [任意のフラグに割り当てられたキー]	任意のフラグを設定する
Insert	フラグを設定する
Ctrl ＋ Shift ＋ G	[ユーザー設定（フラグの設定）] ダイアログを表示する
Alt ＋ Insert	フラグをクリアする
Ctrl ＋ U	メールを「未読」にする
Ctrl ＋ Q	メールを「既読」にする
BackSpace	メールをアーカイブにする
Alt → H → R → R → L	[仕分けルールと通知] ダイアログを表示する
F12	メールをファイルに保存する
Alt → H → Q → 1	メッセージウィンドウで閲覧中にズームする
Ctrl ＋ O	メールをメッセージウィンドウで開く
Ctrl ＋ Alt ＋ F	メールを添付ファイルとして転送する
Ctrl ＋ R	メールを返信する
Ctrl ＋ Shift ＋ R	メールを全員に返信する
Ctrl ＋ F	メールを転送する

●文字列編集（メール作成時など）

ショートカットキー	操作内容
Ctrl ＋ C	選択文字列をコピーする
Ctrl ＋ V	コピーした文字列を貼り付けする
Ctrl ＋ Alt ＋ V	[形式を選択して貼り付け] ダイアログを表示する
Ctrl ＋ K	[ハイパーリンクの編集] ダイアログを表示する
Ctrl ＋ Shift ＋ P	[フォント] ダイアログを表示する
Ctrl ＋ E	段落を中央揃えにする
Ctrl ＋ R	段落を右揃えにする
Ctrl ＋ L	段落を左揃えにする
Ctrl ＋ B	選択文字列を太字にする
Ctrl ＋ I	選択文字列を斜体（イタリック）にする
Ctrl ＋ U	選択文字列を下線（アンダーライン）にする
Ctrl ＋ Shift ＋ L	箇条書きにする
Tab	箇条書きのレベルを下げる
Shift ＋ Tab	箇条書きのレベルを上げる

用語集

Outlook 2019でよく使われる用語の中でも、本書が解説している操作や設定にかかわるPC用語を厳選して紹介しています。すべての用語を覚える必要はありませんので、必要な時に確認してみてください。

数字・アルファベット

@

アットマークと読みます。メールアドレスにおいて、左側にはユーザーの名前やIDなどが、右側には所属する組織（ドメイン）が表記され、@マークはその区切りに利用されます。

Backstageビュー

Backstage（バックステージ）ビューはOutlook 2019の操作画面から［ファイル］タブをクリックした際に表示される画面のことで、アカウントにまつわる各種操作や設定・印刷・オプション設定などを行うことができます。

BCC

BCC（ビーシーシー）は「Blind Carbon Copy」の略であり、指定したすべてのメールアドレスに同一内容のメールを送信することができます。「CC」で指定したメールアドレスが送信者全員に知られてしまうのに対して、「BCC」で指定したメールアドレスは送信者にしかわからない形で送信できます。

CC

CC（シーシー、あるいはカーボンコピー）は「Carbon Copy」の略であり、「CC」に指定したすべてのメールアドレスに同一内容のメールを送信できます。

FW

FWとは「Forward（フォワード）」の略であり、「転送」を意味します。メールの件名が「FW: ～」である場合、そのメールは転送されたメールであることを示します。

Gmail

Gmail（ジーメール）はGoogleが提供するメールサービスです。「https://www.google.com/intl/ja/account/about/」でGoogleアカウントを取得すれば、Gmailを利用することができます。

Googleアカウント

Googleのクラウドサービス全般（Gmail・カレンダー・連絡先・Google Meetなど）を利用するためのアカウントのことです。

HTML形式

メールの形式のひとつです。「テキスト形式」と比べてデザイン性と機能性に優れています。メール作成においてフォントの種類やサイズを指定できるほか、画像や表などを挿入することも可能です。

IMAP

IMAP（アイマップ）は「Internet Message Access Protocol」の略であり、メールを受信するための通信方式のひとつです。メールサーバー上で情報を管理しているため、複数のデバイスでメールを送受信できる点が優れています。

RE

REとは「Reply（リプライ）」の略であり（諸説ありラテン語の「res」とも言われます）、「答える」あるいは「～について」という意味になります。受信したメールを返信する際には、件名が「RE: ～」になります。

To Doバー

To Do（トゥドゥ）バーは、Outlook 2019に追加できるウィンドウのひとつで、「連絡先（お気に入りの連絡先）」「予定表（今後の予定）」「タスク（作業しなければならないタスク）」を任意に表示することができます。

URL

URL（ユーアールエル）は「Uniform Resource Locator」の略であり、インターネット上のリソースを示す表示方法です。一般的には「Webページ」や「画像リンク（外部リンク）」を示すアドレスを意味します。

ZIPファイル

ZIP（ジップ）ファイルは標準的な圧縮フォーマットのひとつで、Windows 10は標準でZIPファイルの圧縮と解凍に対応しています。なお、ファイルにおいて拡張子の文字列が「zip」であるものが、ZIPファイルになります。

あ

圧縮ファイル

ファイルを圧縮してファイルサイズを小さくしたもの。圧縮ファイルはサイズを小さくできるという特性のほか、複数のファイルをひとつにまとめることができるという特性を持ちます。なお、圧縮ファイルを参照するには「解凍」することが必要になります。

アーカイブ

アーカイブ（archive）とは、「保存記録」という意味になります。Outlook 2019のメール管理においては「受信トレイから外す（削除することなく非表示にする）」という意味合いが強くなり、アーカイブしたメールは「アーカイブ」フォルダーに移動します。

イベント

Outlook 2019の予定表において、終日の予定（時間の範囲指定がないもの）は「イベント」と表記されます。

インターネットサービスプロバイダー

インターネット接続サービスを提供する組織のことです。単に「プロバイダー」とも呼ばれることもあります。プロバイダーの供給するメールの多くはIMAPアカウントです。

インデント記号

メール本文において、文章が引用されたことを示す行頭の記号です。一般的にメール本文を引用した際のインデント記号には「>」を用います。なお、Outlook 2019では、インデント記号を任意にカスタマイズできます。

閲覧ウィンドウ

ビューで選択したアイテムの詳細を表示する領域のことです。例えば「メール」のビューにおいて、任意のメールをクリックすれば、閲覧ウィンドウで「メールの内容」を表示することができます。

オフライン

PCがネットワークに接続していない状況を示し、Outlook 2019上では「サービスに接続できていない状態」を示します。なお、一般的には「インターネットに接続していない状態」を示します。

オンライン

PCがネットワークに接続している状況を示し、Outlook 2019上では「サービスに接続している状態」を示します。なお、一般的には「インターネットに接続している状態」を示します。

オートコレクト機能

入力した文字のスペルミスを自動的に修正したり、あるいは特定の記号などに置き換える機能です。「(c)」を「©」に置き換えるほか、文の先頭文字を大文字にしたりするのもオートコレクト機能によるものです。

オートコンプリート機能（宛先）

宛先・CC・BCCにおける宛先入力において、メールアドレスや名前の一部を入力すると、適合するものを自動的に候補表示する機能です。以前入力したメールアドレスや、「連絡先」に登録されている情報などが参照されます。

オートフォーマット機能

入力した文字列に従って、自動的に体裁などを整える機能です。箇条書きで行頭文字を付加したり、URLをハイパーリンクに置き換える機能や、「---」を罫線に置き換えるのもオートフォーマット機能によるものです。

か

拡張子

ファイル名において「.（ドットあるいはピリオド）」以降の文字列を拡張子といいます。Windows OSでは、拡張子でファイルの種類を判別できます。

カレンダーナビゲーター

Outlook 2019の「予定表」において、フォルダーウィンドウの上部に表示されるカレンダーのことです。カレンダーナビゲーターをクリックしたり、範囲選択することで任意にビュー表示を切り替えることができます。

既読（メール）

すでに内容を確認したメールを「既読（既読メール）」といいます。Outlook 2019では、一定時間閲覧ウィンドウに表示しただけで既読扱いになるので、本当に内容を確認しているとは限らない点に注意が必要です。

クイックアクセスツールバー

タイトルバーの左側に表示されているアイコン（コマンド）領域のことで、クリックだけでコマンドを実行できます。クイックアクセスツールバーには任意のリボンコマンドを登録することもできます。

クラウド

クラウド（cloud）は、インターネット上でネットワークを介してサービスを提供する形態のことです。「Outlook.com」や「Google」などもクラウドであり、各種データはインターネットの先のクラウドサーバーにも保存されています。

さ

サインアウト

サインアウト（sign-out）はサービスによっては「サインオフ」「ログアウト」などとも呼称・表記され、サインインしていたサービスの利用を終了する際の操作のことです。

サインイン

サインイン（sign-in）はサービスによっては「サインオン」「ログイン」「ログオン」などとも呼称・表記され、あらかじめ登録しておいた自分の身元を示す情報を入力して、サービスを利用するための資格情報を取得するための操作のことです。

サブドメイン

ドメインを分割する際に使われる文字列のことで、「△△△.○○○○.jp」であれば「△△△」の部分がサブドメイン、「○○○○.jp」がドメインになります。

た

テキスト形式

メールの形式のひとつです。「HTML形式」がフォントの色やサイズの変更やオブジェクト挿入などを行うことができるのに対し、テキスト形式ではこれらの装飾は行うことができず文字のみで構成されたメールの形式になります。

添付ファイル

メールに添付したファイル（あるいはメールに添付されてきたファイル）のことです。文書・表などのデータファイルのほか、画像ファイルや音声ファイルなどもメールに添付することができます。

ドメイン

インターネット上の住所であり、メールアドレスにおいては「@」以下の文字列部分のことです。「abc@win10.jp」であれば「win10.jp」の部分がドメインになります。

な

ナビゲーションバー

フォルダーウィンドウの下側に表示される領域のことです。ナビゲーションバーでは、Outlook 2019の画面を「メール」「連絡先」「予定表」「タスク」などに切り替えることができます。

は

ハイパーリンク

テキストや画像に埋め込まれているほかのWebページやファイルなどを示す位置参照情報です。ハイパーリンクをクリックした際は、埋め込まれているアドレスに従ったページやファイルなどにジャンプすることができます。

ま

マルウェア

PC上で悪意を行うプログラムやスクリプトなどはマルウェア（malware）と呼ばれます。一般的には「ウイルス」とも呼ばれますが、ウイルスやワームなどの総称が「マルウェア」です。

未読（メール）

まだ読んでいないメールのことを未読（未読メール）といいます。Outlook 2019では、未読メールは強調表示されます。

メール

e-mail（イーメール）や電子メールとも呼ばれ、ネットワークを介してやり取りをするメッセージのことです。

メールサーバー

インターネットの先にある、メールを管理するサーバーのことです。ちなみに「サーバー」とは、サービスを提供するコンピューターを意味します。

メッセージウィンドウ

Outlook 2019の「メール」において、送受信メールや新しく作成しているメールを、メイン画面の外で表示する独立したウィンドウのことです。独立したウィンドウで表示するため、受信メールを見ながらメールを作成できるなどの利便性に優れます。

ローマ字／かな対応表

あ行

あ	い	う	え	お
A	I YI	U WU WHU	E	O

ぁ	ぃ	ぅ	ぇ	ぉ
LA XA	LI XI LYI XYI	LU XU	LE XE LYE XYE	LO XO
	いぇ			
	YE			
うぁ	うぃ		うぇ	うぉ
WHA	WHI WI		WHE WE	WHO

か行

か	き	く	け	こ
KA CA	KI	KU CU QU	KE	KO CO
ヵ			ヶ	
LKA XKA			LKE XKE	
きゃ	きぃ	きゅ	きぇ	きょ
KYA	KYI	KYU	KYE	KYO
くぁ	くぃ	くぅ	くぇ	くぉ
QWA QA KWA	QWI QI QYI	QWU	QWE QE QYE	QWO QO
くゃ		くゅ		くょ
QYA		QYU		QYO

が	ぎ	ぐ	げ	ご
GA	GI	GU	GE	GO
ぎゃ	ぎぃ	ぎゅ	ぎぇ	ぎょ
GYA	GYI	GYU	GYE	GYO
ぐぁ	ぐぃ	ぐぅ	ぐぇ	ぐぉ
GWA	GWI	GWU	GWE	GWO

さ行

さ	し	す	せ	そ
SA	SI CI SHI	SU	SE CE	SO
しゃ	しぃ	しゅ	しぇ	しょ
SYA SHA	SYI	SYU SHU	SYE SHE	SYO SHO
すぁ	すぃ	すぅ	すぇ	すぉ
SWA	SWI	SWU	SWE	SWO

ざ	じ	ず	ぜ	ぞ
ZA	ZI JI	ZU	ZE	ZO
じゃ	じぃ	じゅ	じぇ	じょ
JYA ZYA JA	JYI ZYI	JYU ZYU JU	JYE ZYE JE	JYO ZYO JO

た行

た	ち	つ	て	と
TA	TI CHI	TU TSU	TE	TO
		っ		
		LTU XTU LTSU		

だ	ぢ	づ	で	ど
DA	DI	DU	DE	DO

ちゃ	ちぃ	ちゅ	ちぇ	ちょ	ぢゃ	ぢぃ	ぢゅ	ぢぇ	ぢょ
TYA CYA CHA	TYI CYI	TYU CYU CHU	TYE CYE CHE	TYO CYO CHO	DYA	DYI	DYU	DYE	DYO
つぁ	つぃ		つぇ	つぉ					
TSA	TSI		TSE	TSO					
てゃ	てぃ	てゅ	てぇ	てょ	でゃ	でぃ	でゅ	でぇ	でょ
THA	THI	THU	THE	THO	DHA	DHI	DHU	DHE	DHO
とぁ	とぃ	とぅ	とぇ	とぉ	どぁ	どぃ	どぅ	どぇ	どぉ
TWA	TWI	TWU	TWE	TWO	DWA	DWI	DWU	DWE	DWO

な行

な	に	ぬ	ね	の	にゃ	にぃ	にゅ	にぇ	にょ
NA	NI	NU	NE	NO	NYA	NYI	NYU	NYE	NYO

は行

は	ひ	ふ	へ	ほ	ば	び	ぶ	べ	ぼ
HA	HI	HU FU	HE	HO	BA	BI	BU	BE	BO
					ぱ	ぴ	ぷ	ぺ	ぽ
					PA	PI	PU	PE	PO
ひゃ	ひぃ	ひゅ	ひぇ	ひょ	びゃ	びぃ	びゅ	びぇ	びょ
HYA	HYI	HYU	HYE	HYO	BYA	BYI	BYU	BYE	BYO
					ぴゃ	ぴぃ	ぴゅ	ぴぇ	ぴょ
					PYA	PYI	PYU	PYE	PYO
ふぁ	ふぃ	ふぅ	ふぇ	ふぉ	ヴぁ	ヴぃ	ヴ	ヴぇ	ヴぉ
FWA FA	FWI FI FYI	FWU	FWE FE FYE	FWO FO	VA	VI VYI	VU	VE VYE	VO
ふゃ		ふゅ		ふょ	ヴゃ	ヴぃ	ヴゅ	ヴぇ	ヴょ
FYA		FYU		FYO	VYA		VYU		VYO

ま行

ま	み	む	め	も	みゃ	みぃ	みゅ	みぇ	みょ
MA	MI	MU	ME	MO	MYA	MYI	MYU	MYE	MYO

や行

や		ゆ		よ	ゃ		ゅ		ょ
YA		YU		YO	LYA XYA		LYU XYU		LYO XYO

ら行

ら	り	る	れ	ろ	りゃ	りぃ	りゅ	りぇ	りょ
RA	RI	RU	RE	RO	RYA	RYI	RYU	RYE	RYO

わ行

わ	ゐ		ゑ	を	ん				
WA	WI		WE	WO	N NN XN N'				

- 「ん」は、母音（A、I、U、E、O）の前と、単語の最後ではNNと入力します。（TANI→たに、TANNI→たんい、HONN→ほん）
- 「っ」は、N以外の子音を連続しても入力できます。（ITTA→いった）
- 「ヴ」のひらがなはありません。

索引

注意事項

- 本書に掲載されている情報は、2021年1月20日現在のものです。本書の発行後にOutlookの機能や操作方法、画面が変更された場合は、本書の手順どおりに操作できなくなる可能性があります。
- 本書に掲載されている画面や手順は一例であり、すべての環境で同様に動作することを保証するものではありません。読者がお使いのパソコン環境、周辺機器、スマートフォンなどによって、紙面とは異なる画面、異なる手順となる場合があります。
- 読者固有の環境についてのお問い合わせ、本書の発行後に変更されたアプリ、インターネットのサービス等についてのお問い合わせにはお答えできない場合があります。あらかじめご了承ください。
- 本書に掲載されている手順以外についてのご質問は受け付けておりません。
- 本書の内容に関するお問い合わせに際して、編集部への電話によるお問い合わせはご遠慮ください。

著者紹介

橋本 和則（はしもと かずのり）

IT著書は80冊以上に及び、代表作には『パソコン仕事 最強の習慣112』『先輩がやさしく教えるセキュリティの知識と実務』『小さな会社のLAN構築・運用ガイド』『Windows 10上級リファレンス』『Windows 10完全制覇パーフェクト』などがある。
IT Professionalの称号であるMicrosoft MVP（Windows and Devices for IT）を受賞。IT機器の使いこなしやWindows OSの操作・カスタマイズ・ネットワークなどをわかりやすく個性的に解説した著書が多く、雑誌・法人向け会報誌でもテレワーク・セキュリティ・Windows関連などのビジネス向けの解説で活躍。オンライン講義なども好評を博している。
Windows 10総合サイト「Win10」（https://win10.jp/）のほか、橋本情報戦略企画Web（https://hjsk.jp/）など5つのWebサイトを運営するほか、コンサルティング・人材育成など多方面で活躍中。

カバーデザイン　西垂水 敦（krran）
編集・制作　BUCH+
企画・編集　岡本 晋吾

Outlook 2019 やさしい教科書
[Office 2019 ／ Microsoft 365対応]

2021年 2月22日　初版第1刷発行
2022年 3月30日　初版第3刷発行

著　者　橋本 和則
発行者　小川 淳
発行所　SBクリエイティブ株式会社
〒106-0032 東京都港区六本木2-4-5
https://www.sbcr.jp/
印　刷　株式会社シナノ

落丁本、乱丁本は小社営業部（03-5549-1201）にてお取り替えいたします。
定価はカバーに記載されております。
Printed in Japan　ISBN978-4-8156-0725-8